JESUS M.ª LASAGABAST

LA NOVELA DE IGNACIO ALDECOA

DE LA MIMESIS AL SIMBOLO

Colección «TEMAS»

SOCIEDAD GENERAL ESPAÑOLA DE LIBRERIA, S. A.

Evaristo San Miguel, 9
MADRID - 8

Colección «Temas», n.º 14
dirigida por Luciano García Lorenzo

© Jesús M.ª Lasagabáster Madinabeitia
S. G. E. L., Madrid, 1978

ISBN 84-7143-149-1
Depósito legal: M. 10813-1978
Printed in Spain - Impreso en España por
Selecciones Gráficas, Carretera de Irún, km. 11,500. Madrid, 1978

La novela de Ignacio Aldecoa

De la mímesis al símbolo

Ignacio Aldecoa, el 13 de noviembre de 1969. El escritor fallecería dos días después. (Foto Müller.)

A mi padre y hermanos.

*A la memoria de mi madre,
y de Jesús Cobeta, amigo...*

SUMARIO

SEGUNDA PARTE

LAS NOVELAS DE IGNACIO ALDECOA

TERCERA PARTE

EL UNIVERSO NOVELESCO DE ALDECOA

PRIMERA PARTE

DE LA REALIDAD A LA NOVELA

1

JUSTIFICACION Y METODO DEL TRABAJO

Introducción

No han pasado todavía diez años de la muerte de Ignacio Aldecoa y poco más de veinte desde la publicación de su primera novela. Los escritores que la historia —precaria historia, necesariamente— de la novela española contemporánea adscribe al grupo generacional de Aldecoa andan hoy por la cincuentena o la cuarentena [1], y bastantes de ellos, protagonistas por los años 50 de la novela del *realismo social* se mueven ahora por espacios novelescos nuevos, donde la importancia de la indagación de la estructura, no sólo como forma narrativa, sino como universo semántico, social y de conciencia, justifica, a juicio de G. Sobejano, el calificativo de «novela estructural» [2]. Esto quiere decir que esa «generación intermedia» [3] a la que Aldecoa pertenece, al menos cronológicamente, es, en la novela española actual un camino, cuyo punto de llegada se presenta desde luego desconocido y en algún sentido también imprevisible. Por eso resulta especialmente difícil fijar la posición de

---

[1] J. M. MARTÍNEZ CACHERO, a la hora de señalar límites a la generación de los años cincuenta, indica que la fecha de nacimiento de los escritores pertenecientes a ese grupo oscila entre 1924-1925 (Aldecoa es de 1925), y 1934-1935; cf. *La novela española entre 1939 y 1969. Historia de una aventura*. Madrid, Castalia, 1973, pp. 155-156.

[2] *Novela española de nuestro tiempo*. Madrid, Ed. Prensa Española, 1975, 2.ª ed.

[3] Como más adelante veremos, Ignacio Aldecoa acuñó el nombre de «generación intermedia» para designar la suya, por verla situada entre la generación de la inmediata postguerra y la posterior al medio siglo.

la novela de Aldecoa en un conjunto —la novela española contemporánea— todavía abierto. Y esta dificultad se advierte, entre otras cosas, en esa fórmula, excusable seguramente, pero desde luego demasiado cómoda, mediante la que algunos historiadores de nuestra actual novela intentan salvar las insuficiencias de los modelos con los que operan: Aldecoa aparece repetidamente condenado a ese «purgatorio» —«otros novelistas», suele ser el aséptico e inofensivo rótulo de entrada— donde «marginales», «independientes» o «tradicionales» purgan el pecado —y qué culpa tienen ellos— de no haber sido fieles al estricto decálogo literario de sus jueces [4]. Y, sin embargo, des-

---

[4] Es el caso de JOSÉ CORRALES EGEA en *La novela española actual.* Madrid, Cuadernos para el diálogo, 1971, para quien Aldecoa resulta «algo marginal», con «tradicionales» como Agustí y Zunzunegui, o «independientes» como Elena Quiroga o Delibes, a esa «nueva oleada» que irrumpe juvenilmente en la novela española del medio siglo. De forma parecida, SANTOS SANZ VILLANUEVA (*Tendencias de la novela española actual.* Madrid, Cuadernos para el diálogo, 1972) después de proponer para la novela realista a partir de 1950 un modelo de clasificación bastante diversificado, cae en la fácil tentación de un apartado final —demasiado general y demasiado habitado— donde bajo el epígrafe de «otros autores» se amontonan escritores distanciados no sólo en la cronología, sino también en la manera de entender la novela. Sanz Villanueva recluye a Ignacio Aldecoa en este espacio genérico, a pesar de reconocerle como uno de los «más característicos y auténticos representantes» de nuestro panorama literario y atribuir a su obra «un lugar primerísimo en nuestra narrativa reciente» (lo entrecomillado, en la página 174). Para SALVADOR CLOTATS, en su expeditivo y tendencioso estudio «La decadencia de la novela» (es aclarador recordar que originalmente, en el extraordinario de 1969 que *Cuadernos para el diálogo* dedicó a la literatura de posguerra, se llamó «Meditación precipitada y no premeditada sobre la novela en lengua castellana»), atribuye a Aldecoa «un tono indeciso» —resultado de ese «escaso entusiasmo por los planteamientos sociológicos e ideológicos»— «que nos permite situar a este autor en este capítulo de transición»; cf. SALVADOR CLOTATS, PERE GIMFERRER: *30 años de literatura española. Narrativa y poesía.* Barcelona, Kairós, 1971, pp. 34-35.

En G. SOBEJANO, el epígrafe «otros novelistas» permite integrar dentro del modelo general propuesto —«novela existencial», «novela social»— a aquellos escritores que merecen ser destacados, en cada grupo, a continuación de «los caminantes de mayor capacidad sembradora». Ignacio Aldecoa, junto con Luis Goytisolo y otros novelistas, es exponente, dentro de una novela social encabezada por Sánchez Ferlosio, Juan Goytisolo y Fernández Santos, de una atención preferente *hacia el*

pués de entrar un poco a fondo en la novelística de Ignacio
Aldecoa, el crítico tiene la impresión de que, en una historia
de nuestra novela menos provisional de la que hoy por hoy
puede hacerse, Ignacio Aldecoa, purificado ya de su «pecado»
de no haber sido suficientemente «social», o suficientemente
«metafísico», alcanzará ese paraíso, definitivo, y mucho me
temo, no demasiado poblado, de los escritores verdaderamente
significativos en el sistema de la narrativa española contemporánea.

En esa dirección pretende orientarse el estudio que aquí
presento. Ello quiere decir que el objetivo que, modestamente,
pretendo es doble. Intento en primer lugar una descripción,
totalizadora, pero no exhaustiva —¿es necesario manifestar
desde ahora mi acuerdo con el carácter *plural* de la obra literaria, y, por tanto, con una pluralidad posible de lecturas?—
dc la novela de Ignacio Aldecoa. Estimo que en la bibliografía,
escasa y casi siempre fragmentaria, sobre nuestro escritor, un
trabajo como éste tiene razón de ser y encontrará, por lo mismo,
un sitio y una función. Y, de cualquier manera, un escritor
como Aldecoa bien merece el intento, aunque seguramente y
por desgracia sólo la buena voluntad del crítico podrá adecuar-
se a los merecimientos del novelista.

En segundo lugar, y en la medida, siquiera mínima, del
éxito del primer objetivo, espero poder contribuir a superar la
precariedad de la historia de nuestra actual novela mediante el
estudio de la obra —cerrada ya como producción, abierta siem-

---

pueblo, como García Hortelano y Marsé convergen en su protesta *con-*
tra la burguesía, y Ana María Matute y Carmen Martín Gaite en su
inclinación a centrar la problemática social *en la persona* (*Novela es-*
pañola de nuestro tiempo, pp. 383 y ss.).

No obstante lo dicho, y dada la fluidez y variedad de contornos
de un género como la novela, se debe reconocer la indudable dificultad
del historiador o del crítico, a la hora de proponer modelos generales
de clasificación. R. M. Albérès, en su *Histoire du roman moderne*,
se ve precisado a recurrir a tipos tan generales como «les néo-réalismes»,
o tan particulares como «le roman dostoïevskien». Sobre esta dificultad
de clasificación del género novelesco, cf. R. Bourneuf y R. Ouellet:
L'univers du roman. París, Presses Universitaires de France, 1972, páginas 27-28: «À la limite, tout roman un peu complexe constitue une
espèce en soi.»

pre como sentido— de uno de nuestros más significativos novelistas.

El estudio diacrónico de la literatura —o de un género literario— sólo es válido en relación dialéctica con la descripción sincrónica de los elementos —las obras— que integran ese sistema cuya diacronía se pretende dilucidar[5]. Y sin duda, de lo que más se resiente —y de ahí su precariedad— la historia de la novela contemporánea —como de cualquier sistema literario que está todavía haciéndose— es de una previa y suficiente descripción de cada escritor en particular. Es claro que la estructura de la historia literaria —de la historia «tout court»— no es yuxtapositiva, sino sintagmática, y que, por tanto, la diacronía de la novela no es el resultado aritmético de la suma de las diferentes sincronías particulares. Pero la insuficiencia de los modelos operativos de bastantes de los historiadores de nuestra actual novela está precisamente en la escasez en muchos casos de estudios monográficos suficientemente serios de los que inducir legítimamente modelos de operatividad general.

Si el trabajo que aquí se presenta responde, siquiera mínimamente, a los dos objetivos señalados, será también una contribución a lo que el propio Aldecoa sentía como tarea necesaria de la crítica, al decir:

«Lo que le falta a la crítica española es la incorporación de la crítica universitaria a lo que se produce al momento»[6].

---

[5] Ya los formalistas rusos fueron sensibles a los mutuos condicionamientos de lo sincrónico y lo diacrónico. J. TYNIANOV y R. JAKOBSON señalaban en 1928 que si la oposición neta entre sincronía y diacronía ha sido una hipótesis de trabajo eficaz, hoy el sincronismo puro es una ilusión; y añaden: «L'opposition de la synchronie à la diachronie opposait la notion de système à la notion d'évolution; elle perd son importance de principe puisque nous reconnaissons que chaque système nous est obligatoirement présenté comme une évolution et que, d'autre part, l'évolution a inévitablement un caractère systématique»; cf. «Les problèmes des études littéraires et linguistiques», en *Théorie de la littérature* (Textes des formalistes ruses), París, Ed. du Seuil, 1965. Lo citado, en página 139. Sobre la atención concedida por el formalismo a la dimensión diacrónica en los estudios literarios, cf. A. GARCÍA BERRIO: *Significado actual del formalismo ruso*. Barcelona, Planeta, 1973.

[6] JOSÉ CARLOS CLEMENTE: «Al habla con Ignacio Aldecoa», en *Nuevo Diario*, 16 de febrero, 1968.

No pretendo tener la iniciativa de nada. Simplemente, contribuir a hacer más ancho y más transitable el camino que, también en España y afortunadamente, está abriendo la universidad a la obra del escritor Ignacio Aldecoa.

Quiero señalar por fin que este trabajo es originariamente una tesis de doctorado, presentada en la Facultad de Filología de la Universidad Complutense de Madrid, despojada ahora de toda una carga erudita, bibliográfica, etc., que, si resultaba coherente con su originario carácter académico, me ha parecido menos congruente a la hora de darla a la publicación.

Debo manifestar aquí mi agradecimiento a María del Pilar Palomo, por su ayuda como directora de la tesis, a Josefina Rodríguez de Aldecoa, por la generosa amabilidad con que siempre me ha atendido, poniendo a mi disposición un amplio material sobre Ignacio y también de Ignacio, y a Luciano García Lorenzo, amigo siempre y consejero en la realización del trabajo.

Cuestiones metodológicas

Los objetivos que acabo de señalar para mi trabajo plantean inmediatamente la necesidad del método. Y un método, diríamos en lenguaje «barthesiano», «coherente» y «saturador» [7], que sea capaz de dar cuenta de la totalidad del corpus que se somete al análisis.

Debo confesar, de entrada, la perplejidad del crítico, ante esta ineludible y previa opción metodológica. Porque el estudio no se propone como campo de verificación o experimentación de un método concreto, entre los que constituyen ese super-

---

[7] «... ces conditions, bien qu'elles soint internes, sont précisément celles-là qui permettent au critique de rejoindre l'intelligible de sa propre histoire: c'est que d'une part le langage critique qu'on a choisi soit homogène, structuralement cohérent, et d'autre part qu'il parvienne à saturer tout l'objet dont il parle», R. BARTHES: «Littérature et signification», en *Essais critiques*. París, Seuil, 1964, p. 270. Sobre la dimensión puramente *interna*, tal como Barthes pretende, de *coherencia* y *saturación*, cf. DOUBROVSKY: *Pourquoi la nouvelle critique*. París, Mercure de France, 1967, pp. 83 y ss.

poblado y a veces ambiguo paradigma de la crítica contemporánea. No trato de utilizar el texto novelesco como espacio de «validación» del método, sino que, por el contrario, el método es la necesaria mediación y el instrumento que permite acceder de manera no fragmentaria sino global y coherente a lo que es fin del trabajo: la novela de Ignacio Aldecoa. La *opción hermenéutica* que necesariamente lleva consigo toda tarea crítica es en este caso resultado no de una adhesión incondicional a un modelo crítico concreto entre varios posibles, sino necesidad que viene impuesta por un lógico deseo de rigurosidad y coherencia en el estudio. De ahí el posible —¿inevitable?— eclecticismo del modelo metodológico que subyace al trabajo, y que tal vez exprese esa especie de «duda metódica» cartesiana que hoy por hoy siente el crítico ante las encontradas propuestas analíticas y hermenéuticas de la crítica contemporánea.

Pero de la misma manera que no me adscribo metodológicamente a ninguna escuela en particular, tampoco, de entrada, las rechazo y, llegado el caso, no tendré inconveniente en echar mano de modelos parciales de este o aquel método, siempre que se muestren operativos y no rompan la coherencia metodológica del trabajo como totalidad.

En la configuración del método, he partido no de afirmaciones de escuela, sino de un prinicipio que en la Poética contemporánea goza de validez prácticamente universal: la concepción de la literatura como semiótica connotativa, donde un sistema primero —la lengua— funciona a su vez como significante o plano de la expresión de un nuevo significado o plano del contenido. El signo literario puede ser visto entonces como un proceso: la obra literaria es un espacio textual donde asistimos a la conversión de la palabra *lingüística* en palabra *literaria,* al tránsito del lenguaje referencial al lenguaje poético, al paso de la denotación a la connotación, a la trascendencia de la materia por el símbolo.

En un intento de desvelar las claves de este tránsito, Jakobson, completando el esquema de factores y funciones de la comunicación lingüística determinado por Karl Bühler, señala el *mensaje* en cuanto tal como espacio de generación de la *función poética,* cuyo criterio lingüístico empírico se explicita en el famoso principio: «La función poética proyecta el principio de la equivalencia del eje de la selección sobre el eje de la combinación» [8].

No es la validez o no validez de la fórmula Jakobsoniana lo que nos interesa en este momento, sino subrayar el dato de que las dos posibles formas de acceso a la especificidad de lo literario, desde el plano de la expresión —el mensaje como «masa verbal» en la función poética de Jakobson—, desde el plano del contenido —la semiótica connotativa de Hjelmslev, aplicada por Barthes a la literatura—, coinciden en ver el signo literario como proceso: en el primer caso, es el nivel fono-morfo-sintáctico del texto el que es visto como lugar privilegiado de la «literaturidad»; en el segundo, la connotación remite al nivel semántico como recinto de verificación de la especificidad poética; pero en ambas direcciones se apunta a una única dimensión de lo poético —expresión y contenido— y que podríamos llamar, con un término tomado de Northrop Frye, *centrípeta* [9]: el lenguaje se orienta hacia la misma estructura verbal; esta «hipóstasis del lenguaje» poético, de que habla Greimas a propósito de la concepción de J. Kristeva [10], convier-

---

[8] R. JAKOBSON: «La lingüística y la poesía», en Th. A. Sebeok: *Estilo del lenguaje.* Madrid, Cátedra, 1974, p. 138.

[9] Cf. *Anatomie de la critique.* París, Gallimard, 1969, p. 94; (el original inglés es de 1957). Aunque Frye habla del sentido, podemos utilizar su terminología con una aplicación más general.

[10] Cf. A. J. GREIMAS: «Pour une théorie du discours poétique», en *Essais de sémiotique poétique.* París, Larousse, 1972, p. 9. Para el pensamiento de JULIA KRISTEVA puede verse *Semeiotiké. Recherches pour une sémanalyse.* París, Seuil, 1969, sobre todo el capítulo «Poésie et negativité», y *La révolution du langage poétique.* París, Seuil, 1974.

También SARTRE apunta en esta dirección cuando dice que en poesía el lenguaje «ya no es una significación, es una sustancia», cf. *¿Qué es la literatura?* Buenos Aires, Ed. Losada, 1962, 3, p. 51; el original francés es de 1948.

El formalismo ruso, con Jakobson a la cabeza, es un claro antecedente de estas concepciones (cf. la obra ya citada de A. García Berrio). BORIS EIKHENBAUM, en «La teoría del método formal» apunta: «En 1914 (...) V. Chklovski publicó un folleto titulado *La resurrección de la palabra,* en el que, refiriéndose en parte a Potebnia y a Vesselovski (...) proponía como rasgo distintivo de la percepción estética el principio

te el texto en una especie de «hogar del sentido» que no se apaga una vez realizada la función referencial; de las cenizas mismas de la significación denotada la palabra poética es capaz de generar —de regenerar— el fuego inextinguible de los sentidos connotados; el texto literario es así el punto de ignición donde, por la alquimia de la función poética, se hace posible el tránsito de la denotación a la connotación, la conversión de la materia en símbolo.

Es el texto, por tanto, el espacio del proceso poético; sin olvidar que se trata de un proceso de comunicación y que por ello, junto al mensaje, hay que situar los sujetos que hacen posible su existencia como mensaje: el emisor y el receptor; y si de algún modo es literario —o existe como literario— todo lo que es leído como tal [11], hay una forma de ser —una tipología textual— literaria que puede ser analizada, como estructura y como estructuración —como proceso— en el recinto objetivo del texto. Es decir, el texto aparece así como *derivado* de unos *materiales* que han sido sometidos al *artificio poético,* a los procedimientos de expresividad; esta perspectiva generativa permite ver el texto como espacio de verificación de unas leyes de transformación que lo constituyen como texto y lo explican.

La relación de derivación *materiales* $\longrightarrow$ *artificio poéti-*

co $\longrightarrow$ *texto,* o el modelo $\dfrac{ErC}{C}$ [12] que explica la literatura

como semiótica connotativa coinciden en ser susceptibles de permitir una lectura de la obra literaria que resulta de la integración de tres estratos —o fases de un proceso— que configuran el texto literario como significativo.

---

de la *sensación de la forma*» (el subrayado es mío). *Formalismo y vanguardia.* Madrid, Alberto Corazón, 1970, p. 41.

[11] Cf. D. MALDAVSKY: *Teoría literaria general,* Buenos Aires, Editorial Paidos, 1973, pp. 47-48; Mircea Marghescou acude a la noción de «régime du texte» para explicar la «literariedad», o mejor, la lectura literaria, del texto; cf. *La littérarité. (Essais sur les possibilités théoriques d'une science de la littérature),* The-Hague-París, Mouton, 1970.

[12] Cf. R. BARTHES: *Eléments de Sémiologie, Communications,* 4, página 130.

Cuando hablo de fases de un proceso es claro que se trata de una abstracción. El texto, en su linealidad, no es divisible en las tres partes que se proponen; ni, en su simultaneidad [13], es posible una relación cronológica de anterioridad y posterioridad en los tres estratos propuestos. Pero su distinción metodológica facilita ese objetivo fundamental en toda tarea crítica: una lectura coherente y totalizadora.

El proceso poético permite, pues, su verificación —y justifica el consiguiente modelo crítico— a través de las siguientes etapas metodológicas:

1. Los *materiales,* entendiendo aquí por tal el *sistema primero de signos* —significantes y significados— en cuanto tal, y hecha abstracción de su incorporación a la obra literaria, es decir, de su integración en un segundo sistema, en una semiótica connotativa.

Desde el punto de vista del trabajo, y en su primer estadio, me moveré en el nivel de lo denotado.

Y no porque entienda que los valores referenciales sean pertinentes en la dilucidación del texto literario, sino porque, y sobre todo en el caso de la novela, hay una serie de problemas hermenéuticos, formales y de sentido, en los que la relación realidad extraliteraria → autor → texto aparece pertinente; piénsese, por ejemplo, en la compleja —y confusa— cuestión del realismo, tan decisiva para el estudio de la novela en un período como el que nos va a ocupar a través de la obra de Ignacio Aldecoa.

Pero además, al partir en el estudio del nivel denotativo no se hace en la dirección que va de la obra literaria a la realidad, sometiendo aquélla a un proceso de verificación que no le es pertinente, sino yendo de la realidad a la obra, para intentar ver precisamente en la trascendencia de lo referencial el umbral de ese mundo original con el que el crítico literario necesariamente se enfrenta: el universo trascendente del símbolo.

---

[13] «La concurrencia de todos los niveles hacia el *significado simultáneo* es rasgo relevante de la obra literaria»; M. C. Boves Naves: *Gramática de «Cántico».* Barcelona, Planeta, 1975, p. 67; también, y de la misma autora, *Gramática textual de «Belarmino y Apolonio».* Madrid, Cupsa Editorial, 1977, p. 21.

Desde esta perspectiva —el tránsito de la referencia al símbolo— y sólo desde ella se justifica este primer nivel o fase del trabajo.

2. *El artificio poético,* es decir, *el significante del sistema literario.* En este estadio, el objeto formal del estudio son las leyes poéticas de construcción del texto, vistas a partir de un objeto material que es precisamente el nivel primero; pero no ya en cuanto tal —lo denotado—, sino en cuanto que está funcionando como plano de la expresión de un sistema connotativo de signos. No son, por tanto, ya los *denotata,* sino los *connotadores* [14] lo que se constituye en objeto de este segundo estadio.

Y entiendo que es precisamente el artificio poético lo que permite desplazar una masa verbal de la función *denotativa* a la función *connotadora.* Es ni más ni menos lo que desde Jakobson y los formalistas rusos venimos llamando «literaturidad» lo que hace del texto un espacio transitable —y transitado— de una a otra función.

Es esta *transitabilidad* del texto literario lo que debe ser dilucidado en esta segunda fase del trabajo. Porque sólo una

---

[14] «En termes informationnels, on définira donc la littérature comme un double système dénoté-connoté; dans ce double système, le plan manifeste et spécifique, qui est celui des signifiants du second système, constituera la Rhétorique; les signifiants rhétoriques seront les connotateurs»; R. BARTHES: «L'analyse rhétorique», en *Littérature et société* (Problèmes de méthodologie en sociologie de la littérature), Université Libre de Bruxelles, Editions de l'Institut de Sociologie, 1967, página 32.

Cf., también, L. HJELMSLEV: *Prolegómenos a una teoría del lenguaje.* Madrid, Gredos, 1971.

Para la aplicación de la glosemática a una teoría de la literatura, cf. el detallado estudio de JÜRGEN TRABANT: *Semiología de la obra literaria.* Madrid, Gredos, 1975 (el original alemán es de 1970).

Explícita o implícitamente, las nociones de denotación y connotación son hoy de aplicación generalizada para explicar la naturaleza del lenguaje poético; cf., entre otros, R. WELLEK y A. WARREN: *Teoría literaria.* Madrid, Gredos, 1959, 2.ª ed.; M. A. GARRIDO: *Introducción a la teoría de la literatura.* Madrid, SGEL, 1975; J. A. MARTÍNEZ: *Propiedades del lenguaje poético,* Universidad de Oviedo, 1976.

lectura que verifique la transitabilidad poética del texto puede
justificar el abordarlo después como recinto de sentido.

3. *El texto como recinto de sentido.* La última fase del
proceso poético —y de un estudio que, como éste, se subordina
metodológicamente a tal proceso— es enfrentarse al texto como
plano del contenido del sistema segundo o literario. El significante sólo se sostiene como vehículo del significado, y el artificio poético encuentra su última razón de ser en cuanto se orienta —es orientado— a la producción de sentido.

Es este «plus» de significación, este sentido adquirido —connotado— el que interesa de manera especial al crítico en este
estadio de la investigación. En la medida sobre todo en que la
función referencial ha dejado de ser pertinente —no agota desde luego el significado de la obra literaria— y la lengua de la
literatura no *dice* un sentido *dado,* sino que *simboliza* un sentido *añadido.* No se trata de un proceso de mera *recuperación*
de sentido como a veces parece darse a entender, sino de una
verdadera *producción* [15]; porque el sentido no adviene tanto
por la adscripción de las unidades lingüísticas a sus correspon-
dientes paradigmas léxicos, cuanto por las asociaciones sintag-
máticas en que esas unidades son texto literario; esta actuación
sintagmática del sentido acontece en el espacio del texto y tiene
una dimensión plural, porque ese espacio funciona como encrucijada de códigos significativos.

El artificio poético es, visto en esta perspectiva, un proceso
de sedimentación del sentido: estratos significativos que el proceso de lectura jerarquiza y descodifica.

Por eso, si este tercer estadio del trabajo —la dilucidación
del sentido— no puede hacerse sin los anteriores, éstos a su
vez quedarían incompletos sin aquél; para el crítico literario
el *cómo* de la obra es sólo un momento en la generación del
qué. Yuri Lotman lo señala claramente cuando escribe:

---

[15] Al utilizar aquí el término «producción de sentido», se prescinde
de las connotaciones ideológicas que tiene en algunos teóricos marxistas
de la literatura; cfr. JULIA KRISTEVA: «La productivité dite texte», en
Semeiotiké, pp. 208-245; JEAN-LOUIS BAUDRY: «Dialectique de la production signifiante», en *Littérature et idéologie.* París, La Nouvelle
Critique, 1970, pp. 260-265.

«L'étude immanente du langage est le chemin (et le chemin véritable) vers le *contenu* de ce qui est écrit dans ce langage» [16].

Además, en el caso de un arte *representativo* como la literatura y en ella del género novelesco, parece más justificable señalar la subordinación del artificio poético a lo semántico y afirmar la primacía del sentido.

Estos tres estadios que han sido distinguidos en el proceso poético a partir de la naturaleza misma del signo literario se integran metodológicamente en el trabajo como otras tantas funciones del texto [17]. El estudio del texto como proceso es el estudio de sus funciones. Y estas funciones —en homología con el proceso poético: tránsito de la materia al símbolo— son designadas como función *mimética, poética y simbólica*.

1. *La función mimética.* Si en toda obra literaria se puede detectar algún modo de presencia de lo real, ello parece poder afirmarse con más validez de un género como la novela y de una novela que, como la de Ignacio Aldecoa, está claramente construida desde las convenciones de una poética realista. Pero, al mismo tiempo, cuando se habla de función mimética, no se quiere de ningún modo reducir la obra literaria a *representación* de la realidad. No es la representación de la realidad, sino la capacidad para trascender la realidad más o menos representada lo que decide del universo semántico sostenido por la obra literaria; es, como señala Vargas Llosa a propósito de Flaubert y *Madame Bovary,* el «elemento añadido»: cómo la «realidad ficticia» contradice a la «realidad real» que la inspiró [18].

En el fondo, el realismo literario no es una meta, sino un punto de partida. La *mímesis,* que desde Platón y Aristóteles

---

[16] J. LOTMAN: *La structure du texte artistique.* París, Gallimard, 1973, p. 70 (la edición original rusa es de 1970).

[17] Se trata de funciones del texto literario, y no de funciones meramente lingüísticas.

[18] «El novelista añade algo a la realidad que ha convertido en material de trabajo, y ese *elemento añadido* es la originalidad de su obra, lo que da autonomía a la realidad ficticia, lo que la distingue de lo real», MARIO VARGAS LLOSA: *La orgía perpetua (Flaubert y Madame Bovary).* Madrid, Taurus, 1974, pp. 146-147.

viene preocupando a los teóricos de la literatura, es, en definitiva, una ilusión. Y no tanto por el hecho de que las palabras
no pueden *doblar* la realidad —salvo, como señala Genette,
en el caso del «récit de paroles» [19]—, cuanto porque la realidad —la «ilusión de realidad»— es una especie de coartada
del escritor para hacer aceptable ese mundo nuevo, recién creado —otra realidad— que es la obra literaria como universo de
forma y de sentido. Se toca aquí la cuestión de lo verosímil y
de su función en el arte y la literatura.

La función mimética se absorbe, pues, en las categorías de
verificable —relación a un referente extraliterario— y de *verosímil;* desde ellas es posible describir ese mundo representado
—nombrado, denotado— en la obra literaria. Y si se habla de
mundo denotado es porque se quiere situar precisamente la
función mimética en el nivel de la denotación, es decir, de lo
todavía-no-literario; entiendo que la función mimética es función de la obra literaria, pero no es función *literaria;* se diría
más bien que es una función pre-literaria, lingüística, que se
orienta a lo referencial; es previa a la existencia literaria del
texto y desde ella, y a través de la función poética, el texto aparece como espacio de tránsito de la mímesis al símbolo.

De acuerdo con esto, el primer paso del trabajo será estudiar las novelas de Aldecoa en su función mimética, el realismo
en el nivel de la motivación [20]: qué realidad motiva y cómo la
obra novelesca de Ignacio Aldecoa. La realidad queda aquí
conscientemente relegada a la categoría de *materiales:* porque
la verdadera funcionalidad de lo verificable-novelesco no es su
capacidad de referencia hacia lo real, sino su integración en un
nuevo sistema semiótico, que no es ya referencial sino simbólico, no denotado sino connotado, donde la mímesis no es ya
significado, sino *significante.*

A esta luz se percibe mejor cómo, aun en el caso de una
literatura aparentemente documental —*Gran Sol* será un ejemplo típico— la relación realidad-obra no es de *reflejo* o repre-

---

[19] «Discours du récit», en *Figures, III.* París, Seuil, 1972, pp. 186-
187.
[20] Sobre la noción de *motivación realista,* cf. B. TOMACHEVSKI: «Thématique», en *Théorie de la littérature,* pp. 284-285.

sentación, sino de selección: de aquellos elementos de la realidad que el autor considera necesarios para construir un mundo, verosímil ciertamente, pero cuya medida no es ya la realidad, sino la obra misma como sistema autónomo.

2. *La función poética.* Es entendida en un sentido muy próximo al de Jakobson y está orientada al texto de la novela en cuanto *masa verbal,* que descubre en su estructura las leyes de su construcción y de su tratamiento. Si el término no fuera demasiado pomposo —y seguramente ambiguo para lo que es este trabajo— diría que se trata aquí de hacer una morfosintaxis del texto novelesco de Aldecoa: cómo se ha construido y organizado el decurso narrativo y a qué tratamiento retórico —retórica de la narración— ha sido sometido.

El texto es la prueba del trabajo operado por el escritor sobre los materiales. Y es también el resultado. Ver cómo ha devenido el texto desde la función mimética —encuentro de la realidad con el lenguaje del escritor— es la finalidad de esta parte del estudio que se identifica como función poética.

Se trata, en este momento del trabajo, de someter el texto de la novela de Aldecoa a modelos tomados de la teoría de la novela, o, mejor, de una teoría narrativa en general, y que afectan a las categorías fundamentales —punto de vista, personaje, tiempo y espacio...— sobre las que se asienta la estructura y el texto narrativo. El objetivo es poder analizar el texto novelesco de Aldecoa de modo que se den y hagan visibles los elementos que lo integran y las leyes de su organización como tal texto narrativo. Desde una tradicional retórica de la ficción, hablaríamos de *técnicas narrativas;* desde una, incipiente y no sistematizada, morfología de la novela, de *formas y funciones.*

Cada novela es un sistema, como lo es igualmente el conjunto de las cuatro que aquí se someten al análisis. Dar razón del mecanismo —del funcionamiento— de ese sistema textual narrativo es, por tanto, el objetivo del trabajo en este estadio; el análisis aquí aparece claramente orientado hacia la forma —el *cómo*— de un modo necesario, pero provisional: la función poética es la mediación necesaria para la emergencia del significado literario. No se reduce de ninguna manera el texto a forma; pero sólo a partir de una descripción formal —funcional— (habría que recordar la noción de función constructiva de Tinianov [21]) se podrá, en el análisis del nivel semántico, perforar hasta los estratos significativos más profundos del texto.

Porque, ya ha quedado señalado más arriba, es la función poética la que hace transitable —capaz de ser habitado por el sentido— ese espacio entre la mímesis y el símbolo que llamamos texto. Es la función poética la que permite descubrir el secreto de la epifanía del sentido.

La función poética es el *hogar* de la literatura, o, mejor, de la *literaturidad,* porque prepara el texto para la acogida del sentido, y la literatura sólo existe de verdad cuando se da como acontecimiento semántico [22].

Quiere esto decir que si por un lado arranca del encuentro del escritor con la realidad en el espacio del lenguaje —Antonio Prieto define certeramente la novela como «surgida por la oposición de una estructura objetiva (sociedad) y una estructura subjetiva (el autor)» [23]—, por el otro, la función poética se abraza con el símbolo.

---

[21] «Llamo *función* constructiva de un elemento de la obra literaria como sistema a la posibilidad que ese elemento tiene para entrar en correlación con los demás elementos del mismo sistema y, por consiguiente, con el sistema entero»; J. TINIANOV: «De la evolución literaria», en *Formalismo y vanguardia,* p. 114.

[22] Hay que evitar el reduccionismo formalista que, sobre todo en su primera etapa, tendió a identificar literatura y «literaturidad». Aquí intentaron encontrar justificación —en ese «fetichismo de la palabra» a que alude Trotski las desaforadas y tan a menudo poco objetivas críticas de los teóricos marxistas; cf. L. TROTSKI: «La escuela formalista de poesía y el marxismo», en *Sobre arte y cultura.* Madrid, Alianza Editorial, 1971, pp. 82-101 (se trata del capítulo 5 del libro *Literatura y revolución,* escrito en 1923).

En nuestros días, y desde una actitud «revisionista», GALVANO DELLA VOLPE señala como una aportación «saludable» del formalismo ruso su propósito de «erosión del contenidismo» predominante en Rusia con Belinski y sus seguidores, de los que parte, a juicio de Della Volpe, una descendencia que va desde Plejanov hasta Lukács, «el ídolo de los últimos hegelianos». Cf. «Ajuste de cuentas con los formalistas rusos», en *Crítica de la ideología contemporánea.* Madrid, Alberto Corazón Editor, 1970, pp. 137-155.

[23] Cf. *Morfología de la novela.* Barcelona, Planeta, 1975, p. 15;

Porque es ella la que permite que esa oposición objetivo-subjetiva pase de un estadio primero de realidad puramente mental a hecho semiológico no referencial sino simbólico,

«donde el lenguaje es liberado del automatismo, de los actos de la palabra cotidiana, de la mecánica de la comunicación, para cargarlo de un valor significativo que se conduce, en su conjunto, como una frontera con la realidad» [24].

3. *La función simbólica.* Llegamos así a la última y decisiva fase del trabajo, la dilucidación del sentido, la interpretación de las novelas de Aldecoa, del universo novelesco aldecoano, en general.

Si el punto de partida metodológico ha sido la afirmación del carácter polisémico, simbólico, del texto literario por su propia naturaleza, es ahora cuando el crítico se enfrenta con la pluralidad semántica del texto, un texto donde ha sido posible identificar las señales que marcan el tránsito de la denotación a la connotación, un texto que desde el reducto conocido de la mímesis se abre al espacio infinito del símbolo.

Por eso, en el estudio del nivel semántico de las novelas de Aldecoa se procede de lo más inmediato —lo denotado— a lo más mediato —lo simbolizado—, supuesta la función poética que, como se ha indicado, se constituye en mediación.

De esta manera la atribución —y descripción— de niveles significativos en cada una de las novelas, niveles que proceden de lo particular a lo general —de lo *mimetizado* a lo simbolizado— encontrará justificación en lo estudiado en las fases anteriores, y sobre todo en la función poética.

Pero esto no quiere decir que lo que aquí se propone deba ser *la* interpretación de las novelas de Aldecoa. La pluralidad de sentidos de la obra literaria es accesible desde emplazamientos críticos diferentes. Esta lectura de Aldecoa es una entre otras posibles; para ella sólo es lícito defender el título de legitimidad, sin pretender erigirla en detentadora de estatutos

---

M.ª DEL PILAR PALOMO: *La novela cortesana.* Barcelona, Planeta, 1976, páginas 12-18.
[24] A. PRIETO, ibíd.

de autenticidad que descalificarían otras lecturas tan legítimas y seguramente mejores.

Desde ahora quiero dejar apuntado que la utilización de otros modelos críticos —pienso en concreto en el sociológico y en el psicológico— permitiría, sin duda, descubrir en el corpus que se analiza estratos de sentido que aquí apenas se indican, o que simplemente se ignoran. Si al comienzo he dicho que aspiraba a una crítica totalizadora, no es porque pretenda agotar todos los sentidos posibles de las novelas que estudio —¿y qué lectura podría arrogarse tal pretensión, si la obra literaria es esencialmente, con palabras de Umberto Eco, una «obra abierta»?—, cuanto porque, supuestas las limitaciones ineludibles del modelo crítico utilizado, pretendo, desde él, dar cuenta de la totalidad del texto que se somete al análisis.

Se trata, pues, de una crítica total, pero no totalitaria. Al terminar su trabajo el crítico tiene una impresión cierta de que, si ha sido capaz de «arrebatar» al texto una parcela de su significación, ese mismo texto guarda todavía celosamente las llaves —las claves— de otras desconocidas, pero reales estancias habitadas por el sentido, y donde el crítico, por el momento, no ha podido penetrar. Pero entiendo que ello, lejos de apuntar a un posible fracaso de la tarea crítica, es garantía no sólo de que el universo significado por la obra literaria es siempre más rico que el modelo, sino de que el crítico, al manipular en el texto y en su mecanismo, no ha destruido el encantador secreto de esa inabarcabilidad. Para el médico, un cadáver no tiene secretos. Si los tiene el enfermo, es sencillamente porque está vivo.

Si, después del trabajo sobre el texto, éste guarda todavía celosamente algún secreto, el crítico se alegra: la obra literaria sigue siendo un organismo vivo.

La distinción de las tres funciones —mimética, poética y simbólica— marca la dinámica general, las grandes líneas de fuerza según las cuales pretendo configurar como un proceso unitario —coherente— todo el trabajo.

Es claro, sin embargo, que la indestructible solidaridad de los elementos del texto impide una diferenciación real de momentos o niveles; lo mimético, lo poético y lo simbólico están en el texto de una sola vez, son el texto de forma única y solidaria. La distinción es puramente metodológica. Y, si no negada, sí al menos superada por el texto mismo como objeto del análisis. Quiero con esto decir que si a lo largo del estudio aparece claramente identificable una amplia línea metodológica que va desde lo mimético hasta lo simbólico a través de la función poética, ello no significa que en cualquier punto del camino sean claras las fronteras demarcativas de una y otra fase. Si en algún momento estas fronteras se borran, es precisamente por fidelidad al texto, cuya ineludible unidad se resiste en ocasiones a los contornos, inexactos por demasiado rígidos, del modelo; el modelo es necesario, pero sólo el texto merece respeto. Por eso, no he tenido inconveniente, cuando el texto así ha parecido exigirlo, en imbricar en el estudio de una función elementos pertenecientes de suyo a funciones hipotética y metodológicamente posteriores. Esto aparece con especial claridad —es lógico— en el estudio de la función poética, donde necesariamente se avanzan elementos que reaparecen en el análisis de la función simbólica. En definitiva, la obra literaria es un *signo,* un *sistema* de signos, por complejo que resulte, y su descomposición en elementos —plano de expresión y contenido, que están en la base de la distinción de funciones— es un momento teórico que la existencia real del texto tiende a restituir a la unidad original. Es esta tendencia la que lógica y necesariamente se expresa cuando la función poética se resiste a existir separada de la función simbólica, y la exige y la llama.

La real imbricación de funciones en alguna fase del trabajo responde, pues, a una exigencia de fidelidad al carácter unitario del texto, y no rompe esa mínima y necesaria coherencia metodológica del conjunto.

Por otra parte, la aplicación del método a las cuatro novelas de Ignacio Aldecoa ofrecía varias posibilidades: aplicar el método, en sus diferentes fases, a cada una de las novelas por separado, o hacer el estudio global de las cuatro novelas como una totalidad; y, como tercera alternativa, una combinación de ambos procedimientos, que es la que he seguido, en un intento de adaptar el trabajo a cada novela en particular, sin perder por ello el carácter sistemático del conjunto del corpus estudiado, en orden a una descripción e interpretación de lo que llamo el *universo novelesco* de Ignacio Aldecoa.

De acuerdo con esta opción, en el siguiente capítulo titulado «La realidad como pre-texto» estudio la función mimética en las cuatro novelas vistas como totalidad unitaria: el objetivo es dilucidar a partir de qué realidades y de qué experiencia y visión de esas realidades levanta Aldecoa el edificio de su obra novelesca.

Creo que el indudable realismo del escritor, así como las convenciones estético-literarias de las que parte su escritura, no sólo permiten, sino exigen situar como umbral mismo del estudio ese inicial espacio de convergencia de un elemento objetivo —una parte de la vida y la sociedad española— y una subjetividad; es ese encuentro el instante generador de la escritura novelesca, que será el objeto del estudio en lo que he denominado función poética y función simbólica; porque si la escritura es la expresión de la actitud del escritor hacia el lenguaje —el estilo—, es también, como señala Barthes, «un acto de solidaridad histórica» [25].

En la segunda parte, «Las novelas de Ignacio Aldecoa», se estudian, por el orden cronológico de redacción y de publicación, lo que he llamado función poética y simbólica de cada una de las novelas.

Si el estudio de cada novela está orientado metodológicamente por lo que ha sido descrito como función poética y simbólica, el respeto a la individualidad y singularidad de cada obra por un lado, y el intento de evitar la caída en lo reiterativo y redundante al aplicar a cada una de las cuatro novelas un mismo y único esquema de análisis, por otro, han aconsejado privilegiar en cada caso aquella o aquellas categorías que se prometen más operativas de acuerdo con el texto y las características de cada novela. La opción, fácil en bastantes casos, no lo ha sido en algún otro.

El tiempo en *El fulgor y la sangre,* el personaje protagonista y la estructura mítica de su aventura en *Con el viento solano,* y el punto de vista en *Parte de una historia* son elementos con

---

[25] *Le dégré zéro de l'écriture.* París, Gonthier, 1965 (la primera edición es de 1953), p. 17.

3

un relieve evidente y fácilmente detectables, incluso en una primera lectura de las respectivas novelas; el análisis hecho desde esas categorías confirma, creo, en cada caso, su operatividad y pertinencia, no sólo en el nivel sintáctico, sino también en el semántico de cada una de las novelas.

En cambio, el clasicismo y la austeridad de *Gran Sol* ha hecho más difícil, por no decir imposible, la elección. En realidad, no hay en el estudio de esta novela ninguna categoría teórica desde la que se haya intentado abarcar la totalidad del texto novelesco. Me he limitado a un análisis global y también «clásico»; quizá, «a posteriori», es el espacio el elemento que se ofrece como más decisivo de la estructura narrativa de la novela y de su significado.

Este segundo momento, que, por su posición —y su extensión— se marca como central del trabajo, permite, en una tercera y última parte —«El universo novelesco de Ignacio Aldecoa»— volver a considerar conjuntamente las cuatro novelas como un sistema único.

Esta tercera parte aparece así como coronamiento lógico de las dos anteriores y expresión de la necesaria coherencia que desde el inicio se ha pretendido dar al estudio. Frente al carácter eminentemente analítico de la parte anterior, la síntesis —toda la novela de Aldecoa como sistema— es aquí el objetivo. Por eso convergirán ahora elementos que de suyo serían susceptibles de adscripción a cualquiera de las funciones previamente estudiadas. El universo novelesco de Aldecoa aparece aquí como sistema englobante de elementos —las novelas— que previamente han sido a su vez estudiados como sistemas. Y es entonces cuando podemos estar en condiciones de situarlo —resituarlo— en ese otro sistema más amplio, y que es la historia de la novela española contemporánea.

2

LA REALIDAD COMO PRE-TEXTO

«Yo escribo de lo que tengo cerca, que es más bien triste.»

(IGNACIO ALDECOA)

«Luego, un día, se quedó repentinamente serio entre sus libros. Cuando comprendió que en la aventura de escribir embarcaba equipajes definitivos.»

(JOSEFINA RODRÍGUEZ DE ALDECOA)

Novela y realidad

DE LA REALIDAD SIGNIFICADA A LA REALIDAD SIGNIFICANTE

Desde la conocida y clásica definición de Sthendal —la novela es «un espejo que se pasea a lo largo de un camino»— hasta esa otra, actual y subversiva, de Jean Ricardou, cuando afirma que la novela no es tanto «la escritura de una aventura» cuanto «la aventura de una escritura» [1], la historia de la novela se le aparece al crítico como un camino tortuoso, mal señalizado, y de fronteras tan fluidas y borrosas, que invade muchas veces el carril de los otros géneros literarios. «Género indefinido», le llama Marthe Robert [2] y su indefinición nace precisamente de ese estatuto esencialmente inestable que a lo largo de su historia tiene la novela, no sólo en su relación con la

---

[1] JEAN RICARDOU, novelista él mismo —con *L'Observatoire de Cannes* (1961), *La Prise de Constantinople* (1965), *Les Lieux-dits* (1969) y *Révolutions minuscules* (1971)—, es uno de los teóricos más lúcidos y agresivos de esa «nueva novela» francesa que ha encontrado en la revista *Tel-Quel*, a cuya redacción perteneció Ricardou desde 1962, un incondicional espacio de teorización y de defensa. El trabajo crítico de J. RICARDOU aparece recogido por el momento en *Problèmes du nouveau roman*. París, Seuil, 1967, y *Pour une théorie du nouveau roman*. París, Seuil, 1971. Para una dilucidación de la novela como género literario, cf. el interesante artículo de DOMINGO YNDURÁIN: «Hacia la novela como género literario», en *Teoría de la novela*. Madrid, SGEL, 1976, pp. 145-170.

[2] Cf. *Roman des origines et origines du roman*. París, Grasset, 1972. La autora titula la primera parte de su libro «Le genre indéfini».

realidad, sino en su misma estructura literaria. Si la novela es, como señala Edwin Muir [3], «la manifestación más compleja y amorfa de la literatura», es esta no *con-formidad* —ausencia de *forma fija,* en contraste con otros géneros, sometidos ciertamente a la evolución de las formas y sistemas en el devenir literario, pero más estables— lo que se constituye en una de las características de lo novelesco.

Desde la otra perspectiva —la relación realidad-novela—, Ricardou propone la misma distinción ya citada como criterio capaz de diferenciar la «novela tradicional» y la «novela moderna»:

> «... est traditionnel, tout ce qui tend à faire du roman *le récit* d'une aventure; est moderne, tout ce qui tend à faire du roman *l'aventure d'un récit*» [4].

En esta posición de Ricardou hay un claro deslizamiento de la «trama» desde la ficción —entendida como «historia», como «intriga»— hacia el lenguaje. «Después de la novela —dirá M. Zéraffa— lo novelesco» [5]; y, sin embargo, incluso una novela que intenta instaurar en el lenguaje —y sólo en el lenguaje— la aventura que la constituye es incapaz de superar esa paradoja de toda obra de arte: si por un lado es irreductible a una realidad dada, por otro no puede menos de traducir esa realidad [6].

---

[3] Cf. *The structure of the novel.* Londres, Hogarth Press, 1967.

[4] Cf. «Esquisse d'une théorie des générateurs», en *Positions et oppositions sur le roman contemporain* (Actes du Colloque de Strasbourg présentés par Michel Mansuy). París, Klincksieck, 1971, p. 143.

En esta misma línea, RICARDOU propone la novela moderna como *producción,* frente a la novela romántica que es *expresión, representación;* cf. «Le nouveau roman, existe-t-il?», en *Nouveau roman, hier, aujourd'hui.* París, Union Générale D'Editions, 1972, tomo I, Problèmes généraux, p. 22.

[5] «... le romanesque (à la fois comme ensemble de procédés et comme essence) constitue aujourd'hui, pour une très large part, la forme, la structure et la signification fondamentales du roman français dans ses tendances les plus novatrices...»; cf. «Après le roman, le romanesque», en *Positions et oppositions sur le roman contemporain,* p. 199.

[6] «Le paradoxe du roman est celui de toute oeuvre d'art: elle est

La disyuntiva —esa inacabada e interminable discusión sobre el realismo— entre señalar el mundo o el lenguaje —¿y no es *mundo* también el lenguaje?— sólo tiene salida en la afirmación de lo novelesco como un espacio donde tienden a fundirse los términos de la oposición.

El realismo —*decir el mundo*— o irrealismo —*decirse,* y, por tanto, erigirse en mundo— del género novelesco —como de la literatura y el arte, en general—, es una cuestión de deslizamiento hacia ambos lados de ese *espacio fundente;* pero en cualquier punto de este eje entre mundo y escritura donde se sitúe la novela, ésta se constituye en hecho semiológico: si por un lado trasciende cualquier representación de la realidad, por otro es signo de esa realidad [7].

Vista la novela en definitiva como necesario espacio de fusión de sujeto, objeto y escritura, el realismo o irrealismo del género se diluye —queda *disuelto,* aunque no *resuelto*— en ese ineludible punto de encuentro novela-realidad adonde apunta hoy la sociología de la literatura: no al contenido —lo representado—, sino a la representación —la totalidad de estructuras significativas [8].

---

irréductible à une réalité que pourtant elle traduit», M. ZÉRAFFA: *Roman et société.* París, P.U.F., 1971, p. 13.

[7] Cf. A. PRIETO: *Morfología...*, pp. 23 y ss.; el autor distingue tres tipos narrativos, que se engendran sobre un eje eductivo donde el mundo novelístico realiza el encuentro con la estructura subjetiva y la objetiva, en un punto más o menos próximo, y distante, del sujeto y el objeto. La novela de Proust y la novela objetiva marcarían ambos extremos; pero, la escritura misma, ¿no es también un punto de ese eje eductivo, donde puede darse el encuentro generador de una forma narrativa?

[8] LUCIEN GOLDMANN ha insistido siempre en que el estructuralismo genético, supera una mera sociología de los contenidos, ya que la relación entre la obra literaria y la conciencia colectiva del grupo social se sitúa en la homología que se da entre las estructuras del universo de la obra, y las estructuras mentales del grupo social. Cf. «La méthode structuraliste génétique en histoire de la littérature», en *Pour une sociologie du roman.* París, Gallimard, 1964, pp. 346 y ss.; cf. también, «Matérialisme dialectique et histoire de la littérature», en *Recherches dialectiques.* París, Gallimard, 1959, pp. 45-63 (el artículo es de 1947); «Le structuralisme génétique en sociologie de la littérature», en *Littérature et Société,* pp. 195-211; «La sociologie de la littérature: situation actuelle et problèmes de méthode», en *Revue Internationale des Sciences*

Toda novela —toda obra literaria— en cuanto tránsito dialéctico de lo mimético a lo simbólico a través de la función poética, es un asedio y un proceso a la realidad: la realidad dicha, re-presentada en la función mimética —la novela es signo de esa realidad— resulta significada —hecha signo— en la función simbólica: la realidad, por la magia de la escritura novelesca, funciona ahora como signo de la novela; si en el momento de la mímesis es la realidad la que atribuye sentido a la novela, en el de la simbolización es la novela la que presta sentido a la realidad: la escritura novelesca es el camino que va de *decir* un sentido dado a *producirlo*.

Por eso, el problema del realismo —toda novela es realista en cuanto dice o produce una relación de sentido con el mundo, o ambas cosas a la vez— no puede plantearse de la misma manera en la mímesis y en el símbolo; la mediación entre ambos de la función poética altera esencialmente el estatuto de lo real. Con esto no se quiere decir que la manera de establecerse la relación significativa realidad-novela en la función mimética sea irrelevante; la materia condiciona la forma y su ulterior capacidad significadora; la diferente actualización de la función mimética da como resultado una escritura novelesca diferente y un universo diferentemente significador; pero si en la mímesis la realidad somete a la escritura, en el símbolo es la escritura la que somete a la realidad; y, paradójicamente, siendo ella misma —la escritura— el espacio y el agente —función poética— de esa transfiguración de lo real.

Sociales, vol. XIX, núm. 4, 1967; *Sociologie de la création littéraire*, páginas 531-554; este mismo texto, con pequeñas correcciones, y con el título «La sociologie de la littérature: statut et problèmes de méthode», ha sido incluido en la obra póstuma —el prefacio fue escrito por GOLDMANN pocos días antes de su muerte— *Marxisme et sciences humaines*. París, Gallimard, 1970.

En este intento de superar una mera sociología de los contenidos, Goldmann sigue a LUKÁCS, quien en 1909, en el prólogo a *Historia evolutiva del drama moderno*, escribía: «El defecto mayor de la crítica sociológica del arte consiste en que busca y analiza los contenidos de las creaciones artísticas, queriendo establecer una relación directa entre ellos y determinadas condiciones económicas. Pero lo verdaderamente social de la Literatura es la forma»; cf. G. LUKÁCS: *Sociología de la literatura*. Madrid, Península, 1966, p. 67.

De acuerdo con este planteamiento, en esta primera parte del trabajo el estudio de la función mimética sitúa la relación novela-realidad en ese punto de partida donde lo real es acogido por el novelista e integrado a la escritura; interesa lo real dicho, representado, denotado; como *materiales* de la novela y como expresión de una forma de estar —de ser— del escritor en su escritura, vivida ésta a su vez como punto de encuentro —de compromiso— con la realidad.

ALDECOA Y EL REALISMO DE LA NOVELA ESPAÑOLA EN LOS AÑOS 50

No pretendo aquí hacer una historia de la novela española y de su estatuto en relación con la realidad, en la década del 50, sino señalar simplemente unos perfiles que permitan marcar el contorno histórico-literario en que se sitúa —por cronología y por voluntad— el escritor Ignacio Aldecoa. Es, por tanto, dar consistencia social y literaria —histórica—a la persona y a la obra de Aldecoa lo que en este momento interesa; de ahí que el tratamiento será selectivo y no totalizador: de una historia social de la novela española por los años en que Aldecoa escribe las suyas, sólo interesará retener aquellos datos que se consideren necesarios y suficientes para explicar, en la literatura y la sociedad de su tiempo, la figura del novelista, siempre además en función de los objetivos y el proceso metodológico del trabajo.

Una historia de la novela española contemporánea arranca necesariamente con un pie forzado: la guerra; y no tanto seguramente por lo que tiene de solución de continuidad de un proceso novelesco sobre cuya importancia la crítica no se manifiesta unánime [9], cuanto por lo que condiciona no sólo la

---

[9] J. M. MARTÍNEZ CACHERO sostiene que «la guerra civil no cortó un considerable cultivo novelístico, ni en calidad ni en cantidad, inexistente en España a la altura de 1936»; *La novela española entre 1939 y 1969*, p. 8. La crítica es bastante coincidente al hablar de una «crisis de la novela española», a partir de la espléndida generación de narradores del 68, que las grandes figuras del 98 y posteriores —piénsese en Baroja y Pérez de Ayala— no sonsiguen borrar. Eugenio G. de Nora

tarea del escritor que en la experiencia de la guerra tiene un ineludible punto de partida, sino también el estatuto social de la literatura, su objetiva posibilidad de existir.

De hecho, los historiadores de nuestra novela organizan desde el conflicto bélico del 36 y el diferente modo de relación vital de los novelistas con aquél las últimas generaciones de nuestra historia literaria; y es también la guerra la que condiciona como colectividad los nombres —ya que no la escritura— de la llamada «generación del exilio» [10]. La distinción, literaria y no cronológica, propuesta por Sobejano —novela existencial, novela social y novela estructural— recubre en la práctica —y el autor no deja de señalarlo— a la generación de la guerra, a la generación del medio siglo, y a los narradores —no bautizados como grupo generacional— que se han dado a conocer en los años 70 [11].

Ignacio Aldecoa, en una conferencia sobre novela española contemporánea, adopta igualmente esta tripartita división generacional —«generación de la guerra», «generación intermedia», «última generación»— incluyéndose a sí mismo en la intermedia:

«Y esta "generación intermedia", ¿por quiénes está formada? (...) Los más destacados o por lo menos los que más

---

señala precisamente entre 1928 y 1936 el esfuerzo convergente —estéticamente, ya que no ideológicamente— de autores como Ledesma Miranda, Zunzunegui, Arconada, Carranque de Ríos, Sender, por marcar una re-orientación de la novela española «hacia la fuente siempre viva del realismo, sentando así las bases para una recuperación, incipiente, pero ya efectiva, de la novela»; *La novela española contemporánea,* II, II, Madrid, Gredos, 1962, p. 107.

[10] Cf. JOSÉ RAMÓN MARRA LÓPEZ: *Narrativa española fuera de España (1939-1961).* Madrid, Guadarrama, 1963; y el capítulo «El exilio literario, una ruptura cultural», del libro de FERNANDO ALVAREZ PALACIOS: *Novela y cultura española de postguerra.* Madrid, Edicusa, 1975.

[11] Cf. *Novela española de nuestro tiempo,* p. 25. Recordemos que escritores que cronológicamente pertenecen a la generación de la guerra o a la del medio siglo cultivan ahora una novela que en la terminología de Sobejano tendríamos que denominar «estructural»; por ejemplo, y sin ningún afán exhaustivo, nombres como Cela, Delibes, Torrente Ballester, Hortelano, Grosso, los dos Goytisolo...

libros han publicado son, o somos, Juan Goytisolo, Jesús
Fernández Santos, Rafael Sánchez Ferlosio y yo mismo» [12].

Y más adelante, al subrayar que en el grupo de Madrid
—en torno a *Revista Española,* como el de Barcelona se agru-
paría a *Laye*— abundaban más las gentes de teatro que los
novelistas, cita los nombres de Alfonso Sastre y Alfonso Paso.
Es al parecer el propio Aldecoa el que ha acuñado para su
grupo el nombre de «generación intermedia»; en 1960 declaraba:

> «Formo parte de la generación que yo llamo "intermedia",
> es decir, los que vamos inmediatamente después de la gene-
> ración del 36, la de la posguerra nacional, e inmediatamente
> antes de la tuya, la del cincuenta y tantos...» [13].

«Generación capullar», «una especie de generación entre
paréntesis» [14] son también nombres utilizados por Aldecoa para
referirse a su generación, y no falta tampoco la negación, o
desde luego la puesta en cuestión, de la validez al menos literaria de ese intento de generalización generacional. Son de
1968 estas palabras:

> «... las gentes que accedimos a la literatura en los años 50
> formamos, según dicen los críticos, un grupo generacional.
> Bueno, yo no lo veo así, porque desde el punto de vista, no
> cronológico, sino literario, somos de muy diversa formación,
> de modos muy distintos y de fines a veces opuestos (...) y
> además soy enemigo de toda esa escolástica de baratillo...» [15].

---

12 I. ALDECOA, conferencia sobre novela española contemporánea;
texto mecanografiado, sin fecha, p. 8.

13 Entrevista publicada en *Diario de la tarde.* Sevilla, 12 de noviembre de 1960. Un poco antes, Aldecoa niega la validez de su encasillamiento en una «generación de 1954»: «No estoy conforme con
ese encasillamiento. En realidad, en el año 54 teníamos publicado, estrenado algo. Estábamos completamente definidos.»
En 1957, MANUEL MORALES, en el curso de otra entrevista con el
escritor, señala: «Aldecoa definió a su generación con dos palabras
exactas: generación intermedia»; cf. *Juventud,* 10 de agosto de 1957.

14 Declaraciones a M., en *S. P.,* 5 de junio de 1968.

15 ROSENDO ROIG: «Diálogo con Ignacio Aldecoa sobre novela actual
española», en *Las Provincias.* Valencia, 10 de noviembre de 1968.

De cualquier manera, la conciencia de grupo literario —aunque los perfiles característicos y el elenco de pertenencia sean difusos— es algo que aparece con frecuencia en las declaraciones de Aldecoa y de otros compañeros de generación. Aldecoa intenta incluso describir el talante —vital y literario a un tiempo— de su generación:

> «Mi generación la componemos hombres eminentemente cordiales (...) Hemos pretendido conocer y entender cordialmente a los hermanos mayores de uno y otro bando que nos habían precedido, y entender, así mismo, a los jóvenes que venían inmediatamente detrás de nosotros...» [16].

Desde las páginas de *La Estafeta Literaria,* Aldecoa había aludido a la independencia literaria de su generación:

> «No hacemos literatura sobre literatura, ni somos discípulos de nadie. Somos una promoción muy despegada, sin antecedentes, aunque muy española. Buscamos un camino, el de la novela de realidades y lirismos en la España de hoy. Por lo demás, ni tengo fe en la promoción ni dejo de tenerla. Me limito a juzgar los hechos, las realidades de todos» [17].

Esto no es obstáculo para que la «generación del medio siglo» —nombre generalizado para designar la que Aldecoa llamaba generación intermedia— denuncie en su escritura la huella de la narrativa contemporánea, española y sobre todo extranjera. El carácter universitario de muchos de estos escritores y su consiguiente base cultural así como la insuficiente todavía, pero progresiva apertura del país a la cultura literaria —y en concreto, narrativa— extranjera explican, sin duda, estas no negadas influencias.

Desde la guerra como hecho generacional —una guerra no *hecha,* como en los escritores de la generación anterior, sino *padecida* siendo todavía niños— y esta amplia base cultural

---

[16] MANUEL MORALES: «Un novelista de la generación intermedia», en *Juventud,* 10 de agosto de 1957.

[17] LUIS SASTRE: «La vuelta de Ignacio Aldecoa», en *La Estafeta Literaria,* núm. 169, 15 de mayo de 1959.

de la literatura —la narrativa— europea y norteamericana, es un talante colectivo de inconformismo y compromiso lo que precipita la escritura de estos novelistas como actitud ética tanto como —y en muchos casos más que— estética.

Si hubiéramos de calificar la escritura *predominante* —Sobejano ha subrayo acertadamente la necesidad de esta matización[18]— de los novelistas de la generación del medio siglo, la llamaríamos realista y social. La dimensión crítica resulta necesariamente de estas dos características, y de hecho Gil Casado la señala como una de las peculiaridades de la *novela social*[19].

Es evidente de cualquier modo la ambigüedad de los modelos —«novela social», «realismo social», «realismo crítico»— teñidos inevitablemente de implicaciones no literarias[20], para pretender recubrir con ellos una producción novelesca que, si tiene muchas cosas en común, tiene también en algunos casos las diferencias que van de una literatura testimonial de urgencia, que apenas supera —y además no lo pretende— la actualidad significadora de la noticia o el reportaje periodístico, hasta una novela que, si es equívoco calificarla de trascendental, perfora la ineludible realidad nacional de la que parte, abriéndola a significaciones más permanentes.

Aldecoa puede ser un ejemplo de esa literatura que, por ser menos urgente, no es, sin embargo, a mi juicio, menos crítica. El mismo año de su muerte, Aldecoa declara:

«La narración, evidentemente, tiene sus raíces en las preocupaciones y despreocupaciones del hombre actual. Hay preocupaciones transitorias y otras permanentes, claro está. Las

---

[18] «Debe ahora subrayarse el término «predomina», el único adecuado, pues ni todos los narradores de esa generación componen exclusivamente novelas sociales, ni estas novelas han sido escritas exclusivamente por ellos...»; *Novela española...*, p. 301.

[19] *La novela social española (1920-1971)*. Barcelona, Seix-Barral, 1973, 2.ª ed., p. 66.

[20] La definición de GIL CASADO, más estricta que la de Sobejano, apunta claramente a *una* lectura ideológica de la realidad —toda lectura es ideológica— de clara inspiración marxista, cuando dice que la novela social «sigue patrones realistas, críticos, socialistas y dialécticos», página 66.

que responden a una época, probablemente tendrán un sentido histórico y testimonial, pero las nacidas de lo permanente entiendo que servirán más» [21].

De ahí que, a la hora de identificarse como escritor, si se incluye «con pocas dudas» en el realismo, «o en lo que damos como valor común al término», Aldecoa es más reticente en el momento de definirse como social, y, si lo hace, es, en el fondo, «porque *toda* literatura es social» [22].

Lo entrecomillado pertenece a unas declaraciones de octubre de 1968. De ese tiempo —junio del mismo año—, son estas palabras donde el indudable «realismo social» de Aldecoa aparece matizado por esa inquebrantable voluntad de forma —de estilo— que otros compañeros de generación no compartieron [23]:

«—¿Eres escritor social?
—Sí. Es la base fundamental de mis obras, pero pretendo que tengan también calidad literaria, hálito poético y expresivo adobo» [24].

En contraste con estos textos en que Aldecoa acepta para su escritura el calificativo de social, siempre que no sea entendido en sentido de escuela y aparezca compatible con una clara voluntad estética, recogemos esta declaración de 1960:

«—¿Qué entiendes por novela social?
—Las novelas no las entiendo más que como novelas. Ese adjetivo como otro cualquiera —católica, filosófica, etc...— son arbitrios de libro de texto, recortadores y humillantes» [25].

---

[21] Entrevista en el diario *La Nación,* de Buenos Aires, 20 de abril de 1969.

[22] M. FERNÁNDEZ BRASO: «Ignacio Aldecoa levanta acta de los años de crisálida», en *Indice,* octubre de 1968.

[23] Véanse algunos testimonios en MARTÍNEZ CACHERO: *La novela española...*, pp. 157 y ss.

[24] Declaraciones a M., en la revista *S. P.,* 5 de junio de 1968.

[25] B.: «Preguntas a Ignacio Aldecoa», *Indice,* enero de 1960.

Y de esta misma entrevista son también estas palabras por
las que Aldecoa expresa una vez más esa innata resistencia a
dejarse clasificar demasiado fácilmente; hay una necesaria soledad del escritor, a la que Ignacio se agarra firmemente para
no ser arrastrado en categorías generales demasiado ambiguas,
donde la intransferible aventura de escribir difícilmente encontraría espacio suficiente para expresar su original individualidad:

> «Los escritores no van en escuelas o cardúmenes fáciles
> de arrastrar por las corrientes. El creador auténtico está solo;
> es "animal de fondo" al que no lleva la corriente. Y ésa es
> su grandeza y su aventura.»

Ignacio Aldecoa, ni como escritor ni como hombre fue un
insolidario. Esa profesión de cordialidad que hace en nombre
de los escritores de su generación es una clara apuesta por los
otros, por todos. Toda la narrativa de Aldecoa es resultado de un
profundo y cordial acto de solidaridad. Pero de la afirmación
solidaria del mundo y de los otros a la escritura hay un camino largo que el escritor debe recorrer solo. Es decir, con el
único viático de una doble lealtad: al mundo, a cuyo contacto
se ha engendrado, en proyecto, la obra literaria, y a la personal aventura de ser —de hacerse— en una escritura que hunde
sus raíces no tanto en las convenciones del género o del grupo
generacional, cuanto en un enfrentamiento original y siempre
nuevo del escritor consigo mismo.

Por eso, no es la vida lo que el escritor Aldecoa rehúye
al negarse a adjetivar la literatura, sino el encasillamiento, que
tantas veces fija, discrimina y recorta. Porque difícilmente se
encontrará en la literatura española contemporánea un escritor tan sensible y tan leal a la rotunda dimensión ética de la
tarea de escribir; pero sin convertir la escritura en una mili-
tancia partisana, y viendo en la voluntad estética un espacio
real del compromiso histórico —de la ética consigo mismo y
con su tiempo— del escritor.

De ahí que resulte evidente que la generación intermedia,
al menso como paradigma cronológico, engloba escritores y
escrituras si no enfrentados, sí al menos distanciados a la hora

de definir el estatuto de la literatura como mediación de una actitud ética con la realidad, actitud que, en el fondo, es bastante común.

He recurrido a una voluntaria multiplicación de los testimonios para mostrar sobre todo cómo Ignacio Aldecoa se situaba a sí mismo en las corrientes de realismo social que marcaban el ritmo de la novela española por la década del cincuenta. Si por un lado se siente integrado en el realismo narrativo de su tiempo, por otro intenta no dejarse fijar por posiciones «de partido», en las que otros compañeros de generación se comprometieron. No pretendo aquí dar juicios de valor ni hacer un balance de un momento literario que no encontró más futuro que su propia y espectacular negación; aunque creo firmemente que ni la pleamar a que subió la novela social en los años cincuenta, ni esta escandalosa bajamar a que hoy ha descendido son momentos adecuados para una rigurosa y desapasionada valoración de su necesidad histórica, de su nivel estético, y de su función en la historia de la novela española moderna [26].

---

[26] El propio Aldecoa que, en algunos aspectos, tantas reservas mantiene frente a la «novela social», sale al paso de ciertos ataques que, en el año 68, se hacen a la literatura del realismo social: «Ahora está sucediendo un curioso fenómeno con la literatura social del que es necesario hablar. Se advierte en algunos críticos de determinados periódicos una repulsa de la literatura social. Parece, quieren decirnos, que ha pasado. Parece que es necesario cambiar, que la literatura sólo debe ser literatura y le sobran y son materia adjetiva las situaciones de *denuncia, testimonio,* etc. Esto es una monstruosidad. Primero, porque es querer rebajar la literatura social al nivel de una *consigna,* y en segundo lugar porque lo que importa en la literatura es la diversidad de *corrientes,* y la literatura de un país es, evidentemente, más rica cuantas más corrientes haya. (...) La literatura social no puede ser atacada desde planos tan toscos, o tan sospechosos de *snobismo* o, a lo peor y probablemente más cierto, de politiquería. Pero el hecho es éste: se ataca, se desprecia por parte de unos cuantos la novela realista y su coletilla social. Los pretextos son muchos. El más ingenuo de todos, el querer estar *a la par* de las literaturas europeas. Nuestra literatura estará a la par cuando todo el país esté a la par.» (M. FERNÁNDEZ BRASO: «Ignacio Aldecoa levanta acta de los años de crisálida».) Este intento de justificar la literatura del realismo social en un contexto socio-histórico español distinto del europeo está también presente en otros novelistas de la «generación intermedia»; así JUAN GOYTISOLO

Ignacio Aldecoa: una poética realista

Aldecoa no escribió nada teórico sobre su obra o sobre la literatura en general [27]. Sin embargo, toda obra literaria lleva implícita una poética, que la explica y que la sostiene, y que es inducible del texto literario mismo y de sus leyes de funcionamiento. Por eso, desde la propia narrativa de Aldecoa podríamos extraer, siquiera de una forma aproximada, las bases de lo que podríamos denominar una poética aldecoana. Pero, en función de un trabajo coherente, esto sólo sería posible después del análisis de la obra y, en cierto modo, a manera de conclusión. Es lo que, al menos en unas líneas más generales, intentaré hacer en la última parte del trabajo.

Aquí en cambio, si se habla de la poética realista de Ignacio Aldecoa, es en referencia a todo un conjunto de declaraciones en diarios y revistas, donde el escritor, al hilo de las preguntas de sus entrevistadores, y sin voluntad, por tanto, de teoría y, mucho menos, de sistema, ha manifestado repetidamente su manera de entender la literatura, la novela, la tarea —su tarea— de escritor...

Puede parecer pretencioso llamar «poética» a un conjunto de respuestas, desparramadas aquí y allá, que no pretenden formular una teoría ni configurarse en sistema. Pero no es tan-

---

escribe: «... la novela cumple en España una función testimonial que en Francia y los demás países de Europa corresponde a la prensa...», *El furgón de cola.* París, Ruedo Ibérico, 1967, p. 34.

Si es importante situar la literatura en su contexto histórico-social, es indudable también la reducción de la literatura en algunos novelistas que, al decir de Francisco Ayala, «confunden la creación literaria con el periodismo» (MARÍA EMBEITA: «Francisco Ayala y la novela», en *Insula,* núm. 244, marzo de 1967).

Cf., también, «Nacimiento y muerte del realismo social» en F. ALVAREZ PALACIOS: *Novela y cultura española de postguerra.* Madrid, Edicusa, 1975, pp. 41-56.

[27] Fuera de algunos textos mecanografiados, que corresponden a conferencias pronunciadas por el autor: al ya citado sobre la novela española contemporánea, habría que añadir el titulado «La novela de mar en la narrativa española», y el texto de una conferencia sobre A. Camus.

to, ahora, la validez científica —indudable, en muchos casos— que las formulaciones teóricas o críticas de Ignacio Aldecoa tienen lo que nos interesa, cuanto su existencia, simplemente, como un dato más, y previo, de esa concienzuda y recta actitud ética desde la que Aldecoa concibió, planeó y vivió su actividad de escritor.

Por eso, intencionadamente, y aun con el riesgo de caer en lo reiterativo, cederé la palabra, en lo posible, al propio novelista, limitándome muchas veces a introducir, presentar, o ilustrar con breves comentarios, las numerosas citas con que he intentado empedrar este apartado; porque, como ya ha quedado señalado, en este momento del estudio es lo que Aldecoa piensa de la tarea de escribir y de su propia escritura, como proyecto y como realización, lo que fundamentalmente interesa.

LA POÉTICA DE IGNACIO ALDECOA

Cuando a Ignacio Aldecoa le preguntaban por el origen de su vocación literaria, respondía siempre cosas como:

«—La tuve (la vocación literaria) desde siempre. Empecé a escribir de niño, como impulsado por una necesidad biológica..., y así sigo» [28].

Y en la misma conversación, a la pregunta del entrevistador, «¿Ambiciones?», el escritor responde:

«—Cumplir como escritor, o, lo que es lo mismo, cumplir mi quehacer como hombre.»

Estas dos respuestas definen perfectamente cómo entiende Aldecoa su oficio —su vocación— de escritor y cómo el espacio y los límites de esa tarea de escribir son exactamente los

---

[28] M. MORALES: «Un novelista de la generación intermedia», en *Juventud*, 10 de agosto de 1957. «La literatura es, sinceramente, mi vida. Siempre lo ha sido. Escribo «desde siempre» (SUÁREZ ALBA: «Ignacio Aldecoa, escritor en primera línea», en *La Gaceta del Norte*. Bilbao, 10 de mayo de 1968).

de su existencia humana. Ser escritor es para Aldecoa su forma —su única y necesaria forma— de ser hombre.

Los estudiosos de Ignacio Aldecoa citan frecuentemente una frase de 1955, con la que el escritor definió certeramente la dimensión ético-existencial de la tarea de escribir:

> «Ser escritor es, antes que nada, una actitud en el mundo» [29].

Y un año antes había dicho:

> «La literatura es una actitud en la vida, no un medio de vivir. Se consiga esto o no, hay que mantenerse en la brecha si existe la vocación» [30].

Si, además, tenemos en cuenta que Aldecoa escribe de lo que tiene «cerca», de lo que conoce «cn profundidad», observamos en estas declaraciones una alusión evidente a lo que más adelante llamaré *motivación realista:* Aldecoa es escritor en y a partir de la realidad, de una realidad, la de la «pobre gente de España»; escribir es, para nuestro novelista, su manera —la única posible, seguramente— de lealtad a esa realidad, «cruda y tierna a la vez», y «casi inédita en nuestra novela»; de ahí que rechace firmemente toda actitud que pueda parecer «sentimental» o «tendenciosa».

Sentimentalismo y «tendenciosidad» son las fronteras de ese amplio espacio de un realismo ético-existencial por donde se mueve la narrativa de Ignacio Aldecoa.

Porque la poética aldecoana es, antes que nada, una ética. Escribir es, para Aldecoa, la mediación necesaria que expresa, en un nivel moral —de *ser* y *deber ser*—, la relación consigo mismo y con el mundo.

Cuando el escritor afirma una y otra vez que escribe «desde siempre», en realidad no es en el tiempo —*desde cuándo* escribe—, sino en la razón última —*por qué* escribe— dónde está intentando localizar su pasión por la escritura.

[29] LUIS SASTRE: «Entrevista a Ignacio Aldecoa», en *Destino,* diciembre de 1955.
[30] Declaraciones a M. SÁNCHEZ COBOS, en *Madrid,* 12 de marzo de 1954.

A veces, desde los recuerdos de su infancia y adolescencia vitoriana, Ignacio ha intentado reconstruir y fijar en el tiempo sus primeros escarceos literarios:

«La verdad es que en mi adolescencia no ha habido muchos estímulos para intentar la aventura de las letras. Vivía en mi ciudad, en el norte de España; llovía demasiado, el colegio era siniestro, las películas de algún interés sufrían la censura; quedaban los libros —no muchos—, y yo tenía ciertas dosis de rebeldía. Así que distraído de los estudios me puse a escribir cuentos, poemas, fragmentos de novelas...» [31].

Hasta ese día —en realidad, una *actitud* más que un *tiempo*— en que —como hermosamente ha dicho Josefina, la fiel compañera de la vida y de la obra del escritor—

«se quedó repentinamente serio entre sus libros. Cuando comprendió que en la aventura de escribir embarcaba equipajes definitivos» [32].

Al afirmar que la poética de Aldecoa es, antes que nada, una ética, no se quiere en absoluto decir que la escritura sea instrumentalizada desde cualquier tipo de didactismo. Más arriba ha quedado suficientemente patentizada la resistencia de Aldecoa a aceptar para su obra —para la literatura en general— adjetivos que la dirigen y que la limitan. Alguna vez nuestro autor dijo que «la libertad es el estado natural del escritor»; y si en el contexto en que la frase fue pronunciada hay una directa y primaria referencia a la libertad de escribir sin las coacciones de un estado de censura, en el fondo de esas palabras hay una incondicional proclamación de que toda libertad —y toda la libertad— es el contexto necesario para que el escritor, con su escritura, sirva —servicio, pero no servidumbre—

«para hacer consciente el juego de la sociedad y el suyo propio» [33].

[31] Entrevista en *La Nación,* de Buenos Aires, 20 de agosto de 1969.
[32] JOSEFINA RODRÍGUEZ: «Algunos datos sobre Ignacio», en *El Español,* 20-26 de marzo de 1955.
[33] CARLOS LUIS ALVAREZ: «Un mes pescando en el Gran Sol», en *Blanco y Negro.* Madrid, 1 de marzo de 1958.

Desde este incuestionable fondo ético que toca la escritura aldecoana, la tarea del escritor es, además, o, mejor, al mismo tiempo, una evidente aventura estética.

En un momento en que en determinados círculos de poder literario en España actos de fe estética podían ser maliciosamente interpretados como sospechosas adhesiones a una evasiva «literatura por la literatura», Ignacio Aldecoa aborda, con concienzuda lealtad, la ineludible dimensión estética de su lenguaje de escritor, porque está seguro de que

> «un novelista puede asumir una misión histórica dentro de la literatura cumpliendo en lo que le sea posible su ideal estético» [34].

La poética de Aldecoa se nos aparece, en definitiva, como el punto de intersección de esa incuestionable actitud ética en la tarea de escribir con una irrenunciable voluntad estética; la obra narrativa es un espacio de escritura que se genera a partir precisamente de ese punto donde lo ético —la aprehensión de la realidad— se abraza con lo estético —el lenguaje poéticamente potenciado—. Por eso Aldecoa confiesa que le resulta difícil separar «interés argumental» y «virtuosismo técnico»; son aspectos que se sostienen mutuamente y es su equilibrio el que fragua —especifica— la obra literaria.

Aldecoa no puede renunciar, no ha renunciado, aunque ya no escriba poesía lírica, a la dimensión —la calidad— poética de su lenguaje:

> «El aliento poético de uno sigue en su prosa. Lo que sucede es que para mí no era vehículo el verso» [35].

De ahí que el lenguaje sea el espacio ineludible del trabajo y de la responsabilidad del escritor. Pero no el lenguaje en su abstracta y aséptica dimensión de mero sistema de comunicación, cuanto en su configuración histórica de escritura enri-

---

[34] B.: «Preguntas a Ignacio Aldecoa», en *Indice,* enero de 1960.
[35] JULIO TRENAS: «Entrevista con Ignacio Aldecoa», en *Pueblo,* 6 de octubre de 1956.

quecida con las marcas que en el espacio de la literatura han ido dejando los grandes escritores:

«Las casas no se empiezan por la azotea, sino por los cimientos y los cimientos del escritor de hoy deben ser los clásicos, aunque después se olviden, pero hay que pasar sobre ellos y aún más, traerlos con nosotros, pues ellos son la fuente del idioma y el idioma está allí y no hay quien lo mueva. Quien no sepa agarrarse al idioma está perdido, pues es la base de toda buena obra (...). Hay que contar con el idioma, con los clásicos. De la incorporación de éste al particular sentido y expresar de cada cual, saldrá el estilo» [36].

De esta importancia que Aldecoa atribuye al trabajo del escritor sobre el lenguaje, se deriva no sólo una escritura potenciada estéticamente —lo cual, en el caso de Ignacio, es de una evidencia suma—, sino una condición global de la literatura determinada precisamente por este tratamiento estético del lenguaje, es decir, en términos jakobsonianos, por la función poética. Y, como resultado de ello, ese «desequilibrio funcional» de la comunicación literaria, donde, y a diferencia del lenguaje referencial, la función representativa, sin destruirse, se subordina a la función poética. El tratamiento estético que Aldecoa hace del lenguaje no queda confinado en una mera cuestión de estilo que afectaría al texto novelesco únicamente como plano de expresión. Es el estatuto global de la novela —no sólo en su relación con el lenguaje, sino también con la realidad— el que se modifica y precisa. En definitiva, cuando Aldecoa dice que lo que más le interesa del idioma es su expresividad, y que incluso, y en aras de ésta, sacrificaría la exactitud [37], no es que esté situando como objetivo fundamental de la literatura una gratuita y ambigua producción de «valores

---

[36] FAUSTO BOTELLO: «Ignacio Aldecoa, un novelista triunfador», en *Diario de la tarde*. Sevilla, 12 de noviembre de 1960.

[37] «Fundamentalmente lo que me interesa del idioma es su expresividad. También su exactitud. Pero sacrificaría la exactitud a la expresividad»; R. ROIG: «Diálogo con Ignacio Aldecoa sobre novela actual española», en *Las Provincias*. Valencia, 10 de noviembre de 1968.

estéticos» [38], sino que, potenciando la función poética, sitúa el sentido de la obra literaria más allá de lo representativo, apunta, sin nombrarlo, al mundo de los significados connotados. Desde su interés por el lenguaje y su expresividad, Aldecoa está cuestionando —configurando— su personal concepción del realismo, en unos años en que el realismo —un realismo— más que una cuestión que se formulaba, era un axioma que se postulaba.

En 1955 —y la fecha es elocuente—, a la pregunta sobre «cuál ha de ser el fundamento del arte», Ignacio Aldecoa responde tajantemente: «la exageración» [39]. En efecto, sólo la exageración como actitud poética del escritor frente a la realidad permite su transfiguración, es decir, no negar la realidad, sino trascenderla.

Por eso Aldecoa, sin renegar de su poética realista, pero rechazando un realismo que se reduzca a ser mera «fotografía de la realidad», sale por los fueros de la imaginación como ingrediente necesario de toda creación literaria y rechaza una fácil interpretación naturalista de ese trabajo de «documentación» en la realidad que a veces se da en los escritores antes de afrontar una novela. Incluso en el caso de una obra como *Gran Sol,* tan próxima, al menos en apariencia, al reportaje, ya que, al decir de su autor, habría sido igualmente escrita sin la experiencia marinera en las aguas del «Great Sole». Llega, incluso, a afirmar la inutilidad de esas experiencias, desde la perspectiva de la creación literaria, porque «la novela es, sobre todo, imaginación» [40].

---

[38] Es lo que parece afirmar MANUEL GARCÍA VIÑÓ: *Ignacio Aldecoa.* Madrid, Epesa, 1972, p. 68: «mucho más (...) se preocupaba de la belleza y precisión del lenguaje que de la forma de presentación de la realidad».

[39] Entrevista en *El Español.* Madrid, 20-26 de marzo de 1955.

[40] «—¿Vives tus relatos antes de plasmarlos?
—No, en absoluto. Considero inútiles esas experiencias. La novela es, sobre todo, imaginación. (...)
—Pero tú estuviste en el Gran Sol antes de escribir tu novela.
—Fui porque me interesaba esa aventura, pero no por documentarme. Yo hubiese escrito igual "Gran Sol" sin estar allí, sin vivirlo.» (F. BOTELLO: «Ignacio Aldecoa, un novelista triunfador», en *Diario de la tarde.* Sevilla, 12 de noviembre de 1960.)

En este explícito —y tal vez, poco matizado— rechazo de la experiencia directa de la realidad «novelable» por parte del escritor no se trata de negar el valor de lo real como materia novelesca —actitud que sería incoherente con la estética de un escritor como Aldecoa—, cuanto de superar una trivial concepción de la novela como mera *representación* de la realidad, por urgente que ésta sea y por crítica que pretenda aparecer la escritura novelesca. Ni la vida puede ser instrumentalizada por la escritura, ni la escritura reducida a decir —a repetir— la vida.

El realismo imaginativo de Ignacio Aldecoa es resultado de situar la tarea de escribir en un espacio único donde confluye ese doble compromiso del escritor con la vida y con el lenguaje. Etica y estética difuminan sus fronteras y configuran un recinto común e intercambiable, que es el de la poética aldecoana.

La novela de Aldecoa: proyecto y escritura

Aldecoa no entró en la literatura por la novela, sino por la poesía. Sus primeros libros son dos colecciones de versos: *Todavía la vida,* de 1947, y *Libro de las algas,* de 1949. Muy pronto Aldecoa piensa que no es el verso sino la prosa narrativa el vehículo más adecuado para expresar su mundo y de hecho no vuelve a publicar —no sabemos si a escribir— más poesía.

El «Ignacio Aldecoa» narrador desplaza definitivamente al «José Ignacio de Aldecoa» poeta, pero en la prosa aldecoana quedará siempre esa cuidada atención a la capacidad poética del lenguaje. Los tempranos versos han quedado tapados y olvidados por la espléndida prosa a la que, sin solución de continuidad, dieron paso.

Del verso, Aldecoa pasa al relato corto. Para diciembre de 1954, fecha de aparición de su primera novela, *El fulgor y la sangre,* Aldecoa, según la catalogación de Alicia Bleiberg [41],

---

[41] Cf. Ignacio Aldecoa: *Cuentos completos,* recopilación y notas de Alicia Bleiberg. Madrid, Alianza Editorial, 1973, dos vols.; cf. vol. I,

ha publicado, desde ese primer cuento *La farándula de la media legua,* que aparece en *La Hora* en diciembre de 1948, un total de cuarenta y un relatos cortos que van apareciendo en revistas como *La Hora* ya citada, *Juventud, Correo Literario, Revista de pedagogía, Guía, Clavileño, Alcalá, Revista española, El Español,* etc. A partir de 1955, con *Espera de tercera clase* y *Vísperas del silencio,* Aldecoa inicia la publicación de sus libros de relatos.

Esto quiere decir que, cuando Aldecoa entra con *El fulgor y la sangre* en el campo de la novela, es un escritor joven —no tiene todavía treinta años—, pero conocido y apreciado por la crítica en ese género nada fácil del relato corto.

De ahí que algunos críticos tiendan a interpretar ese período —seis años— que va de la publicación del primer relato a la de la primera novela como una especie de «aprendizaje»: el escritor Aldecoa, antes de intentar el «género grande», novela, se inicia concienzudamente en un género «menor» y por lo mismo más abordable, que es el relato corto. Incluso la estructura de la primera novela, *El fulgor y la sangre,* que resulta de la yuxtaposición de cinco historias parciales, parecería abonar esta interpretación del relato corto como espacio de tránsito, como vía hacia la novela [42].

páginas 13-14. En esa lista de cuarenta y un cuentos, no se incluyen los títulos de once relatos juveniles que aparecieron entre 1948 y 1951. Aldecoa nunca los seleccionó para ulteriores reimpresiones, y A. Bleiberg tampoco los ha incluido en su recopilación.

Eugenio G. de Nora alude a una declaración del propio Aldecoa en *Ateneo,* 1 de noviembre de 1954, en la que afirmaba que, para esa fecha, había publicado, en revistas y periódicos, «sesenta narraciones cortas y cuatro novelas breves» (*La novela española contemporánea,* II, II).

[42] Cf., v. gr., E. G. DE NORA: *La novela española contemporánea,* II, II, p. 328.

ANA MARÍA NAVALES (*4 novelistas españoles.* Madrid, Ed. Fundamentos, 1974, p. 141) proyecta esta superposición del cuentista al novelista a toda la producción novelesca de Aldecoa, cuando dice: «Tanto por su preocupación por el estilo, como por su inclinación a la acción estática, a lo pequeño, Aldecoa es un cuentista nato, pero no había encontrado esa fórmula que mediante la técnica del cuento le permitiese hacer una gran novela.»

Sería interesante conocer esa fórmula mágica que permite, «mediante la técnica del cuento», «hacer una gran novela» ...

Si la mera apelación a una teoría de los géneros no fuera suficiente para mostrar la autonomía genérica del relato con relación a la novela —la novela no resulta del crecimiento del relato y éste no se ordena, como género *menor* a su correlativo *mayor,* que sería la novela [43]—, el testimonio del propio Aldecoa, que, por otra parte, compaginará ya siempre el relato corto con la novela, es a mi juicio argumento decisivo para concluir que en el escritor confluyen el cuentista y el novelista, sin que el uno se subordine al otro; ni el cuento es un ensayo para la novela, ni la novela se resiente de ese «cuentista nato» que la crítica ve en Aldecoa.

Porque el escritor es consciente de ser las dos cosas —cuentista y novelista— a un tiempo, y de no serlo una más que otra.

«Tú, ¿qué te sientes más, cuentista o novelista?», le pregunta Julio Trenas en 1956, y Aldecoa responde: «En mí son como raíles de un mismo camino» [44].

Un año después vuelve a confesar al mismo J. Trenas:

«En realidad comencé con relatos cortos. Pero conste que no pasé del relato corto a la novela. Fue algo simultáneo. Yo escribía también novelas, que no se han conservado» [45].

Aldecoa está además convencido de que cuento y novela son dentro de la narrativa géneros —subgéneros— diferentes y no hay transición de uno a otro en ninguna dirección; así, a

En su reseña de *El fulgor y la sangre,* MARCELO ARROITAJÁUREGUI señalaba: «Como único defecto señalaré la presentación tan al desnudo de esa técnica de dislocar la acción para ir intercalando las vidas de los protagonistas, que rompe la unidad orgánica del conjunto y deja ver, de una manera sensible, la geometría interna, adivinándose incluso una posible novela corta y los añadidos para hacerla novela»; «*El fulgor y la sangre,* de IGNACIO ALDECOA», en *Alcalá,* Madrid, 10 de febrero de 1955.

[43] Aunque no se debe olvidar, en una diacronía del género novela, la función del primitivo «relato enmarcado».

[44] Entrevista con Ignacio Aldecoa, en *Pueblo,* 6 de noviembre de 1956.

[45] «Así trabaja Ignacio Aldecoa», en *Pueblo,* 5 de octubre de 1957.

la pregunta «¿crees en la transición de un género a otro?», nuestro autor responde:

> «Pienso que no son pasos, sino cosas distintas. Poco tiene que aprender el novelista en un cuento y nada el cuentista en la novela. Es más; todavía considero más difícil el relato corto. Así lo pregona la historia literaria: hay menos buenos cuentistas que novelistas...»[46].

Se toca con estas palabras una difícil cuestión, abierta todavía en teoría narrativa: lo que especifica —y diferencia, por tanto—, más allá de un criterio meramente cuantitativo de longitud de relato, el cuento y la novela.

La posición teórica de Aldecoa sobre la cuestión, manifestada en repetidas ocasiones, es realmente certera.

Aldecoa señala en primer lugar el ritmo como factor diferenciador: se trata de ritmos —o «tempos»— distintos; el ritmo del cuento se apoya en la palabra, mientras que el de la novela lo hace en el suceso. Esta diferencia de ritmos —verbal en el cuento, de sucesos en la novela— marca necesariamente tratamientos estilísticos también diferentes[47].

---

[46] J. TRENAS, ibíd. Y de 1968 son estas palabras de Aldecoa a A. SUÁREZ ALBA sobre la relación novela-cuento: «Son dos géneros distintos. Se equivoca totalmente quien dice que el escribir cuentos es un paso para escribir novelas. Medida y sutileza son características del cuento que de ninguna forma posee la novela»; «Ignacio Aldecoa, escritor en primera línea», en *La Gaceta del Norte*, Bilbao, 10 de mayo de 1968.

[47] He aquí algunos testimonios: en una entrevista publicada en *El Español* en 1955, habla de «tempo» y aclara: «No me refiero al "tempo" en sentido rectilíneo, con la sencillez de lo biográfico. Quiero decir el "tempo" ... el "tempo" de orquesta.»

«Es absurdo eso de que "novela es a cuento lo que poema es a soneto". Es una cuestión de ritmos. Los del cuento son diferentes.» (GRAY: «Entrevista con Ignacio Aldecoa», en *La Gaceta del Norte*. Bilbao.) Y en *Informaciones,* del 3 de abril de 1969, declara Aldecoa al mismo entrevistador: «El cuento y la novela son, entre otras cosas, y para mí, un juego de ritmos, de ritmos distintos, naturalmente»; «Ignacio Aldecoa, quince años sin presentarse a premio».

«El relato corto es un género que tiene poco que ver con la novela. Los ritmos son distintos. En el relato corto están apoyados en la palabra, en la novela en el suceso»; cf. M. FENÁNDEZ BRASO: «Ignacio Al-

La diferenciación genérica de novela y cuento por criterios estructurales y formales —ritmo, palabra o suceso como unidades configuradoras del ritmo, estilo— que Aldecoa ha ido haciendo al hilo de declaraciones y entrevistas y sin pretensión de constituirse en teorizador del género narrativo, no sólo no contradice, sino que ofrece claras analogías con las propuestas que, desde los formalistas rusos, se han venido haciendo en un intento sistemático de subclasificación de la narrativa.

Apuntar al ritmo como factor diferenciador de novela y cuento, ritmo apoyado en el primer caso en el suceso y en el segundo en la palabra, no puede menos de recordarnos la contraposición épico-lírica señalada por el formalista Eikhenbaum como fórmula especificadora de novela y cuento [48], criterio que, como indica García Berrio,

«tan largos días de prosperidad (...) ha encontrado después en la crítica occidental» [49].

Y uno de nuestros teóricos que más ampliamente se han ocupado de los géneros narrativos, M. Baquero Goyanes, se mueve en una misma área de preocupaciones cuando señala:

«En el cuento y en la novela corta la nota emocional es única y emitida de una sola vez, más o menos sostenida, según su extensión, pero, por decirlo así, indivisible. La

decoa levanta acta de los años de crisálida», en *Indice,* octubre de 1968.

[48] «La nouvelle se rapproche le plus du type idéal qu'est le poème; elle joue le même rôle que le poème mais dans son propre domaine, celui de la prose»; cf. B. EIKHENBAUM: «Sur la théorie de la prose», en *Théorie de la littérature, Textes des Formalistes russes,* reunis, présentés et traduits par Tzvetan Todorov, París, Seuil, 1965, pp. 197-210; lo citado, en la p. 206. El fragmento seleccionado por Todorov corresponde al trabajo de EIKHENBAUM: «O. Henry y la teoría de la novela», aparecido en 1925.

[49] A. GARCÍA BERRIO: *Significado actual del formalismo ruso,* página 243. Me permito señalar el interés de este capítulo del libro de García Berrio —«Lengua poética: Los niveles sintagmático-sémicos más extensos. Crítica del género narrativo»— para matizar la importancia —tópicamente minusvalorada por la crítica— de los estudios formalistas para una definición y descripción estructural de la prosa y de los géneros narrativos.

novela es un conjunto de notas emocionales que podríamos
comparar con la sinfonía musical, cuyo sentido completo no
percibimos hasta oído el último compás, leído el último capítulo» [50].

A partir de 1954, relato corto y novela alternan en la producción de Ignacio Aldecoa como formas diferenciadas de una
única escritura narrativa, pero sin que ello quiera decir que el
género «menor» —el relato— se subordine al «mayor» —la
novela—, o que la reconocida maestría de Aldecoa en el cuento —a la hora de buscarle un paralelo algún crítico ha tenido
que retroceder hasta Clarín [51]— sea precisamente un impedi-
mento para dominar ese «tempo» narrativo diferente que es el
de la novela. Las limitaciones del Aldecoa novelista no son la
otra cara de sus virtudes como cuentista; el escritor se mueve entre ambas formas narrativas sin arrastrar ningún lastre
del otro género; los defectos de su novela se deben explicar
desde la novela misma, y no, en un sutil juego de prestidigitación crítica, desde las virtudes de sus relatos cortos. Aldecoa

---

[50] Cf. *¿Qué es la novela?* Buenos Aires, Columba, 1961, p. 24.
Cf. también, del mismo autor, *El cuento español en el siglo XIX*. Madrid, Anexos de la R. F. E., C. S. I. C., 1949; y *¿Qué es el cuento?*
Buenos Aires, Columba, 1968.
G. LUKÁCS ha intentado estudiar la relación novela-cuento desde
una perspectiva histórico-sociológica. La totalidad del objeto es el
rasgo más característicos de la totalidad extensiva de la novela como
género, mientras que el cuento nace de un caso particular. De aquí
surgen las relaciones históricas entre ambos géneros: «... la nouvelle
se révèle soit un signe avant-coureur de la conquête du réel au moyen
de grandes formes épiques et dramatiques, soit, au terme d'une certaine période, une manifestation d'arrière-garde, un point final». Boccaccio
pertenecería al primer caso —el cuento italiano como precursor de la
novela moderna— y Maupassant al segundo; sus cuentos serían como
un adiós al mundo pintado por Balzac y Stendhal, Flaubert y Zola;
cf. «Une journée d'Ivan Denissovitch», en *Soljenitsyne*. París, Gallimard,
1970; lo citado, en la p. 9.
[51] «No sé si cuanto va dicho hasta ahora sobre la literatura de Ignacio Aldecoa parecerá al lector particularmente referido a sus relatos
cortos, en los que verdaderamente fue maestro; probablemente el mejor que hayan tenido nuestras letras desde "Clarín", incluido —con
perdón— el propio "Clarín"»; G. GÓMEZ DE LA SERNA: «Un estudio
sobre la literatura social de Ignacio Aldecoa», en *Ensayos sobre literatura social*. Madrid, Guadarrama, 1975, p. 172.

no es un cuentista que se ha pasado a novelista, sino un buen narrador que ha cultivado indistintamente el relato corto y la novela, aunque aquél sea, cuantitativa y cualitativamente, más importante que ésta.

Entre 1954 y 1957, Aldecoa publica tres novelas, *El fulgor y la sangre, Con el viento solano* y *Gran Sol,* y dos libros de relatos, *Espera de tercera clase* y *Vísperas del silencio,* ambos en 1955 [52]. Hasta diez años después, 1967, Aldecoa no vuelve a salir al campo de la novela: *Parte de una historia* es la cuarta y última novela de Ignacio; su muerte en 1969 dejará en blanco esa página inmensa de escritura en que Aldecoa había proyectado su existencia entera de novelista.

El hueco entre *Gran Sol* y *Parte de una historia* se cubre con varios libros de relatos: *El corazón y otros frutos amargos* (1959), *Caballo de pica* (1961), *Arqueología* (1961), *Pájaros y espantapájaros* (1963) y *Los pájaros de Baden-Baden* (1965) [53].

Esta breve cronología bibliográfica muestra que en Aldecoa hay un período de diez años largos —entre 1954 y 1965— que encierra la publicación de casi toda su obra, relato, novela y libro de viajes. A partir de *Los pájaros de Baden-Baden* en 1965 y hasta su muerte —noviembre de 1969— Aldecoa publica solamente una novela —*Parte de una historia*— y algún relato. Y podemos pensar que apenas ha escrito nada más en ese tiempo. En *La tierra de nadie y otros relatos,* publicado en la colección RTV de Salvat en 1970, de los quince relatos que se incluyen, dos no habían sido publicados anteriormen-

---

[52] La mayoría de los relatos publicados en esos dos libros habían aparecido en revistas o periódicos, con anterioridad a *El fulgor y la sangre;* cf. el índice cronológico de los cuentos de Aldecoa en la introducción de Alicia Bleiberg a los *Cuentos completos,* pp. 13 y ss.

[53] Además, *Neutral Córner* (1962), donde el tema del boxeo da unidad a los catorce capítulos independientes de que consta el libro, que va ilustrado con fotografías de Ramón Masats. Alicia Bleiberg no lo ha incluido en los *Cuentos completos.* Aldecoa ha escrito también dos libros de viaje: sus impresiones de las islas Canarias, recogidas, con ilustraciones de Chumy Chúmez, en *Cuaderno de Godo* (1961), y una guía turística, *El país vasco* (1962).

Para la bibliografía de Aldecoa, cf. MARÍA JESÚS GOICOECHEA TABAR: «Bibliografía crítica de Ignacio Aldecoa», en *Boletín Sancho El Sabio,* obra cultural de la Caja de Ahorros de la ciudad de Vitoria, año XVII, tomo XVII, 1973, pp. 333-347.

te en libro: «Un corazón humilde y fatigado», sin fecha en
el índice cronológico de Alicia Bleiberg, y «La noche de los
grandes peces», de 1965, publicado en *La Nación,* de Buenos
Aires, en 1969. La misma A. Bleiberg, en los *Cuentos Completos* (1973) incluye dos relatos póstumos: «Party» (título inicial,
«Horas de crisálida»), de 1965, y «Amadís», de 1968.

En cuanto a alguna novela, escrita o casi escrita, pero no
publicada, a que a veces la crítica ha aludido, el testimonio
de Josefina Rodríguez de Aldecoa permite afirmar que, en
cualquier caso, no se pasó de proyectos, que a veces se convir-
tieron en relato corto, y casi nunca llegaron a borrador.

Y, sin embargo, a pesar de esta desigual actividad, Ignacio
Aldecoa no fue de ningún modo un escritor casual, que escri-
biera a golpe impevisto de inspiración, sino que proyectaba su
obra desde lejos y de forma global, precisamente porque veía
la tarea de escribir como resultado ineludible de un imperativo ético, de una vocación:

> «No creo en la novela casual por muy buen éxito que pue-
> da tener. Estamos aquí para realizar una obra exigida por
> nuestras más profundas creencias y experiencias. El hecho
> de que no podamos llegar a realizarla, no impide que la
> veamos desde lejos. Por eso la programación de mi obra
> novelística es para mí una cuestión de ética profesional, o
> mejor, vocacional. Digo, esto quiero hacer, esto necesito ha-
> cer. Y en lo que dependa de mí lo haré...» [54].

Desde muy pronto, en una lúcida perspectiva, Aldecoa proyecta en escritura el mundo —*su* mundo— y su estar en el
mundo —su *existir*—; la vida —el proyecto de vida— es vista
como novela, porque es la escritura el espacio de convergencia
del escritor y del mundo; escribir el mundo no va a ser para
Aldecoa simplemente representarlo, «reducirlo» a lenguaje, sino
esforzarse por desentrañarlo —el mundo de Aldecoa es sobre
todo entrañable— y hacerlo significativo. Ignacio Aldecoa necesita para vivir, para respirar, espacios anchos de sentido, y

---

[54] LUIS SASTRE: «Entrevista con Ignacio Aldecoa», en *Destino,* diciembre de 1955.

la escritura será el resorte que descubra el lado significativo, simbólico, de los hombres y de las cosas. Por eso proyecta y planifica toda una escritura —toda una vida—, porque es todo un mundo el que debe desplegar su realidad y su sentido.

Y es la novela el género escogido para encarnar literariamente ese ambicioso proyecto de expresar un mundo y una vida. ¿Por qué? Aldecoa ha confesado su preferencia por la novela «como dedicación» [55]; por otra parte, la novela es una forma narrativa más amplia que el relato y más capaz por lo mismo para contener un proyecto global de escritura que resulta de una visión también globalizadora de la realidad —una parte de la realidad— de la España de Aldecoa; porque la novela es «la creación testigo del momento en que vive el novelista» [56].

El proyecto de Aldecoa es ancho y largo, y profundo. Ese volumen de realidad, y de escritura proyectada, parece naturalmente exigir formas narrativas también voluminosas, y la novela —las series de novelas— parece efectivamente responder a este objetivo mejor que el relato corto, aunque Aldecoa no abandonará su actividad de cuentista.

Si, como señala Lukács, la totalidad del objeto, la universalidad, es rasgo característico de la novela, frente al relato corto, que no supera el cuadro de lo particular [57], Aldecoa ha conferido acertadamente la aprehensión total de una realidad a un género también totalizador, como es la novela.

Para Aldecoa, la novela es un género difícil, más difícil que otros. Un niño de diez años —piensa— podrá escribir un buen poema, pero no una novela, ya que ésta es una «artesanía», que exige conocimientos «que requieren más edad en el escritor» [58]. Hasta el punto de que, después de haber publi-

---

[55] ALVARO LINARES RIVAS: «Ignacio Aldecoa», en *Crítica*. Madrid-Barcelona, 4 de enero de 1958.

[56] DEL ARCO: «Entrevista con Ignacio Aldecoa», en *La Vanguardia*. Barcelona, 6 de noviembre de 1954.

[57] Cf. *Soljenitsyne*, pp. 10-11.

[58] PABLO A. MARÍÑEZ: «Autores del siglo XX: Ignacio Aldecoa», en *¡Ahora!*, Santo Domingo, 4 de marzo de 1968. En otra ocasión, Aldecoa había declarado: «La novela, en concreto, tiene muy poco de

cado tres novelas —y varios libros de relatos— confiesa con timidez:

> «Estoy al comienzo, en los primeros pasos, temblando y dudoso. Creo que hasta los cuarenta y cinco años no se consigue la plena madurez, y entonces, sí; el que tiene madera, a esa edad puede ser un buen novelista» [59].

El 15 de noviembre de 1969, cuando le sorprende la muerte, Ignacio Aldecoa tiene exactamente cuarenta y cuatro años y cuatro meses. Su obra de narrador —siete libros de relatos y cuatro novelas— se nos aparece como uno de los esfuerzos más lúcidos y serenos de la narrativa contemporánea española, y su prosa le sitúa al autor en uno de los puestos cimeros entre los prosistas españoles.

La novela es para Aldecoa una suma de valores, experimentales unos, imaginativos otros, pero en cuyo centro está siempre el hombre.

Por eso, de los diferentes elementos que integran la estructura novelesca, Aldecoa atribuye importancia capital al personaje; es éste el que subordina los demás elementos y las técnicas narrativas:

> «La novela se hace a través de una situación y un personaje y se aplica una técnica para narrar. No al revés, que es tomar una técnica e inventar una situación para ella.»
> «Lo que interesa es el personaje. Es lo que queda» [60].

Y es precisamente esta irrenunciable concepción de la novela como escritura anclada en el corazón y el destino del hombre lo que orienta el vasto proyecto novelesco que Aldecoa perfila desde muy pronto. Porque, como repetidamente ha confesado, escribe de lo que conoce profundamente, por tenerlo cerca. Y lo que Aldecoa ve, de esa realidad cercana, para la

---

arte. Es, además, ciencia, trabajo y muchas otras cosas»; R. C. O.: «Una charla con Ignacio Aldecoa», en *Acento*. Madrid, 1 de mayo de 1960.

[59] A. LINARES RIVAS: «Ignacio Aldecoa», en *Crítica*. Madrid-Barcelona, 4 de enero de 1958.

[60] MAURO MUÑÍZ: «*Gran Sol*, última novela de Ignacio Aldecoa, es una narración vivida en los mares del Norte», en *La Estafeta Literaria*, 7 de julio de 1956.

que siempre tiene los ojos bien abiertos, es, ni más ni menos, «la pobre gente de España», esa «realidad española, cruda y tierna a la vez...».

De esta experiencia, profunda y entrañable, nace en el narrador Aldecoa el amplio proyecto de las trilogías: la de «La España inmóvil», primero —«la España que yo trato es una España que no ha variado»—, donde el novelista se enfrentará con una España real y tópica a un tiempo, con el riesgo de ambigüedad que ello supone. Y si Aldecoa penetra en la novela por un mundo cuya interpretación literaria apenas ha superado la unidimensionalidad del tópico, no es para dar de él una representación más, sino para destruirlo como tópico, para trascenderlo, mediante un proceso poético-semántico de recuperación y atribución de sentido:

> «Lo que tienen de malo los tópicos es que han sido tratados siempre aisladamente. Mi propósito es agruparlos y darles el mayor sentido posible. Creo moverme en un terreno seguro porque hablo de hombres y ambientes con los que me he mezclado» [61].

El conocimiento que Ignacio tiene de esa «España inmóvil» de «la Fiesta» —«los que la cuidan, que son la Guardia Civil, los que la hacen, los toreros, y quienes la aguan, los gitanos»— y la pretensión de un tratamiento globalizador y no aislado del tópico permite al escritor superar airosamente el riesgo de caída en el pintoresquismo costumbrista.

En las trilogías es todo un sistema novelesco lo que Aldecoa concibe; al hacer del personaje-tipo protagonista de cada novela elemento del sistema como totalidad, se crea toda una red de fuerzas semánticas que «tiran» del personaje y lo mantienen en un equilibrio significativo por encima de la trivialidad del tópico.

Pero esto, que vale del sistema —del proyecto de sistema— como totalidad, ¿vale igualmente de cada novela como unidad textual y de sentido?

Aquí Aldecoa juega, a mi juicio, con otro elemento que

---

[61] L. SASTRE: «Entrevista con Ignacio Aldecoa», en *Destino,* diciembre de 1955.

más adelante analizaré, y que es lo que, con palabras de
A. Prieto, llamaríamos «la fusión mítica»[62]. Aldecoa dijo alguna vez que sus personajes son

«seres en momentos cuspidales de la existencia. Seres tras-
cendentes...»[63].

Aquí radica a mi juicio, como más adelante intentaré demostrar, el secreto del tratamiento novelesco que Aldecoa hace
del personaje tópico: lo tópico se trasciende en lo mítico y
se convierte en símbolo; el realismo costumbrista no es más
que un umbral por donde penetramos en ese abierto universo
de sentido que es la novela aldecoana.

La misma universalidad de perspectiva proyecta Aldecoa
cuando, en sucesivas trilogías, se propone desarrollar novelísticamente «la épica de los grandes oficios».

Y primero, el mar, la gran pasión de Ignacio —ese marino frustrado, según propia confesión—, y que estaba ya
presente en sus primeros poemas; pero no un mar de la aventura, sino del trabajo, de los pescadores, de los hombres...

La pesca de altura, la de bajura, y el trabajo en el puerto
conformarían esta segunda trilogía en que Aldecoa proyecta
convertir en escritura no un simple interés personal por el
mar y sus cosas, cuanto la épica —la trágica y entrañable
épica— de esos hombres —y mujeres— que viven —y a veces
mueren— en el mar, del mar, para el mar...

Aldecoa sigue perforando en su visión de esa realidad española «cruda y tierna a la vez», y en su fantasía creadora, y
va descubriendo estratos nuevos a su proyecto global de novelista:

«... después de la trilogía de los pescadores, quiero hacer la
del hierro. Primer libro, la mina; segundo, el trabajo en los
altos hornos; tercero, la utilización de las herramientas»[64].

---

[62] Cf. *Morfología...*, y, sobre todo, «La fusión mítica», en *Ensayo
semiológico de sistemas literarios*. Barcelona, Planeta, 1976, 3.ª ed., páginas 139-191.
[63] J. TRENAS: «Entrevista con Ignacio Aldecoa», en *Pueblo*.
[64] L. SASTRE: «Entrevista con Ignacio Aldecoa», en *Destino*.

Que nadie piense, ante esta planificación de series de novelas, en el recortado didactismo social del naturalismo decimonónico, o en la novela socialista rusa de los planes quinquenales... Es el hombre lo que a Aldecoa le interesa, pero el hombre allí donde está, y sobre todo cuando ese «estar en» aparece dolorosamente condicionado por la indefensión de una existencia desguarnecida, de un oficio duro y arriesgado.

Cuando Aldecoa penetra en el mundo de la novela, lo hace, pues, con un claro proyecto global, capaz de llenar y dar sentido a toda una vida de creación; entiende así responder a ese ineludible imperativo ético de vivir la escritura como una actitud en el mundo. Cuando unos años después —quince, exactamente— le sorprende la muerte, son tan sólo cuatro novelas las que encarnan el tránsito del proyecto a la escritura. Las dos primeras —*El fulgor y la sangre* y *Con el viento solano*— pertenecen a la trilogía de «La España inmóvil»: son los que cuidan la fiesta y los que la estropean —guardiaciviles y gitanos— los protagonistas respectivos de estas novelas; la tercera —la de los toreros— nunca sale de esa primitiva nebulosa del proyecto; Antonio Jiménez, el novillero de *Con el viento solano*, cosido de hambres y de ilusiones, ya que no de cornadas, nunca recibirá la alternativa literaria que el novelista Ignacio Aldecoa le tenía prometida[65].

Después de *Con el viento solano,* Aldecoa publica una novela del mar —la de los pescadores de altura— con el título de *Gran Sol,* y tras diez años de silencio —en los que sigue escribiendo y publicando relatos cortos—, *Parte de una historia* (1967) nos lleva a una innominada islita en el archipiélago canario, donde la vida de los pescadores de la bajura queda anegada por la imprevista y ruidosa arribada de unos náufragos americanos.

---

[65] Efectivamente, el novillero Jiménez, a quien vemos fugazmente en las primeras páginas de *Con el viento solano,* iba a ser el protagonista de *Los pozos;* la novela —según testimonio de Josefina Rodríguez de Aldecoa— no pasó de proyecto y de alguna nota suelta de las muchas que el escritor tomaba sobre los libros que hizo y sobre los que no llegó a hacer.

«Los pozos» era el título previsto para la tercera novela de la trilogía «La España Inmóvil»; aunque, en alguna ocasión, la llamó también *Los ojos del toro.*

Si por un lado es la muerte la que ha cortado, al menos cronológicamente, la posibilidad material de realización del proyecto, por otro es, a mi juicio, la escritura misma la que va imponiendo su ley al escritor: la novela —cada novela— hace estallar las fronteras asignadas en el proyecto, y altera y desarticula el sistema. Aldecoa, de acuerdo con una rígida y coherente concepción ética de la tarea de escribir, sólo entiende el «escribir novelas» como respuesta gradual y progresiva a un proyecto previo y universal. En Aldecoa las proyectadas trilogías son resultado de una opción originalmente ética; pero la escritura —la existencia estética de la novela— no se subordina a la opción ética previa —sería la caída en el costumbrismo o el didactismo social—, sino que sigue libremente las leyes internas de su propio dinamismo estructural y de sentido; la novela-escritura trasciende —supera— a la novela-proyecto, y tiende a no caber en el paradigma desde el que se generó: la trilogía no es ya modelo válido —suficiente, al menos— para su explicación.

Porque, después de *Con el viento solano*, no hay lugar en el nivel de la escritura novelesca, para *Los Pozos*. Porque más allá del previsto triple protagonismo de «la Fiesta» —guardias, gitanos y toreros— Aldecoa ha creado un universo de sentido que se sostiene por sí mismo y no por su referencia a la realidad que motivó el proyecto.

El fulgor y la sangre y *Con el viento solano* encarnan en este nivel la alternativa del hombre ante la presencia ineludible de la muerte. Cuando, desde la anécdota de la Fiesta, Aldecoa, asciende poéticamente hasta la altura del símbolo —la problemática de la condición humana—, completar la proyectada trilogía ha dejado seguramente de ser pertinente. No sabemos si Aldecoa lo pensó así; pero, como novelista, se comportó como si lo hubiera pensado.

Más claro es el desequilibrio entre proyecto y escritura en lo que se refiere a la trilogía del mar.

Parte de una historia, por el deslizamiento temático que supone la llegada de los americanos a la isla, se resiste a dejarse clasificar como la novela de la pesca de bajura; y así lo han visto los críticos. El mismo Aldecoa, precisando temática y técnicamente la novela, declara, antes de su publicación:

> «Su temática podríamos enclavarla dentro de la llamada "novela de mar", pero con unas pretensiones técnicas completamente distintas de las que yo he intentado hasta ahora...» [66].

y no alude para nada a su proyectada trilogía del mar.

En cambio, *Gran Sol,* por sus características, se nos aparece ya desde su dedicatoria —«a los hombres que trabajan en la carrera de los bancos de pesca en el mar del Gran Sol»— como una típica «novela-reportaje» sobre los pescadores de altura; un análisis posterior nos permitirá descubrir en la novela niveles de significación más allá de la mera crónica del mar, pero digamos por el momento que, incluso en este caso, es al menos dudoso, por no decir inexacto, que Aldecoa pretendiera con esta novela iniciar efectivamente su proyectada trilogía del mar [67].

Aldecoa ha escrito dos novelas del mar, pero sin intención —parece lo más probable— de realizar con ellas su primitivo proyecto de trilogía del mar.

En cuanto a la de los trabajadores del hierro, ¿fue impedida por la muerte? De hecho, Aldecoa ni siquiera la inició.

Hay, pues, un evidente desnivel entre el proyecto novelístico de Ignacio Aldecoa y su realización en escritura.

Las declaraciones de Aldecoa sobre su proyecto de trilogías son tempranas, y sólo sus dos primeras novelas son comentadas por el autor como pertenecientes efectivamente a una de las trilogías —la de «La España inmóvil»—. Con posterioridad a estas fechas no he registrado ninguna declaración en que las nuevas novelas publicadas o en preparación sean adscritas

---

[66] José Julio Perlado: «Ignacio Aldecoa escribe *Parte de una historia»,* en *El Alcázar,* 3 de marzo de 1967.

[67] El americano Charles R. Carlisle señala: «Aldecoa mismo niega que *Gran Sol* sea parte de tal trilogía en una carta a este autor con fecha del 14 de octubre de 1969: «*Gran Sol* no es cabeza de trilogía alguna», *La novelística de Ignacio Aldecoa.* Madrid, Playor, S. A., 1976, página 12, nota 5.

a los proyectos de trilogía [68]. Tampoco hay ninguna declaración
por la que el novelista desista explícitamente de su plan primitivo.

A mi juicio, las trilogías nacen de la voluntad ética del
autor de planificar la escritura como se proyecta —se hace
proyecto— la existencia. Luego cada novela, como texto y
como significado, «se sale» del molde en que tal vez se generó
y va, en todos los casos, más allá de lo proyectado. Las trilogías, en el caso de Aldecoa, son un dato significativo de la
actitud ética con que el escritor se plantea concienzudamente
su tarea como novelista; no valen como modelo para la descripción e interpretación de los textos concretos. Porque, si
por un lado la universalización del tópico le permite al novelista evitar la caída en la in-significancia, por otro, fijar cada
novela en el espacio correspondiente del proyecto de trilogía
impediría seguramente esa fusión con el mito que permite a la
obra de Ignacio Aldecoa despegarse del nivel anecdótico-cos-
tumbrista y alzar el vuelo por los espacios infinitos del símbolo.

La motivación realista en la novela de Aldecoa

Es evidente, como señala M. Butor [69], que lo que el novelista
nos dice es por principio inverificable; y, sin embargo, tenemos
el convencimiento de que la novela es un modo de experiencia
y aprehensión de la realidad. Tocamos aquí una vez más el
arduo problema de los modos de relación novela-realidad y
del sentido en que la realidad puede ser afirmada como *modelo*
de la novela o viceversa.

Pero lo que aquí nos interesa en este momento no es desde
luego el modo como novela y realidad «se dicen» y se relacionan, cuanto ese otro dato, por elemental menos discutido, de la
realidad como material que se incorpora al mundo novelesco;

---

[68] Con excepción de la tercera novela de «La España inmóvil», a la
que Aldecoa se sigue refiriendo, y, como hemos visto, con títulos diversos.

[69] Cf. «Le roman comme recherche», en *Essais sur le roman*. París,
Gallimard, 1969, pp. 7-14.

no tanto la realidad *novelada* —¿se puede hablar en rigor de una *realidad novelada?*—, cuanto la realidad *novelable;* pero como el propósito no es la novela como texto genérico, sino un discurso novelesco concreto, el de Ignacio Aldecoa, es este corpus textual el punto de partida; la realidad aparece así como resultado de una abstracción, a partir del texto. Sin embargo, esa realidad es funcional no en el nivel del texto como resultado —donde la función referencial se absorbe y trasciende en la función simbólica—, sino en ese otro anterior, lógicamente al menos, de la motivación del texto desde la realidad —lo que hemos llamado función mimética—. Por eso hablamos de motivación realista en la novela de Aldecoa; no sólo porque la introducción de los motivos se hace respetando las leyes de la verosimilitud, sino porque, como señala Tomachevski,

> «L'introduction dans l'oeuvre littéraire d'un matériel extra-littéraire, c'est-à-dire de thèmes qui ont une signification réelle hors du dessein artistique, est facile à comprendre sous l'angle de la motivation réaliste de la construction de l'oeuvre» [70].

La motivación realista se resuelve así en lo *verificable* y lo *verosímil* como material por un lado y como técnica de ilusión por otro. Ambos ingredientes, tratados por la función poética, pierden su estatuto referencial, de modo que el texto de la novela, liberado de toda exigencia de verificación, sitúa en otro nivel —el nivel del símbolo y del mito— su capacidad para decir la realidad.

---

[70] «Thématique», en *Théorie de la littérature,* p. 288. TOMACHEVSKI define el motivo: «Le thème de cette partie indécomposable de l'oeuvre s'appelle un motif. Au fond, chaque proposition possède son propre motif», página 268.
Cf. también W. KAYSER: *Interpretación y análisis de la obra literaria.* Madrid, Gredos, 1958 (la edición alemana es de 1948), pp. 88 y siguientes. F. VAN ROSSUM-GUYON define el motivo: «Nous entendons par motif tout élément de l'oeuvre susceptible d'être isolé par l'analyse, sans préjuger de sa fonction...», *Critique du roman.* París, Gallimard, 1970, p. 128.

Lo VERIFICABLE Y SU INTEGRACIÓN EN EL RECINTO
NOVELESCO

Ha quedado claro en las páginas anteriores cómo Aldecoa
ve su novela como resultado de su experiencia de la realidad;
es evidente que en el origen de las novelas de Ignacio Aldecoa
hay, no una ideología, no un deseo de experimentación con el
lenguaje, sino esencial y primordialmente «la pobre gente de
España». Hay, por tanto, unos hombres, un tiempo y un espacio,
una historia en el sentido propio, que tiene consistencia —y
existencia— extraliteraria y que el autor ha incorporado a la
nueva existencia novelesca.

Sin duda ninguna es *Gran Sol* el texto donde las huellas
de lo verificable son más visibles; tanto, que para algunos críticos no tendría sentido intentar buscarle al texto otra significación que el mero documento sobre los pescadores de altura;
no habría tránsito de la mímesis al símbolo.

Efectivamente, desde el título hasta la última visión de la
pareja de arrastreros haciendo rumbo al sur, mientras en la distancia se van desdibujando los perfiles de la costa irlandesa,
Gran Sol se nos aparece como un reportaje austeramente fiel
—*verídico*— de una marea interrumpida por la muerte del patrón, en ese banco que en las cartas de navegación inglesas se
denomina «Great Sole», y que las tripulaciones cantábricas de
la pesca de altura llaman «Gran Sol». A ellas dedica Aldecoa
su novela, «a los hombres que trabajan en la carrera de los
bancos de pesca entre los grados 48 y 56 de latitud norte,
6 y 14 de longitud oeste...».

Ya el título es un espacio real, verificable, cuya situación
en la carta de navegar es precisada rigurosamente en las primeras líneas de la dedicatoria. Y ese viaje que es la novela aparece
exactamente señalizado en el espacio verificable a través de las
notas que el costa Paulino Castro va tomando en el cuaderno
de bitácora, o en las indicaciones del narrador. Rumbo al norte
en la primera parte de la novela —del Musel hacia Gran Sol—,
rumbo al sur en el final —desde Bantry, en cuyo cementerio
hace capa para siempre el patrón de pesca Orozco, hacia la

costa cantábrica—, el Uro y el Aril hacen una ruta verificable en todas sus partes.

También es verificable —Talavera, Escalona, Madrid, Alcalá, Cogolludo— el viaje del gitano de *Con el viento solano*, en ese intento exasperado e inútil por huir de sí mismo. En contraste con esto, ¿dónde está exactamente el castillo cuartel de *El fulgor y la sangre*, o la pequeña isla sin nombre de *Parte de una historia?*

La isla es claramente situable en el Atlántico, en el archipiélago canario, y el cuartel en Castilla la Nueva, no lejos de la raya de Extremadura. Pero en ambos casos, el espacio concreto —castillo e isla— es potenciado poéticamente hasta hacerlo funcionar como metáfora generalizada de la existencia. Y en esa misma medida la verificabilidad deja de pertenecer incluso al funcionamiento verosímil del espacio novelesco y se hace no necesaria. Como no es necesario que sea verificable —que tenga existencia extraliteraria— un arrastrero de nombre Aril o un gitano de veintinueve años llamado Sebastián Vázquez. Y en este sentido no es más verificable —más verídica— *Gran Sol* que cualquiera de las otras tres novelas.

Aldecoa parte en todos los casos de un espacio verificable, donde sitúa ese otro espacio parcial, no verificable, pero sí verosímil —castillo, conciencia, barco, isla— que el texto novelesco potenciará semánticamente convirtiéndolo en símbolo. La comparación, por tanto, no es entre el «Great Sole» como espacio verificable y el castillo-cuartel o la isla como espacios no verificables. En los tres casos hay una realidad que motiva la situación novelesca, central o inicial, y que el propio Aldecoa ha señalado explícitamente.

Así explicaba Ignacio lo primero que *vio* de su novela *El fulgor y la sangre:*

> «Dando vueltas por Castilla, sin rumbo, yendo con Josefina por la carretera de Extremadura, en Maqueda vi un castillo dentro del cual había un cuartel de la Guardia Civil. Aquello fue el primer golpe del tema. Luego vino la coincidencia de una noticia periodística, de esas tan corrien-

tes, de reyertas de gitanos, y ya estuvo allí la idea de la novela...»[71].

Y no sólo de *El fulgor y la sangre,* sino también, por un cambio de perspectiva de un mismo hecho —la muerte de un guardia civil en una feria de pueblo—, de su segunda novela, *Con el viento solano,* donde el gitano Vázquez, huyendo de la justicia tras matar absurdamente al cabo Santos, se encuentra a sí mismo, y en una noche de lucidez y borrachera termina entregándose a los guardias. Al gitano, Aldecoa lo leería en los periódicos, «le cayeron treinta años y un día»[72], pero esto ha dejado de ser relevante; el «fait divers» ha puesto en marcha en el escritor el mecanismo de la creación novelesca, y el texto en su devenir no mira ya hacia atrás —la realidad que lo motivó—, sino hacia adelante —la capacidad simbolizadora que resulta de la productividad textual.

También *Gran Sol* ha partido de una experiencia:

«La novela que he escrito es el resultado de mi navegación del 25 de julio al 18 de agosto del año último, a bordo del "Puente Viesgo", barco compañero del "Puente Nansa", de la matrícula de Santander entonces y vendidos después a Freire, de Vigo...»[73].

Y en el origen de *Parte de una historia* están, sin duda, las estancias de Aldecoa en «La Graciosa», una isla pequeña que forma grupo con «Montaña Clara» y «Alegranza», en Lanzarote[74].

Efectivamente, Aldecoa, en todos los casos, escribe de lo que tiene cerca, ese mundo cercano y entrañable que es la gente —la pobre gente— de España y que es también el escritor mismo, con su personal visión y experiencia de la realidad.

---

[71] J. TRENAS: «Así trabaja Ignacio Aldecoa», en *Pueblo,* 5 de mayo de 1957.

[72] Cf. MAURO MUÑIZ: «*Gran Sol,* última novela de Ignacio Aldecoa...», en *La Estafeta Literaria,* 7 de julio de 1956.

[73] CARLOS FERNÁNDEZ CUENCA: «Entrevista con Ignacio Aldecoa», en *Ya.* Madrid, 25 de noviembre de 1956.

[74] Cf. C. P. E.: «Ignacio Aldecoa en Vitoria», en *La Gaceta del Norte.* Bilbao, 26 de abril de 1961.

Pero si en el origen de las novelas hay siempre como motivación fundamental un elemento verificable, el tratamiento novelesco, a partir del motivo inicial, no es el mismo en todos los casos; frente a la fidelidad documental al espacio verificable con que Aldecoa narra la marea de los pescadores del Aril y el Uro, o la huida de Sebastián Vázquez desde las proximidades de Talavera hasta Cogolludo, ese espacio estático y cerrado, cuartel en *El fulgor y la sangre,* isla en *Parte de una historia,* aparece identificado a lo largo de la narración, de forma genérica y antonomásica a un tiempo, como *el castillo, la isla;* ciertamente se nos dan elementos espacio-contextuales que permiten integrar esos lugares concretos en una geografía real: el lugar castillo-cuartel aparece situado de forma genérica en Castilla —Castilla la Nueva—, hacia lo que en los últimos tiempos de la Reconquista hacía frontera con los moros; por datos de *Con el viento solano,* el emplazamiento del Castillo puede ser concretado en una zona próxima a Talavera; y en la isla de *Parte de una historia,* «el Atlántico mansea», y el viento trae una arena «que viene de Africa».

Pero la isla no tiene nombre —como no lo tiene tampoco el misterioso narrador—, aunque sí lo tienen sus vecinas —Isla Mayor, isla del Faro—, y pasa por la narración como *la isla;* este nombre genérico se concreta —se llena de sentido— no por sus posibles referencias a un espacio real, sino por su funcionamiento como elemento integrante de la estructura novelesca en la que se genera; como el castillo, sobre cuyas paredes el áspero sol de Castilla ha ido recalentando años y años de inhóspita monotonía; ya no es la capacidad que el lector tiene, a partir de indicios diseminados aquí y allí en el texto, de reconstruir una geografía real sobre la que asentar el misterioso cuartel, lo que lo potencia como elemento significativo, sino esa espesa y múltiple capa de sentido que sobre las murallas y el patio, el Cuerpo de Guardia y la galería, va dejando la asustada monotonía de las horas que pasan entre la espera y el miedo. Ya no importa saber dónde está emplazado exactamente el castillo, ni cómo se llama el pueblo que está enfrente y adonde bajan los domingos los guardias y sus familias a misa y a la novedosa charla del pórtico o la taberna.

Desde esa geografía real, desde ese espacio verificable de

donde surgen, el castillo y la isla, como el Aril y el gitano
Vázquez, se incorporan a un espacio y a un tiempo que rompe
las amarras que le atan a la realidad, la función referencial, y
se deja llevar, por el decurso mismo de la novela como producción textual, a ese otro espacio no descubierto ni colonizado
semánticamente, que es el de la función simbólica.

Porque Aldecoa sabe muy bien que no es suficiente nombrar un espacio para que comience a existir, con una existencia
literaria, naturalmente, que es la única que tienen los espacios
de la ficción, aunque sean verificables. El espacio *se hace,* y
no simplemente *se nombra* [75]; y el espacio novelesco se hace
cuando el escritor es capaz de integrarlo como elemento vivo,
funcional, en ese mundo nuevo —la novela— que surge al
mágico conjuro de la palabra poética; de modo que resulte
significativo no ya por el referente, desde donde el escritor le
llamó a la existencia novelesca, sino por esta misma nueva,
real y única manera de existir.

Un ejemplo claro de esta elaboración novelesca, de esta
integración épica del espacio verificable, puede ser Madrid en
las dos primeras novelas de Ignacio Aldecoa.

En *El fulgor y la sangre,* Madrid es la patria chica de una
de las mujeres del castillo, de Carmen, a la que sus compañe-
ras apodan precisamente «la madrileña». No sabemos de dónde
son las otras cuatro mujeres, aunque en algunos casos, por
indicios indirectos en la misma novela, sería posible deducir,
si no el lugar preciso, sí la zona de la geografía española donde
el novelista las ha hecho nacer. Pero, ¿para qué? Resultaría
insignificante en ese nuevo espacio existencial —el simbólico
castillo— adonde convergen los espacios de las cinco historias
de las mujeres. Y, sin embargo, no es gratuito que de Carmen
se nos precise su origen madrileño, ribera del Manzanares, en
un interior de una casa de tres pisos, abierta por el patio a un
almacén de frutas, con olor a tomates y ronroneo de moscas
gordas y repugnantes; porque este Madrid, el de los cines y

---

[75] En *The Art of the Novel,* Critical prefaces with an introduction
by Richard P. Blackmur, New York, 1950; HENRY JAMES distingue
lúcidamente la diferencia que hay entre *nombrar* un lugar y *hacerlo;*
cf. también, *El futuro de la novela.* Madrid, Taurus, 1975.

las verbenas de barrio, alimenta, como un paraíso perdido o como una utopía, la frustración y el deseo irreprimible de salida de las mujeres del castillo. Madrid se distancia del referente desde el que ha saltado a la novela para ir cobrando una existencia nueva, no dicha por ningún referente extra-literario, en ese espacio original de sentido que es *El fulgor y la sangre;* hasta que Madrid no es —no significa— un espacio verificable en la geografía española, sino que, mucho más allá, atravesando la frontera que separa la mímesis del símbolo, Madrid metaforiza, como espacio soñado y deseado, todos los deseos y sueños que el aislamiento y la absurda monotonía del castillo reprime y agosta.

Como ese Madrid de gitanos y marginados por Campamento, o de horteras y busconas por las Cavas y Antón Martín, tan rigurosamente registrado por Aldecoa en esos primeros días de desnortada huida del gitano protagonista de *Con el viento solano.* Desde su instinto de conservación, la gran ciudad es para Sebastián la posibilidad de perder el rastro, es decir, de huir de los guardias; Madrid es el espacio de la libertad.

En *Con el viento solano,* como luego analizaremos más detenidamente, el itinerario físico, a través de lugares verificables, de la huida del gitano es significante de ese otro viaje moral, de esa especie de descenso a los infiernos de la propia identidad recuperada. Madrid es así una encrucijada de esos dos itinerarios, donde la significación como espacio físico —la gran ciudad— se desliza progresivamente —como en *El fulgor y la sangre*— hacia una significación más compleja y consistente —como espacio moral —el lugar del anonimato, que para Sebastián es en ese momento una forma suficiente de la libertad.

El tiempo, como coordenada, junto al espacio, de las historias narradas se supone, en las cuatro novelas de Aldecoa, contemporáneo al de la escritura. El análisis posterior de cada una de las novelas nos permitirá el estudio del tratamiento narrativo de la duración de la ficción, sobre todo en el caso en que, como en *El fulgor y la sangre,* el tiempo —duración de historia y de discurso— se ofrece como categoría decisiva de la sintaxis y de la semántica de la novela. Pero aquí sí nos

interesa aludir a la importancia que en un caso concreto tiene
la verificabilidad temporal —el carácter *histórico*— de algunos acontecimientos de la ficción.

Me refiero en concreto a las cinco pre-historias con que,
desde la perspectiva de las mujeres, el narrador de *El fulgor
y la sangre* intenta tapar el boquete de lentitud y de angustia
que la noticia de la muerte de uno de los guardias ha abierto en
la vida del castillo.

En cada una de esas cinco pre-historias el narrador se remonta a una fecha —distanciada en algún caso en más de
veinte años del presente de la ficción—, para irnos contando
a partir de ahí la vida de las mujeres —y de sus maridos—
hasta la llegada de todos al castillo. Las cinco pre-historias descansan como acontecer en fechas y sucesos verificables, es
decir, que tienen su referente en la historia española contemporánea.

La guerra en todos los casos, o fechas y hechos tan significativos como la proclamación de la República, los acontecimientos revolucionarios de octubre del 34, el alzamiento militar
de julio del 36, son, entre otros, jalones de esas cinco historias
que terminarán irremisiblemente en el presente sin horizonte
—sin futuro— del castillo. Las pre-historias son así parte de la
historia de España, de unos españoles —¿la generación de Aldecoa?— cuyas vidas han quedado marcadas decisivamente por
la experiencia —hecha en algún caso, padecida en todos— de
la guerra.

El presente del castillo adquiere así densidad histórica,
porque aparece como resultado de un pasado verificable históricamente. Pero no es, como luego se verá, la verificabilidad
lo que dará sentido a las prehistorias, sino su integración, como
devenir histórico y social, en ese tiempo muerto —privado de
movilidad y de futuro— que es la vida en el castillo.

Si la verificabilidad histórica del tiempo de la ficción da
densidad a las prehistorias, su sentido no se absorbe en decir
—representar— ese tiempo histórico, sino que, más allá del
tiempo representado, hay un tiempo interpretado, que es el
lentísimo transcurrir de las horas iguales del castillo, como
metáfora del devenir existencial. El análisis posterior de la

novela permitirá comprobar la funcionalidad simbólica, desde su dimensión de acontecer historizado, de las pre-historias de *El fulgor y la sangre*.

También los personajes de Aldecoa están hechos a partir de elementos clara y sustancialmente verificables. Ya he dicho que todo el universo narrativo del escritor —novelas y relatos— está habitado por «la pobre gente de España». Pero el hecho de que Aldecoa extraiga sus personajes de la vida no quiere decir que se trate de seres reales que en cuanto tales son incorporados a una segunda existencia novelesca. La dimensión verificable de los personajes de Aldecoa no está en lo que tienen de individuos; Orozco y el gitano Vázquez, el cabo Santos y hasta el misterioso y anónimo narrador de *Parte de una historia,* son entes de ficción engendrados en la fantasía del escritor, aunque su génesis haya tenido lugar en un espacio de convergencia de realidad e imaginación creadora. Es en los tipos, o, mejor, en los grupos sociales seleccionados por Aldecoa, donde hay una relación de verificabilidad entre personajes de la novela y personas de la vida real. Guardia Civil, gitanos y pescadores, que Aldecoa, en sus proyectadas trilogías, adscribió respectivamente a la «España inmóvil» y a la épica de los grandes oficios, son como grupo social claramente verificables en la realidad española contemporánea; portadores, incluso, de un carácter representativo, de una tipicidad que es la que, al parecer —recuérdense los testimonios de Aldecoa aducidos anteriormente— ha motivado su selección y su incorporación al universo de las novelas; y desde donde el autor ha construido y justificado su proyecto de las trilogías.

Hay, pues, en el nivel de los personajes como grupos sociales o profesionales, ya que no como individuos, una orientación a la realidad, o, mejor, desde la realidad; porque, a partir de aquí e igual que ocurre con el espacio real y el tiempo histórico, el grupo, que, con toda su carga de realismo o incluso de documento social, accede al recinto de la novela, queda sometido a las leyes semánticas internas de ésta; de modo que lo que en el nivel de la función mimética es una novela de guardias civiles —*El fulgor y la sangre*—, o de gitanos —*Con el viento solano*—, o de pescadores —*Gran Sol* y en mucho menos proporción *Parte de una historia*—, atraviesa el espacio de la función poética, y cuando surge como texto novelesco en el nivel del símbolo, será legítimo y necesario para el crítico preguntarse si las novelas de Ignacio Aldecoa, como universo de sentido, se quedan en ese estrato costumbrista-realista donde la función mimética las ha identificado.

Es éste un punto clave y poco tenido en cuenta en algunos casos, a la hora de leer —en una lectura que se entienda como donación de sentido— la novela de Aldecoa. Lo que el crítico debe preguntarse es si los personajes de las novelas de Aldecoa son significativos por su inicial adscripción al grupo social de donde el autor los ha tomado, o más bien por el «rol» que el mismo autor les hace jugar en el espacio semántico de la obra literaria.

Lo verificable se nos aparece, pues, en las cuatro novelas de Aldecoa, aunque en proporción diferente, como una materia prima de la que el novelista extrae los materiales concretos —anécdota, tiempo y espacio, es decir, fábula— que incorpora a sus ficciones. La realidad está en el punto de partida y el texto mismo está sembrado, más en unos casos que en otros, de elementos verificables que denuncian esa especie de cordón umbilical que recorre el camino de origen del texto novelesco: de la realidad a la novela.

Esta primaria relación de la realidad y la novela que se dice en el nivel de la función mimética no aparece sólo como resultado de los elementos verificables que el escritor ha incorporado a su obra; en definitiva, la novela es un simulacro de la realidad [76], y la función mimética descansa, más aún que en la categoría de lo verificable, en la de lo verosímil, que es, como señala Todorov,

> «la máscara con que se disfrazan las leyes del texto, y que nosotros debemos tomar por una relación con la realidad» [77].

---

[76] «La novela es un simulacro de la realidad. Se alza frente a ella y se convierte en modelo»; CÁNDIDO PÉREZ GÁLLEGO: *Morfonovelística.* Madrid, Editorial Fundamentos, 1973, p. 11.

[77] T. TODOROV: «Introducción» a *Lo Verosímil.* Buenos Aires, Editorial Tiempo Contemporáneo, 1970, p. 13; es la traducción del número 11 de la revista *Communications,* de 1968.

LO VEROSÍMIL Y EL EFECTO DE REALIDAD

El mundo novelesco de Ignacio Aldecoa es absolutamente verosímil. Su aceptabilidad está —desde una concepción ingenua de lo verosímil [78]— en que es percibido como «conforme a la realidad». Cada motivo aparece efectivamente probable para la situación en la cual se introduce, desde la idea, naturalmente, que el lector se hace de lo verdadero y lo posible. Incluso cuando algún motivo parece contradecir la expectación de verosimilitudes del lector, el narrador busca el momento en que la historia permite una explicación de tal motivo y lo hace aceptable.

Pero, en el fondo, las reglas de la verosimilitud se asientan en las convenciones del realismo narrativo, que, como hemos visto, inspiran la novela de Aldecoa.

Ya he aludido a la principal o las principales corrientes que orientan y dirigen el realismo narrativo por los años cincuenta. Y a la distancia que Aldecoa mantiene conscientemente de un realismo demasiado denotativo y que recorta las posibilidades de una interpretación de la realidad desde la palabra poética. Sin embargo, las novelas de Aldecoa se mantienen dentro del código de lo verosímil que la convención realista impone por esos años a la novela española. En ese marco hay que situar la clara tendencia a la objetividad que manifiesta en todos los casos el narrador de dichas novelas; bien es verdad que Aldecoa no llega al «objetivismo extremo» —behaviorismo— que representan obras como *El Jarama,* de Sánchez Ferlosio, o *Nuevas amistades* y *Tormenta de verano,* de García Hortelano. Si, por un lado, es claro que ha renunciado a las intromisiones del narrador, está por otro muy lejos de reducir el recinto de lo novelable a la pura y mecánica aprehensión de los comportamientos externos; la vida interior y la conciencia de los personajes es un espacio decisivo del universo novelesco aldecoano.

El indudable objetivismo de Aldecoa, lejos del conductis-

---

[78] TODOROV habla de un «sentido ingenuo» de lo verosímil, «aquel según el cual se trata de una relación con la realidad», ibíd.

mo behaviorista, se hace compatible por el contrario con un luminoso esfuerzo por perforar, mediante el lenguaje, la superficie de lo real, personas y cosas, hasta llegar a tocar las capas más profundas de ser y de sentido. Y aquí es donde resulta verosímil, es decir, motivada y no arbitraria, esa cuidadosa y creciente atención del novelista hacia el lenguaje y la forma de sus novelas.

Ese mundo, desvalido, pero no unidimensional, que es el de la novela de Aldecoa, es un mundo que resulta verosímil, a través del tratamiento novelesco, tanto por la coherencia interior de los diferentes motivos y situaciones narrativas que lo constituyen —verosimilitud interna—, como por el «efecto de realidad» que conlleva —verosimilitud externa.

Ambas verosimilitudes, pero sobre todo la que hemos denominado externa —el mundo novelesco está estructurado y funciona *como si fuera* real— descansan en toda una serie de recursos de escritura que antes hemos identificado como convenciones genéricas y del realismo literario. Pero más allá de la coherencia del género o de la convención poética, nos interesa destacar aquí algunos elementos propios del corpus novelesco que analizamos y que contribuyen poderosamente a nuestro juicio a hacer del mundo de las novelas de Aldecoa un mundo esencialmente verosímil.

En primer lugar, el habla de los personajes; sobre todo en aquellos casos en que el personaje, al hablar, *se dice,* expresa, si no su subjetividad, sí al menos su adscripción a un grupo humano, a una cultura, a una profesión. El gitano Vázquez en *Con el viento solano,* y los pescadores de *Gran Sol* y *Parte de una historia* —Macario Martín, el Matao, y el señor Mateo, el Guanche, resultan ejemplares a este respecto— se denuncian cuando hablan; el argot caló en un caso, la metáfora marinera en otro, más allá de la función representativa, expresan —connotan— algo del sujeto que habla: su condición de gitano o de hombre de la mar.

Hay un punto de partida claramente objetivista —behaviorista, incluso— donde las leyes de la verosimilitud externa elevan a categoría literaria el argot, los «tics» dialogales, el idiolecto de los personajes. El habla de los pescadores o de los

gitanos de Aldecoa es verosímil, porque Sebastián Vázquez y
Macario Martín hablan como los gitanos de Castilla o los pescadores del Cantábrico. Pero más allá de mimetizar un habla y
de caracterizar a unos personajes, ese inicial «magnetofonismo
dialogal» [79] —y aquí aparece la subjetividad del escritor— es
puesto al servicio de una nueva función, ya no mimética, sino
poético-simbólica, en el interior del texto. La verosimilitud del
recurso aparece ahora como relación no con la realidad, sino
con un texto que se ofrece como *simulacro* de la realidad; en
definitiva, lo verosímil se absorbe en un problema de sentido,
y si, como señala J. Kristeva, el sentido es un efecto interdis-
cursivo, lo verosímil es en última instancia una relación entre
discursos, es decir, entre textos [80].

Desde esta perspectiva, el recurso de mimetizar el habla
gitana o marinera de los personajes de Aldecoa no agota su
verosimilitud *semántica* en el nivel de la función mimética;
el argot gitano en *Con el viento solano* es puesto al servicio
de la simbolización de *la sangre* —la raza y la familia—,
cuando Sebastián, en Cogolludo con la madre y los hermanos,
llega a tocar el fondo de su pozo de soledad y se reconoce definitivamente; la profusión de metáforas marineras en el habla
de Macario y los otros pescadores del Aril es uno de los elementos que contribuyen a crear, para esa travesía poética que
es el texto de *Gran Sol,* el espacio de tránsito del reportaje al
símbolo. Precisamente una extrema mimetización del habla da
como resultado un discurso *estilizado* —función poética—,
donde la mímesis queda claramente trascendida [81]. En definitiva, gitanos y pescadores de las novelas de Aldecoa no hablan
tanto como gitanos y pescadores de la vida real, sino como el
escritor les hace hablar, de acuerdo con las exigencias de un
texto donde la literalidad idiolectal, más allá de la función mi-

---

[79] Cf. R. BUCKLEY: *Problemas formales en la novela española contemporánea.* Barcelona, Península, 1968, p. 65.

[80] «Etre vraisemblable n'est rien d'autre que d'avoir un sens. Or, le
sens (au delà de la vérité objective) étant un effet interdiscursif, l'effet
vraisemblable est une question de rapport de discours»; «La productivité dite texte», en *Semétiotiké. Recherches pour une sémanalyse.* París,
Seuil, 1969, p. 212.

[81] Cf. G. GENETTE: *Figures,* III, París, Seuil, 1972, pp. 200-203.

mética —representar lo que los personajes dicen y expresarlos como personajes— es funcional en niveles de sentido más universales de la novela.

Un segundo elemento fuertemente «verosimilizante» —productor de «efecto de realidad»— en las novelas de Aldecoa lo constituyen las descripciones. Tanto en las novelas como en los relatos cortos, Ignacio Aldecoa demuestra una rara habilidad para «espacializar» la narración, para expresar narrativamente la relación del personaje con el mundo y las cosas que le rodean. La descripción es un medio privilegiado de expresar —y de trascender, al mismo tiempo— esta relación.

Los personajes de las novelas de Aldecoa viven con los ojos bien abiertos, y miran; mirar es una actividad esencial, que la narración recoge directamente —como predicado de un actor—, o indirectamente, a través de las descripciones que, generalmente, aparecen justificadas y resueltas desde los personajes.

En *El fulgor y la sangre,* desde la puerta del castillo-cuartel, la mirada del centinela busca, por el camino que se disuelve hasta el pueblo, algún rastro de la noticia; también el protagonista de *Con el viento solano,* por los olivares de hacia Escalona o por las calles de Madrid, por la feria de Alcalá o por la carretera recién llovida de Cogolludo, pasea sus avizorantes ojos de perseguido, aunque a veces los tenga que cerrar, porque el grito de color del paisaje y de las cosas deslumbra su solitaria indefensión y entonces el gitano Sebastián prefiere «no ver la libertad». Los pescadores de *Gran Sol* tienen los ojos hechos al espejo opaco e infinito del cielo y de la mar, y el anónimo narrador de *Parte de una historia* es esencialmente mirada que se va convirtiendo en relato.

Pero la mirada de los personajes aparece sobre todo tematizada en las numerosas descripciones que pueblan las novelas de Aldecoa. Y es aquí, a nuestro juicio, donde la descripción tiene una función claramente «verosimilizante», de «efecto de realidad» [82]. No sólo desde el personaje, cuya mirada se integra

---

[82] Cf. PHILIPPE HAMON: «Qu'est-ce qu'une description?», en *Poétique,* número 12, pp. 465-485. El «effet de réel» lo integra el autor en lo que llama «función decorativa» de la descripción.

en el conjunto de las acciones, sino desde ese espacio que el autor construye, partiendo a veces, como hemos visto, de datos verificables, pero que se sustenta sobre todo en un conjunto de elementos verosímiles que se concretan espacialmente en las descripciones.

Se trata, casi siempre, de descripciones objetivas, entendiendo por tales aquellas en que la realidad es registrada en los rasgos que pueden ser aprehendidos por un observador exterior y desinteresado. Aprehensión y análisis de los elementos o conjuntos descritos se hace desde el sentido de la vista —también desde el oído, cuando se trata de objetos sonoros—, con un léxico muy rico y que se integra fundamentalmente en dos campos semánticos: espacialidad y color. Junto al efecto de realidad que comporta la abundante incorporación, al decurso de la intriga novelesca, de una multitud de espacios, paisajes, objetos minuciosa y realistamente descritos —en lo que antes hemos llamado verosimilitud externa, como relación ingenua del texto con la realidad—, hay que señalar también la verosimilitud interna que resulta de justificar generalmente la descripción desde los ojos, los oídos, la acción, en todo caso, de los personajes. La proliferación de descripciones no rompe la objetividad narrativa, porque la descripción no surge de una intrusión del narrador en la narración, sino que viene pedida, o en cualquier caso es integrada, por el *hacer* o el *ser* de los personajes. De modo que las descripciones se adscriben al sistema narrativo general que es la novela, no sólo a través del nivel *indicial* —crear la atmósfera espacio-temporal de una situación, caracterizar a un personaje, etc.—, sino también en ocasiones en el nivel propiamente *funcional:* la descripción se incorpora como espacio metafórico de sentido al hacer de los personajes.

Si en las numerosas descripciones que empedran los textos narrativos de Aldecoa podemos identificar las diferentes funciones de la descripción —además de la decorativa y focalizadora, podemos hablar de función demarcativa, dilatoria, organizadora [83]—, quizá lo que aquí más nos interesa es señalar que el efecto de realidad que, sin duda, llevan consigo las descrip-

---

[83] Cf. Ph. Hamon: art. cit., p. 484, nota 46.

ciones aparece claramente integrado, más allá de su primaria objetividad, en el sistema semántico de la novela, que se genera desde los personajes y la acción. Es decir, el espacio descrito no interesa como un objeto neutro y autosuficiente, limitado a una mera función enmarcadora de la ficción y demarcativa de las articulaciones narrativas —secuencias o capítulos—. El espacio de Aldecoa está lejos del espacio *behaviorista* de García Hortelano o del espacio *objetalista* de Robbe Grillet [84]. El espacio de Aldecoa es un espacio *vivido* —habitado por el hombre y, en esa misma medida, humanizado— y es la descripción uno de los recursos que le permiten al escritor elevar los lugares y objetos descritos a la categoría de lo *existente*, es decir, dejan de ser escenario pasivo para convertirse en ámbito solidario de la aventura existencial de los personajes [85].

Por eso, el objetivismo de Aldecoa no se orienta ni hacia el frígido conductismo del behaviorismo, ni hacia la deshumanización cosificadora del objetalismo. En el behaviorismo, la descripción se genera desde la mirada desinteresada y neutra del personaje o del narrador —función meramente «decorati-

---

[84] Cf. R. BUCKLEY: *Problemas formales...*, pp. 37 y ss. GOLDMAN, a propósito del «nouveau roman» de Nathalie Sarraute y Robbe-Grillet, habla «d'une disparition plus ou moins radicale du personnage et d'un renforcement corrélatif non moins considérable de l'autonomie des objets», viendo en este fenómeno un caso típico de «réification», término con el que, a partir de Lukács, se define la teoría marxiana del «fetichismo de la mercancía»; cf. «Nouveau roman et réalité», en *Pour une sociologie du roman*. París, Gallimard, 1964, p. 288. Partiendo también del estructuralismo genético, al que se incorpora el punto de vista psicoanalítico, Jacques Leenhardt, discípulo de GOLDMANN, hace una lectura ideológica de *La jalousie*, de Robbe-Grillet, en su *Lecture politique du roman*. París, Les éditions de Minuit, 1973. Cf. también, BRUCE MORRISSETTE: *Les romans de Robbe-Grillet*. París, Les éditions de Minuit, 1963.

[85] F. VAN ROSSUM-GUYON distingue la técnica descriptiva de Robbe-Grillet, donde «la précision géometrique et l'indifférence des mots neutres arrachent les objets à l'instabilité du temps en les figeant dans des états essentiels», de la de Butor, para el que «la précision pittoresque et le choix des mots significatifs insèrent les objets décrits (...) dans un temps vécu et manifestent leur qualité d'existants»; *Critique du roman*, p. 106. Cf. también, G. GENETTE: «Un vertige fixé», en *Dans le labyrinthe*. París, 10/18, 1964, incluido después en *Figures*, I, París, Seuil, 1966.

va»—; en el objetalismo, el personaje *es mirado* —devorado— por el objeto [86]. La mirada de Aldecoa, de sus personajes y de sus narradores, es una mirada de compasión, en el sentido etimológico del término; lo mirado —lo descrito— es incorporado a ese universo humano —aunque a veces dolorosamente deshumanizado— que constituye el eje generador de la ficción aldecoana.

De ahí la clara dimensión subjetiva que se percibe en las descripciones de Aldecoa y que permite que la descripción no se cierre sobre el objeto, y que lo descrito sea orientado hacia la situación narrativa —personajes y acción— correspondiente, de cuya tonalidad significativa pasa a participar. La inconfundible presencia estilística del narrador —del escritor— en las descripciones focalizadas —atención esmerada a la forma, riqueza y exactitud léxica, sentido pictórico del espacio y del color, recursos retóricos: metáfora, anáfora, paralelismo...— es el resorte que le permite a nuestro autor no cerrar lo verosímil descriptivo en su función de ser efecto de realidad, sino integrarlo en el sistema total del texto novelesco y orientarlo hacia la prosecución del símbolo.

La ruptura del sistema de lo verosímil

Por eso podemos hablar de una ruptura del sistema de lo verosímil, o, mejor, de su trascendencia; en los dos tipos de verosimilitud —externa e interna— que más arriba hemos distinguido.

Y al hablar de ruptura del sistema de lo verosímil, quiero decir que las leyes de verosimilitud claramente presentes en la novela de Aldecoa no clausuran el texto ni sobre la realidad a la que remite —reducción a la función mimética—, ni sobre

---

[86] JOSÉ MARÍA CASTELLET ha hablado, muy expresivamente, de «la rebelión de los objetos»; cf. «De la objetividad al objeto», en *Papeles de Son Armadans*, núm. XV, junio de 1957, pp. 326 y ss.
Anteriormente, había caracterizado experiencias como la de Pirandello en *Seis personajes en busca de autor,* o Unamuno en *Niebla,* como «la rebelión de los personajes»; cf. *La hora del lector.* Barcelona, Seix-Barral, 1957, p. 26.

las convenciones genéricas iniciales —reducción a la novela realista-costumbrista.

Si lo verosímil —y lo verificable— se asienta en la función mimética y la realiza, lo hace, como hemos señalado, no clausurando el discurso novelesco sobre la mímesis, sino apoyándose en ella para iniciar ese vuelo semántico hacia el símbolo; es la función poética —técnicas estilístico-narrativas— la que provoca y hace posible el despegue.

Pero esta superación del sistema de verosimilitud externa —relación texto-realidad— sólo es posible si al mismo tiempo se rompe también —se trasciende— el sistema de verosimilitud interna por el cual el texto de la novela es fiel a las convenciones genéricas por las que es generado.

En el caso de las novelas de Ignacio Aldecoa es claro que el tratamiento estilístico-narrativo a que el autor somete a los elementos portadores de efecto de realidad incorpora esos mismos elementos a una función semántica que no tiene correlato en ningún referente real; pero además, y a mi juicio, es igualmente claro que ello es parte de un proceso más general, según el cual la novela como productividad textual, a medida que acontece, destruye y ensancha las fronteras de sus propias convenciones genéricas; es decir, las novelas de Aldecoa no son, por lo que a género o subgénero novelesco se refiere, lo que una superficial lectura podría dar a entender.

El fulgor y la sangre está hecha *como si* fuera una novela de «suspense»: en el castillo se sabe que han matado a un guardia, pero se desconoce la identidad del muerto, que puede ser cualquiera de los cuatro que por la mañana salieron de servicio; la suspensión que se prolonga durante siete largas y monótonas horas se va llenando pesadamente con las escenas de la vida del castillo, donde la noticia va corriendo lentamente entre las mujeres como un contagio, con los juegos de los niños en la linde del castillo con el espacio exterior, o con la alternancia de los dos guardias que aseguran la centinela en la puerta de entrada; los calambrazos del teléfono o las subidas del cura y el alcalde parecen querer romper la tensa incertidumbre de la espera. Y, sin embargo, cuando al final el muerto, cubierto con una manta, es entrado en unas angarillas por la puerta ya en sombra del castillo, conocer su identidad ha dejado de tener sentido, de ser relevante para el lector. Si hoy ha sido el cabo Santos, mañana será Baldomero, o Cecilio, o Ruipérez, porque el castillo es la vida, y no hay más traslado que la muerte...

El texto, a medida que se hace, va destruyendo las convenciones que aparentemente lo generan como texto y ensanchando el espacio de pertinencia semántica.

En el caso concreto de *El fulgor y la sangre,* las prehistorias de las cinco mujeres tienden por un lado a hacer verosímil la coincidencia de los diferentes personajes en el espacio y el tiempo —en la vida— del castillo.

Pero, más allá de una mera función de «efecto de realidad», las prehistorias dan densidad histórica —prestan nueva significación— al presente del castillo. Desde las convenciones de la novela de «suspense» —¿quién será el guardia muerto?— la rememoración del pasado es indiferente, y tiene una función meramente dilatoria, que le permite al narrador retardar el desenlace de la intriga puesta en marcha con la noticia del asesinato; en *El fulgor y la sangre* como proceso, el eje semántico se va deslizando de la incógnita inicial —noticia del asesinato, pero ignorancia de la identidad del muerto— a un espacio nuevo de sentido que resulta producido en el decurso novelesco: la vida de una generación traumatizada por la experiencia de la guerra, el castillo como metáfora universalizada de la existencia.

Lo mismo podemos decir de la segunda novela, *Con el viento solano.* En el nivel de la fábula, es el intento de huida del gitano asesino del guardia, en un espacio y un tiempo concretos —verificables—: de la mañana de un lunes —Santa María Magdalena, y, por tanto, 22 de julio— hasta el amanecer del domingo siguiente, entre las proximidades de Talavera y Cogolludo, pasando por Madrid y Alcalá; sobre estos elementos, la narración de esos seis días de vida asustada y tensa del gitano Vázquez hasta que en la noche del sábado, con esa extraña lucidez que a veces da el vino, aporrea nerviosamente la puerta del cuartelillo, es el relato verosímil de un intento, progresivamente frustrado, de perder el rastro, de encontrar refugio, de acogerse a la insobornable solidaridad protectora de la sangre.

Pero también aquí hay un claro deslizamiento semántico del viaje físico —la huida a través de un espacio verificable— hacia el viaje moral: una especie de descenso infernal hasta el fondo de la propia conciencia, donde el héroe recupera la identidad perdida. La motivación inicial de la novela, que descansa en el juego de oposiciones Guardia Civil como encarnación de la justicia y el orden/gitano Sebastián como expresión del delito y el desorden, se diluye en un más amplio espacio de sentido, que es el enfrentamiento del hombre —desde una absurda culpabilidad original— a la ineludible condición contingente de su existencia.

Desde los perfiles verosimilizantes de una aventura de gitanos y guardias, el relato va destruyendo sus propias fronteras genéricas y ensanchando el espacio de su funcionalidad semántica. La estructura mítica de la aventura del héroe, que más adelante analizaré, y el tratamiento estilístico-narrativo evitan una vez más la clausura del texto novelesco sobre la función mimética.

Más dificultades ofrece *Gran Sol,* donde Aldecoa parece limitar conscientemente su texto desde una estricta fidelidad a las convenciones del reportaje. Y de hecho, más de un crítico lo ha visto así, negando a la novela toda pretensión significativa más allá de la mera condición de documento verosímil sobre la pesca en los bancos del noroeste irlandés.

Efectivamente, *Gran Sol* como texto parece estar cerrado por las leyes de verosimilitud del género —novela reportaje— al que inicialmente debe ser adscrito. A lo más, se reconocería que se trata de un reportaje magistralmente escrito. Pues bien, es precisamente la *calidad* del texto lo que lo cualifica como tal, lo que lo constituye en texto; ese «reportaje bien escrito» que es *Gran Sol,* por la fuerza misma de su propia escritura —más adelante se analizarán algunos de los recursos que la potencian— hace estallar las fronteras genéricas que lo adscribían a una literatura denotativa y documental, y su aparente clausura sobre la mímesis deja abiertos unos respiraderos por donde el texto es penetrado por el símbolo. Desde ahí, el

espacio de mar entre la costa Cantábrica y Bantry, y el Aril
como ámbito, y la aventura de sus hombres, y en ella la muerte —omnipresente muerte— del patrón Orozco, sin dejar de
ser la historia verosímil de la pesca de altura, se abre como
escritura y productividad textual, más allá del sistema de verosimilitud, hacia el espacio universal del mito.

También *Parte de una historia,* la última novela de Ignacio
Aldecoa, nos ofrece análoga ambigüedad. La estancia de un
anónimo personaje en una pequeña isla del Atlántico hace posible el relato de la vida en la isla, condicionada sustancialmente por la imprevista arribada y estrambótica existencia
posterior de unos náufragos americanos. Se trata, como más
tarde tendremos ocasión de ver detenidamente, de un relato
en primera persona, hecho por un narrador testigo, que vive
las aventuras de la isla, pero sólo, aparentemente, en la mínima
medida necesaria para poder narrarlas. El relato aparece, pues,
organizado según las leyes de su propia verosimilitud como
relato, coherentes con el carácter verosímil que tiene al mismo
tiempo la aventura narrada.

Aldecoa impide la clausura del texto sobre este doble sistema de verosimilitudes en que descansa inicialmente la novela,
permitiendo un deslizamiento de la actividad narradora, por el
cual narrar —la aventura de la isla— deviene narrar-se —la aventura del narrador, más aún la narración misma como aventura—. Esta superposición de funciones y de sentidos de la instancia narrativa como instauradora del relato permite que la
isla, desde un primer sistema verosímil —como efecto de realidad— asentado en la mímesis, trascienda a un segundo nivel
en que ya no denota un espacio verificable o verosímil, sino
que simboliza una forma de existencia; y en un tercer nivel
la isla es —funciona como— lugar de narración; de donde
más allá de la verosimilitud inicial, esa reticente —o metonímica— «parte de una historia» es en realidad una pluralidad
de historias: la de la isla, la del narrador, la de su propia escritura.

PROCESO A UN REALISMO COSTUMBRISTA

Llegamos así a una cuestión que en este momento del estudio no puede ser dilucidada, pero que sí debe ser planteada: ¿Es Ignacio Aldecoa un novelista realista-costumbrista?; ¿son sus novelas una simple pintura objetiva de esa tópica —y típica— España inmóvil de «la Fiesta» —toreros, gitanos y guardias—, o de esa abnegada aventura de los oficios —la pesca de altura y de bajura—?

Ya he indicado antes la distancia real que existe entre las trilogías como proyecto, surgido esencialmente de esa insoslayable dimensión ética que para Aldecoa tiene la tarea de escribir, y las cuatro novelas que de hecho fueron escritas. Pero ahora no se trata de ver las novelas desde el proyecto que las generó, sino de plantear su lectura —su interpretación— desde esos cimientos de elementos verificables y verosímiles sobre los que los textos se levantan. Parecería lógico desde aquí —y alguna crítica superficial así lo ha hecho— decir que Aldecoa ha escrito una novela de guardiaciviles, otra de gitanos y dos de pescadores. Y en realidad son los guardias —y sus mujeres— los protagonistas de la primera novela, y un gitano el de la segunda, y los pescadores —con la mediatización de los chonis en *Parte de una historia*— los de las otras dos.

En el caso de las dos primeras, las de la inmóvil España de «la Fiesta», la condición, profesional en un caso, y étnico-social en otro, de sus protagonistas incide en tópicos socio-culturales de la vida contemporánea española, y que la literatura, antes que Aldecoa, ha recogido; sería arriesgado pretender despojar el dato de toda significación social y hacer irrelevante, novelísticamente, toda esa base verificable-verosímil que tienen los protagonistas de las dos primeras novelas.

Por lo que se refiere a las novelas del mar, está claro que *Parte de una historia* ofrece suficientes particularidades formales y temáticas desde las que toda clasificación en un realismo de sabor costumbrista resultaría inaceptable.

Es *Gran Sol* una vez más la que por la convergencia de sus datos se nos aparece como un texto difícilmente resistible a ser calificado de cuadro de costumbres. Naturalmente, no se trataría de remitir el texto a las coordenadas de esa frontera romántico-realista de mediados del XIX, que genera la literatura costumbrista. Una elemental sociología de la novela impediría semejante extrapolación.

De cualquier manera, desde convenciones socio-realistas que interpretan la novela como documento crítico de la realidad social, es natural que se tienda a privilegiar aquellos universos de significación directamente representados —denotados— en el texto novelesco. Más aún, el didactismo que necesariamente lleva consigo esta actitud tiende a captar la realidad no «*en* ella misma» y «*por* ella misma», como señala Montesinos a propósito de la novela costumbrista decimonónica [87], sino desde una previa actitud moral, por la que la realidad es interpretada y a la que se subordina; que se trate de idealismo romántico o de socialismo crítico, si ofrece diferente valoración ideológica, mediatiza y reduce igualmente el ámbito de libertad de creación y de simbolización del texto literario. Se limita de entrada la capacidad que la ficción tiene de simbolizar y de ensanchar así el ámbito de lo real.

Sería prematuro intentar dilucidar ahora cómo y hasta dónde las novelas de Aldecoa se resisten a la reducción realista-costumbrista, y, desde los elementos verificables y verosímiles de que parten y que incorporan al recinto de la ficción —función mimética—, cómo alcanzan, en ese vuelo textual que es la función poética, las regiones del símbolo y el mito. Es precisamente lo que pretendo intentar a partir de aquí en este estudio: cómo desde la mímesis los textos de Aldecoa realizan las funciones poética y simbólica. Sólo al final del

---

[87] «... la realidad que trata de captar el costumbrismo no está sino raramente considerada *en* ella misma, *por* ella misma, sino desde cualquier abstracción moral de la que debe ser ejemplo. La moral irrealiza tipos y caracteres, como en las postrimerías de la picaresca vació la novela de contenido. La peripecia en función de una moraleja banal no es convincente, ni necesaria, ni interesante»; *Costumbrismo y novela*. Madrid, Castalia, 1960.

Véase también, de J. I. FERRERAS: «Novela y costumbrismo», en *Introducción a una sociología de la novela española del siglo XIX*. Madrid, Edicusa, 1973 (publicado anteriormente en *Cuadernos Hispanoamericanos*, núm. 242, febrero de 1970), y «Costumbrismos», en *Los orígenes de la novela decimonónica (1800-1830)*. Madrid, Taurus, 1973.

trayecto será posible un intento más lúcido de definición —de descripción más bien— de ese indudable realismo en que se asienta la narrativa de Ignacio Aldecoa.

Por eso, en esta frontera que entre la *mímesis* y el símbolo marca la *poiesis* —función poética— está justificado y tiene sentido expresar el asedio al texto de la novela de Ignacio Aldecoa como proceso a un —pretendido— realismo costumbrista.

SEGUNDA PARTE

LAS NOVELAS DE IGNACIO ALDECOA

1

«EL FULGOR Y LA SANGRE»: EL TIEMPO DE LA ESPERA

«Ruipérez, con las manos sobre el fusil, sentía pasar el tiempo en sus pulsos. Una pulsación era un granito caído en el reloj. Reloj de arena de la botica del pueblo siempre contemplado con estupor infantil. La vida se deslizaba por la estrecha boca de las dos ampollas de cristal de arena, menuda arena. Se echó el fusil sobre el hombro y dio vueltas. Se colocó en el lado opuesto de la puerta. Ahora caía la vida de este lado. La monotonía y el silencio. Un montoncillo que se derrumba y un año que pasa. El tiempo, dibujado con largas barbas, un reloj de arena en una mano y una guadaña en la otra. La guadaña para matar.»

(IGNACIO ALDECOA: *El fulgor y la sangre*.)

La construcción novelesca

La primera novela de Ignacio Aldecoa *(El fulgor y la sangre,* 1954) está hecha de espera. La espera de los habitantes del castillo —las mujeres, y la pareja de guardias que se relevan en la vigilancia—. Una espera formada de «desasosiego, desamparo y miedo»; una espera de cuyo seno nace a ratos el silencio, penetrado de parte a parte por «el grito sordo de la muerte».

Y sobre este paisaje de espera y de silencio, los exactos y repetidos cambios de guardia de Ruipérez y Pedro, y el ineludible y lento movimiento del sol castellano, insinuando cuchilladas de sombra sobre el torso, brillante y tostado, del viejo castillo: las murallas, la puerta, el patio...

Sobre la angustia solitaria —y solidaria— de la espera, el tiempo: mediodía, dos de la tarde, tres de la tarde, cuatro y media, seis, siete de la tarde, crepúsculo...

Aldecoa ha concentrado la fábula[1] de su novela en las

---

[1] Utilizo el término «fábula» («fable») como opuesto a «intriga» («sujet»), en el sentido que adquiere a partir de los formalistas rusos; cf. TOMACHEVSKI: «Thématique», en *Théoire de la littérature;* «on appelle fable l'ensemble des événements liées entre eux qui nous sont communiqués au cours de l'oeuvre (...). La fable s'oppose au sujet qui est bien constitué par les mêmes événements, mais il respecte leur ordre d'apparition dans l'oeuvre et la suite des informations qui nous les désignent (...). Un fait divers que l'auteur n'aura pas inventé peut lui servir de fable (...). Le sujet est une construction entièrement artistique» (páginas 268-269). En la versión española, Buenos Aires, Ediciones Signos, 1970, «fable» y «sujet» se traducen como «trama» y «argumento»;

breves horas que van del mediodía al crepúsculo, en una tarde cualquiera del verano de un lugar cualquiera de Castilla.

Pero esas pocas horas angustiadas de la espera se ensanchan inmensamente con la evocación de la historia —la pre-historia— de las cinco mujeres del castillo.

El tratamiento narrativo del tiempo y el contraste y la relación presente-pasado —historia-prehistoria— aparece, desde el comienzo, sometido a unas leyes rígidas de construcción. El tiempo evocado no es creado —recreado— por el propio personaje y desde su situación, sino que viene exigido ineludiblemente por la arquitectura misma de la novela. *El fulgor y la sangre* es una novela muy construida; tal vez, demasiado. Y es, a mi juicio, en esa misma rigidez de construcción donde radican sus aciertos y también sus deficiencias. Aldecoa, en su primera novela, es un dominador no sólo del arte de narrar, sino del género novelesco, pero que paga también el tributo necesario de toda obra primeriza. En ese cuerpo novelesco que es *El fulgor y la sangre* se transparenta demasiado el esqueleto. Y ese esqueleto es el elemento tiempo, que es el eje sobre el cual se organiza, toma cuerpo y forma la materia novelesca.

Por eso, en este momento del trabajo, en que se trata de estudiar las leyes de construcción —la sintaxis narrativa— de las novelas de Ignacio Aldecoa, he escogido como modelo operatorio clave para un análisis de *El fulgor y la sangre,* el elemento tiempo: no como categoría aislada, existencial o metafísica, sino como elemento integrado e integrante del discurso narrativo; es decir, el tiempo aparece como catalizador de los demás elementos —personajes, acción, espacio...— y determinante del proceso novelesco.

---

preferimos los términos «fábula» e «intriga», utilizados también por C. SEGRE: «Yo (...) adoptaría, al menos al inicio, una tripartición: *discurso* (el texto narrativo significante); *intriga* (el contenido del texto en el mismo orden en que se presenta); *fábula* (el contenido, o mejor sus elementos esenciales, colocado en un orden lógico y cronológico).» *Las estructuras y el tiempo.* Barcelona, Planeta, 1976, p. 14.

EL DOBLE PLANO DEL TIEMPO DE LA FICCIÓN: TIEMPO
VIVIDO Y TIEMPO EVOCADO

Como ya indicamos más arriba, las siete horas aproximadas
que van desde el mediodía hasta el atardecer constituyen el
tiempo de la ficción de *El fulgor y la sangre*. Es un tiempo
rigurosamente medido a lo largo de la novela. Su paso aparece
exactamente cronometrado por la alternancia en la guardia
de los dos números que se han quedado de servicio en el castillo:

«Ruipérez dijo, mirando a su reloj:
—Ya es la una menos cuarto. Voy a relevarte...»
(FS, 15)[2].

«Pedro dudó antes de decir algo. Dio las espaldas a su
compañero y dijo:
—En cuanto den las dos, vengo a relevarte» (FS, 53).
«Ruipérez miró el reloj. Faltaba media hora para el relevo. A las cinco en punto se acercaría a la puerta» (FS, 192).

Hay una insistencia clara en marcar la hora exacta y el
paso lento del tiempo en la espera monótona del castillo. Además del relevo de los guardias, está el despertador de Felisa,
que de pronto suena anunciando la hora...; y el reloj de repetición del Ayuntamiento del pueblo, cuyas largas campanadas
sobrevuelan los campos, llevando hasta el castillo la noticia
del tiempo.

Pero, sobre todo, es el movimiento del sol, desde el mediodía hasta el poniente, el que va marcando, en un juego chi-
nesco de luces y de sombras, el paso inexorable y lento del
tiempo, con menos exactitud cronológica, pero con una más
clara densidad significativa:

«Las doce con las dos agujas, el fusil y el hombre, unidas,
sin sombra» (FS, 9).

---

[2] En adelante, las citas del texto de *El fulgor y la sangre* se harán
con las siglas FS y la página correspondiente; citamos por la 3.ª edición,
mayo de 1970, Ed. Planeta, Barcelona.

«El sol hacía ya una breve sombra en la muralla. El
mediodía había pasado.»

«Del servicio, de las cosas del servicio, meditaba Ruipérez, mientras el fusil y el hombre formaban una larga sombra en el umbral de la puerta del castillo» (FS, 322).

No solamente se señalan, pues, los límites del tiempo de la
ficción —mediodía, atardecer—, sino que además, a todo lo
largo de la novela, una serie de marcas temporales van poniendo de relieve el paso del tiempo como sucesión —y repetición—
de momentos, como acontecer. Hasta el punto de que la cronología externa que va marcando la duración de la ficción invade
el plano del discurso narrativo: el relato como totalidad sintagmática aparece dividido en unidades menores —en capítulos—
que llevan como título lexemas temporales: mediodía, dos de
la tarde, tres de la tarde, cuatro y media de la tarde, seis de
la tarde, siete de la tarde, crepúsculo. El tiempo cronológico
tiene, por tanto, una clara función demarcativa de las grandes
articulaciones del discurso narrativo.

Pero, además, tras este primer plano de la ficción, el narrador de *El fulgor y la sangre* va perfilando un segundo plano, que sirve de fondo a la «historia» del castillo y que está
hecho, precisamente, de la «prehistoria» de sus personajes.

Las siete horas de espera en el castillo, que han constituido la anécdota generadora del relato, se ensanchan, abriéndose
hacia el pasado con un alcance de muchos años, hasta veinte
en algún caso.

Esto quiere decir que el orden lineal, cronológico que, desde el mediodía hasta el crepúsculo, va instaurando la historia
del castillo como relato, queda alterado en su disposición sintagmática en el discurso narrativo.

La sintaxis de las articulaciones narrativas no es ahora una
mera yuxtaposición lineal de «presentes», sino un juego combinatorio —de relaciones, alternancias y oposiciones— que
constituyen los dos ejes temporales de la ficción:

1. El eje del «presente», de la «historia», del tiempo «vivido».

2. El eje del pasado, de la «prehistoria», del tiempo «evocado».

La interpolación de un tiempo evocado en un tiempo vivido no solamente amplifica el segmento temporal de la ficción,
sino que hace más complejas las relaciones entre ficción y discurso narrativo. Porque Aldecoa sustituye el posible orden lineal de todos los acontecimientos de la ficción por el empleo
de la anacronía como figura que afecta retóricamente a la sintaxis de la narración.

Si la anacronía, como muy bien señala Genette, no es una
invención original de la novelística moderna, sino un recurso
tradicional de la narrativa [3], lo importante de *El fulgor y la
sangre* es que un tal recurso ha sido elevado a procedimiento
generalizado, cuya función determina toda la sintaxis narrativa
e incluso, como más adelante tendremos ocasión de ver, decide
del sentido mismo de la novela y de su interpretación [4].

LA ALTERNANCIA TIEMPO VIVIDO/TIEMPO EVOCADO
   COMO PRINCIPIO ORGANIZADOR DE LAS SECUENCIAS
   NARRATIVAS

¿Cuál es el tratamiento narrativo, es decir, la disposición
en el eje del discurso de ese doble plano temporal de la ficción?

Las dos temporalidades —la vivida y la evocada— son
tratadas, si las consideramos por separado, de acuerdo a una estructura «lineal y ordenadamente cronológica» [5].

En el primer plano de ficción, «primer relato», la espera

---

[3] *Figures,* III, p. 80.

[4] Esto manifiesta, una vez más, la profunda unidad entre expresión
y contenido, así como la imbricación de funciones, ya aludida al exponer la metodología del trabajo; por otra parte, aparece la fuerte
tendencia del significante literario a la motivación, en el sentido en
que DÁMASO ALONSO habla de «arbitrariedad» y «motivación» como
términos «no contrarios»; cf. *Poesía española.* Madrid, Gredos, 1957,
3.ª edición, pp. 29-32 y 599-601; la vinculación motivada entre significante y significado en poesía, tal como D. Alonso la entiende,
es puesta en entredicho por V. BÁEZ SAN JOSÉ: *La estilística de
Dámaso Alonso,* Publicaciones de la Universidad de Sevilla, 1972, páginas 51-55.

[5] Cf. M. BAQUERO GOYANES: *Estructuras de la novela actual.* Barcelona, Planeta, 1970, p. 131.

tensa en el castillo desde el mediodía hasta el crepúsculo, tiene un desarrollo narrativo rigurosamente lineal, en el que la duración y sucesión de momentos es marcada y medida reiteradamente con exactitud de reloj.

El segundo plano de ficción, «segundo relato», se descompone a su vez en cinco historias —pre-historias—, las de las cinco mujeres que habitan el castillo, que son narradas separadamente y también siguiendo de forma rigurosa un orden lineal cronológico.

El cruce de ambas temporalidades en el eje del discurso deforma el orden lineal de cada tiempo, sustituyéndolo por lo que podríamos llamar «desorden cronológico» y que se caracteriza, en el caso de *El fulgor y la sangre*, por el uso generalizado de vueltas atrás, a partir del tiempo vivido que inaugura la anécdota y el relato: es decir, la analepsis [6] es el recurso retórico que determina en primera instancia la disposición de las dos temporalidades de la ficción en el discurso. El texto aparece, por tanto, como resultado de la combinación sintagmática de secuencias narrativas que se refieren ya al plano del tiempo vivido, ya al del tiempo evocado. Y el principio de relación de las secuencias de ambos planos es, únicamente y a lo largo de toda la novela, la alternancia [7].

En el primer capítulo —«Mediodía»— se nos cuenta la noticia que llega al teléfono del castillo: han matado a uno de los cuatro guardias que han salido de servicio, pero no se sabe a quién.

A partir de aquí, cada rato de espera y de angustia de las gentes del castillo hasta conocer la identidad del muerto irá acompañado de la pre-historia de cada una de las mujeres, por este orden: Sonsoles, Felisa, María, Carmen, Ernesta. La alter-

---

[6] Utilizamos el término «analepsis» y no el de «retrospección» por la ausencia de connotaciones psicológicas; además, no prejuzga, como podría hacerlo el término retrospección, el punto de vista o perspectiva narrativa de lo evocado; cf. G. GENETTE: *Figures*, III, pp. 90 y ss.

[7] La alternancia «met à la suite l'une de l'autre tantôt une proposition de la première séquence, tantôt une de la seconde», T. TODOROV: *Poétique*. París, Seuil, 1968, p. 85.

La alternancia aquí no es entre proposiciones, sino entre unidades mayores, aunque menores que el capítulo, y que denomino secuencias.

nancia regula así la organización de las diferentes secuencias narrativas de los capítulos 2.º a 6.º, mientras que el 7.º —y último— capítulo «Crepúsculo»— ofrece, con respecto a la combinación tiempo vivido-tiempo evocado, algunas particularidades que se analizarán más adelante.

Baste decir, como resumen, que es la alternancia la que permite el uso reiterado y generalizado de la analepsis como figura que marca la sintaxis narrativa y que funciona en la totalidad del texto novelesco.

LAS ANALEPSIS: ALCANCE, AMPLITUD Y ORDEN

Hemos visto hasta aquí, de forma global, cómo la alternancia tiempo vivido/tiempo evocado decide la sintaxis narrativa de la novela.

Es interesante ahora describir la disposición de las anacronías analépticas en relación al presente del castillo, todavía siempre desde la perspectiva del orden, es decir, de las relaciones

«entre ordre temporal de succession des événements dans la diégese et l'ordre pseudotemporel de leur disposition dans le récit»[8].

Son cinco las analepsis que se interfieren en las horas de tiempo vivido que van del mediodía al crepúsculo en el castillo.

Cada una de esas anacronías permite al narrador evocar la pre-historia de la gente del castillo; las mujeres aparecen en todos los casos como protagonistas de lo evocado.

La crítica que se ha ocupado de *El fulgor y la sangre* tiende a caracterizar el tiempo evocado como recuerdo, como un tiempo *generado* directamente desde la conciencia del personaje.

«Es, pues, *El fulgor y la sangre* —afirma Sobejano— una novela de superación de la angustia mediante el recuerdo (...) tiene, por eso, un tono más lírico y escoge la forma del ensimismamiento»[9].

---

[8] Cf. G. GENETTE: *Figures*, III, p. 78.
[9] Cf. *Novela española de nuestro tiempo*, pp. 390-391.

Creemos que hablar de «recuerdo» y «ensimismamiento» a propósito de las historias parciales de *El fulgor y la sangre* es, en rigurosa teoría novelesca, al menos, ambiguo. Es verdad que Aldecoa, desde su primera novela, procura alejarse de las viejas técnicas del narrador omnisciente, y tiende a la objetividad.

Pero para contarnos la prehistoria de las cinco mujeres del castillo, Aldecoa no recurre a ninguna de las técnicas narrativas más típicas y eficaces para expresar la «corriente de conciencia», el recuerdo o la introspección: el monólogo interior, directo o indirecto, la narración en primera persona, el estilo indirecto libre...

En el paso de la narración del tiempo vivido a la del tiempo evocado no se advierte ningún cambio en la perspectiva narrativa: es la misma narración en tercera persona, hecha por un narrador heterodiegético, que está situado «fuera de la historia» [10]. Es claro que no se trata del narrador omnisciente de la novela decimonónica, sino del narrador objetivo —o que tiende a la objetividad— de la novela moderna. Podemos hablar más bien de un narrador «equisciente», que renuncia a la omnisciencia e intenta ver el mundo con la mirada misma de sus personajes [11]. El narrador «ve con» [12], pero no limita su visión, a lo largo de la novela, a la mirada de un solo personaje. El punto de vista es una combinación —más que una suma—, según las exigencias del desarrollo de la trama novelesca, de las miradas de los personajes.

Por eso nos parece ambiguo hablar de *recuerdo,* porque el relato, también en el tiempo evocado, está hecho más al nivel de la mirada que al de la conciencia. Y la mirada se esfuerza, a veces claramente, en coincidir con la del personaje.

---

[10] Los términos «heterodiegético» e «intradiegético» están tomados de G. GENETTE: *Figures,* III, pp. 255-256. La definición del estatuto del narrador en un parámetro de dos coordenadas: nivel narrativo —extra o intradiegético— y relación a la historia —hetero u homodiegético— nos parece esclarecedora del tradicional «punto de vista».

[11] Sobre los conceptos de omnisciencia, equisciencia y deficiencia aplicados al punto de vista, cf. OSCAR TACCA: *Las voces de la novela.* Madrid, Gredos, 1973, pp. 72 y ss.

[12] Se trata de lo que PUILLON describe como «vision avec»; cf. *Temps et roman.* París, Gallimard, 1946.

Podríamos decir que la voz es del narrador y la mirada del personaje.

No es exactamente la conciencia del personaje —de las mujeres del castillo— la que va generando, mediante el recuerdo, la narración de la vida pasada, sino un narrador ajeno a la ficción, que narra con objetividad y que no sabe más que el personaje.

Sin embargo, en *El fulgor y la sangre* se recurre también a la retrospección desde la conciencia del personaje y a la introspección, más en el plano del tiempo vivido, pero también en el plano del tiempo evocado. La relación presente-pasado es provocada por la asociación de sensaciones, de imágenes...

Las técnicas narrativas en estos casos varían; desde el estilo indirecto introducido por un verbo de función declarativa —pensar, recordar...— hasta el diálogo en estilo directo en que las mujeres del castillo recuerdan sus vidas pasadas, pasando por el recurso a breves monólogos interiores indirectos, en estilo indirecto libre.

Estas incursiones parciales al mundo de los recuerdos o la interioridad de los personajes funcionan como «recurso técnico circunstancial» y no como «principio de construcción», como técnica generalizada que se convierte en proyecto estructurador de la novela [13].

Por eso, prescindiendo de un estudio más detallado de esas técnicas, se analizan a continuación las anacronías que se producen por el uso generalizado de la alternancia tiempo vivido-tiempo evocado.

a) *Alcance de las analepsis*

La analepsis, como he señalado más arriba, permite introducir entre las horas de espera monótona en el castillo, la pre-historia de las cinco mujeres, y, con ellas, la de sus maridos, los guardias.

---

[13] Tomo esta distinción de G. Lukács, el cual la aplica al monólogo interior utilizado como principio de construcción en el *Ulysses,* de Joyce; cf. *La signification présente du réalisme critique.* París, Gallimard, 1960, p. 27. (El texto original alemán data del año 1955, aunque se publica en 1957.)

El alcance de estas analepsis, se sitúa siempre en la infancia de las mujeres; el narrador marca, con precisión de cronista, el punto exacto desde el que avanza el tiempo evocado: la prehistoria de Sonsoles comienza en la mañana del 5 de mayo de 1937; la de Felisa en diciembre de 1934; la de María se inicia con los recuerdos que el personaje proyecta hacia su infancia más lejana, sin precisar el tiempo; después, podemos ya deducirlo:

«Desde el mirador vio María cómo un día de primavera se hizo una gran manifestación, con una bandera tricolor al frente» (FS, 129):

es el 14 de abril de 1931; la misma técnica se utiliza en la presentación de la vida de Carmen: sus años de infancia en la casucha de la orilla del Manzanares, sin precisar el tiempo, hasta que, a comienzos de 1935, Carmen, cumplidos los trece años, entra a trabajar en la peluquería; también la prehistoria de Ernesta se inicia con los recuerdos de sus días de escuela y de sabañones en un rincón de la alta Castilla: es el invierno de 1936, cuando el pueblo se revolvió en las elecciones de febrero.

Los puntos de arranque del tiempo evocado en cada una de estas cinco prehistorias obligan a algunas consideraciones.

En primer lugar, todas las prehistorias arrancan de acontecimientos decisivos en la historia española contemporánea; por orden cronológico:

— la proclamación de la República en 1931;
— la revolución de octubre de 1934;
— la guerra civil en 1936.

Pero, además, la situación inicial del tiempo evocado no se registra *desde fuera* por un cronista que quisiera dejar constancia, de forma objetiva y neutra, de unos acontecimientos históricos.

Se trata de un artista, de un escritor, que evoca la historia pasada porque es significativa en ese sistema semántico, en ese universo de sentido que es la novela.

Por otro lado, ya he indicado que el narrador registra el

mundo mirando siempre con los ojos —y con la memoria— de sus personajes. Y son precisamente éstos —los personajes de las mujeres— los que imponen al narrador reportar la narración del tiempo evocado precisamente hasta esos momentos. Porque se trata de momentos y sucesos que, sin perder su significación histórica general, son significativos además para los personajes; por eso, éstos los pueden, los deben recordar, y por eso, y sólo por eso, el narrador puede, y debe también, evocarlos.

Se puede, pues, afirmar que si los momentos —y los acontecimientos— desde los que arrancan los tiempos evocados no pierden nada de su significación histórica objetiva, su motivación en la novela es, en última instancia, la vivencia que de esos sucesos ha tenido cada uno de los personajes y su pervivencia, como recuerdo y como destino, en la memoria y en la vida posterior de los mismos.

Si en Sonsoles la muerte de su padre, primer eslabón de una cadena de causalidades, es el acontecimiento desde el que se inicia la reconstrucción de su pasado, para María, a los recuerdos de una primera infancia ciudadana indiferente y gris, se superpone la visión de una manifestación ruidosa tras la bandera tricolor celebrando la proclamación de la República y llenando de inquietud a su padre, oficial del ejército.

Mientras la evocación de la vida de Felisa se sitúa en el tiempo a raíz de la revuelta de octubre y de la pérdida del empleo del padre y marca así para la muchacha una cadena de servidumbres en una familia llena de bocas y de miserias, la prehistoria de Carmen se identifica temporalmente cuando la incorporación al trabajo en la peluquería le permite vivir desde la calle la ebullición revolucionaria en los arrabales rojos de Madrid, que antecede al estallido bélico del 36.

Sólo en el caso de Ernesta, la más joven de las cinco mujeres del castillo, el recuerdo de una primera infancia de fríos y de hambres, de inconsciencias y de juegos, apenas consigue fijar los sucesos de febrero y de julio de 1936. Es aquí donde las marcas de tiempo son más generales y no dicen relación directa a la muchacha, cuya edad sólo podemos deducir de forma aproximada e imprecisa, mientras que sabemos ciertamente la de las otras mujeres [14].

También la mayor o menor precisión del tiempo en que se inicia la evocación aparece motivada desde el personaje: el carácter de la experiencia y la huella que de la misma ha quedado grabada en el recuerdo.

La imprecisión temporal con que se evoca la vida pasada de Ernesta, distraída en sus juegos infantiles de niña de pocos años, contrasta con la precisión rigurosa del acontecimiento que inicia la pre-historia de Sonsoles: la muchacha, a punto de cumplir los catorce años, contempla cómo su padre es matado y rematado sádicamente: esto ha ocurrido —y Sonsoles lo *tiene que* recordar— exactamente, en la mañana del 5 de mayo de 1937.

De las cinco prehistorias, es ésta la única cuyo comienzo se marca temporalmente no sólo con el año y el mes, sino también con el día y con el momento del día.

b) *Amplitud de las analepsis*

Las prehistorias comienzan con los capítulos que llevan por título respectivamente: dos, tres, cuatro y media, seis, siete de la tarde. Si tenemos en cuenta que el título de los capítulos mide el tiempo vivido no del comienzo, sino del final del capítulo, las diferentes evocaciones se inician interrumpiendo la duración del tiempo vivido en los siguientes momentos: la prehistoria de Sonsoles, a la una del mediodía; la de Felisa, a las dos de la tarde, la de María a las tres; la de Carmen, a las cuatro y media; la de Ernesta, a las seis de la tarde.

Es como si esas horas lentas de la espera, recalentadas por el sol implacable del verano de Castilla, se dilataran aquí y allá, resquebrajándose; por las hendiduras, penetran como cuñas, las evocaciones del pasado; el tiempo de la ficción se ensancha retrospectivamente, a partir de su propio movimiento:

---

[14] Sonsoles cumple 14 años en septiembre de 1937, Felisa tiene 17 años en octubre de 1934, María tiene 13 en el 31 y 13 también Carmen en el 35.

es la sucesión lenta del presente la que va generando, como dilataciones de su propio tejido narrativo, el relato del pasado. Dos puntos, uno en el pasado y otro en el presente, señalan la dirección y la amplitud de la anacronía. En el caso de *El fulgor y la sangre* todas las analepsis son externas, es decir, su duración es exterior a la del relato primero; no hay, por tanto, colisión o interferencia de ambos relatos.

El carácter externo de las analepsis es patente en las prehistorias de Carmen y de Ernesta. La de Carmen termina con la boda con el guardia Cecilio Jiménez y el destino de ambos a un pueblo de Andalucía en la sierra de Aracena. Ha pasado algún tiempo desde el final de la guerra, pero no hay otras marcas temporales más precisas, ni directas, ni indirectas.

Lo mismo ocurre con el pasado de Ernesta. La amplitud de la anacronía alcanza hasta 1949: noviazgo con el guardia Guillermo Arenas y preparativos de la boda.

En ninguno de estos dos casos el pasado evocado avanza hacia el presente hasta tocar el tiempo vivido del castillo.

No ocurre así en las otras tres prehistorias, donde la anacronía se amplía hasta llegar al destino y la vida en el castillo, aunque es difícil —e irrelevante— decidir si se toca ese momento preciso —las horas de la tarde del 22 de Julio de 195...— del tiempo vivido.

El destino y la llegada de los tres guardias —y sus mujeres— al castillo, aparecen como relato singulativo [15], señalando el punto de coincidencia de los dos ejes temporales de la ficción —el evocado y el vivido— en el espacio del castillo.

A partir de aquí, el relato se hace iterativo, marcando la vida monótona, desilusionadora y alienante entre las viejas murallas.

Este relato, fundamentalmente iterativo, de la vida en el castillo tiene un carácter descriptivo, indicial. Precisamente porque en el castillo no pasa nada, el relato de acontecimientos

---

[15] Entendemos por relato singulativo aquel en que se narra una vez lo sucedido también una vez, mientras que en el iterativo se narra una sola vez lo que se supone sucede muchas veces, de la misma manera. Genette dice que en rigor se debería hablar de relato pseudo-iterativo.

que por su singularidad rompen la monotonía de lo habitual
y repetido apenas encuentra razón de ser. El tiempo como
punto exacto, irrepetible, de una historia lineal, no existe. Sabemos, directamente o por deducción, cuándo han llegado al
castillo los personajes. Una vez en el castillo, la historia se
destruye; la vida es un movimiento circular, un ciclo que se
repite.

No tiene relevancia, por tanto, que el narrador señale el
punto de llegada de cada prehistoria con marcas temporales
precisas. El castillo, con la monotonía de vida que impone,
destruye la función del tiempo como factor de singularización. Los hábitos que se relatan, los diálogos y los silencios, los
recuerdos y los proyectos, no son los de un día concreto; son
los de todos los días, también los de ese 22 de julio de 195...,
que si de pronto aparece trágicamente singularizado por la presencia interrogadora de la muerte, es en definitiva un día igual,
como todos, como ayer, como mañana...

El uso de la analepsis y la alternancia tiempo evocado/tiem-
po vivido permiten marcar no sólo estructural y estilísticamente, sino también en lo semántico, el punto de confluencia de
ambos ejes de la ficción: la vida en el castillo; a partir de
aquí, tiempo y espacio aparecen como coordenadas insepara-
bles de un «plano real» —la anécdota sobre la que descansa
la ficción— que es elevado, en el proceso mismo novelesco, a
metáfora de la existencia.

Como ya se ha indicado más arriba, en las prehistorias de
Carmen y Ernesta el relato se corta antes de la llegada al castillo.

La rígida simetría arquitectónica sobre la que descansa la
composición de *El fulgor y la sangre* parece rota por esta diferente amplitud de las prehistorias.

¿Se le ha escapado a Aldecoa este «detalle», o debemos,
por el contrario, interpretarlo como un rasgo, como un «des-
vío» estilístico-narrativo, y, por tanto, funcional en alguno de
los niveles del universo de relaciones que configuran el texto?

Me inclino por esta segunda interpretación, y, en un afán
de motivar suficientemente la sintaxis narrativa de la novela

que nos ocupa, es posible encontrar, a favor de esta explicación, algunos indicios:

Por un lado, en las tres primeras evocaciones, el relato llega hasta el tiempo de la vida en el castillo. Sólo en las prehistorias cuarta y quinta el relato se interrumpe antes de que los personajes de la ficción lleguen al castillo.

Además, se ha señalado cómo en los casos en que lo evocado y lo vivido se tocan, el punto de intersección de ambos ejes aparece marcado más por lo espacial —el castillo como metáfora de una forma de existencia— que por lo temporal, al menos lo temporal como sucesión de momentos singulares; se trata de un tiempo habitual, indiferenciado, no medido: el tiempo como historia es destruido y devorado por la monotonía del castillo.

La sintaxis narrativa organizada sobre la combinación de lo evocado y lo vivido tiene una clara finalidad estilístico-semántica: potencia y enfatiza poéticamente el tiempo de la espera, transformándolo de anécdota, de «fait divers», en metáfora de validez generalizable. El castillo, como espacio referencial en la ficción, es *un* cuartel donde viven *unos* personajes; el castillo, como metáfora social y existencial, es la vida de un pueblo, es el destino de los hombres...

Por cso, en las prehistorias de Carmen y Ernesta, la suspensión del relato antes de la llegada de ambos personajes al castillo es retórica, es una elisión que marca, en el nivel de la sintaxis narrativa, algo que aparece explícitamente significado en el nivel simbólico de la novela: la fatalidad de un destino que, tarde o temprano, llevará también a estos personajes al encierro alienador del castillo. Porque, en definitiva, el castillo es la vida: la de los cinco guardias y sus mujeres, la de la España de Aldecoa, la del hombre sin más especificaciones.

c) *Orden de las analepsis*

El orden de las diferentes pre-historias en el discurso narrativo aparece claramente motivado, en el nivel de la anécdota novelesca, desde las diferentes situaciones narrativas configuradas por los personajes del castillo.

En *El fulgor y la sangre* la fuerza temática [16] que desencadena la acción novelesca a partir de la situación inicial es la noticia de que han dado muerte a uno de los cuatro guardias que por la mañana salieran de servicio.

Notificar, comunicar la noticia, aparece así como el predicado-base, como el núcleo constitutivo de la frase narrativa, a partir del cual «se organizan los elementos y se distribuyen los roles» como modos de participación en el proceso verbal narrativo [17]. De tal manera que las diferentes situaciones narrativas pueden ser formuladas como una oposición no saber/saber la noticia: la oposición permanece, lo que se altera es las relaciones de personajes, que van pasando sucesivamente de ser no sabedores, a ser sabedores de la noticia.

Conviene aquí aclarar que la «noticia» es un predicado complejo, que implica, a su vez, saber y no saber al mismo tiempo: se sabe que han matado a uno de los guardias, pero no se conoce la identidad del muerto.

Es precisamente esta oposición de segundo grado: saber (la muerte)/no saber (el muerto) la que se superpone a la primera y la que de hecho hace posible la existencia de la intriga como expectación, como «suspense», como espera...

Y es aquí, al establecer las diferentes situaciones narrativas en las que se encarna la compleja oposición no saber/saber, donde Aldecoa ha tenido en cuenta una vez más, para organizar la lógica del relato, las exigencias de la verosimilitud.

El primer «notificador» es, naturalmente, el teléfono del castillo y el primer «notificado» el número Ruipérez, de servicio, en ese momento, en el cuerpo de guardia. Ruipérez, a su vez, comunica inmediatamente la noticia a su compañero de servicio, el guardia Pedro, que hace la centinela en la puerta del castillo.

---

[16] En el sentido que tiene, como función dramática, en E. Souriau: *Les deux cent mille situation dramatiques*. París, Flammarion, 1950, páginas 83 y ss. Cf. también, R. Bourneuf y R. Ouellet: *L'univers du roman*, pp. 152 y ss.

[17] Cf. Michel Mathieu: «Les acteurs du récit», en *Poétique*, 19, 1974, pp. 357-367.

La estructuración de roles:

Destinador ⇢ Objeto ⇢ Destinatario

tiene, en este comienzo de la novela, la siguiente reescritura narrativa:

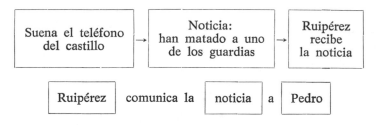

| Suena el teléfono del castillo | → | Noticia: han matado a uno de los guardias | → | Ruipérez recibe la noticia |

| Ruipérez | comunica la | noticia | a | Pedro |

Con lo cual, en el primer capítulo de la novela, tenemos una situación inicial donde la oposición saber (la noticia)/no saber, ofrece la siguiente configuración:

guardias / mujeres
(saben) / (no saben)

La distribución de los roles «notificador», notificado permitirá el desarrollo de la acción, y, por tanto, la existencia del «relato», sobre la oposición permanente: saber/no saber, en su doble nivel antes descrito. Es decir, toda la relación actancial en *El fulgor y la sangre* se da conforme a la modalidad del saber [18].

Como la noticia es al mismo tiempo saber que hay un muerto y desconocer su identidad, hay una lógica de la ficción que resulta simplemente de que es verosímil que se comunique la noticia en primer lugar a aquellas mujeres cuyos maridos están en el castillo.

---

[18] Entendiendo el nivel de las acciones, como señala R. BARTHES, no «au sens des menus actes qui forment le tissu du premier niveau, mais au sens des grandes articulations de la *praxis*...»; «Introduction à l'analyse structurale des récits», en *Communications, 8*, p. 17.

A la primera oposición:

> guardias / mujeres
> (saben)   (no saben)

sigue lógicamente esta otra:

> guardias y sus mujeres / las otras mujeres
> ＼   (saben)   /   (no saben)

lo que nos permite justificar que Felisa y Sonsoles sean sabedoras de la noticia antes que Carmen, María y Ernesta.

Por lo que se refiere al orden por el que las mujeres de cada grupo van siendo enteradas de la noticia, Sonsoles es la primera en enterarse; recibe la noticia de Pedro, su marido, para que vaya preparando a las demás mujeres. Lo mismo hará luego Ruipérez con Felisa, su mujer.

Sonsoles y Felisa pasan ahora a desempeñar el rol de «notificador» con relación a las demás mujeres. Y una vez más la ley de la verosimilitud determina la lógica del relato y el orden en la comunicación de la noticia: Aldecoa recurre a la psicología de los personajes y a su mayor o menor resistencia para la emoción que supondrá para cada una de las tres mujeres saber que su marido puede ser el muerto. María, la más resistente de las tres, a juicio de Sonsoles y Felisa, será la primera en recibir la noticia, y Ernesta, la más joven, «en la luna de miel, como quien dice», a juicio de María, la última.

El orden en que las mujeres van sabiendo la noticia de que han matado a uno de los guardias —Sonsoles, Felisa, María, Carmen, Ernesta— es el mismo que sigue Aldecoa para contarnos la prehistoria de aquéllas. La prehistoria precede al conocimiento de la noticia, como si el mismo pasado que ha ido llevando fatalmente a las mujeres al castillo les llevara también al conocimiento —y a la experiencia— de la muerte...

Pero también aquí hay una excepción. El modelo pre-historia ——→ conocimiento de la noticia funciona en los casos de Sonsoles, Felisa, María, Carmen, pero no en el de Ernesta; ésta es enterada de la muerte de uno de los guardias inmediatamente después de Carmen, y, por tanto, la prehistoria de ésta desemboca en el conocimiento de la noticia tanto por parte de Carmen como de Ernesta.

En el capítulo «Siete de la tarde», en que se cuenta la pre-historia de Ernesta, el conocimiento de la noticia se amplía también a los niños del castillo. La noticia integra a los niños en la vida del castillo, con todas sus consecuencias. Aquí la fórmula pre-historia ——→ conocimiento de la noticia no es pertinente, porque los niños no tienen pasado. Son, como luego veremos, la única salida hacia el futuro para la gente del castillo, que el conocimiento de la muerte empieza a corroer.

Como hemos podido ver hasta aquí, la analepsis como figura narrativa de construcción permite en *El fulgor y la sangre* elevar la alternancia tiempo evocado/tiempo vivido a principio organizador de las grandes unidades narrativas; pero cada analepsis, saliendo del presente para volver alusiva o elusivamente a él, no es tratada a partir de su alcance y a lo largo de su amplitud, de forma lineal y sin solución de continuidad.

En cada una de las grandes unidades narrativas los dos tiempos de la ficción —evocado y vivido— no se encadenan simplemente, como un antes y un ahora; tampoco la prehistoria aparece «inserta» entre dos momentos sucesivos del tiempo vivido, sino que hay una alternancia de ambos tiempos, de manera que la disposición del capítulo como unidad narrativa, se hace mediante la colocación, una a continuación de otra, de una secuencia del tiempo evocado y una del tiempo vivido.

La anacronía —el contraste pasado/presente— aparece, por tanto, en un doble nivel en la articulación · del discurso narrativo:

En el nivel del texto —novela— como relación —y oposición— de los dos tiempos totales de la ficción: historia —cuya duración va del mediodía al crepúsculo de un día de julio de 195...—, y prehistoria —desde 1931, 34, 36, 37... hasta el presente aludido o elíptico de la vida en el castillo—; en el nivel de las unidades menores del texto —capítulos—, donde la relación parte de la historia, una de las cinco prehistorias se articula de acuerdo con el modelo «secuencia de la prehistoria-secuencia de la historia».

Es decir, la anacronía general que instaura la organización de los dos tiempos de la ficción en el eje del discurso novelesco, se articula en anacronías parciales: la presencia del recurso retórico y sus efectos estilísticos quedan así amplificados.

LA ANACRONÍA «DE SEGUNDO GRADO»: RELATO
DENTRO DEL RELATO

La utilización de la anacronía y la disposición de las secuencias narrativas según el modelo de alternancia *tiempo evocado-tiempo vivido* le ha permitido a Aldecoa, en los cinco capítulos centrales de *El fulgor y la sangre,* reconstruir la historia anterior de la gente del castillo, llenando así las horas lentas de la espera: las cinco mujeres, sus maridos los guardias, los hijos... Queda sin contar la «pre-historia» del sexto guardia, el cabo Francisco Santos, el único soltero entre los destinados al castillo.

Y la soltería del cabo es precisamente la razón de que su pre-historia no haya podido ser contada como la de los otros cinco compañeros, porque no hay una mujer desde cuya mirada se justifique —y se genere— el relato.

Por otra parte, en el aspecto semántico más incluso que en el de la sintaxis novelesca, resultaría gratuito e *inverosímil* que quedara escamoteada la prehistoria de uno de los personajes del castillo.

Y una vez más se patentiza el rigor con que Aldecoa ha cuidado la arquitectura de su novela hasta en el detalle.

La prehistoria del cabo no puede ser contada, como la de sus compañeros, *desde* las mujeres.

Además, un narrador objetivo, que ha renunciado a la omnisciencia y que no sabe más que lo que saben sus personajes, no puede relatar, desde sí mismo, desde su propia mirada, el pasado de cualquiera de esos personajes.

Por tanto, si la prehistoria del cabo debe ser contada y si el narrador no puede hacerlo, la verosimilitud interna de la novela impone que sea el mismo personaje el que nos relate su historia pasada.

En el último capítulo de la novela —el que lleva por título *«Crepúsculo»*— el cabo Francisco Santos cuenta a su pareja, el número Guillermo Arenas, la historia de su infancia cuartelera, de su vocación de músico militar truncada por la guerra...

Pero en el tiempo vivido del último capítulo —crepúsculo— el guardia Francisco Santos es un cadáver sobre unas angarillas por el portón silencioso del castillo. Y no es verosímil que los muertos cuenten historias.

Por eso se recurre, en este caso, a una anacronía que podríamos calificar *de segundo grado:* desde el tiempo vivido —el momento del crepúsculo en que la comitiva fúnebre penetra en el castillo—, la analepsis —«de primer grado»— retrotrae la ficción no a un pasado lejano —como en las cinco prehistorias anteriores—, sino a la mañana de ese mismo día, cuando, bajo un sol todavía tibio, las dos parejas de guardias —Baldomero Ruiz y Cecilio Jiménez, Francisco Santos y Guillermo Arenas— descienden el camino del castillo, hacia su servicio diario.

El cabo Francisco Santos distrae la monotonía de la marcha con el recuerdo —hecho relato— de sus años mozos.

La conversación —el monólogo más bien— del cabo sólo interrumpida por sus propias palabras («Tú, Guillermo ¿quieres fumar?» (FS, 329) o por el saludo de un aldeano, se convierte así en relato metadiegético [19] o «relato dentro del relato», y cuya historia —la pre-historia del cabo— es analéptica con respecto a un primer relato —la mañana evocada desde el crepúsculo— también analéptico.

Por eso, podemos hablar, en el caso de la prehistoria del cabo Francisco Santos contada por él mismo, de una anacronía de segundo grado, ya que el grado cero desde el que han sido medidas las anacronías de la novela —el tiempo vivido, que se sucede desde el mediodía hasta el crepúsculo— aparece doblemente alterado: en un primer grado, por el narrador-no personaje, del crepúsculo a la mañana de ese mismo día; en un segundo grado, por un personaje-narrador, desde esa mañana hasta un pasado ya lejano.

Digamos, por fin, que el modo como las secuencias narrativas de los diferentes tiempos de la ficción se organizan en el capítulo como discurso, no es la alternancia, como en las prehistorias anteriores, sino la «inserción», la «intercalación». Entre dos secuencias del tiempo vivido —llegada de los

---

[19] Utilizamos la terminología propuesta por G. GENETTE en *Figures,* III.

guardias con el cadáver del cabo, y reacción de la gente del castillo— se intercala la secuencia en que se narra lo sucedido en la mañana, desde que los cuatro guardias salen del castillo hasta que el gitano mata al cabo. Y a su vez, en esta secuencia central, en su primera parte —el camino de Francisco Santos y Guillermo Arenas hasta el pueblo— mientras Arenas camina y escucha silencioso, el cabo Santos entretiene el aburrimiento de la caminata bajo el sol, con el relato de sus recuerdos.

LA VELOCIDAD Y EL RITMO NARRATIVO

Un nuevo aspecto decisivo para el análisis de *El fulgor y la sangre* y dilucidable desde la categoría *tiempo* es el de la velocidad narrativa.

La distinción —y relación— entre «tiempo del discurso» y «tiempo de la historia» es un medio eficaz para comprender las relaciones establecidas entre el mundo contado, significado en la novela y su tratamiento literario en el discurso narrativo[20]. La calidad de estas relaciones nos permitirá dilucidar un aspecto tan importante como el de la velocidad narrativa —determinante, en última instancia, del ritmo novelesco— y el de las técnicas o modos narrativos utilizados por el novelista al servicio del ritmo de la novela.

En *El fulgor y la sangre* la relación tiempo del discurso-tiempo de la historia es una relación múltiple, ya que el tiempo de la ficción, como hemos visto, aparece a su vez desdoblado en tiempo evocado y tiempo vivido.

La instauración de ambos tiempos en el discurso narrativo aparece subordinada, de forma rigurosa, al principio de alternancia, tanto en la novela como totalidad, como en las historias parciales.

La variación —alternancia tiempo vivido/tiempo evocado—, insistentemente repetida a lo largo de la novela, marca

---

[20] La terminología no es única en los diferentes autores, Genette, Todorov, Ricardou, Van Rossum, Lämmert...
Cf. F. VAN ROSSUM-GUYON: *Critique du roman,* p. 219; EBERHARD LÄMMERT: *Bauformen des Erzählens.* Stuttgart, Metzlersche Verlagsbuchhandlung, 1972, p. 23.

un ritmo narrativo previo, podríamos decir, a las técnicas o modos de narrar utilizados en cada plano del, tiempo de la ficción y a sus respectivas velocidades.

La disposición de las secuencias —la sintaxis de las unidades narrativas en el texto— determina, por tanto, un primer ritmo narrativo —sintáctico [21]— que se impone desde la *espacialidad* del texto novelesco. La combinación —el tejido— de las unidades narrativas que configuran el texto, sin dejar de ser lineal —como el lenguaje— y sometida, por tanto, a la duración, ofrece una perspectiva espacial que no debe ser menospreciada. La división del texto en unidades menores, los espacios en blanco, los asteriscos, son otros tantos recursos que evidencian esta dimensión espacial de la novela. Desde esta perspectiva, podemos hablar de un ritmo espacial, plástico, distinto y complementario del ritmo temporal, musical, que resulta de la combinación de duraciones entre discurso e historia y de la variación de la velocidad narrativa.

En *El fulgor y la sangre* este ritmo espacial, plástico, es resultado de la distribución alternante en el texto novelesco de secuencias de cada uno de los dos tiempos de la ficción; los asteriscos y los espacios en blanco permiten distinguir los pasos de un tiempo a otro y de una subsecuencia a otra dentro de un mismo tiempo. Aldecoa no ha utilizado otros recursos posibles, v. gr., tipografía diferente, para marcar visualmente ambos planos de la ficción.

De cualquier manera, en *El fulgor y la sangre* el ritmo narrativo aparece más claramente expresado en su dimensión temporal, es decir, como resultado de la combinación de velocidades narrativas, y de la confrontación de duraciones entre el tiempo de la historia o ficción evocado y vivido, y entre éstos y el tiempo del relato o discurso.

La condensación temporal de la «fábula» —las siete horas aproximadas del tiempo vivido— tiende a acercar, sin hacerlas iguales, las duraciones de la ficción y del relato.

El relato —o, mejor, la lectura del relato— tiene una du-

---

[21] Si la sintaxis narrativa, vista desde la temporalidad —velocidad narrativa— es susceptible de ser descrita en términos de ritmo, también puede serlo vista desde la espacialidad —distribución de las unidades narrativas en el espacio textual—.

ración no mucho menor de lo que dura la espera en el castillo. El relato como lectura *mimetiza* de alguna manera la monotonía lenta de la espera.

Aldecoa llega a una relación verosímil entre tiempo de la
historia y tiempo del relato, medido éste como duración de
lectura, por un doble camino: por un lado, condensando la
duración de la ficción en unas horas; por otro, ensanchando,
dilatando, el discurso narrativo. Y a su vez esta dilatación del
discurso se obtiene fundamentalmente de dos formas: la utilización preferente de la escena o presentación escénica como
modo narrativo, y el recurso a la analepsis: la evocación de un
tiempo anterior que permite reconstruir las pre-historias de la
gente del castillo, integrándolas en la lenta sucesión de la espera. La utilización de la escena afecta fundamentalmente al nivel
del discurso, mientras que la introducción de las prehistorias
altera en primera instancia el plano de la «historia»: la ficción no es ya únicamente una tarde de angustia y de espera en
el castillo, sino, desde ahí, la historia completa de unos personajes.

Esto hace que desde la linealidad única del discurso narrativo podamos medir dos duraciones en la ficción: la del tiempo
vivido —unas horas—, y la del tiempo evocado —bastantes
años.

Un cálculo aproximado de la «cantidad» de relato —medida en número de páginas— que el novelista dedica a cada uno
de los dos tiempos de la ficción, en los cinco capítulos de la
novela donde se incluyen las prehistorias, nos da el siguiente
resultado:

— tiempo vivido: 104 páginas,
— tiempo evocado: 189 páginas,

pero, mientras a lo largo de 104 páginas de relato la ficción en
el tiempo vivido avanza aproximadamente siete horas —del
mediodía a las siete de la tarde—, las 189 páginas del tiempo
evocado sirven de vehículo narrativo a cinco historias cuya duración oscila entre unos veinte años aproximadamente la más
larga —la de María— y alrededor de trece años la más corta
—la de Ernesta.

La exactitud del número hace más evidente algo que es
de decisiva importancia para entender las leyes de composición y ritmo que caracterizan la estructura de *El fulgor y la
sangre:* la alternancia tiempo vivido/tiempo evocado como principio determinante de la sintaxis narrativa es además alternancia —y contraste— de dos velocidades narrativas contrapuestas, y, previsiblemente, también alternancia, o, al menos, distinto grado de utilización, de los diferentes modos narrativos.
Pongamos un ejemplo. Si en el capítulo titulado «Dos de
la tarde» el relato de lo que ocurre en el castillo entre la una
y las dos «dura» veinte páginas, y la prehistoria de Sonsoles
—desde la mañana del 5 de mayo de 1937 hasta las dos de la
tarde del 21 de julio de ¿1951?, ¿1952?— «dura» diecinueve
páginas, quiere decirse que la velocidad narrativa del tiempo
vivido es lenta y la del tiempo evocado, muy rápida [22].
De momento me limitaré a señalar la presencia de dos velocidades narrativas distintas, y aun opuestas, que alternan en
El fulgor y la sangre y que contribuyen a hacer posible y a precisar lo que antes he llamado el ritmo temporal, musical, de la
novela. Antes de concretar la función de este contraste de
velocidades, es preciso decir algo sobre los modos narrativos
que le permiten a Aldecoa combinar dos «tempos» narrativos
y obtener en la totalidad de la novela un ritmo lento, que
connota, en el nivel del discurso, lo denotado en la historia:
la monotonía y la lentitud de la espera.
El relato del tiempo vivido es el relato de un *tiempo continuo,* es decir, no hay, en el tiempo de la ficción, soluciones
de continuidad. Capítulo a capítulo, vamos asistiendo a la lenta
sucesión de las horas que marcan la espera angustiada del castillo desde el mediodía hasta el atardecer.
Ya se indicó al comienzo que el paso del tiempo vivido

---

[22] Es este capítulo el único en que el relato de lo vivido es tan largo,
más, incluso, que el de lo evocado. Esta relación se va alterando progresivamente en los capítulos siguientes, hasta llegar en el capítulo
«Siete de la tarde» —prehistoria de Ernesta— a una relación de 2,6 a 1 favorable al relato de lo evocado. Pero ello no invalida en modo alguno
la afirmación general de que la relación tiempo vivido/tiempo evocado
se puede expresar, desde el punto de vista de la velocidad narrativa,
como una relación lentitud/rapidez.

está medido por una serie de marcas que van desde los títulos de los capítulos hasta los juegos de sol y sombra, pasando por los relevos de los guardias en su centinela a la puerta del castillo.

El lector tiene la impresión de asistir a la historia completa del castillo en esas siete horas aproximadas que van desde el mediodía hasta el crepúsculo.

¿Quiere ello decir que el narrador va registrando, minuto a minuto, cada acción, cada movimiento, cada palabra de los diferentes personajes de la ficción? Es claro que no, pero tampoco es necesario.

Una vez más, es la lógica de la verosimilitud la que se impone: la captación de la vida del castillo aparece verosímilmente completa a lo largo del tiempo vivido de la ficción.

La continuidad temporal marca la sucesión entre los capítulos y el paso de una secuencia a otra dentro del capítulo.

Ahora bien, esta continuidad temporal no tiene por qué ser necesariamente en todos los casos objetiva, externa. Esta se da, en ocasiones[23]; pero es suficiente que el lector acepte que entre capítulo y capítulo, o entre secuencia y secuencia, no hay «vacíos» en el eje de la ficción, es decir, el narrador no le escamotea al lector parte alguna apreciable en el tiempo de la ficción, como para convertir el relato en *discontinuo*.

Es precisamente la ausencia de elipsis —sobre todo de la elipsis explícita[24]— lo que da al relato del tiempo vivido ese carácter de tiempo continuo, de historia completa. Esta ausen-

---

[23] Por ejemplo, en el capítulo «Dos de la tarde», entre la secuencia segunda, que termina «Sonsoles llamó a su hijo», y la cuarta que comienza con la misma frase. O entre la secuencia décima, que finaliza con «Pedro volvió la cabeza hacia la ventana», y la duodécima, que comienza con «El cura y el alcalde subían hacia el castillo».
En cuanto a la relación de continuidad entre capítulos, la secuencia 2,a, del capítulo «Seis de la tarde» es continuación de la secuencia 6,d, del capítulo «Cuatro y media de la tarde»; la secuencia 2,a, del capítulo «Siete de la tarde» conecta directamente con el final de la secuencia sexta del capítulo «Seis de la tarde».
[24] Rigurosamente hablando, es necesario suponer en el tiempo vivido de *El fulgor y la sangre* elipsis implícitas. En todo caso escamotearían duraciones breves —de minutos, nada más— en el tiempo vivido de la ficción, y no alterarían la percepción de lo narrado como tiempo continuo. Las considero, por tanto, como irrelevantes.

cia de rupturas en el eje de la ficción —al menos, rupturas
marcadas verbalmente en el nivel del discurso— hace del relato del tiempo vivido una historia esencialmente *no elíptica,*
donde la continuidad temporal —explícita en algunos casos en
el nivel del discurso, implícita siempre en el de la lectura
del discurso— marca el orden de sucesión de las diferentes
situaciones narrativas en la historia del tiempo vivido.

Este carácter de historia no elíptica o de tiempo continuo
que tiene, en *El fulgor y la sangre,* el relato del tiempo vivido
queda además amplificado o enfatizado estilísticamente por algunos recursos que por el momento me limitaré a enumerar:
el ya mencionado de explicitar en algunos casos la rigurosa
continuidad temporal entre secuencias o capítulos; las varias
y reiteradas formas de marcar —a las horas, a las medias...—
el paso del tiempo; la conformación, muchas veces, de las secuencias narrativas mediante la yuxtaposición de varias escenas o subsecuencias que se suponen simultáneas en el tiempo,
pero que tienen lugar en espacios diferentes [25]. Ello permite,
por un lado, dar una visión más global de la vida del castillo
en su totalidad, y, por otro, marcar la monotonía de los movimientos necesariamente repetidos de los personajes en el
reducido y agobiante espacio del castillo.

Por otra parte, el modo narrativo utilizado de forma exclusiva en el relato del tiempo vivido es la escena, es decir,
que las diferentes situaciones narrativas aparecen dramatiza-
das, representadas escénicamente [26], con un claro predominio
del diálogo; cuando la situación narrativa aparece construida
sobre un solo personaje, el diálogo es sustituido por la intros-

---

[25] Esta yuxtaposición de escenas simultáneas y que tienen lugar en
espacios diferentes se marca algunas veces desde la distribución de los
personajes del castillo en grupos diversos: guardias, mujeres, niños.

[26] Sobre el uso de la «escena», y su distinción del «resumen» («sum-
mary»), puede verse *Phyllis Bentley,* «Some Observations on the Art of
Narrative», en *The Theory of the Novel,* Edited by Philip Stevick, New
York, The Free Press, 1967, pp. 47-57. Puede verse, igualmente, PERCY
LUBBOCK: *The Craft of Fiction.* London, Jonathan Cape, 1968, 4.ª ed.
    K. STANZEL utiliza la denominación de «szenische Darstellung»; cf.
Typische Formen des Romans. Göttingen, Vandenhoeck und Ruprecht,
1970.

pección; en estos casos, es bastante frecuente el recurso a breves monólogos interiores indirectos, mediante la técnica del estilo indirecto libre, en que el personaje se abre a la evocación y al recuerdo; otras veces, el narrador se limita a describir minuciosamente la forma de «estar» —física o moral— del personaje, y a registrar con detalle sus movimientos, sus gestos, sus pensamientos incluso. Estamos muy cerca, en estos casos, de la pausa, donde la acción es prácticamente nula y la correspondencia de duraciones entre ficción y discurso se desnivela a favor de este último [27].

La escena es el modo narrativo más mimético; por tanto, su utilización única en el relato del tiempo vivido es una contribución decisiva a esa «ilusión de realidad» [28]. El lector «asiste» a la vida en el castillo; ésta se desarrolla ante sus ojos en la variedad de ámbitos y de personajes —guardias, mujeres y niños, puerta y muralla, patio y casa, pozo y cuerpo de guardia— con la lentitud «real» de las horas que van —tiempo de espera y de angustia— de las doce a las siete de la tarde.

Además, el relato del tiempo vivido es siempre singulativo; cada diálogo, cada movimiento o reflexión de los personajes aparece en su singularidad, como un punto individualizado en la línea durativa de las horas del castillo. No importa que cada punto se parezca tanto a los demás, que los movimientos —del cuerpo de guardia a la puerta del castillo, de la casa al patio, de la muralla a la acequia—, o los diálogos —el muerto, la tormenta que se acerca, el aburrimiento, la obsesión del traslado— de los personajes sean siempre iguales; se trata de acciones y de momentos singulares, iguales, pero distintos, que van marcando una duración que está hecha, paradójicamente, de momentos diferentes que se repiten, como las vueltas del centinela Ruipérez, de guardia a la puerta del castillo.

El narrador renuncia conscientemente al relato iterativo, donde la narración única de una conversación, de un pensa-

---

[27] En el nivel del tiempo vivido, se podría hablar de un predominio del «ser» —lo «indicial»—, sobre el «hacer» —lo «funcional»—, es decir, las acciones.

[28] En puridad de verdad, la mímesis total no existe. GENETTE —*op. cit.*— habla de «ilusión de mímesis».

miento, de un pequeño suceso, podría *resumir* lo que de forma
habitual acontece en un determinado lapso de tiempo; y cada
momento, aun siendo muy parecido al anterior y al siguiente,
es relatado en su singularidad; una vez más, el lector tiene
la impresión de que no se le escamotea nada de lo que sucede
en el castillo en las horas del tiempo vivido, haciendo que la
relación de duraciones entre relato e historia sea verosímilmente equivalente.

Por fin, me parece interesante señalar que la dilatación de
la ficción desde el tiempo vivido hacia el tiempo evocado contribuye también al efecto que venimos analizando; la alternancia tiempo vivido/tiempo evocado multiplica la novela como
discurso —sin las prehistorias, *El fulgor y la sangre* «duraría»
poco más de cien páginas— y por otra parte el tiempo vivido
sigue ocupando el primer plano de la ficción, ya que desde él
se genera, semántica y sintácticamente, el tiempo evocado. Se
podría decir que la inserción del tiempo evocado suspende —en
el sentido retórico del término— el tiempo vivido como discurso, pero no como ficción, de tal modo que en el acto de
lectura, que es donde se instaura prácticamente la relación de
duraciones de la novela como discurso y como historia, es el
tiempo vivido el que prevalece y el que es percibido como
tiempo «real» [29] en el eje de la ficción.

Por el contrario, el relato del tiempo evocado ofrece características claramente contrapuestas.

En primer lugar, se trata del relato de un *tiempo discontinuo*. Las soluciones de continuidad, bien en el eje de la ficción tan sólo, bien en ambos ejes son otras tantas elipsis —explícitas o implícitas—, que funcionan en este caso como un
primer recurso que permite avanzar rápidamente en el eje —en
la duración— de la historia.

El relato del tiempo evocado es, pues, esencialmente un
relato elíptico, en contraposición al del tiempo vivido, que ha
sido caracterizado como no-elíptico.

---

[29] Ciertamente, la terminología es ambigua, pero tiempo vivido y
tiempo evocado podrían ser vistos, al menos hipotética y metodológicamente, como tiempo «real» y tiempo «irreal», dentro siempre de un
universo de ficción.

Mientras en el eje del tiempo vivido el relato tiende a la expansión, es decir, a «cubrir de discurso» todos los puntos de la duración de la historia —lo que hemos llamado tiempo continuo—, en el eje del tiempo evocado el relato tiende a la reducción [30], como resultado de una selección operada en el eje de la historia, y por eso hemos hablado de relato de un tiempo discontinuo. La elipsis no es sino la consecuencia necesaria de esta discontinuidad, de la selección operada por el narrador en un eje de ficción demasiado prolongado para poder ser narrado en todos sus puntos.

Si la elipsis es el primero —y más radical— recurso que permite al narrador de *El fulgor y la sangre* resolver, en pocas páginas de discurso, una larga duración de historia, el modo narrativo contribuye también a esta misma finalidad. Si en el relato del tiempo vivido se recurre únicamente a la escena, en el del tiempo evocado hay una combinación de resumen y escena.

Aldecoa, como los demás novelistas de su generación, y en el contexto de una poética objetivo-realista, tiende a privilegiar el diálogo como modo de presentación de las situaciones narrativas, y, en consecuencia, y como resultado de ello, la escena, tal como más arriba ha quedado descrita en cuanto modo narrativo.

En *El fulgor y la sangre* la escena sigue siendo el modo narrativo predominante también en el relato del tiempo evocado, pero ya no de forma exclusiva, como en el tiempo vivido, sino en una calculada combinación con el recurso a la elipsis y al resumen.

Si en todo relato, por objetivo y documental que pretenda ser, la selección opera siempre, siquiera como principio de organización estética, la selección en el eje de la historia es más necesaria y más visible cuando el relato debe operar sobre una duración muy prolongada en la ficción.

---

[30] HARALD WEINRICH —*Le Temps*. París, Seuil, 1973— habla de «expansión» y «reducción»; BARTHES —«Introduction à l'analyse structurale des récits», en *Communications*, 8, 1966—, de «distorsión» y «expansión».

Aldecoa, desde su poética realista, no puede menos de seguir utilizando la capacidad mimética de la escena, como técnica narrativa; pero ya no en el contexto de un relato de tiempo continuo, sino como resultado de una drástica selección operada en el eje de la historia, no sólo por medio de la elipsis, sino también mediante la técnica del resumen.

La combinación escena-resumen se ve además acompañada —y reforzada— por la frecuencia narrativa que resulta de la utilización ya del relato singulativo, ya del iterativo —o pseudo-iterativo [31]—. Una nueva diferencia, pues, que un riguroso análisis nos permite apreciar entre el relato del tiempo vivido y el del tiempo evocado: aquél es siempre singulativo; en éste hay una variadísima combinación de lo iterativo —o pseudo-iterativo— y de lo singulativo.

En consecuencia, podemos decir que un relato no elíptico, que utiliza la escena como único modo narrativo y que es siempre singulativo, es, necesariamente, un relato lento. La relación de duración entre el eje del discurso y el de la historia tiende a nivelarse y ambas duraciones *funcionan* como equivalentes; mientras que un relato elíptico, que combina la escena y el resumen, y lo singulativo y lo iterativo, es, evidentemente, un relato rápido. La relación de duración entre historia y discurso se desnivela: a un segmento breve en el eje del discurso corresponde una duración larga en el eje de la historia.

LA SUSPENSIÓN COMO RETÓRICA TOTALIZADORA

El ritmo o «tempo» novelesco es el resultado de una combinación de velocidades narrativas. En *El fulgor y la sangre* el «tempo» se marcaría en primera instancia por el contraste lentitud/rapidez que resulta de la alternancia tiempo vivido/tiempo evocado.

---

[31] «C'est-à-dire, de scènes présentées, en particulier par leur rédaction à l'imparfait, comme itératives, alors que la richesse et la précision des détails font qu'aucun lecteur ne peut croire sérieusement qu'elles se sont produites et reproduites ainsi, plusieurs fois, sans aucune variation»; G. GENETTE: *Figures*, III, p. 152.

Me parece, sin embargo, que sería una reducción ilegítima pretender explicar el «tempo» de la novela que nos ocupa por un previsible —por lo repetido— juego de aceleración y freno, donde las velocidades parciales se destruirían mutuamente. La combinación relato lento-relato rápido como expresión, desde la velocidad narrativa, de la alternancia tiempo vivido/tiempo evocado en el eje de la historia constituye, a mi juicio, esa necesaria anisocronía sin la cual el ritmo novelesco no podría existir [32]. Pero, a partir de aquí, hay en la novela una jerarquización de velocidades, que es la que, en última instancia, decide del «tempo» de la totalidad.

El relato de lo evocado suspende el relato de lo vivido y de alguna manera prolonga su duración. Ello contribuye —como ya indicamos más arriba— a que el lector perciba como prácticamente equivalentes la duración del discurso —medido en el acto de lectura— y la duración de la ficción medida en las horas que transcurren en el castillo.

La rapidez del relato del tiempo evocado no contrarresta la lentitud del relato de las horas vividas en la espera. El «tempo narrativo» en *El fulgor y la sangre* no es el resultado más o menos aritmético de la combinación de dos velocidades —una lenta y otra rápida—. La lentitud del relato de la vida en el castillo se potencia y se expande retóricamente por la inserción de un segundo relato —el de lo evocado—, que, si en sí mismo es muy rápido, funciona en la totalidad de la novela como suspensión del relato primero, cuya duración como discurso prolonga y amplifica.

El alargamiento del discurso novelesco por la inserción de las prehistorias connota la lentitud del paso del tiempo desde el mediodía hasta el atardecer. La anacronía como figura de construcción que condiciona la disposición de las secuencias narrativas en el eje del discurso queda así subordinada a la suspensión, como retórica totalizadora del proceso novelesco.

---

[32] Es obvio que aquí se ha caracterizado la velocidad narrativa de cada tiempo por contraste con el otro. Ello no quiere decir de ningún modo que cada relato, en sí mismo, sea isócrono.

Ya el relato del tiempo vivido es, por sí mismo, un relato intencionadamente suspensivo: en el nivel de la ficción, porque la expectación angustiosa se prolonga por espacio de siete horas insistente y alargadamente medidas; pero además la prolongación de la espera es connotada —y enfatizada— estilísticamente por la longitud del relato: no es posible saltar sobre la línea del tiempo y acelerar la llegada al desenlace; el narrador ha optado por la morosidad de un relato de tiempo continuo, técnicamente resuelto por el recurso único a la escena singulativa.

Si el relato del tiempo vivido es por sí mismo suspensivo con relación al desenlace [33], se da además en *El fulgor y la sangre* una suspensión de segundo grado, que es la que ejerce la inserción de las pre-historias. El avance lineal —lento por sí mismo— de discurso y de ficción en el eje del tiempo vivido es continua y sistemáticamente interrumpido —suspendido— por la inserción de secuencias que corresponden al tiempo evocado.

El fulgor y la sangre es un relato fuertemente distorsionado. La sucesión de las secuencias narrativas es distendida sistemáticamente, catalizando en los espacios intermedios un relato segundo, anacrónico y complementario del primero. Es decir, la expansión del relato es el reverso de su distorsión, y ambas constituyen las dos caras de la suspensión.

El fulgor y la sangre resulta así un relato fuertemente sintético, ya que su sintaxis narrativa está claramente determinada por la inserción y la alternancia: las secuencias narrativas —de cada uno de los dos tiempos de la ficción— no se suceden linealmente, sino que quedan suspendidas por la inserción de una secuencia del otro eje.

Por eso, podemos hablar de la suspensión como figura generalizada y determinante de la sintaxis narrativa de la novela.

---

[33] Ya se ha indicado que *El fulgor y la sangre* no es una novela de «suspense», y en este sentido, el descubrimiento de la identidad del muerto en el último capítulo no es realmente el desenlace de la novela. Pero la técnica de la suspensión está montada sobre la anécdota que genera la ficción como intriga, y en ese sentido podemos hablar del conocimiento de la identidad del guardia asesinado como de desenlace. Pero el «tema» de la novela, como más adelante se verá, no es éste.

EL RELIEVE COMO FUNCIÓN DE LA ANACRONÍA

Como ya ha quedado analizado más arriba, en *El fulgor y la sangre* el relato de la ficción avanza en un contrapunto continuo de tiempo vivido/tiempo evocado, en un balanceo sobre dos ejes temporalmente diferenciados. Este juego hace que el tiempo de la ficción en *El fulgor y la sangre* se «densifique», cobre perspectiva, adquiera, en una palabra, relieve. Perspectiva y relieve que nacen precisamente de la yuxtaposición de ambos planos temporales, es decir, de la combinación de un relato de primer plano —el tiempo vivido— con un relato de «fondo» —el tiempo evocado— [34].

También ahora nos movemos en esa frontera tan difícilmente señalizable que separa la sintaxis de la semántica de la novela.

Porque el relieve no nace únicamente del contraste entre dos puntos diferentes de una misma sucesión temporal —un «hoy», desde los personajes que viven las horas del castillo, y un «ayer», que es la historia de esos mismos personajes—; el relieve está también determinado por la *calidad* de ambos planos temporales.

El tiempo vivido, tan implacablemente medido por el relevo de los guardias, el movimiento del sol o las campanadas del reloj del ayuntamiento, es, fundamentalmente, un tiempo interior, subjetivo, humano; es un tiempo efectivamente *vivido,* cuya medida, en última instancia, no la da el reloj, sino la vivencia que de su transcurso tienen los personajes. Y desde la conciencia de éstos, el tiempo cronológico no existe, se destruye, es un espacio infinito, abierto sólo a la muerte...

En definitiva, las siete horas del castillo son más bien expresión de una exigencia técnica en la construcción de la novela, porque la espera *es* y no se mide, y los personajes son espera.

___

[34] Es un efecto parecido al que H. WEINRICH en *Le Temps* señala como resultado de la combinación de un tiempo de primer plano —el indefinido— y un tiempo de segundo plano o fondo, el imperfecto.

Frente al tiempo de la historia en el castillo, fuertemente interiorizado, el tiempo evocado de las diferentes pre-historias es un tiempo *histórico, social*. No es tanto un tiempo de vivencias, cuanto un tiempo de acontecimientos; y de acontecimientos históricos, sociales, no reducibles ni integrados a la interioridad, a la vivencia que de ellos han tenido los personajes. El tiempo cronológico del castillo se destruye en la conciencia del personaje; el tiempo de las pre-historias sigue teniendo consistencia fuera de esa conciencia. Por eso se puede decir que es un tiempo social y de acontecimientos, más que un tiempo individual y de vivencias.

Es sobre todo el acontecimiento de la guerra civil el que marca decisivamente como histórico y social el tiempo de cada una de las pre-historias.

Ciertamente, el relato de las prehistorias no es una crónica; el término *tiempo evocado* que venimos utilizando marca a la vez su dependencia del tiempo vivido y su autonomía como relato hecho en tercera persona por un narrador situado fuera de la historia.

Sin el distanciamiento y la neutralidad de la crónica, el relato *focalizado* de las prehistorias, generado desde el tiempo vivido, que es un tiempo fuertemente interiorizado, es el relato de un tiempo que sigue siendo social, que tiene consistencia propia, más allá del discurso generador o de la mirada evocadora de los personajes.

En *El fulgor y la sangre,* tiempo vivido y tiempo evocado se relacionan y contrastan, pues, como tiempo interior, subjetivo, vivencial, y tiempo externo, objetivo, de acontecimientos.

Esta relación de dos tiempos de calidades diferentes, tiene dos principales consecuencias que me parece interesante señalar.

Por un lado, las calidades de ambos tiempos se inciden mutuamente. Tiempo evocado y tiempo vivido son ahora coordenadas de anterioridad y posterioridad que se suceden en una relación de causalidad histórica. La convergencia de los personajes en el castillo no es un dato gratuito, hábilmente preparado por el autor para que «salga bien» el habilidoso juego de prestidigitación de la novela. En las prehistorias, el orden de suce-

sión de las unidades narrativas es fuertemente causal [35]; hay
una cadena de acontecimientos —la guerra el más decisivo—
que traen y llevan a los personajes. El castillo en donde todos
confluyen es el resultado. Aquí el tiempo se interioriza, se
hace circular; ya no hay *historia* y el reloj es un engaño; los
personajes viven el aburrimiento infinito de una sucesión de
días infinitamente iguales, que sólo es alterado, y por unas horas, por la sorpresa inevitable de la muerte.

Pero ese tiempo circular del castillo, penetrable sólo por
la muerte, no es un tiempo gratuito. Está justificado por el
tiempo de las pre-historias; por ellas, el tiempo del castillo se
integra en la causalidad social, de alguna manera se *historiza*
como efecto, sin dejar de ser por sí mismo y en cuanto vivido
por los personajes un tiempo fundamentalmente subjetivo;
pero que a la vez hunde sus raíces en la historia, en una historia social y socializadora.

Y es desde esta perspectiva, a mi juicio, más que desde
los personajes como grupo tipificado, desde donde se puede
captar la verdadera dimensión y significación histórico-social
de la novela.

En segundo lugar, ese tiempo histórico y social que se justifica narrativamente a partir del tiempo vivido se sumerge de
algún modo en la corriente interior del tiempo subjetivo que lo
genera: el tiempo histórico se tiñe de interioridad, es, también,
de alguna manera, un tiempo vivido, ya que es el existir de
los personajes el que marca en definitiva la temporalidad novelesca en *El fulgor y la sangre.*

Si la utilización generalizada de la anacronía en la sintaxis

---

[35] La sintaxis del relato distingue dos órdenes de organización de
las unidades del relato: temporal y lógico, o causal. Cf., por ejemplo,
TODOROV: *Poétique,* pp. 68 y ss. BARTHES, además —cf. «Introduction
àl'analyse structurale des récits»—, distingue una triple causalidad:
«événementielle», «psychologique» y «philosophique».
    También E. M. FORSTER —*Aspectos de la novela.* México, Cuader-
nos de la Facultad de Filosofía y Letras, Universidad Veracruzana,
1961— había distinguido temporalidad y causalidad, señalando que en
toda novela ambas van unidas, aunque la causalidad forma la intriga
y la temporalidad la narración.

narrativa introduce la perspectiva y el relieve temporal en la
novela, la relación de contraste entre un tiempo histórico y externo y un tiempo interno y subjetivo da como resultado la
historización del tiempo vivido y la *interiorización* del tiempo
evocado.

Pero tampoco aquí se trata de una relación matemática, en
que ambos tiempos, al combinarse, de alguna manera se con-
trarrestaran.

Si el primer plano de la ficción es el del tiempo vivido y
desde él es evocado y generado como relato un tiempo anterior
fuertemente historizado, quiere decirse que la temporalidad novelesca en *El fulgor y la sangre* se decide en última instancia
en el *existir*, como tiempo interior, descronologizado, de los
personajes en el castillo.

La clara dimensión social de la novela quedaría así integrada en un nivel superior englobante, que provisionalmente cali-
ficaremos como existencial.

TIEMPO Y TEMPORALIDAD

En *El fulgor y la sangre*, el tiempo, si es dato objetivo que
mide y organiza la ficción y el discurso narrativo, es también,
y sobre todo, temporalidad como acontecer, como existir de los
personajes. O, dicho de otro modo, el tiempo como forma que
determina la sintaxis narrativa, simboliza y expresa la temporalidad —el ser como existir en el tiempo—, como significado
esencial de la semántica novelesca [36].

---

[36] Es un ejemplo de «symbolisation ou reflexion dans la forme ex-
térieure du roman de ce qu'il raconte», F. VAN ROSSUM-GUYON: *Critique
du roman,* p. 234; la misma autora señala —«Butor. Le roman comme
instrument de connaissance», en *Positions et oppositions sur le roman
contemporain.* París, Klincksieck, 1971, p. 171—: «Le roman (...) a
pour effet de transformer la réprésentation que nous faissons du réel.
Or la structure narrative, qui est néccessairement successive, apparaît à
cet égard privilegiée puisqu'il n'y a de transformation que dans le temps.
Cette temporalité du roman s'exerce en outre à deux niveaux: celui
de l'aventure et celui de la lecture, qui entretiennent l'un avec l'autre,
dans chaque roman, des relations particulières que l'on peut étudier».
Cf., también, M. BUTOR: «Le roman comme recherche», en *Essais sur le
roman,* pp. 7-14.

Del «tiempo-duración» —la duración de la ficción instaurada sobre la duración del discurso narrativo—, pasamos al «tiempo-destino», la forma de vivir el tiempo, de existir contingentemente, temporalmente [37].

Hasta aquí, el tiempo nos ha interesado como forma [38]: forma del contenido —el tiempo como elemento configurador de la ficción—, o forma de la expresión —el tiempo con función demarcativa de las unidades narrativas del discurso novelesco—. Nos hemos movido fundamentalmente en el nivel de la sintaxis de la novela. Pero sin poder eludir en ocasiones alguna invasión en el nivel semántico, como consecuencia necesaria de dos factores que interesa volver a explicitar aquí: la profunda imbricación de los diversos niveles que constituyen la novela como totalidad y la capacidad significativa —¿simbolizadora?— de la forma.

El tiempo como modelo operatorio desde el cual hemos podido estudiar las leyes de construcción de la novela, en la mano misma del crítico se ha transformado en temporalidad: ya no es un dato exterior y neutro que permite medir la duración de la ficción y del discurso y la forma de distribución sintagmática de las unidades narrativas; el tiempo ya no es un ente, una especie de magma fluido en el que nos movemos y que nos limita y mide; el tiempo es una cualidad del ser humano, de todo aquello que se temporaliza; el tiempo —la *forma* que organiza la ficción y el discurso narrativo— es ahora temporalidad, materia novelesca, la sustancia misma del contenido de la novela [39].

El fulgor y la sangre es así esencialmente, la novela de la temporalidad [40]. Al hacer esta afirmación estamos ya dentro de

---

[37] JEAN POUILLON —*Temps et roman*— distingue: «romans de la durée» y «romans de la destinée».

[38] En el sentido de la Glosemática, en que forma se opone a sustancia, y conservando la significación que la forma adquiere en el Formalismo ruso, en cuanto «integración dinámica de elementos».

[39] Soy consciente de la ambigüedad que puede suponer el utilizar *forma* como término común de dos oposiciones diferentes: una filosófico-aristotélica, que le opone a *materia,* y otra lingüístico-semiológica, que le opone a *sustancia.*

[40] «Todo esto se resume en un intento magnífico de expresar una idea, concepto o sentimiento de la temporalidad, la cuestión más im-

lo que metodológicamente ha sido definido como la función simbólica.

DE LA INTRIGA AL TEMA

Si *El fulgor y la sangre* fue saludada por la crítica con una actitud favorable muy generalizada, no faltó quien quiso ver, en esta primera incursión de Aldecoa en el género novela, los resabios y el lastre de un autor que hasta entonces venía ensayando, y demostrando, sus dotes de narrador en el campo del relato.

Para estos críticos, *El fulgor y la sangre,* como primer intento novelesco de su autor, marcaría precisamente la transición del relato corto a ese género «mayor» y más difícil que es la novela: falta todavía el vigor —¿o la experiencia?— que permita levantar de una sola alentada [41] un discurso y un universo temático claramente novelescos. En este primer intento, Aldecoa conseguiría llegar a la novela —o mejor, a la cantidad de relato exigible para una novela— gracias a sus dotes de cuentista, que le permiten engarzar varios relatos menores en un estrecho marco narrativo general. Aldecoa habría iniciado su andadura novelesca repitiendo, en su experiencia, el nacimiento mismo del género en la literatura europea medieval: los relatos enmarcados [42]. Esta acusación se hace más patente cuando la aparición en 1956 de *Con el viento solano* permite la confrontación de las dos primeras novelas de Aldecoa: el carácter compacto y unitario, temática y sintácticamente, de *Con*

portante, tal vez, en que la novela viene debatiéndose desde Proust», C., a propósito de *El fulgor y la sangre,* en *Pueblo.* Madrid, 26 de marzo de 1955.

[41] La metáfora, en realidad, es del propio Aldecoa, puesto que en 1957, a la cuestión de «ver las cosas» en novelista o en cuentista, nuestro autor responde: «Esto es cosa *de pulmón.* Ahora me sucede que, sin querer, veo las cosas en relato grande»; cf. JULIO TRENAS: «Así trabaja Ignacio Aldecoa», en *Pueblo.* Madrid, 5 de octubre de 1957. (El subrayado es mío.)

[42] Sobre la evolución de los relatos enmarcados a la novela moderna, puede verse, entre otros, V. SKLOVSKI: *Sobre la prosa literaria.* Barcelona, Planeta, 1971; y A. PRIETO: *Morfología de la novela.*

el viento solano, frente a la articulación demasiado visible de relatos parciales en *El fulgor y la sangre* [43].

En efecto, la sintaxis narrativa de *El fulgor y la sangre* nos ha hecho percibir con evidencia que no se trata de una novela construida «de una sola pieza»: son demasiado visibles las «juntas», para pensar lo contrario. Pero esto no quiere decir que Aldecoa haya pretendido en *El fulgor y la sangre* llegar al género novela por una sencilla operación aritmética de sumar varias estructuras narrativas menores. Ya quedó explicitada, en la parte anterior de este estudio, la convicción del autor de que novela y cuento son estructuras literarias genéricamente diferenciadas y no reversibles. Pero es el análisis de la obra lo que nos interesa y es en el espacio mismo de la novela donde esa afirmación debe ser verificada.

Efectivamente, el relato del tiempo vivido —las horas de espera en el castillo— puede aparecer como el marco narrativo que hace posible la coexistencia y la convergencia de otros

---

[43] Así, MELCHOR FERNÁNDEZ ALMAGRO —*ABC,* 8 de julio de 1956—, al hacer la reseña de *Con el viento solano,* señala, a propósito de *El fulgor y la sangre,* que el asunto del asesinato de un guardia civil parece «más propio del cuento que de la novela, atendido un concepto cuantitativo de la narración...».

Para J. C. —*Juventud,* 13 al 19 de septiembre de 1956—, *Con el viento solano* es mejor que *El fulgor y la sangre,* porque en ésta Aldecoa mostró «sus magníficas dotes de cuentista, ensartando cuentos sucesivos en el cordón alargado de otro cuento envolvente», mientras que en la segunda novela de Aldecoa «la acción no se quiebra ni se interrumpe».

Análoga es la opinión de RAMÓN NIETO —*La Hora,* 15 de noviembre de 1956—, para quien *Con el viento solano* supone para su autor la llegada «al umbral de la madurez novelística», porque, si bien *El fulgor y la sangre* está escrita «en un castellano tan brillante como no se conocía desde el llamado Siglo de Oro», tenía, sin embargo, «resabios de cuentos (...). Por eso, Aldecoa escribió una novela que no ero sino una sucesión de cuentos impecables, apenas sin ilación, o con la mínima ilación del lugar de reunión. Poco más o menos, un "Decamerón" menos descarado, más dúctil y menos pretencioso que el de Boccaccio».

Los críticos están en su perfecto derecho al opinar —opinión que no comparto— que *El fulgor y la sangre* es sobre todo una serie de relatos ensartados. Pero comparar la primera novela de Aldecoa con el *Decamerón* me parece tan rebuscado como poco riguroso.

cinco relatos —las pre-historias— independientes entre sí, y que sólo tienen en común la identidad de sus protagonistas con los del relato enmarcador. Gracias a este recurso, se consigue que una anécdota —el asesinato de un guardia y el tiempo corto —¿o largo?— que va pasando hasta que se despeja la incógnita de la identidad del muerto—, que más parecería asunto de cuento o de novela corta, genere, por la inclusión de otros relatos, un discurso narrativo cuyas características formales externas son las de la novela.

Es una hipótesis aparentemente acorde con el origen histórico del género: el camino que va del *Deccamerone* o del *Conde Lucanor* al *Quijote* pasa por el *Lazarillo*. Un teórico de la prosa narrativa tan perspicaz como Sklovskij habla del nacimiento estructural de la novela como desarrollo o hipertrofia del marco que articulaba los viejos relatos aglomerados. Cuando el espacio narrativo es «sólo marco», es decir, cuando no hay elementos que articular, estamos en la novela moderna [44].

¿Quiere esto decir que una novela articulada como *El fulgor y la sangre* marcaría una especie de regresión narrativa, en que la inexperiencia del autor como novelista le impide salir de ese espacio de transición que va de la suma al sistema de elementos, de una estructura yuxtapositiva a otra fuertemente sintagmática?

La historia del género novela como proceso de expansión de un marco narrativo que encuadraba relatos independientes no convierte necesariamente la relación de anterioridad y posterioridad en el desarrollo de un género literario en juicio de va-

---

[44] «Cuando —como ocurre en Chaucer— la trama que había de funcionar como marco comienza a competir y aun a exceder en interés e importancia a los cuentos alojados en ella, se inicia, en cierta manera, un proceso cuya última consecuencia vendría a ser —polo opuesto del tradicional recurso —la novela extensa en que lo sustancial es la trama, y lo accesorio los relatos breves en ella entreverados, según ocurre en el *Quijote*, en *Tom Jones,* o en el *Pickwick*»; M. BAQUERO GOYANES: *Estructuras de la novela actual*, p. 30.

LÁZARO CARRETER ha estudiado lúcidamente el *Lazarillo de Tormes* como espacio textual de tránsito de la narración folklórica a la novela moderna; cf. «Construcción y sentido del Lazarillo de Tormes», en «*El Lazarillo de Tormes en la picaresca*». Barcelona, Ariel, 1972, páginas 61 a 192. Es un estudio de 1969, publicado en *Abaco*, I.

lor que privilegia la novela «compacta» frente a la novela «enmarcada» [45]. Y sobre todo en un género tan variable históricamente, tan fluido y tan receptivo como la novela, que se ha convertido de hecho en el espacio literario por excelencia, donde convergen elementos heterogéneos, procedentes de todos los géneros literarios tradicionales.

La estructura —yuxtapositiva y episódica, de algún modo— de *El fulgor y la sangre* no nos exige un replanteamiento ni del género en el terreno teórico, ni del dominio del género por parte del autor, en el de la crítica. Tanto la relación histórica novela-cuento, como la relación novela-epopeya estudiada por otros autores [46] coinciden en marcar la autonomía de las partes de la novela como cualidad específica y no precisamente como «vicio» de origen.

Recurrir al Aldecoa cuentista como explicación del pretendido carácter invertebrado de su primera novela me parece explicación demasiado simplista y reductora.

La teoría de la novela, que hace posible distinguir diferentes tipos de estructura novelesca y adscribir a uno de ellos la novela que nos ocupa, no permite ir más allá de la descripción; el juicio de valor sobre el mayor o menor acierto del autor en la construcción de la novela no viene dado por la estructura en sí, sino por el tratamiento sintáctico-literario de las leyes de la estructura, por la lógica de la novela misma, y no por la lógica del género. La cuestión se desplaza así de la estructura a la composición como *artificio* configurador de la novela como unidad [47].

---

[45] «Una novela episódica no es, por virtud de su estructura, superior o inferior a otra novela de asunto, por así decirlo, más apretado, como reducido a un solo o muy pocos episodios, y muy trabados y conectados éstos entre sí»; BAQUERO GOYANES: *Estructuras de la novela actual*, p. 37.

[46] Cf. W. KAYSER: *Interpretación y análisis de la obra literaria;* G. LUKÁCS: *La théorie du roman.* París, Gonthier, 1963 (el original alemán es de 1920).

[47] Cf. V. SKLOVSKI: *Teoria della prosa y Sobre la prosa literaria.* En su obra *Estructura de la novela actual*, Baquero Goyanes ha ensayado un catálogo bastante exhaustivo, si la exhaustividad es posible en este terreno, de modelos estructurales referidos al género novelesco.

Aldecoa, en *El fulgor y la sangre,* ha enmarcado en un relato *primero* otros cinco relatos *segundos,* cuyos personajes protagonistas son los mismos de la historia principal. Acción, tiempo y espacio son distintos, pero las cinco historias parciales, por medio de sus personajes principales, convergen hacia el espacio y el tiempo del castillo, donde aquéllos son actores del relato principal. Aldecoa juega conscientemente con historias narrativamete diversificadas, aunque tengan entre sí —y sobre todo en la relación relato-secundario-relato primero— algunos puntos de contacto. Estos puntos aparecen claros, incluso en una mirada superficial, en el nivel del significado, y, apurando más la afirmación, en el de lo denotado. ¿Es tan clara la unidad en el nivel sintáctico?

La estructura de *El fulgor y la sangre* es de suyo compleja; la anacronía como figura narrativa es signo de complejidad —y de modernidad— frente al carácter lineal de la novela tradicional.

Si los relatos parciales —las pre-historias— se generan a partir del relato principal —la historia del castillo—, el discurso novelesco no fluye directamente de la conciencia de los personajes del relato principal; éste es generador de relatos secundarios que, como vueltas al pasado, aparecen motivados en las mujeres del castillo; pero el discurso narrativo no se genera en la conciencia del personaje motivador, sino que es la voz —continuada en los dos planos de la ficción— de un mismo narrador heterodiegético —no es personaje de lo narrado.

La novela aparece así, desde el punto de vista de su estructuración sintáctica, como un «discurso interrupto», controlado por un único narrador, y no como un discurso continuo generado directamente desde la conciencia narrante de los personajes.

Prescindiendo ahora de la anacronía que introduce la alter-

Conviene, sin embargo, distinguir los conceptos de «estructura» y «composición»; cf. A. THIBAUDET: *Réflexions sur le roman.* París, Gallimard, 1963, p. 18, y el capítulo II, «Estructura y composición», del libro de BAQUERO GOYANES; véase también, en M. ALLOT: *Los novelistas y la novela.* Barcelona, Seix-Barral, 1966, el capítulo «Problemas estructurales», «Unidad y coherencia», pp. 181 y ss.

nancia de dos tiempos de la ficción —el vivido y el evocado—, el tratamiento del tiempo en cada nivel es rigurosamente lineal, y esta linealidad cronológica de las pre-historias —el tiempo externo como medida del desarrollo lineal de la ficción— parece que potencia la autonomía de unas historias cuyo relato es instaurado por un sujeto narrante heterodiegético. Si la narración como acto instaurador del relato fuera una situación, un recuerdo, una asociación de imágenes o de sensaciones del personaje mismo —es decir, un predicado del relato primero—, el orden temporal quedaría subordinado al personaje y no sería necesariamente —más bien, tendería a no ser—, lineal.

En resumen, podemos efectivamente afirmar que *El fulgor y la sangre* no es un discurso continuo y que el texto novelesco aparece como resultado de la suma y combinación de discursos —de relatos— parciales.

Creo que se trata de una opción hecha por el autor entre diferentes posibilidades o tipos de estructura novelesca, y no de un lastre de narrador de relatos cortos, del que Aldecoa no ha podido liberarse suficientemente en su primera experiencia como novelista.

¿Habrían sido deseables otras técnicas más «modernas» para resolver narrativamente la sutura tiempo vivido-tiempo evocado en *El fulgor y la sangre*?

Es mejor que la pregunta sobrevuele el trabajo, aunque no estará de más recordar el clasicismo del quehacer narrativo de Ignacio Aldecoa y las convenciones del realismo imperante en los años en que se escribe la novela que comentamos.

Sin embargo, la sintaxis y las técnicas de composición se subordinan a la novela como universo de sentido. Una vez más, la cuestión que ahora debatimos —si *El fulgor y la sangre* evidencia todavía demasiado al narrador de relatos cortos, cosa que no ocurrirá en las novelas posteriores de Aldecoa— provoca el deslizamiento del nivel sintáctico al semántico. Es en el análisis del significado de la novela donde, en última instancia, se dilucida el carácter novelesco de *El fulgor y la sangre* como espacio, compacto y sin fisuras, de sentido, delineado y abarcado por el significante, el discurso narrativo, tal como hasta aquí lo hemos venido estudiando.

Si el «fait divers» de la muerte de un guardia civil en una feria de pueblo pone en marcha el mecanismo de la intriga —el suspense de la espera hasta conocer la identidad del muerto—, la organización narrativa de esa espera, perforando el tiempo vivido de manera que la pre-historia de los personajes brote hasta el plano del relato, permite la superación de la intriga por el «sujeto», por el tema [48].

El relato del pasado de las mujeres no es simplemente un recurso para hacer más larga la sensación de la espera o para explicarnos cómo las diversas parejas de personajes han ido a parar por caminos diferentes —¿diferentes?— al espacio y al destino único del castillo. La suspensión funciona como retórica totalizadora de la organización del relato, pero no hace de *El fulgor y la sangre* una novela de «suspense». A medida que nos acercamos al final de la novela, la incógnita que ha desencadenado la intriga —¿quién será el guardia muerto?— va perdiendo relevancia; porque la intriga como tal va dando paso al *tema*. Y el tema de *El fulgor y la sangre* es ciertamente la espera, pero, con palabras del propio Aldecoa,

> «La verdadera espera no es sólo por saber quién ha muerto, sino también, y sobre todo, por salir de un mundo sin horizonte, de estar sentados a la solana a ver qué pasa, a ver quién le redime» [49].

Por eso, al final casi no importa, desde la perspectiva del universo novelesco que se ha ido creando, saber quién es el guardia muerto. Además, *tenía que ser* el cabo Santos, el único soltero de los destinados en el castillo, y cuya orden de traslado se acaba de recibir; para que todo vuelva a ser lo

---

[48] Para Tomachevski y los formalistas, «tema» («sujet», en la traducción francesa), en cuanto opuesto a «fábula», coincide con intriga. Sin embargo, la terminología es distinta en los diversos autores; cf., por ejemplo, J. POUILLON: *Temps et roman*, pp. 261 y ss.

Aquí la noción de «tema» se sitúa más allá de la de Tomachevski, para quien el tema viene a ser el conjunto de motivos, en el nivel no de la intriga, sino del universo connotado.

[49] LUIS SASTRE: «La vuelta de Ignacio Aldecoa», en *La Estafeta Literaria*, núm. 169, 15 de mayo de 1959.

de siempre; para que las mujeres del castillo sigan soñando en el traslado, sigan esperando la salida, la muerte...

Mediante la yuxtaposición de relatos parciales, insertos en un relato principal generador, Aldecoa ha logrado poner en pie un universo de sentido, complejo y compacto; la significación de *El fulgor y la sangre,* que más adelante se analizará con mayor detalle, no es una suma de significados parciales. La primera novela de Aldecoa, con sus limitaciones de construcción, no es un relato prolongado; es, sencillamente, una gran primera novela [50].

«El fulgor y la sangre» como universo de sentido

Aldecoa, como hemos visto, proyectó *El fulgor y la sangre* como la primera novela de una trilogía que debía agrupar a los protagonistas —la «España inmóvil»— de la «Fiesta»: guardias civiles, gitanos y toreros. Al hacerlo, es consciente del riesgo de caída en el tópico y también de su capacidad para superarlo mediante el agrupamiento en trilogías, y la búsqueda de sentido.

El empeño del novelista aparece bien explícito: hacer significativo un mundo tópico y, por tanto, de-semantizado, vaciado de sentido, in-significante; Aldecoa se propone, nada menos, rescatar de la insignificancia del tópico esa «España inmóvil», esa «Fiesta» fosilizada en cliché —la fiesta de la existencia—, cuyo sentido real y trascendente —es decir, más allá de sí misma— Aldecoa tan bien comprendía, porque le era próximo. La intención de Aldecoa no es representar el tópico, sino destruirlo, mediante la restitución del sentido.

La novela de Aldecoa no es gratuita; al contrario, aparece como resultado del compromiso más noble del escritor, que,

---

[50] M. FERNÁNDEZ ALMAGRO, en la reseña que sobre esta novela publica el 3 de abril de 1955 en *ABC,* alude a las dificultades de composición que ofrece *El fulgor y la sangre,* y concluye: «A ese respecto la historia del autor es patente, y porque salva los obstáculos propuestos, conjugando el presente y el pasado de los habitantes de la casa cuartel, cabe registrar la aparición de esta primera novela de Aldecoa como un felicísimo suceso literario.»

por ser compromiso con el sentido, lo es fundamentalmente con la vida. Si Aldecoa parece buscar un lenguaje, un estilo, es, sencillamente, porque busca un significado [51]; no el significado previo de una ideología, sino ese otro, más íntimo y profundo, de la «pobre gente de España», descubierto en la vida y recreado y multiplicado en la tarea de escribir.

Describir e interpretar esa «búsqueda de significado» en *El fulgor y la sangre* es lo que se pretende hacer en este momento del trabajo.

LA ANÉCDOTA TRASCENDIDA

¿Es *El fulgor y la sangre* la novela de la Guardia Civil? Quizá el propio Aldecoa en sus declaraciones, al presentar ese gran proyecto, interrumpido por la muerte, de novelar lo que él mismo llamó «la épica de los grandes oficios», ha podido dar pie a la interpretación de sus novelas —las escritas y las no escritas— en un único —y primario— espacio de significación: la pintura realista de los personajes de la «Fiesta», de los hombres del mar o de los trabajadores del hierro.

De hecho, y por lo que se refiere a *El fulgor y la sangre,* más de un crítico se ha limitado a registrar, como tema único, o al menos, decisivo de la novela, «una especie de epopeya en miniatura, algo así como la *gesta* de la Guardia Civil» [52].

---

[51] «Hay, pues, un contenido problemático en las narraciones de Aldecoa y una orientación moralista que supera lo anecdótico de los sucesos, mediante una búsqueda de significado. Esta búsqueda de significado no se lleva a cabo partiendo de ideas abstractas ni llegando a ideas explicativas ni genéricas, sino que tiende a evidenciarse en lo concreto de las situaciones mismas de sus personajes...»; GEMMA ROBERTS: *Temas existenciales en la novela española de postguerra.* Madrid, Gredos, 1973, p. 101.

[52] J. CORRALES EGEA: *La Novela Española Actual,* p. 129. Para Corrales Egea, la intención del novelista sería mostrar la dimensión trágica de la existencia de los guardias, sometidos a las exigencias del cumplimiento del deber. Tema —señala el crítico— «insólito y sorprendente (...) porque a ningún otro escritor de la generación de Aldecoa se le ocurrió tratarlo desde el ángulo en que éste lo hace»; ángulo, sigue señalando Corrales Egea, falso ya en el arranque, porque el destino de los guardias civiles, al ser resultado de una elección volun-

La *lectura* de *El fulgor y la sangre* como *epopeya de la Guardia Civil* me parece falsa, siquiera por incompleta. Y más si esa pretendida epopeya del deber y del orden se presenta como disonante en relación a la literatura testimonial y de denuncia, transformadora de la conciencia pública, de los escritores de la «nueva ola» [53]. Acusar a Aldecoa de falta de ecuanimidad en la presentación que de los guardias civiles se hace en *El fulgor y la sangre* es no haber entendido la novela ni la intención de su autor; porque no creo que se pueda elevar a valor esencial y decisivo del universo semántico de la novela la conciencia y el cumplimiento del deber.

En realidad, apenas si podemos rastrear, a lo largo de la novela, dos o tres alusiones explícitas al tema del deber, y siempre ya muy avanzada la obra.

Ello me parece un material demasiado escaso para poder condicionar desde él el tema central de la novela.

Pero tampoco pretendo negar lo evidente. Y es evidente que la vida —y la muerte— de unos guardias civiles y sus familias constituye la anécdota de *El fulgor y la sangre*. Pero a su vez esa anécdota, puesta en pie mediante el discurso novelesco, está funcionando como significante de un nuevo significado. Y esto es lo que interesa subrayar aquí. Que el universo semántico de *El fulgor y la sangre,* como el de todo producto artístico, es un universo esencialmente plural, pluri-

---

taria, no se impone por circunstancias fortuitas y no tiene una base trágica auténtica (cf. pp. 129-130). Lo insólito y sorprendente, a mi juicio, es que Corrales Egea haya visto eso y nada más que eso, en la novela de Aldecoa. ¿No será que se ha limitado a «leer» *El fulgor y la sangre* a través de Eugenio G. de Nora, repitiendo el error de éste, al señalar que son tres —y no dos— las parejas que han salido de servicio en la mañana del crimen? (cf. E. G. DE NORA: *La novela española contemporánea (1927-1960)*, III, Madrid, Gredos, 1973, pp. 301-308.

También SANZ VILLANUEVA, basándose en Corrales Egea, insiste en el tema del cumplimiento del deber, «de la rígida obediencia del guardia civil», aunque apunta también el tema «de la alienación, del vivir anónimo y carente de todo ideal de las gentes que pueblan buena parte de la narrativa de posguerra como reflejo de una situación social»; cf. *Tendencias de la novela española actual*, p. 176.

[53] Cf. CORRALES EGEA: *La Novela Española Actual*, pp. 129-130.

dimensional y polisémico, y su función semántica es una función claramente simbólica.

El tiempo, cuya función decisiva en el nivel sintáctico narrativo acabamos de estudiar, es también pertinente en el proceso semántico que es la novela.

Hay un *tiempo primero* —el tiempo *real* de la anécdota— y que es medido con rigurosidad cronológica a lo largo de la novela: las siete horas aproximadas, entre el mediodía y el crepúsculo, de un día del mes de julio.

Sobre este tiempo *real* —lo que antes hemos llamado tiempo vivido— se asienta un primer estrato semántico de la novela: la monotonía alienante de la vida en un aislado cuartel de la Guardia Civil, en un pueblo cualquiera de Castilla la Nueva, aparece conmovida por la presencia trágica de la muerte: un guardia, que puede ser cualquiera de los cuatro que salieron por la mañana del castillo-cuartel, ha sido muerto por un gitano, cuando hacía el servicio en la feria de un pueblo vecino.

La noticia, que llega con el timbre áspero del teléfono, va sacudiendo, como un latigazo, a la gente del castillo: primero, los dos guardias, que se relevan en la centinela, luego las cinco mujeres; después, también los niños...

Las horas lentas de la siesta y de la tarde se van cargando de la ansiedad de la espera, como las nubes de julio se van preñando de tormenta. Hasta que, a la luz crepuscular de un cielo bajo, Ruipérez, desde el puesto de guardia bajo el torreón, descubre que en las angarillas que sostienen dos campesinos, cubierto con una manta, yace el cabo Francisco Santos.

En este nivel —el de la anécdota— se situaría un primer estrato significativo: lo llamaré, aun consciente del riesgo de una terminología que puede resultar ambigua, *tópico-anecdótico;* porque hay una significación de la novela, también en ese primario nivel de la anécdota, del tópico, de donde Aldecoa extrae su material, no para fijarlo, sino para trascenderlo.

En este nivel tópico-anecdótico, el novelista ha retenido simplemente aquellos elementos —las pequeñas cosas de la vida en el castillo, el traslado como única posibilidad normal de salida, el porvenir de los hijos, los riesgos del oficio, la conciencia del deber— que contribuyen a hacer verosímil, es decir, *aceptable,* la historia. Las prehistorias, en este nivel, permiten una ampliación de la información sobre la gente del castillo y una insistencia en motivar, de una forma verosímil, la llegada de los personajes al castillo. La disciplina de una vida acuartelada y sometida a la rígida obediencia militar —la guardia, el servicio, los traslados— queda amplificada por el aislamiento del castillo y la configuración misma de su ámbito; las murallas, si en el invierno, con el frío, «preservan y guardan», en el verano, «de cielo azul y ajeno», que es cuando acontece la historia narrada, «encarcelan y aplastan».

En este nivel, el del tópico, tratado según las reglas de la verosimilitud realista, *El fulgor y la sangre* puede ser vista como novela *sobre* la Guardia Civil, mejor que como *la* novela *de* la Guardia Civil. Pero el tópico, respetuosamente tratado por Aldecoa, es un mero *denotatum* sobre el que el proceso mismo novelesco va construyendo todo un universo de connotaciones que constituyen el verdadero sentido de la novela como producto artístico. La Guardia Civil es el *sentido dado* de la novela; hay otro sentido más importante, el *añadido,* que es el que *se produce* a medida que surge, por el acto de escritura, el texto novelesco.

Es este *sentido producido* el que interesa describir, más allá de la anécdota, en el proceso semántico que es la novela.

LOS CONSTITUYENTES DEL PROCESO SEMÁNTICO

El significado denotado está funcionando, en el texto novelesco que es *El fulgor y la sangre,* dentro de un sistema semántico de oposiciones binarias que afectan a los diferentes elementos constituyentes de la historia: tiempo y espacio, personajes, acción. Es decir, los elementos significativos forman parte de una estructura dinámica que se va constituyendo a medida que avanza el proceso novelesco.

El teléfono, por cuyo medio llega la noticia de la muerte, es el motivo inicial que sacude, en ese mediodía abrumador, la vida del castillo.

El teléfono como vehículo de la noticia, y la noticia misma —lo que se sabe y lo que falta por saberse— parecen marcar, en el arranque de la novela, la dirección de la trama:

«Ruipérez dijo, mirando su reloj:
—Ya es la una menos cuarto. Voy a relevarte. Estáte atento al teléfono y en cuanto tengas alguna noticia precisa, comunicas con la Comandancia» (FS, 15).

Como ya quedó indicado más arriba, el hilo de la intriga recorre el camino que va de *no saber* (la noticia) —que ha habido un muerto, primero, quién ha sido el muerto, después— a *saber*.

De ahí que funcionen como motivos que hacen avanzar el desarrollo de la trama todos aquellos elementos que pueden ser portadores —comunicadores— de la noticia, de *saber:* los mismos personajes, que se van comunicando la noticia de la muerte, pero sobre todo aquellos elementos ajenos al castillo, o que pueden hacer de vehículo de un saber procedente del exterior, nuevo, que pueda resolver la suspensión que sostiene, como soporte primero de la trama, el proceso novelesco: el teléfono, el cura y el alcalde que, desde el pueblo, suben al castillo, la mirada del centinela que desde la puerta escruta el horizonte, queriendo adivinar, a la luz cada vez más baja de la tarde que decae, la comitiva hacia el castillo...

La recurrencia de estos motivos es lenta, y los largos vacíos entre una y otra llamada de teléfono, entre la primera y la segunda visita del alcalde y el cura, se van llenando de una escritura que materializa —incluso como duración, como longitud de texto— el tiempo espeso de la espera.

El desenlace de la intriga inicial —¿quién es el guardia muerto?— queda *suspendido,* y el vacío, semántico y de discurso, que se produce *se llena* [54] con la monotonía de la espera en el castillo, con el aburrimiento de esa tarde —de cualquier tarde—, por donde se resquebraja la linealidad de la ficción, dilatándose en las prehistorias.

La intriga inicial de la novela va siendo desplazada por la *no-intriga,* en la medida en que los motivos capaces de des-

---

[54] Recuérdese la noción de «remplissage syntagmatique» de Barthes, en «L'analyse rhétorique».

arrollarla suspenden su funcionamiento, convirtiendo el espacio semántico de la novela en espera, la espera en vida, la vida en evocación; la muerte del guardia civil y el conocimiento de su identidad es en definitiva el *sub-texto* —¿el pre-texto?— sobre el que se levanta el universo semántico *añadido* de *El fulgor y la sangre*.

Si la muerte del guardia singulariza un día en la vida del castillo y hace posible su codificación como texto novelesco, el proceso de descodificación operado en el trabajo de lectura y a partir de las marcas del texto, es un proceso generalizante, según el cual los *denotata* singulares funcionan metafóricamente como connotadores, es decir, se universalizan.

Ya no se trata de un día concreto, sino de un día cualquiera en la vida de la gente del castillo. La espera deja de especificarse por su objeto y se convierte en razón de sí misma; porque mañana 23 de julio, y el mes próximo y el año que viene, Ruipérez y Felisa, Sonsoles y Pedro, y María y Baldomero, seguirán esperando.

Y es aquí donde Aldecoa trasciende el tópico al universalizarlo, es decir, al situarlo en un universo más amplio de sentido. El tópico —la «Fiesta», los guardias y los gitanos— queda trascendido mediante un procedimiento —el artificio novelesco— de generación, y de recuperación, de sentido; el tópico en el nivel de la mímesis ha pasado a funcionar como significante en el espacio del símbolo [55].

La oposición —narrativa y semántica— de intriga/no-intriga permite, por tanto, la producción de sentido, al desplazar el eje semántico de la espera tensa por conocer la identidad del guardia muerto a la vida como espera y a la espera como evocación —las prehistorias.

Pero hay otros constituyentes semánticos de la novela cuya función es decisiva en este proceso novelesco de generación de sentido; y, en primer lugar, el tiempo y el espacio.

Si de la intriga —¿quién es el guardia muerto?— se pasa a la no-intriga —la monotonía de la espera-vida—, el elemento

---

[55] La superación del tópico está, más que en su agrupamiento, que es lo que señala A. PRIETO, véase *Morfología de la novela*, p. 55, en su sometimiento a la función poética, que es lo que permite realmente trascender la mímesis en símbolo.

tiempo, cuyo tratamiento narrativo era, como hemos visto, la clave de la organización sintagmática del discurso novelesco, funciona ahora, en el nivel semántico, como catalizador de sentido.

La vida en el castillo es espera y el objetivo de la espera deviene simplemente paso del tiempo; y el paso del tiempo se siente en los pulsos cuando se está en la guardia, con las manos apretadas sobre el fusil, porque estar viviendo, en la puerta del castillo, en el patio o en el Cuerpo de Guardia, era como estar «esperando a que pasase el tiempo».

La espera en el castillo —las horas que van del mediodía al crepúsculo, metaforizando la existencia cotidiana— queda absorbida, reducida al tiempo como transcurso —repetición de un mismo movimiento en un mismo espacio.

Porque tiempo y espacio se marcan estilísticamente en el nivel del discurso, y se connotan en el de la historia [56].

El tiempo *real* —el *presente* de la espera *real*— aparece *icónicamente* metaforizado en el espacio del castillo.

El castillo, como espacio físico y humano, connota, a lo largo de la novela, la idea de encierro y aislamiento [57].

En el universo semántico de la novela se establece una relación de equivalencia que podría ser expresada:

$$\frac{vida}{espera} = \frac{tiempo}{presente} = \frac{espacio}{castillo}$$

[56] Utilizando la terminología de Riffaterre, tiempo y espacio, en el nivel del discurso, son, cada uno con relación al otro, contexto y contraste, en orden a la enfatización estilística de cada uno de ambos elementos; en el nivel de la historia, el espacio funciona como connotador de tiempo, y el tiempo, a su vez, connota el espacio; cf. M. RIFFATERRE: *Essais de stylistique structurale*. París, Flammarion, 1971.

[57] Para CH. R. CARLISLE, el aislamiento es el tema mayor de *El fulgor y la sangre*: «De los dos temas centrales de esta novela, el aislamiento domina, aunque la enajenación es un elemento temático secundario de no poca importancia. Los lazos familiares son disueltos por el tiempo y la distancia. Las relaciones sociales no existen fuera de la casa cuartel. El tiempo pasa demasiado lentamente en la monotonía de la rutina oficial. Hay demasiado tiempo durante el cual el aislamiento experimentado por los que viven dentro de la casa cuartel puede influenciar a los que allí viven»; *La novelística de Ignacio Aldecoa*, página 23.

La vida en el castillo aparece como un encierro, como una prisión abierta sólo, por arriba, al imposible cielo de Castilla, y por abajo, a la galería infinita del ensueño...

Espera, presente y castillo aparecen los tres, en el sistema significativo de la novela, connotando fuertemente el sema común de *encierro*. Y surge, como una necesidad, la exigencia de perforar esa corteza de hastío y monotonía que es la vida del castillo, y abrir un respiradero, una vía de salida a la existencia.

Tiempo y espacio funcionan ahora en un sistema de oposiciones binarias que se expresa:

presente vs. *salida del presente*=*castillo* vs. *salida del castillo,*

donde el segundo miembro de cada oposición consta también de dos términos que contrastan, que se oponen en segundo grado; porque la *salida del presente* puede hacerse en dos direcciones opuestas, el pasado y el futuro, dando lugar a la oposición entre *tiempo evocado* y *tiempo deseado*. Y correlativamente, el miembro *salida del castillo* es un espacio exterior al castillo y que se concreta a su vez en la oposición *espacio evocado/espacio deseado*.

El cruce de ambas oposiciones que funcionan relacionándose en el tejido semántico de la novela da lugar a los dos ingredientes —los dos grandes temas— de la espera: la combinación del tiempo evocado y el espacio evocado marca el tema de la *evocación* —las *prehistorias*—; la combinación del tiempo deseado y el espacio deseado marca el tema del *deseo* —el *traslado*.

Por fin, este sistema semántico constituido sobre el eje de la acción —intriga/no-intriga—, del tiempo —presente/no-presente (=pasado/futuro)—, y del espacio —castillo/no-castillo (=espacio evocado/espacio deseado)— se hace inteligible desde los personajes que lo habitan y que ocupan, haciéndose y siendo, su centro.

Y también podemos distinguir, en *El fulgor y la sangre,* dos grupos de personajes que, al relacionarse, se oponen: adultos (guardias, mujeres)/niños.

Creo que es ésta la oposición significativa más funcional de las que se establecen en el proceso novelesco en el nivel de los personajes. Otras relaciones de oposición de los personajes —guardias/mujeres, guardias que están en el castillo/guardias que han salido de servicio, gente del castillo/gente de fuera del castillo—, o afectan únicamente a motivos parciales de la novela, o quedan subsumidas y recubiertas por la oposición más general adultos/niños [58]. Además, la oposición semántica adultos/niños forma sistema con las tres oposiciones hasta ahora marcadas, sobre todo las del eje espacio-temporal.

Tanto los adultos —los guardias y sus mujeres— como los niños constituyen la gente del castillo y están sometidos a su espacio —el encierro— y a su tiempo —el *presente* de la espera—. Pero a partir de aquí la edad va marcando una oposición según la cual los adultos conectan con el pasado y los niños son indicio —¿esperanza? ¿deseo?— de un futuro que se quiere; el espacio de los adultos es el interior del castillo, mientras que los niños se mueven en un *espacio-frontera* [59]: las murallas, la acequia, marcan el punto donde se encuentran los términos de la oposición castillo/fuera del castillo.

El hijo de Sonsoles, de pie sobre la muralla en las primeras escenas de la novela, recortada su figura en el cielo azul y contemplado afanosamente por su madre, simboliza esa frontera que en el espacio de sentido que es *El fulgor y la sangre* marcan los niños.

Los niños viven ajenos al drama —la muerte y la vida— del castillo; para ellos la existencia es juego y ese vivir ajenos a la noticia —la muerte del guardia— y a la monotonía aplastante de la espera —de la vida— en el castillo va marcando progresivamente en el desarrollo novelesco el contraste significativo que a lo largo de la novela se va constituyendo en su eje semántico: el castillo como encierro y la necesidad —y el deseo— de la salida.

---

[58] También aquí uno de los constituyentes de la oposición está formado por dos términos que a su vez se oponen, ya que adultos=guardias/mujeres.

[59] «... un trait topologique très important est la *frontière*. La frontière divise tout l'espace du texte en deux sous-espaces, qui ne se recoupent pas mutuellement»; J. LOTMAN: *La structure du texte artistique*, p. 321.

Son los hijos sobre todo los que justifican para los padres la necesidad de salir del castillo.

Los niños no son *para* el castillo, porque no son *del* castillo; ellos son de ese espacio y de ese tiempo —de esa vida— indefinidos que hemos llamado *frontera* y que marca el límite de la oposición fundamental castillo/no-castillo.

Hasta que el castillo los englute. Al final de la novela, también llega hasta los niños la noticia del guardia asesinado. Es el hijo mayor de Felisa el primero en saberlo. El se encargará de decírselo a los otros.

Ahora, a partir de su conocimiento de la muerte, también los chicos son *del castillo*. Y cuando el hijo mayor de Felisa contempla, bajo una luz amarillenta, al cabo muerto, el narrador apunta:

«El chiquillo parecía haber envejecido en un momento» (FS, 391).

La experiencia —el conocimiento— de la muerte destruye la infancia; es para los niños como un rito de iniciación que los incorpora definitivamente a la gente y al destino del castillo.

Estos son a mi juicio los constituyentes más relevantes del sistema semántico que se va generando a lo largo del proceso novelesco.

Otros constituyentes secundarios se subsumen en los principales, a los que califican, marcan y refuerzan.

Así el calor, ese calor macizo y aplastante de la tarde de julio, que anuncia tormentón y que hace exclamar a Sonsoles:

«—Estas piedras, este calor, este no estar sobre el mundo...» (FS, 42),

y a Carmen:

«—... Esto es de volverse tarumba, con el calor y el aburrimiento» (FS, 179).

El átomo semántico [60] *calor* funciona formando un pequeño

---

[60] La noción de «átomo semántico» está tomada de Iu. K. Shcheglov-A. K. Zholkovskiï: «La construcción del modelo...», en *Prohemio*, III, 3, diciembre de 1972, p. 418.

sistema secundario con otros lexemas como tormenta, sol, claridad, luz, en una clara oposición a sombra.

Desde ese mediodía de sol sobre la meseta, cuando el hombre y el fusil marcan un punto en la puerta del castillo, hasta ese largo reguero de sombra que ha dejado la tarde en su caída, este conjunto de elementos naturales cobra vida al conjuro del texto novelesco y se hace significativo de la vida y de la tragedia del castillo. La *guerra* es otro de los motivos que adensan ese sistema semántico que hemos esbozado. La guerra civil, tiempo y espacio de la evocación, aparece recreada en el presente —tiempo y espacio del castillo— surgiendo como paisaje de fondo que parece dar perspectiva a la imagen del guardia muerto.

Porque el pasado sigue tirando con fuerza de la memoria y Ruipérez, firme sobre el fusil en la puerta del castillo, ve cómo la guerra, su guerra, ha roto las fronteras del antes y el ahora:

> «La imaginación se le fue hacia la guerra (...) ¿Por qué pensaba en la guerra lejana cuando ellos jamás habían abandonado la guerra ni posiblemente la abandonarían? La guerra. En la guerra estaba su cuerpo, allí, firme, dando una breve sombra, mientras los nervios acusaban la noticia escueta y tremenda» (FS, 102).

Sólo los niños, sin pasado y en ese espacio-frontera que es el suyo, son capaces de distorsionar, como en un espejo cóncavo, la imagen trágica de la guerra, convirtiéndola en juego:

> «Era la guerra una diversión paradisíaca, como el mejor juego en que se puede entretener un niño» (FS, 99).

Si la guerra es un tiempo-espacio de la evocación, hay, correlativamente, un tiempo espacio del deseo, que aparece fuertemente connotado en la novela por *Madrid*.

Madrid es, en el punto de partida, un espacio verificable que se hace presente en la prehistoria de Carmen. Después, Madrid es un motivo que sale una y otra vez a la memoria y el deseo, en el presente del castillo; Carmen es «la madrileña», mientras que de las otras mujeres no sabemos exactamente de dónde son; Madrid es significativo en los espacios connotados por la novela, y cuando Ernesta llama a Carmen «la madrileña», no se trata simplemente de un gentilicio, sino de todo lo que Madrid significa para las pobres y aburridas mujeres del castillo.

Madrid, espacio verificable, *va siendo* en el proceso narrativo un espacio nuevo, creado poéticamente, con una existencia autónoma ya de su referente inicial, que queda integrado épicamente al espacio novelesco, y que se cubre semánticamente de los simbolismos opuestos al espacio insoportable del castillo: Madrid es el espacio del deseo, de ese deseo de salida que provoca, como un vómito, la árida amargura de esperar —de vivir— en el recinto aprisionado del castillo.

Madrid es el espacio abierto, abigarrado y libre, infinito casi, aunque por eso mismo inaccesible y difícil; pero llena la imaginación y los deseos de las mujeres del castillo, cuando asomadas a ese pozo de hastío que es la espera, apenas aciertan a descubrir el fondo.

Habría que aludir también a una cierta conciencia de fatalidad que los personajes del castillo manifiestan ante la vida y ante la muerte.

Como Pedro, cuando comenta la muerte del compañero:

«—Tenía que ocurrir cuando menos se esperaba. La vida...» (FS, 248),

o María, que traduce la amargura de vivir en el castillo:

«—... Sí, salvaje y absurdo lugar. ¡Quién nos habrá mandado aquí! Ha debido de ser la mala suerte, que anda detrás de nosotros y de la que no nos podemos despegar» (FS, 220).

Calor y guerra, Madrid y un cierto fatalismo de los personajes aparecen así como otras tantas isotopías más que hacen posible y coherente una lectura *total* del tiempo y el espacio del castillo [61].

---

[61] A partir de Greimas —*Sémantique structurale*. París, Larousse, 1966, y *Du sens. Essais sémiotiques*. París, Seuil, 1970— podemos entender por isotopía: «Un ensemble redondant de catégories sémantiques qui rend possible une lecture uniforme du récit, telle qu'elle résulte

Por fin, el universo semántico de *El fulgor y la sangre* que ha sido descrito como un sistema de oposiciones binarias —intriga/no-intriga, castillo/no-castillo, presente/no-presente, adultos/niños—, marca en última instancia una orientación hacia un tema fontal, del que las oposiciones descritas serían en definitiva derivaciones en el espacio del texto: pensamos que la novela está cubierta y fecundada semánticamente por el tema de la *muerte*. Pero también en una clara trayectoria de generación de sentido, que va desde la muerte del cabo Francisco Santos en el nivel de la anécdota, hasta la muerte como destino y ámbito —el castillo es ámbito y destino— de la existencia.

Es decir, las oposiciones semánticas anteriores se inscriben en una oposición englobante, anterior en el nivel del tema como formulación abstracta, y posterior en el proceso generador del sentido [62]: la oposición vida/muerte.

El tiempo, que es no sólo la forma, sino también la materia en la que Aldecoa ha cincelado su novela, es también la materia de la vida. Y el tiempo es como Ruipérez se lo imagina, cuando trata de rellenar con el pensamiento el inmenso vacío de la guardia: con un reloj de arena en una mano y una guadaña en la otra. La guadaña —piensa Ruipérez— para matar. Como esta mañana, en la riña de la feria. «No se sabe a quién le ha tocado», le comenta Pedro a Sonsoles, cuando le comunica la noticia del compañero muerto. Pero no importa. En el devenir —el irse haciendo— de la novela, la muerte crece, como la sombra del fusil y el hombre en la puerta del castillo. Cuando ha caído la tarde y dos campesinos entran el cadáver del cabo en unas angarillas, lo que traen no es simplemente *un muerto*, sino *la muerte*; por eso es significativo, aunque mañana llegará

---

des lectures partielles des énoncés et de la résolution de leurs ambigüités»; cit. por F. Barteau: *Les romans de Tristan et Iseut*. (*Introduction a une lecture plurielle*). París, Larousse, 1972, p. 92. Cf. también, F. Rastier: «Systématique des isotopies», en *Essais de sémiotique poétique*. París, Larousse, pp. 80-106.

[62] Si el *tema* es resultado de una *derivación* a partir del *texto*, el texto es resultado de una *transformación*, de una re-escritura del tema; cf. Iu. K. Shcheglov-A. K. Zholkovskiï: «La construcción del modelo...».

otro cabo, y dentro de poco Francisco Santos, soltero, será un recuerdo tenue.

Porque el sentido *dado* —¿quién es el guardia muerto?— queda trascendido por el sentido añadido: el castillo es, en fin, la vida: *la vida para la muerte* [63].

Los niveles de significación: de la anécdota (la Guardia Civil) al símbolo (la condición humana)

He intentado hasta aquí describir el universo semántico de *El fulgor y la sangre* como un sistema dinámico, donde el sentido no solamente se organiza, sino que se genera; y he señalado los constituyentes semánticos fundamentales sobre los que se apoya, en el proceso novelesco, la generación del sentido.

Ahora estamos en disposición de ensayar una interpretación de la novela como universo significativo.

Aunque el sentido en la obra literaria es una totalidad y así he intentado tratarlo hasta ahora al describir su funcionamiento, la exposición analítica del resultado de una lectura totalizadora nos lleva a distinguir en la novela niveles o estratos de significación, en cuyo descubrimiento el sentido de la perforación —de la lectura— se orienta en la dirección de la mímesis al símbolo, de lo denotado a lo connotado.

Distingo, según esto, tres niveles de significación en *El fulgor y la sangre:*

1) El nivel *tópico-anecdótico* —el de la *anécdota*—, en el que *El fulgor y la sangre* es, de alguna manera, una novela sobre la Guardia Civil.

2) El nivel que voy a denominar *socio-histórico,* y que resulta de que el significado anecdótico, sometido al juego del artificio novelesco, funciona a su vez como significante: el espacio y el tiempo del castillo se ensanchan, se socializan, se hacen históricos; los personajes crecen, abandonando la in-sig-

---

[63] Volveré sobre este aspecto, decisivo, a mi juicio, no sólo en *El fulgor y la sangre,* sino en toda la novelística de Aldecoa.

nificancia del tópico y *empezando* a adquirir la magnitud significativa del símbolo.

3) El tercer nivel significativo lo denomino *filosófico-existencial.* El proceso universalizador del símbolo empapa ya los anteriores niveles del significado y por una especie de sedimentación del sentido, surge ese tercer nivel, el más universal y el menos evidente, en el sistema semántico de la novela.

En las páginas anteriores ha quedado suficientemente descrito el primer nivel significativo de la novela, que resulta de los elementos que en ella funcionan en el nivel de la anécdota, algunas veces en un grado de concreción verificable fuera del universo de la ficción. Es la mirada llena de penetración y de ternura que Aldecoa proyecta sobre la «pobre gente de España», y que luego lleva a su escritura; mirada desinteresada y con la carga única del amor y del respeto profundo que el escritor siente por sus personajes sufrientes y desamparados.

De esa profunda mirada elemental, surge ese mundo aterido de frustración y de soledad, en una tarde en que la vida reseca del castillo muestra las marcas recién hechas del latigazo de la muerte.

Aldecoa huye igualmente de la grandilocuencia de la gesta épica y del tremendismo de la narración trágica. De ahí que no veamos por ningún lado la más mínima voluntad de hacer de *El fulgor y la sangre* una especie de gesta de la Guardia Civil. Costumbrismo documental y tremendismo trascendental son los dos extremos que Ignacio Aldecoa procura conscientemente evitar [64].

Y ello es precisamente lo que hace transitable el texto novelesco, en el nivel semántico, desde el tópico de la anécdota hasta el universalismo del símbolo.

Las etapas de este tránsito son las que ahora pretendo

---

[64] En una entrevista publicada en *Juventud,* Aldecoa señalaba que en las novelas de «La España inmóvil» ha pretendido: «exponer algunos temas típicos, toreros, guardias civiles, gitanos, vistos algo así como desde el revés de la trama, huyendo de los extremos tópicos»; cf. MANUEL MORALES: «Un novelista de la generación intermedia», en *Juventud.* Madrid, 10 de agosto de 1957.

describir, al hablar, más allá de lo anecdótico, de otros niveles de significación.

a) *Nivel socio-histórico: el drama de la «generación intermedia»*

A la función meramente descriptiva de las prehistorias, de ampliar la información sobre la gente del castillo y explicar su llegada al mismo de acuerdo con la verosimilitud del relato, sobre todo en el nivel anecdótico, se superpone ahora una segunda función, claramente connotadora, y que es la que permite el paso del primero al segundo nivel significativo. Las prehistorias tienen una motivación —estética y realista, al mismo tiempo —en el vacío —como texto y como ficción— de la espera. Pero a su primer efecto en el nivel de la anécdota —*dar más* información— se añade un segundo, que por ser precisamente *dar otra* información, proyecta la novela como recinto semántico a un segundo nivel de significación.

La orientación de este segundo significado puede definirse como un proceso de *historización:* el mundo del castillo se hace histórico; sale de la anécdota en que aparecía recluido en el primer nivel y penetra en una historia de la que recibe sentido. Es precisamente esta dimensión histórica —esta *perspectiva* [65]— la que impide a la anécdota degradarse en tópico, y le permite iniciar el camino trascendente —opuesto a in-trascendente— del símbolo.

Mediante las prehistorias, la vida del castillo se inserta en un devenir como tiempo histórico y aparece subordinada a sus condicionamientos.

El elemento tiempo no es ya simplemente esa duración necesaria sobre cuyo cañamazo se va dibujando —sintaxis— el tejido —texto— novelesco; se trata ahora de un tiempo real, verificable desde ese otro espacio de sentido, que es la historia contemporánea de la España inmóvil, que en Aldecoa deviene simultáneamente vivencia y escritura.

La historia del castillo, a partir de las marcas de tiempo

---

[65] En un sentido prácticamente luckasiano; cf. G. LUKÁCS: *Situation présente du réalisme critique.*

que encontramos tanto en *El fulgor y la sangre* como en *Con el viento solano,* ocurre en la tarde del 22 de julio de 1952 [66]. El tiempo de la ficción es el tiempo de la escritura. Aldecoa sitúa la acción de la novela en su hoy humano e histórico. Y por medio de las prehistorias da perspectiva, densidad y significación histórica a lo ocurrido en el castillo en esa tarde del 22 de julio de 1952.

Las prehitorias, además, permiten deducir, con exactitud en todos los casos menos en el de Ernesta, la edad de las mujeres, y, desde aquí, suponer aproximadamente la de los maridos. Así, Sonsoles es nacida en 1923, Felisa en 1917, María en 1918, Carmen en 1922, y Ernesta, la más joven, hacia 1930. La gente del castillo es una generación de hombres y de mujeres cuya vida ha quedado fuertemente marcada por la guerra.

Si las prehistorias son como un haz de líneas convergentes, cuyo punto común de encuentro es el espacio y el tiempo —la vida— del castillo, a lo largo de cada una de esas cinco trayectorias que van a dar al castillo, hay también un punto —un tiempo y un espacio, una vida— que se repite: la guerra; desde Sonsoles, que en la mañana del 5 de mayo de 1937 ha contemplado desde el altillo del manantial el bárbaro asesinato de su padre, hasta Ernesta, una chiquilla todavía que, entre juegos y sorbetes de mocos, ve pasar la guerra como un desfile variopinto de uniformes que van para Burgos, todos los habitantes adultos del castillo, hombres y mujeres, han vivido la guerra; unos —Pedro, Ruipérez, Cecilio— la han hecho; todos la han padecido.

Pero la guerra, el acontecimiento repetido en las cinco

---

[66] El dato no pertenece a la función literaria, pero es deducible de indicios presentes en el texto. Pedro dice que su llegada al castillo es cosa de «diez años atrás». En la prehistoria de Sonsoles sabemos que su boda con Pedro coincidió con el traslado del guardia a otro puesto; ese puesto es el castillo. Y en el texto se dice «un verano se casaron». Si fuera el verano siguiente a la llegada de Sonsoles al pueblo de su padre, donde conoce al guardia Pedro Sánchez —verano de 1941—, parece que el novelista habría dicho «el verano» y no «un verano»; luego «un verano» deberá ser al menos el de 1942. Pero, además, por *Con el viento solano* sabemos que el año en que sucede la historia del castillo, Santiago Apóstol fue jueves. Y precisamente en 1952 el día de Santiago tocó en jueves.

prehistorias, no es algo que fue y que se ha ido a perder en la sima infinita del pasado. En la trama de la historia, de la novela, hay como un hilo delgado, que ayuda a no perder el camino que desde la dureza de la guerra conduce a la vida dura del castillo. Hasta el punto de poder afirmar que el castillo —en *El fulgor y la sangre*— es una imagen literaria del resultado histórico de la guerra [67].

Sin embargo, para llegar a esta afirmación me parece necesario analizar primero otros elementos más visibles que hacen efectivamente de puente entre la guerra y el castillo.

Si la guerra es la vida de los personajes en la historia —la prehistoria— del tiempo evocado, en el tiempo vivido aparece como recuerdo en el pensamiento, o como relato, en un intento de llenar los inmensos campos de silencio en la monótona andadura del servicio, o el tiempo infinito de la espera aplastada por el sol y las murallas en la familiar monotonía del castillo. Porque «el tema inagotable había sido siempre la guerra»; y Pedro pasa de la imagen del compañero muerto al soldado que tumbaron de un balazo en el vientre, diez pasos a su derecha; o Ruipérez, de guardia en la puerta del castillo y al que la imaginación se le va también hasta la guerra, cuando fue herido por la metralla; o Carmen, que en las interminables tardes de costura, palabras y silencios, las tardes del repetido aburrimiento del castillo, cuenta «cosas de las verbenas, truculencias pasionales de la calle, historias de las huelgas, hambres de la Guerra Civil».

Pero junto al recuerdo y el relato, hay surcos más delgados, pero más profundos que canalizan toda una corriente de correspondencias, como si el castillo fuera el mar de frustración y

---

[67] Con esto no pretendo adscribir *El fulgor y la sangre* a esa «literatura de la guerra», más o menos heroica y beligerante, y de la que Aldecoa no parece mostrarse partidario. En una entrevista publicada en el diario *La Nación*, de Buenos Aires, el 20 de abril de 1969, confiesa: «La literatura de entonces (se refiere a sus comienzos de escritor), en lo que a narrativa se refiere, pecaba de monocorde. La guerra reciente hacía que los escritores, salvo raras excepciones, siguieran contando historias bélicas. Yo fui un niño de la guerra, pero no estaba particularmente interesado en la literatura de la guerra, por lo menos en la heroica. Me desentendí de aquellos "episodios nacionales".»

de hastío adonde han ido a dar los ríos de las cinco prehistorias. La guerra zarandea a los personajes del castillo, modifica su destino y en algún caso lo troncha; como en el del cabo Santos, que «hubiera llegado a brigada de banda si no es por la guerra, que me cambió». El castillo es el resultado de la guerra incluso para aquellos que, como Guillermo Arenas, no habían estado en ella. Más aún, el castillo es la guerra. Ruipérez lo ve muy claro en su pensamiento:

> «¿Por qué pensaba en la guerra lejana cuando ellos jamás habían abandonado la guerra ni posiblemente la abandonarían? La guerra. En la guerra estaba su cuerpo, allí, firme, dando una breve sombra, mientras los nervios acusaban la noticia escueta y tremenda» (FS, 102).

Efectivamente, la noticia del compañero muerto es, en esta guerra de ahora, fusil y pensamiento en la puerta del castillo, como un parte que desencadena la misma fraternidad de la otra guerra, «freternidad en la muerte y en la sangre».

La muerte, la necesaria fraternidad en la muerte —en el fragor bélico del frente, o en la jarana festiva de una feria de pueblo, qué más da— es el cordón umbilical que une la experiencia del castillo a la historia de una España inmóvil, traumatizada por la guerra.

Es como si las murallas del castillo cedieran a la presión del sentido, del símbolo, y se ensancharan hasta adaptarse a la geografía misma de España. La gente del castillo es esa generación —la de Ignacio Aldecoa— que en la España de 1952 cerrada sobre sí misma y vigilante, desea y sueña una salida.

En *El fulgor y la sangre* no hay sólo la espera lenta por conocer la identidad del guardia muerto; ni la enervante monotonía de una vida frustrada. Sobre las horas del castillo hechas historia, es decir, integradas en la causalidad social mediante el recurso al tiempo evocado, Aldecoa ha tallado en ficción novelesca sus propias frustraciones, sus desacuerdos y su amargura de español y de intelectual, nacido en 1925, y condenado, por tanto, a vivir en el castillo.

Entiendo que no es extrapolar, sino penetrar en su indudable plurisemia, atribuir a *El fulgor y la sangre* también este sentido.

Los críticos de Aldecoa han aludido mucho a una novela —*Años de crisálida*— que algunos consideran casi acabada y que tal vez ni se empezó a escribir [68], y en la que el escritor pretendía

> «levantar acta de la amargura concentrada de su generación. Del letargo forzoso a que la condenaron. De los obstáculos que le fueron colocando para conseguir un normal desarrollo ideológico» [69].

De hecho, en esta misma ocasión el novelista confiesa:

> «Pretendo que sea una recapacitación del tiempo, "que ahora es simple pasado". Un tiempo que abarca desde la niñez —en la guerra— de los protagonistas hasta nuestros días, hasta estas mismas fechas.»

No sabemos qué habría sido *Años de crisálida;* pero me parece claro que Aldecoa, que no es un escritor costumbrista, en *El fulgor y la sangre* deja también constancia clara de la

---

[68] Según ha manifestado al autor de este trabajo, Josefina Rodríguez de Aldecoa, *Años de crisálida*, como *Los pozos,* no pasó de la etapa de proyecto y de algunas notas.

[69] MIGUEL FERNÁNDEZ-BRASO: «Ignacio Aldecoa levanta acta de los años de crisálida», en *Indice,* núm. 236, Madrid, octubre de 1968. «Dentro de ese ámbito, progresivamente cerrado, Aldecoa sintió también enrarecerse el aire de libertad que como escritor necesitaba, y aunque creo que no llegó a tener nunca problemas importantes de censura que afectaran directamente a su obra, se sentía coartado, como declaró más de una vez, por la idea de que esa censura existía y pesaba sobre el ejercicio de la literatura y de la vida pública»; GASPAR GÓMEZ DE LA SERNA: «Un estudio sobre la literatura social de Ignacio Aldecoa», en *Ensayos sobre literatura social,* p. 90. El propio Aldecoa, en una conferencia pronunciada en el Colegio Mayor Santa María a raíz de la muerte de Albert Camus, señala que el escritor francés «podría significar para buena parte de los escritores e intelectuales españoles un paradigma», y añade: «hasta qué punto un buen tanto por ciento de intelectuales y escritores españoles no son, a su vez, un vivo ejemplo, pese a sus manchas y jirones, de honestidad, probidad y valor en un clima intelectual opresivo, que pide prevaricación total». (Texto mecanografiado. El subrayado es mío.)

amargura y del encierro espiritual de su generación, esa «generación intermedia», en la que nunca se sintió demasiado a gusto, por la sencilla razón de que nunca le gustaron los encasillamientos y las definiciones; amaba tanto la vida y al hombre con toda su indigencia y originalidad que se resistía instintivamente a *ser clasificado.*

Pero Aldecoa acepta las coordenadas histórico-sociales que marcan su *estar-en,* y es consecuente, en su actitud de hombre y de escritor, con su situación.

El castillo de *El fulgor y la sangre* —pozo de hastío para las mujeres, presente sin futuro para los hijos— es, más allá de cuartel para un grupo de sufridos y disciplinados guardias civiles, una interpretación metafórica de la España de los primeros 50, vista con los ojos y la escritura poética de ese hombre, intelectual y escritor, que fue Ignacio Aldecoa, para quien el oficio de escribir se identificaba con el de tener —vivir— una actitud en el mundo.

En este espacio-vida que funciona en un nivel claramente connotativo, los personajes pierden sus contornos individualizadores y se *socializan,* es decir, pasan a significar una situación colectiva. *El fulgor y la sangre* no es ya una novela de los guardias civiles y sus mujeres; la «pobre gente de España» ha dejado de llamarse Sonsoles o Felisa, Ruipérez o Baldomero; el nombre ya no importa. Es la gente de España, sin más, zarandeada por unos avatares históricos, marcada por la guerra, y condenada a vivir, entre la frustración y la espera, el hastío de un espacio material y espiritual, limitado a los lados por unas murallas que se tocan, y, por arriba, por un inmenso cielo azul inalcanzable.

Así ve Aldecoa en 1953 la España de su tiempo. Y en ella, se ve a sí mismo, habitante también, como otros, como todos, del castillo. ¿Pesimismo?

> «Por ahora —dirá en 1959— no soy optimista. Espero llegar a la serenidad, nunca al optimismo. Llegaré a la serenidad, distinta de la resignación para con uno mismo y con lo que pasa en torno» [70].

---

[70] L. SASTRE: «La vuelta de Ignacio Aldecoa», en *La Estafeta Literaria,* 15 de mayo de 1959.

Como los habitantes del castillo, también Ignacio Aldecoa espera —sueña, al menos— el traslado. Su amargura y la de los suyos —esa generación literaria a la que el propio Ignacio bautizó como «capullar»— es sólo «un paréntesis» [71]; pasará un tiempo —los «años de crisálida»—, se romperán las murallas que encierran y aplastan, y se hará posible el vuelo.

b) *Nivel filosófico-existencial: el castillo*
   como metáfora de la existencia

Pero además el presente del castillo se quiebra también por el lado que mira hacia el futuro y surge, como proyecto esbozado temblorosamente por el deseo, el tema del traslado.

Porque es el traslado el *«relais» semántico* [72] que permite articular, sobre los dos niveles de significación hasta ahora analizados, un tercero, en que el proceso de simbolización se despliega hasta el máximo, convirtiendo el espacio-tiempo —la vida— del castillo en metáfora universalizada de la existencia.

El traslado es tema continuo de la conversación de las mujeres y de los guardias, y pasa por sus pensamientos y sus deseos como una «posible felicidad» que hace menos invivibles las lentas horas frustradoras del castillo.

El traslado es la única posibilidad de liberarse de ese «destierro» que es la vida en el castillo. Porque la vida fuera será «otra cosa».

Por eso, las instancias con la petición del cambio vuelan desde el castillo como palomas mensajeras y los rumores que vienen de la Comandancia hierven con un ruido de felicidad pequeña en esa olla de esperanzas y desencantos que es el patio soleado del castillo.

---

[71] En una entrevista que le hace A. M. para *S. P.,* Aldecoa, a propósito de *Años de crisálida,* llama a esa generación —la suya— «capullar», «una especie de generación entre paréntesis».

[72] La articulación de diferentes niveles de significación se hace mediante ejes o «relais» semánticos. La plurisemia del texto literario se constituye como un verdadero plurilenguaje, que resulta de la articulación textual —en el texto— de diversos códigos significativos; cf. sobre esto el interesante trabajo de MICHEL ARRIVÉ: «Structuration et destruction du signe dans quelques textes de Jarry», en *Essais de sémiotique poétique,* pp. 64-79.

En ese acontecer —no-acontecer— lento que es la espera en el castillo, todo el hastío y la frustración acumulados año a año, día a día, minuto a minuto, catalizados por la noticia de la muerte, se transforman en deseo irreprimido de salida. Y la única salida *posible* es el traslado; porque la huida con el hijo para Carmen, o el abandono del servicio para María no es sino veleidad. Entretanto, como le dice Sonsoles a Ernesta, la última en llegar al castillo, no queda más que acostumbrarse; una costumbre que está hecha de impotencia, resentimiento y odio, porque en el fondo, piensa Sonsoles, el castillo

«no era un lugar para que una mujer se acostumbrara a vivir en él (...). De allí había que marcharse, o acabaría odiando hasta a Pedro» (FS, 28).

A medida que la vida del castillo, más allá de la anécdota que la individualiza en la tarde del 22 de julio de 1952, se hace significativa por sí misma y se distancia de la muerte del guardia como motivación semántica[73] inicial, la oposición funcional, desde el punto de vista de la organización del sentido, no es ya *no saber/saber quién es el guardia muerto,* sino *vivir encerrado en el castillo/salir del castillo;* el paso de uno a otro predicado es, en el sistema de verosimilitudes que constituye la *historia,* el traslado; lo es de hecho para los personajes, aunque Carmen esté convencida de que el traslado es muy difícil y comenta con Ernesta:

«—Lo estamos intentando nosotros desde no sé cuánto y que si quieres» (FS, 224);

o aunque Pedro, contemplando el sobre amarillo que contiene la orden de traslado del cabo, le diga a Ruipérez:

«De aquí no nos mueve ni el fin del mundo que se adelantase. Aquí nos quedamos hasta que San Juan baje el dedo. Te lo digo yo» (FS, 266).

---

[73] Al igual que Tomachevski habla de motivación estética o realista, podemos hablar de *motivación semántica.* La espera del castillo aparece inicialmente motivada por la muerte: *quién* es el muerto. Pero a lo largo del proceso novelesco, la espera va cobrando autonomía significativa y se despega de su motivación inicial. Creemos que se trata de un proceso necesario en todo texto plurisignificativo.

El traslado es posible. Y llega al castillo. Aunque, sorprendentemente, sea para el que menos tiempo lleva en el puesto: el cabo Francisco Santos.

Hay una inconsecuencia, tal vez una arbitrariedad, que el propio Ruipérez, mientras da vueltas entre sus manos al comunicado, no acierta a explicarse. La explicación la da el desarrollo mismo posterior de la historia: el trasladado es precisamente el muerto. Para el cabo Francisco Santos el traslado se identifica de hecho con la muerte. En realidad, lo que resulta verdad son las palabras de Carmen:

> «Parece que se han dicho: ésos se tienen que quedar ahí hasta que se mueran» (FS, 224).

Es decir, si el traslado es la muerte —y lo es en la novela para el único que es trasladado—, no hay más salida del castillo que la muerte. La oposición *vida en el castillo/salida del castillo* se resuelve en la oposición más universal *vida/muerte:* el castillo es, en ese tercer nivel de significación, la vida, la existencia como encierro, sin otra salida que la muerte; en el universo semántico de la novela, el traslado *es* la muerte; y el hombre —la gente del castillo— es un «ser para la muerte» [74].

Hemos llegado así a un nivel de sentido definido como filosófico-existencial, porque en él la novela trasciende —sin negarla— la causalidad socio-histórica, para tocar, más allá del acontecer individual o colectivo concreto, la *condición humana.*

Aldecoa, cerrado a la trascendencia religiosa y con una fe y un amor agresivos por el hombre, un Aldecoa que ha llegado a Camus después de conocer a Sartre [75], ha metaforizado en el castillo de *El fulgor y la sangre* su propia concepción del hombre y de la vida.

---

[74] Es la famosa fórmula de HEIDEGGER —«Sein-zum-Tode»— en *Sein und Zeit,* traducción española, *El Ser y el Tiempo.* México, FCE, 1962.

[75] «¿Qué supone para mí Camus? En principio debo hacer una historia esquemática y no datada de mis relaciones con la obra y la figura del escritor. Simplemente yo entré en contacto con la obra de Camus cuando Sartre, la obra de Sartre, me era conocida. Esta es, pues, mi cronología. Deseo aventurar que esta cronología tiene algún signifi-

Sin que esto quiera decir que Aldecoa llega a la novela desde la filosofía o simplemente desde la ideología. Al contrario, es, ni más ni menos, la «pobre gente de España» la que está en el origen de su literatura. Pero Aldecoa, hombre y escritor, mirando vive, y convirtiendo la vida en escritura llega hasta el fondo, es decir, apura el sentido de la existencia. Al afirmar que el castillo de *El fulgor y la sangre* funciona, en ese tercer nivel significativo, como metáfora de la existencia, sitúo la novela en un plano de literatura claramente *existencialista*. Se toca aquí un aspecto en la obra —la novela, sobre todo— de Ignacio Aldecoa al que la crítica viene prestando una atención creciente [76]. Así Gemma Roberts, cuando señala:

> «No sabemos si Aldecoa leyó o no a Heidegger y a otros filósofos existencialistas, pero es indudable que algunos aspectos importantes de esta filosofía se reflejan en su modo de entender e interpretar a sus personajes y en el desarrollo de sus novelas» [77].

El castillo metaforiza la «historicidad de la condición humana», entendida en su sentido filosófico de contingencia: la

---

cado, tal vez lo tiene para muchos de los que me estáis escuchando. Sospecho una mayor claridad al respecto si cito *Los Mandarines* de Simona de Beauvoir como clave. Camus fue para mí otra corriente, de distinta fuerza y caudal, y de signo unívoco» (Conferencia en el Colegio Mayor Universitario Santa María, de Madrid. Texto mecanografiado).

[76] Aunque G. Sobejano llama *existencial* a la novela de la primera generación de posguerra —Cela, Laforet, Delibes...—, e incluye a Aldecoa en el capítulo de la novela *social*, dice, sin embargo, a propósito de *El fulgor y la sangre* y *Con el viento solano:* «... Ambas, por exponer situaciones extremas de aguardo y de rechazo de la muerte, llevan un fuerte acento existencialista»; cf. *Novela española de nuestro tiempo*, p. 391.

Cf., además, Gemma Roberts: *Temas existenciales en la novela española de postguerra*, donde, con el título *La decisión*, se incluye un estudio de *Con el viento solano;* y Pablo Borau: *El existencialismo en la novela de Ignacio de Aldecoa*. Zaragoza, La Editorial, 1974.

[77] G. Roberts: *Temas existenciales...*, p. 112.

Se ha sentenciado, tal vez demasiado apresuradamente y sin matizaciones, la novela de los años 50 como *social;* sin negar la predominancia de este aspecto, la preocupación existencial es, en más de un autor, más importante de lo que a primera vista puede parecer. Aldecoa es, tal vez, el ejemplo más patente.

temporalidad como dimensión existencial del ser humano, el hombre inmerso en el tiempo, determinado por él, aprisionado en él.

El espacio del castillo, con sus connotaciones de encierro, aislamiento, monotonía, frustración, soledad y angustia, se convierte en un espacio-límite, en una situación extrema donde el hombre es enfrentado, más allá de todo accidente individual o colectivo, a su propia condición humana, al acoso implacable de la contingencia, a ese asedio del ser desde la muerte, que acontecimientos accidentales como el asesinato del cabo Santos o la experiencia de la guerra no han creado, pero han ayudado a descubrir, como destino inevitable de la existencia.

Sobre esa geografía desolada y tensa del castillo sobrevuela la realidad de la muerte, unificando en su carácter fatal los diferentes tiempos de la historia; el presente, sacudido por la noticia del asesinato, y convertido en angustiada espera, hasta conocer la identidad del guardia muerto; el pasado, cuya evocación se hace significante en una guerra que mata vidas o proyectos de vida, identificándose con la imagen histórica y colectiva de la muerte; y el futuro, donde la muerte se identifica con el traslado y aparece afirmada como destino, más allá de la anécdota y de la historia, en ese nivel, encrucijada de experiencia y de axioma, donde el escritor existencialista, como Simone de Beauvoir en su novela, repite esa verdad tan antigua y tan nueva: «Todos los hombres son mortales» [78]. Es esto lo

---

[78] «Cet arrière-plan d'angoisse cosmique se retrouve dans toute l'oeuvre de Simone de Beauvoir: (...) dans *Tous les hommes sont mortels* (1947), satire trop apparente du rêve d'immortalité qui sommeille en chacun de nous...», PIERRE DE BOISDEFFRE: *Littérature d'aujourd'hui*, 1, París, Union Générale d'Editions, 10/18, 1969, p. 101.

J. P. SARTRE lo había señalado certeramente en 1949 («La République du silence», en *Situations,* III, París, Gallimard, p. 12): «El cxilio, el cautiverio, sobre todo la muerte, que tan hábilmente disfrazamos en las épocas dichosas, se hacían el objeto perpetuo de nuestra preocupación, nos enseñaban que no son accidentes evitables, ni siquiera amenazas constantes, pero exteriores. Había que reconocerlos como nuestra suerte, nuestro destino, el origen profundo de nuestra realidad humana; a cada segundo vivíamos en su plenitud el significado de esta pequeña frase banal: "Todos los hombres son mortales".»

El estudio de *Con el viento solano* nos permitirá volver sobre este

que nos dice la pobre gente del castillo cuando, desde su indefensión, llena los vacíos en la espera del muerto —de la
muerte— hablando del traslado; lo que Aldecoa nos repetirá
una y otra vez en sus novelas, hasta ese día cualquiera, un
15 de noviembre de 1969, en que él también recibió el comunicado del traslado.

---

aspecto de *El fulgor y la sangre,* al comparar la significación existencialista de ambas novelas.

2

«CON EL VIENTO SOLANO»: LA HUIDA AL FONDO DE SI MISMO

> «Todo había pasado velozmente y estaba cercano, pero parecían haber transcurrido años. Tenía que contar los días: lunes de muerte, martes de temor, miércoles de serenidad, jueves de tristeza, viernes de la sangre. ¿Cuántos días podría contar todavía?»
>
> (IGNACIO ALDECOA: *Con el viento solano.*)

La conciencia como espacio novelesco

En realidad, un simple cambio de perspectiva le ha permitido a Aldecoa construir, a partir del mismo «fait divers» —la muerte del guardia Francisco Santos a manos del gitano Sebastián Vázquez—, su segunda novela: *Con el viento solano* (1956).
Al final de *El fulgor y la sangre,* mientras el cadáver del cabo es velado en una habitación del castillo-cuartel, en el Cuerpo de Guardia Baldomero Ruiz recibe órdenes de la Comandancia, «órdenes generales para todos los puestos de la vera de la carretera hasta la entrada de Extremadura». Y, entretanto, el guardia Baldomero piensa en el muerto y en su asesino.
El narrador, rompiendo la lógica de la perspectiva narrativa que ha venido manteniendo a lo largo de la novela, se superpone a los pensamientos del personaje:

> «Un hombre caminaba en la noche, a través de los campos, sin dirección fija, azuzado por el miedo. Un miedo que le atería el cuerpo y que le hizo tirar la pistola al cruzar un olivar» (FS, 342) [1].

---

[1] El relato «sale» del castillo, para seguir el rastro del gitano. Esta salida del castillo puede verse como la ruptura de un sistema textual, como la apertura a otro texto.
En adelante, las citas de la novela se harán con la sigla CVS, y el número de la página. Se cita por la 3.ª ed., Barcelona, Planeta, 1970.

Desde el suceso único de la muerte del cabo Francisco Santos, Aldecoa ha escrito sus dos primeras novelas: los dos textos son como el anverso y el reverso, las dos caras de una misma hoja: en definitiva, en esta segunda novela, Ignacio Aldecoa vuelve a escribir sobre la muerte.

La última frase de *El fulgor y la sangre* saca al lector del espacio cerrado del castillo y le lleva, ya en la noche, tras el rastro anhelante de un hombre que va de sangre y que huye entre sembrados y olivares.

El hombre, el crimen —la pistola—, el miedo y la huida están ya en esa frase: la novela como texto no es más que el resultado de un proceso de expansión y transformación de esos elementos; las leyes de expansión y transformación son, en definitiva, los procedimientos estilístico-narrativos que permiten pasar de los elementos al texto novelesco. De alguna manera, *Con el viento solano* puede verse como derivación de la situación final de *El fulgor y la sangre* [2].

Parece que cuando Aldecoa termina de escribir su primera novela, ve ya con suficiente claridad la segunda. De hecho, sólo catorce meses separan su publicación. ¿Por qué la novela que iba a rematar la suerte de esta primera trilogía no llegó a escribirse? En el verano del 55 Aldecoa se embarca en la aventura marinero-literaria de Gran Sol; la sed de gloria —¿o de tragedia?— del torerillo Antonio Jiménez se apaga con unas copas de aguardiente, en la barra del Columba, aquella noche de Talavera. Aldecoa no tendrá ya razones para escribir *Los pozos;* la fiesta de la vida estaba suficientemente aguada con el pistoletazo absurdo del gitano Vázquez y la sangre del cabo Santos; otra sangre, la del maletilla Jiménez, bajo las astas de un novillo, entre carretas y talanqueras, en una improvisada plaza de toros, no añadiría nada nuevo a la común tragedia de la existencia.

---

[2] No se quiere decir que la frase con que finaliza *El fulgor y la sangre* sea exactamente la explicitación del *tema* de *Con el viento solano;* pero sí aparecen motivos o elementos temáticos decisivos en la novela y por eso creo que no es abusivo decir que hay una cierta relación de derivación entre el final de *El fulgor y la sangre* y *Con el viento solano.*

El viaje, motivo estructurante

Al protagonismo colectivo que en *El fulgor y la sangre*
tiene la gente del castillo, con cuya espera y cuyo pasado se
van llenando las horas lentas del mediodía al crepúsculo, sucede ahora el héroe individual, que en los seis días de la huida
recorre velozmente la historia recién descubierta de su propia
existencia. Y como fondo, ya no es el movimiento infinitamente repetido del cuerpo de guardia a la puerta del castillo,
de la casa al patio, del pozo a la muralla... En *Con el viento
solano* el itinerario de la huida va desde el pueblecito en feria
junto a Talavera, donde el gitano mata al cabo, hasta otro
pueblo, no lejos de Cogolludo y también en fiesta, donde el
gitano se entrega a los guardias; entre medio, Madrid, Alcalá,
Cogolludo... Y a lo largo de los días abigarrados de paisajes y
de gentes, la angustia es como la clave del laberinto de la conciencia, que permite al personaje un profundo y vertiginoso
viaje hasta el fondo de sí mismo.

Si toda novela, como señala Michel Butor, «se inscribe en
nuestro espacio como viaje»[3], *Con el viento solano* es doblemente novela de viaje, porque éste se constituye de hecho no
en simple motivo o tema, sino además en eje estructurador
de la novela.

Efectivamente, desde que se inicia la fuga del gitano Sebastián Vázquez tras la reyerta en la taberna del Maño hasta
que el personaje se entrega a los guardias, seis días después,
la novela se organiza sobre el viaje-huida del protagonista.

La estructura novelesca viene marcada entonces por el itinerario de ese viaje-huida del protagonista. Sobre la linealidad
del discurso narrativo la ficción va dejando sus marcas: las
pisadas de Sebastián por olivares y sembrados, en el primer día

---

[3] «Toute fiction s'inscrit donc en notre espace comme voyage, et
l'on peut dire à cet égard que c'est là le thème fondamental de toute
littérature romanesque; tout roman qui nous raconte un voyage est
donc plus clair que celui qui n'est pas capable d'exprimer métaphori-
quement cette distance entre le lieu de la lecture et celui où nous emmè-
ne le récit»; «L'espace du roman», en *Essais sur le roman,* p. 50 (publicado anteriormente en *Répertoire,* II, París, Ed. de Minuit, 1964).

de la huida; y al día siguiente, el humo blanco del trenecito de vía estrecha que le lleva a Madrid, o del que, al atardecer del otro día, entre cestas de trajinantes y maletas de soldados, le deja en Alcalá; y por fin, las rayas blandas que sobre la carretera mojada va dejando el camión de Argensola, camino de Cogolludo.

Madrid, Alcalá y Cogolludo, más los dos pueblos —el del crimen y el de la entrega—, cuya identidad geográfica no nos da el novelista, marcan las etapas del viaje del protagonista de *Con el viento solano.*

Pero no es el espacio, sino el tiempo, el que tiene en la novela una función demarcativa de las unidades narrativas menores o capítulos. El viaje de Sebastián se estructura en el discurso narrativo en los seis días que van de lunes a sábado, y el sábado se prolonga hasta la mañana del domingo.

Tomando como punto de referencia los seis días que son otros tantos capítulos de la novela, podemos marcar las correspondencias tiempo-espacio de la siguiente manera:

«Lunes, Santa María Magdalena»: La acción de la primera parte del capítulo se desarrolla en Talavera: una noche de jarana, de alcohol y de mujeres. El tiempo de la ficción va exactamente, en esta primera parte del capítulo, de las cero horas —desde un supuesto momento anterior se habla de las doce de la noche— hasta las primeras horas de la mañana. Su tratamiento narrativo no es lineal.

«Martes, San Apolinar»: la ficción dura desde una hora no precisada de la mañana —«Sebastián despertó con el campo en silencio, alto el sol y crudo el cielo» (CVS, 67)— hasta las doce y media de la noche, cuando Sebastián, en Madrid, entra en una posada de la Cava Baja.

El itinerario de la huida en este «martes de temor» se inicia en el encinar donde Sebastián ha pasado la noche; en la estación de un pueblo que no se nombra, pero que puede ser Escalona [4], coge un tren que le dejará en Madrid.

---

[4] En el capítulo anterior hemos podido leer: «Quiso orientarse. Caminando hacia la sierra podía salir sobre Pelahustán. Caminando hacia levante sobre la carretera de Cebreros en Escalona o en Almorox, donde tenía un tren para Madrid» (*Con el viento solano*, p. 54), y más adelante: «¿Hay camino hacia Escalona?» (p. 56).

Sebastián prefiere entrar en Madrid de noche, «porque la noche cobija» y desciende del tren en Campamento. El itinerario de este intento de liberarse por las calles de Madrid aparece exactamente identificado: Calle del Ruiseñor, orilla del Manzanares y Puente de la Reina Victoria; Atocha y el paseo con Pepi, la buscona: Antón Martín, Plaza de Tirso de Molina, calle de la Esgrima; y otra vez, ahora solo, Antón Martín, Plaza de Tirso de Molina, Plaza de la Cebada. En la Cava Baja, una posada barata donde Sebastián dormirá otra noche más, ¿de libertad?

Este deambular de Sebastián, intentando perderse —o buscarse— entre calles por Madrid se sigue registrando con exactitud de plano turístico al día siguiente —«Miércoles, Santa Cristina»—, cuando desde la posada de la Cava Baja recorre, ahora con el viejo Cabeda, la calle de Toledo, la Plaza Mayor, el Viaducto, la calle de Segovia; y luego, solo otra vez, la calle Mayor, el Palacio Real, la Plaza de España, las calles del Pez y de la Puebla; después, porque necesita compañía, un bar cualquiera de golfería en la calle de San Marcos; luego, con el Marquesito, la Plaza del Rey y la Cibeles; y otra vez solo, con la querencia de la sangre —no la del crimen, sino la del origen—, el gitano Sebastián Vázquez, por la acera del Banco de España, hacia Atocha: un tren que entre luces y pitidos se va abriendo paso en la oscuridad de la noche hasta Alcalá.

Otra posada, la de Marciano Solís, contempla un nuevo despertar de Sebastián. Es «Jueves, Santiago Apóstol», y feria de ganado en Alcalá. A la tarde, primero en el camión de Argensola y luego andando, de Alcalá a Cogolludo: los hermanos, la madre; el «Viernes, Santa Ana», en Cogolludo, es el «viernes de la sangre»; y cuando también la sangre le ha abandonado —la sangre y el miedo—, Sebastián, con la experiencia de toda la soledad y con la lucidez del vino, aporrea la puerta del cuartelillo de la Guardia Civil, en un pueblo cualquiera que esta vez no lleva nombre; es ya noche cerrada de otro día; el novelista le ha llamado simplemente «Sábado...».

En *Con el viento solano* asistimos, pues, a la integración épica de un espacio extraliterario verificable. Una geografía real es incorporada al espacio de la novela, y, sin dejar de ser un *denotatum* de lo real, se «libera» de algún modo del referente para incorporarse a un nuevo universo, el de la ficción, donde adquiere funciones semánticas nuevas [5].

El itinerario de la huida de Sebastián, que podemos seguir paso a paso en un mapa de Castilla la Nueva o en un plano de Madrid, va instaurando sobre el espacio de la ficción su propia «cartografía» novelesca, que no se absorbe ya en la función mimética, sino que, desde ella, va marcando las etapas de un nuevo itinerario: el espacio exterior, mimetizado en la novela por el viaje-huida del protagonista, funciona a su vez como significante de un espacio interior: hay una *geografía de la conciencia,* donde se van señalando las etapas del viaje del héroe al fondo de sí mismo.

Es decir, si *Con el viento solano* es novela de viaje, es también —es, sobre todo— novela de búsqueda. Viaje y búsqueda son motivos que aparecen frecuentemente relacionados en la novela, y la búsqueda ha sido señalada como componente esencial del género [6].

---

[5] La «integración épica» es uno de los «poderes de la novela»; cf. F. VAN ROSSUM-GUYON: «Butor. Le roman comme instrument de connaissance», en *Positions et oppositions sur le roman contemporain,* página 167. Y la misma autora —*Critique du roman,* p. 178— dice: «C'est une des vertus de l'intégration épique que chaque élément du récit tire ses particularités de sa liaison à l'ensemble.»

[6] «Por otro lado, habría que considerar que el motivo del viaje guarda estrecha relación con el de la «búsqueda», M. BAQUERO GOYANES: *Estructuras de la novela actual,* p. 32. Cf. también A. AMORÓS: *Introducción a la novela contemporánea.* Madrid, Anaya, 1971 (nueva edición ampliada, Madrid, Cátedra, 1975).

NORTHROP FRYE, en su obra clásica *Anatomie de la critique,* señala: «Nous donnerons à cette aventure majeure, autour de laquelle s'ordonne l'intrigue du roman, le non de quête» (p. 228).

A lo mismo apunta MAURICE Z. SHRODER: «The matter of the novel —the theme thas has informed the genre from *Don Quixote* onward— is relatively uncomplicated. The novel records the passage from a state of innocence to a state of experience, from that ignorance which is bliss to a mature recognition of the actual way of the world»; y también: «The action of the novel (...) is essentially a reworking of the basis action of romance —that familiar story which Josep Campbell discusses, in *The Hero with a Thousand Faces,* as the "monomyth", gives *the more descriptive name of the quest*» (el subrayado es mío); cf. «The Novel as a genre», en *The Theory of the Novel,* pp. 14 y 15.

Esta búsqueda, en la novela que nos ocupa, no tiene, sin embargo, las características del «Bildungsroman» o novela aprendizaje; aquí no se trata de la historia de una educación, de un período vital previsible y previsto, donde las aventuras y los sacrificios son etapas necesarias para cruzar el umbral cierto de la madurez. Imprevistamente, fatalmente, Sebastián Vázquez, gitano, matón y chulo, se ve enfrentado a la experiencia inconmensurable del asesinato de un hombre, y al miedo —también más allá de toda medida— de su propia muerte; la misma fuerza instintiva que le movió a salir corriendo de la taberna del Maño en la mañana de la riña le lleva también a planear la huida y buscar el refugio del anonimato de la gran urbe, después que ha matado al cabo: la huida se ha hecho necesidad.

El crimen ha abierto en su conciencia un inmenso boquete, en cuyo fondo viscoso de vino y de sangre —de miedo— Sebastián experimenta el vértigo de la contemplación de una imagen nueva —¿o vieja?—, la única imagen real, de sí mismo; entre Talavera y Cogolludo —colores de feria y de vida— hay un túnel de soledad que Sebastián va recorriendo paso a paso, en un difícil, pero liberador descenso a los infiernos de su propia conciencia.

G. LUKÁCS define el género novela a partir de dos nociones clave: el héroe problemático y la búsqueda: «Ainsi l'esprit fondamental du roman, celui qui en détermine la forme, s'objective comme psychologie des héros romanesques: ces héros sont toujours en quête», *Théorie du roman*, p. 54. Puede verse también R. GIRARD: *Mensonge romantique et vérité romanesque*. París, Grasset, 1961.

Partiendo de Lukács y de Girard, y desde una interpretación marxista de la realidad, L. GOLDMANN trata de fundamentar una sociología de la novela en la relación de homología entre la forma novelesca como búsqueda degradada de valores auténticos por un héroe problemático y el individuo en una sociedad de economía de mercado: «La forme romanesque nous paraît être en effet *la transposition sur le plan littéraire de la vie quotidienne* dans la société individualiste née de la production pour le marché» (el subrayado es del autor); *Pour une sociologie du roman*, p. 36.

TIEMPO VIVIDO-TIEMPO RECORDADO

Creo que el espacio donde de forma decisiva se dilucida la trama de *Con el viento solano* es la conciencia de su protagonista. En efecto, la conciencia de Sebastián es como un espejo de superficie irregular, que al mismo tiempo que refleja el objeto lo «deforma»: Sebastián ya no puede verse como se ha visto siempre; a partir del crimen, la angustia, el miedo y la soledad son como erosiones de su conciencia; cuando Sebastián se mira en ella, la imagen que la conciencia le devuelve no es la familiar y reconocida del Sebastián perdonavidas y achulado que ha creído ser siempre; Sebastián se mira y va teniendo la impresión de verse —de conocerse— por la primera vez [7].

Por tanto, a medida que el tiempo de la huida avanza linealmente desde la mañana de un lunes hasta la noche de un sábado y va cambiando el espacio —físico y humano— donde Sebastián trata de anegar su miedo de animal acosado, cada momento de esa huida, al proyectarse en una conciencia traumatizada por la experiencia del crimen y de la angustia, va sacando a la superficie, como una marea viva, los restos reconocibles de vividuras y de naufragios anteriores; como en un túnel del tiempo, desde una estancia interior profunda y hasta entonces nunca descubierta, Sebastián asiste a la contemplación —y a la búsqueda y «recuperación»— de *su* tiempo perdido.

Y si antes he dicho que el itinerario de la huida como espacio exterior de la intriga —de la anécdota— de la novela «se dobla» en un espacio interior que se constituye en el verdadero «recinto novelesco», algo parecido se puede decir del elemento tiempo en *Con el viento solano*.

El tiempo es aquí productor, generador de conciencia [8]. Y

---

[7] La experiencia del crimen funcionaría como un procedimiento de singularización, que permite la visión, y no el mero reconocimiento, del objeto, es decir, en este caso, el propio yo; cf. CHKLOVSKI: «L'art comme procédé», en *Théorie de la littérature*.

[8] En el mismo sentido en que lo es para BARTHES en *La Modification,* de Butor, viendo precisamente en ello el elemento que permite

esto es, precisamente, lo que a mi juicio permite diferenciar
esta novela de la anterior: en *El fulgor y la sangre* el lento
poco tiempo que va de un mediodía a un atardecer resuelve
el «suspense» de la identidad del guardia asesinado; pero, como
ya ha quedado apuntado, se trata de un débil esqueleto anecdótico sobre el que se organiza el verdadero cuerpo semántico de la novela: la espera permite describir la alienante monotonía de un mundo cerrado: un presente que se repite a sí mismo y que no tiene más salida que la evocación del pasado y
la ilusión (¿el sueño?), de un futuro, el traslado (¿la muerte?).

Pero las horas de la espera no alteran la conciencia de los
personajes; al final de la novela pensamos que un nuevo cabo
llegará al castillo y que todo volverá a empezar, a continuar
como siempre. La conciencia de los personajes no cambia, porque son incapaces de dominar, de asumir su propia temporalidad. El problema no es salir del castillo, sino transformarlo.
Y no hay transformación de un espacio social o existencial,
sin una pre-conciencia —conciencia previa— de una situación,
exterior e interior, alienada.

En *Con el viento solano* hay toma de conciencia y hay
transformación interior. El Sebastián Vázquez que chulea en el
reservado de la Carola o que se hace el gallo de pelea, entre
copa y copa en la barra del Columba, mientras da consejos y
enseña la pistola al torerillo Jiménez, no es el mismo que en
los descansos de la huida siente vértigo al asomarse al pozo sin
fondo de sus miedos de siempre, ni el que, con el instinto de
recuperar una infancia inocente, busca en Cogolludo el último
refugio de la sangre, ni, en fin, el que, ebrio de soledad y de
vino, realiza el único acto lúcido de su existencia y se entrega.

La cárcel adonde irá a parar el gitano Vázquez es y no es
el castillo. La forma de «estar en el mundo» [9] —castillo o

---

afirmar la diferencia neta entre este novelista y Robbe-Grillet; cf. «Il
n'y a pas d'école Robbe-Grillet», en *Essais critiques*. París, Seuil, 1964,
páginas 101-105. (Se trata de un breve artículo, publicado en *Argumen-
tos* en 1958.)

[9] En el sentido existencial de «vivir la condición humana». Volveré sobre este aspecto, al hablar de la función simbólica de la novela.

cárcel, ¿qué más da?— de Sebastián Vázquez es, finalmente diferente de la de los personajes de *El fulgor y la sangre*.

Si el tiempo es creador de conciencia, la conciencia a su vez crea —o re-crea— tiempo. Pero no se trata, naturalmente, de un tiempo exterior, objetivo, sino de un tiempo subjetivo, interiorizado a través del pensamiento y del recuerdo; es decir, de un tiempo-conciencia.

Este tiempo interior es también el presente —auto-conciencia de «estar existiendo»—, pero es sobre todo el pasado —toda la vida anterior del protagonista, generada por el recuerdo, «regenerada» en la conciencia.

Es decir, también en *Con el viento solano* el cauce, del tiempo de la ficción se agrieta y desborda aquí y allá, y va formando pequeños meandros cuya corriente busca la dirección del pasado del personaje. Podemos, pues, hablar de dos tiempos de la ficción: uno vivido —el que va del lunes de juerga y de crimen hasta el sábado de la entrega—, y otro recordado —que son las frecuentes incursiones hacia el pasado.

Las analogías con *El fulgor y la sangre* son patentes; pero patentes son también las diferencias. La sintaxis del tiempo de la ficción y su función semántica son claramente distintas en ambas novelas.

Si se puede llamar tiempo vivido al tiempo «primero» de la ficción —la duración cronológica de la anécdota— tanto en *El fulgor y la sangre* como en *Con el viento solano,* no es posible hacer lo mismo por lo que se refiere a ese tiempo «segundo», que se genera a partir del primero y que con relación a él es pasado. En el estudio de la primera novela se hablaba de tiempo *evocado;* aquí es preferible llamarlo tiempo *recordado.*

No se trata de una mera distinción terminológica; no se excluye, incluso, la provisionalidad de ambos términos y su posible sustitución por otros que denotaran mejor la función y el tratamiento narrativo distinto, es decir, la diferente *calidad* de ese *tiempo segundo* en ambas novelas de Aldecoa.

Voy a basar el estudio sobre el *tiempo recordado* de *Con el viento solano* en tres factores que a mi juicio más lo especifican y, consecuentemente, mejor lo distinguen también de lo que anteriormente hemos visto a propósito del tratamiento del tiempo en *El fulgor y la sangre:*

— el punto de vista;
— las técnicas narrativas;
— la función del desdoblamiento temporal de la ficción en la sintaxis —y en la semántica— de la novela.

Tiempo recordado: perspectiva narrativa

Con el viento solano está narrada, igual que *El fulgor y la sangre,* en tercera persona, por un narrador heterodiegético, es decir, ausente de la historia que cuenta; con relación a la información que comunica, es claro que no se trata de un narrador omnisciente. El narrador de *Con el viento solano* es *equisciente*[10] y su información sobre la historia es —o tiende a ser— la de los personajes, en este caso la del gitano protagonista, cuya presencia se hace ineludible en toda la ficción, pues es con sus ojos como el narrador ha querido mirar la historia. Hay momentos, sin embargo, en que el narrador abandona al personaje —o éste al narrador—, y entonces la mirada no es ya la del protagonista. El narrador salta entonces de un personaje a otro, de una a otra situación; pero siempre limitará su mirada —y su información— a la de algún personaje. Este personaje es —ya está dicho—, si no exclusivamente, sí fundamental y decisivamente el gitano protagonista de la novela. Y es *en* él, y no simplemente *desde* él, donde el tiempo de la ficción se refracta, duplicándose en los dos ejes que he distinguido como tiempo vivido y tiempo recordado. Este tiempo recordado se genera directamente en la conciencia del personaje, y el acto de narración que lo instaura es explícitamente un predicado narrativo del personaje —o actor—, recuerdo, pensamiento, y no la actividad narradora del narrador heterodiegético que funda en primera instancia el discurso novelesco.

Hablar de tiempo recordado quiere decir que el recuerdo, como actividad de una conciencia, corresponde intrínsecamen-

---

[10] Cf. Oscar Tacca: *Las voces de la novela.* Madrid, Gredos, 1973, página 72.

te al personaje, aunque la narración del recuerdo, la transición
del acto de conciencia a acto de escritura, pueda ser hecha con
la voz de un narrador heterodiegético.

Si este segundo plano temporal de la ficción puede surgir
a la superficie del discurso narrativo únicamente a partir de
actividades de conciencia del personaje, la lógica misma de la
novela y de su verosimilitud interna exige que la emergencia y
la organización como discurso narrativo del tiempo recordado
no tenga más motivación que la conciencia misma del personaje.
Es aquí, en la conciencia del personaje, donde el tiempo recordado aparece motivado realista y estéticamente. La generación,
como recuerdo, de un segundo tiempo de la ficción no afecta
sólo al contenido de la novela como proceso de búsqueda y
transformación del personaje, sino a las leyes mismas de distinción y composición de las dos historias —la exterior, y la
interior, la vivida y la recordada— en un único discurso novelesco, es decir, a la estética de la novela como forma.

Pero esta conciencia del protagonista de *Con el viento solano,* que piensa y que recuerda, no es al mismo tiempo una
conciencia que narra, como lo era, por ejemplo, la del cabo
Francisco Santos en el último capítulo de *El fulgor y la sangre.*
Por eso, no se puede en rigor hablar aquí de «relato dentro
del relato». Sebastián, no «cuenta», no asume la narración de
sus propios recuerdos, Sebastián no se convierte, en el interior
de la novela como relato, en un narrador de segundo grado o
intradiegético [11]. Todo el relato se instaura en el acto narrante
de un narrador que es heterodiegético y extradiegético.

El tiempo recordado no tiene, como historia, un desarrollo
cronológico lineal. No hay correspondencia entre el avance lineal del tiempo de la ficción en los seis días que dura la huida
desistida de Sebastián, y los años de su vida anterior que se
van *regenerando* en la conciencia: el tiempo recordado va emergiendo aquí y allá, no según un orden cronológico lineal riguroso impuesto por el narrador, sino según un orden de vivencias

---

[11] Cf. G. GENETTE: *Figures,* III, pp. 255-256. Naturalmente, se
excluye el diálogo, donde el narrador cede la palabra al personaje;
pero es un modo de presentación que no actúa el nivel narrativo, extra
o intradiegético.

del personaje, que es desorden cronológico; la organización del
tiempo recordado —y su incidencia en el nivel sintáctico
del discurso novelesco— depende también de la conciencia
del personaje; mejor, de la resonancia que las diferentes situaciones o experiencias de la huida van teniendo en una conciencia en claro proceso de auto-reconocimiento.

En el tiempo recordado, lo temporal queda subordinado
al hecho de conciencia —el recuerdo— y una posible cronología lineal de lo recordado se disuelve en la atemporalidad de
la corriente de conciencia. Los recuerdos de Sebastián van te-
jiendo una especie de pre-historia del personaje según coordenadas espacio-temporales precisas [12], pero las relaciones de anterioridad y posterioridad de lo recordado no condicionan el
orden de la acción de recordar. El desorden cronológico sería
orden psicológico, como resultado verosímil de la actividad de
una conciencia que reacciona ante determinados estímulos;
estos estímulos son interiores al personaje —su propia situación anímica de hombre huido y acosado por el miedo—, o exteriores —personas, objetos, situaciones, en el itinerario de la
huida.

El paso de lo vivido a lo recordado es motivado también
en el personaje y el modo —y la técnica narrativa— es casi
siempre una asociación, de ideas, de imágenes, de sensaciones,
operada en su conciencia.

En general, esta técnica del «flash-back» o saltos al pasado
está montada sobre asociaciones visuales. Se trata de recursos
de claras resonancias cinematográficas [13]. El fundido como téc-

---

[12] Sebastián recordará, por ejemplo, su infancia en Navalmoral, sus
borracheras en Talavera, los viajes con su padre a las ferias de ganado
de los pueblos...
[13] Esto no quiere decir que antes de la aparición del cinematógrafo,
o de la generalización de las técnicas cinematográficas, la literatura no
hubiera utilizado esta clase de recursos asociativos. Baste citar, a modo
de ejemplo, el caso de CLARÍN en *La Regenta,* donde la sensación del
roce de la sábana en la mejilla provoca en la protagonista de la novela
el recuerdo de su infancia y juventud; es famosa la escena de *A la
recherche du temps perdu,* donde el sabor de la magdalena mojada en
el té hace surgir a la memoria del personaje la infancia en Combray.
BAQUERO GOYANES ha puesto en relación ambas escenas y hablado del
«pre-proustianismo» de Clarín; cf. «Situación de la novela española en

nica de «flash-back» visual es, sin duda, utilizado por Aldecoa
en *Con el viento solano* para motivar narrativamente el salto
al mundo de los recuerdos. Incluso, en un caso, el propio novelista califica metafóricamente ese recurso con un término más
cinematográfico —cinético-visual— que literario: la técnica
«del diorama»; Sebastián, en un bar de Antón Martín —«el
bar de la soledad», le llaman las busconas del barrio— bebe
unas copas y dialoga con Pepi —«A mí no me perdió nadie,
¿comprendes? Lo decidí yo»—:

> «Sebastián guarda silencio. Como en un diorama, jugando
> a la hora de la luz de tras el lienzo, es Lupe la que ocupa
> el dintorno de la figura de la mujer que le acompaña»
> (CVS, 114).

Y viene el recuerdo —el necesario recuerdo— de Lupe, y
la reflexión sobre el miedo, y sobre la vida, y sobre la muerte.
Es esta misma sustitución «dioramática» de imágenes la que
le permite también a Sebastián pasar de su despertar de miedo y de soledad en el campo tras la primera noche de la huida
a las noches de juerga en el prostíbulo de la Carola. El reloj
de pulsera de Sebastián se ha parado a las seis. Como el gran
reloj de péndulo sobre la puerta de la habitación de la casa
de trato, parado siempre a las seis. Y Sebastián, recordando,

la segunda mitad del siglo xix», en *Historia General de las Literaturas
Hispánicas*, V, Barcelona, Vergara, 1967, p. 124.
    Es significativo que A. HAUSER haya titulado el último capítulo de
su *Historia social de la literatura y el arte*. Madrid, Guadarrama, 1964
(el original alemán es de 1951), con el significativo título de «Bajo el
signo del cine». Puede verse también, BAQUERO GOYANES: *Estructuras
de la novela actual*, pp. 113 y ss.
    Algunos novelistas franceses del «nouveau roman» han cultivado el
cine además de la literatura: Robbe-Grillet, Margueritte Duras, ... Otro
representante de la nueva novela francesa, CLAUDE MAURIAC, confiesa
en su novela *La marquise sortit à cinq heures*: «Il est évident que ce
mot de *roman* a trop servi et qu'il importe de toute urgence d'entrouver
un autre. J'emploierai de nouveau ma méthode artisanale. Celle du
cinéaste que j'aurais pu être si je n'avais préféré à tout la littérature»;
cit. por BAQUERO GOYANES: *Estructuras...*, p. 113.
    Entre los novelistas de la generación de Aldecoa cabe citar a Jesús
Fernández Santos, con una importante obra cinematográfica, como reali-
zador y como crítico.

mide la distancia de tiempo infinito que marcan dos relojes
parados a la misma hora.

Podríamos multiplicar los ejemplos en que lá «técnica del
diorama» —la sustitución de algo visto por algo recordado—
le permite al protagonista de *Con el viento solano* retrotraerse
a su existencia pasada; pero no siempre es la vista el sentido
que motiva la sustitución; se recurre también —aunque con
menos frecuencia— a otras sensaciones y sentimientos o ideas;
por ejemplo, la sensación del hambre, o el sentimiento del miedo, o la idea de la muerte.

Otras veces, el recuerdo se genera, no a través de un elemento —persona, objeto, sentimiento—, sino de toda una situación: es lo que podemos llamar *analogía de situaciones,*
la que permite el paso de una —la vivida— a otra —la recordada.

En todos estos casos se ve claramente que la sintaxis presente-pasado [14] descansa todas las veces en un elemento intradiegético, es decir, que pertenece a la historia: un predicado de un actante, que, desde categorías psicológicas hemos denominado acto de conciencia, y, más en concreto, recuerdo.
Y ya hemos visto cómo desde el personaje se motiva no sólo
la emergencia de los recuerdos, sino también el «orden» de
lo recordado, orden que no es cronológico, sino psicológico, no
sometido a un tiempo exterior y lineal, sino a un tiempo interior y circular [15], controlable sólo desde el proceso de conciencia del personaje.

En este sentido, se puede decir que el recuerdo de Sebastián se proyecta más bien hacia estados de conciencia que hacia
hechos o acontecimientos aislados y por lo mismo no funcionales. Lo recordado y lo vivido son «subsistemas» dc un sistema
único —de texto y, por tanto, de sentido— que es la novela;

---

[14] La relación tiempo vivido-tiempo recordado puede expresarse con-
vencionalmente como presente-pasado. Recuérdese lo dicho en el capítulo anterior a propósito de la relación tiempo vivido-tiempo evocado en
El fulgor y la sangre.

[15] Por tiempo circular entiendo no un ciclo repetitivo —como el
eterno retorno de la cosmología griega—, sino ese movimiento de ida
y vuelta que supone la penetración en el pasado, para asumirlo e integrarlo en la conciencia del presente.

el recuerdo no permite simplemente ampliar la información del lector sobre la vida de Sebastián —conocer no sólo su presente, sino también su pasado—; lo que el recuerdo modifica no es tanto la *cantidad,* cuanto la *calidad* de la información; el pasado no es aducido simplemente para ilustrar el final desastrado del personaje, como en una tradición didáctico-moralizante que va desde la picaresca hasta la moderna novela de tesis, sino que, a medida que emerge, entra en confrontación dialéctica con el presente, para dar paso a un momento ulterior, el proceso de una conciencia, como resultado, también dialéctico, de la confrontación entre lo vivido y lo recordado: el personaje, al recordar su pasado, lo piensa y, al pensarlo, lo revive, es decir, lo incorpora a una conciencia modificada y modificante: lo que se va integrando, como unidad de sentido, en la novela, no es tanto lo recordado cuanto la conciencia que de ello va teniendo el personaje.

Esto se ve muy claramente en lo que podríamos calificar como *motivos recurrentes* en el eje de lo recordado: Lupe, la muerte del guardia, la madre... Los personajes o el hecho —lo recordado— son los mismos; pero el recuerdo —el acto de conciencia o conciencia de lo recordado— es distinto, porque va emergiendo sucesivamente desde momentos diferentes de una subjetividad.

Los acontecimientos, situaciones, experiencias del pasado cobran significación desde el presente del personaje que al recordarlos los incorpora a su conciencia actual; la unidad se hace desde el presente y la historia pasada cobra sentido, utilizando el término de Pouillon, «retrospectivamente»[16]: Sebastián, desde su experiencia presente, no sólo recuerda, sino que confiere sentido a su vida pasada y, por eso mismo, la recupera, la hace suya.

De ahí el carácter compacto que desde el punto de vista de la construcción novelesca ofrece en *Con el viento solano* la

---

[16] «Un individu n'est pas forcément dilué dans son histoire, et l'unité de celle-ci tient à ce que le sens du passé est conféré à ce dernier par le présent qui le revendique d'une certaine manière comme étant son passé; autrement dit, l'unité est toujours conférée à l'histoire rétroactivement», *Temps et roman,* p. 181.

combinación de tiempo vivido y tiempo recordado, y que contrasta con el carácter *articulado* de *El fulgor y la sangre.*

En *El fulgor y la sangre* presente y pasado han sido vistos como historia y pre-historia, es decir, como dos ejes de la ficción, perfectamente diferenciables en el tiempo y en el espacio, aunque relacionados, en función de cada uno de los cinco personajes respectivos.

En *Con el viento solano* apenas sería riguroso hablar de historia y prehistoria. El espacio «real» de la novela es la conciencia del personaje, y el tiempo, el proceso evolutivo de esa conciencia [17]. Historia y prehistoria diluyen sus propias fronteras en algo único, unitario y compacto, y que es la *intrahistoria* del protagonista. De tal modo que el tiempo vivido, una vez que desde la conciencia del personaje aparece ya como pasado, puede convertirse —y de hecho se convierte, en ocasiones— en tiempo recordado.

Es decir, las analepsis o retrospecciones en *Con el viento solano* no son siempre externas, como ocurría en *El fulgor y la sangre,* sino que se dan también analepsis internas, donde la amplitud del relato analéptico —recordado— es interior a la del relato primero —vivido.

Porque, en definitiva, para Sebastián que huye vivir es recordar, y el recuerdo es como un espacio acogedor y blando donde descansa de la huida, de su miedo, donde se encuentra.

De ahí que la última estación de este vía-crucis del miedo sea un punto donde lo vivido y lo recordado se confunden: ese viernes de la sangre, de la madre y los hermanos, en Cogolludo. Esa «orografía de ruinas» que es el barrio de los gitanos, es sobre todo

> «recuerdo, muro de recuerdo, del hogaño triunfal» (CVS, 237).

En esa buscada mañana de la sangre, Sebastián sale a la carretera con su hermano Juan y, con el sol en la cara, se

---

[17] Los seis días de la huida, al subordinarse a un tiempo interior, el de la conciencia, no medible cronológicamente, pierden también sus contornos precisos de tiempo exterior, para convertirse en proceso.

zambulle, desnudo de temores, en un mundo de recuerdos, como en un agua renovada y tibia:

> «—¿Te acuerdas de cuando te llevé al bar de don Ricardo y comiste ancas de rana?» (CVS, 238).
> «—¿Te acuerdas cuando nos íbamos a bañar a la alberca?» (CVS, 238).
> «—¿Tú te acuerdas bien del bato?» (CVS, 240).

Y así una y otra vez, sumergiéndose hasta el fondo en el agua recobrada de los primeros recuerdos, la niñez, el padre, el abuelo...

Y el recuerdo compartido —convivido— y, por tanto, celebrado. Porque hasta ahora el recuerdo había surgido por las hendiduras de soledad, a veces temida y a veces buscada, por donde la huida de Sebastián se iba resquebrajando. Ahora el espacio de salida del recuerdo se ensancha hasta confundirse con la vida que lo provoca; la vida es ahora, simplemente, el recuerdo compartido. Sebastián lo había pensado ya, en aquel bar de soledad de Antón Martín, abstraído de la conversación de Pepi, la buscona:

> «Porque si el recuerdo no se comparte, ya estás muriendo» (CVS, 115).

Es decir, ese juego de contraluz entre lo vivido y lo recordado que ha venido marcando el eje decisorio de la sintaxis narrativa queda ahora fijado en un momento donde ya no se distingue luz y sombra, vida y recuerdo; es un momento *original;* y en un doble sentido: en el plano semántico, porque, en el proceso de búsqueda del personaje, cuyo significado se estudiará más tarde, marca lo que de momento podemos definir como «la vuelta a los orígenes» [18]; en el plano morfo-sintáctico que es el que en este momento más interesa, nos sirve de pista para aclarar las leyes de estructuración de las unidades narrativas, al mismo tiempo que condiciona una técnica

---

[18] Más adelante, en el análisis de la estructura mítica de la aventura del héroe, volveré a utilizar, en su sentido mítico, esta expresión. La vuelta a los orígenes será vista entonces como *mitema.*

contrastiva con el resto de la novela. Ambos aspectos son los que a continuación voy a intentar analizar.

TIEMPO RECORDADO: TÉCNICAS NARRATIVAS: EL MONÓLOGO INTERIOR INDIRECTO

En un recuento exhaustivo de los momentos en que, a lo largo de la novela, la conciencia de Sebastián se desliza hacia el recuerdo, observamos que las transiciones de un motivo a otro, de uno a otro tiempo en la vida pasada del personaje, son verdaderos saltos que se suceden con la misma imprevisibilidad con que la conciencia reacciona a los estímulos externos. Esta ausencia de rigidez, esa fidelidad del narrador a la conciencia del personaje, dan mayor verosimilitud a la historia y más coherencia a la organización sintáctica del discurso narrativo.

Sin embargo, esta especie de «puzzle» retrospectivo que constituye la vida recordada del protagonista de *Con el viento solano* está atravesado de parte a parte como por una espina dorsal que lo vertebra y que lo orienta, sintáctica y semánticamente.

Ya he aludido antes a los motivos recurrentes: temas, personas, experiencias, que se repiten a lo largo de ese camino de recuerdos que es el doble viaje —físico y moral— de Sebastián: Lupe, la madre, la familia, el guardia muerto, el miedo... Su aparición reiterada por la conciencia del gitano es como una marca estilística [19] que enfatiza de alguna manera la posición sintáctica y semántica de esos elementos en el discurso novelesco.

Pero, por encima de los motivos recurrentes, aunque no aisladamente de ellos, hay una relación de homología entre el viaje físico de Sebastián, su itinerario espiritual y la orientación de su mundo de recuerdos. Y es esa homología la que

---

[19] Efectivamente, el mundo de los recuerdos aparece marcado, enfatizado, por los motivos recurrentes, con un efecto, en el nivel de la narratividad, análogo al que en el nivel lingüístico atribuye Riffaterre a los hechos de estilo. La recurrencia de los motivos sería así una especie de «surcodage» del discurso de lo recordado.

marca la dirección en que avanza la novela y el orden sintáctico de las grandes unidades narrativas en los tres niveles del viaje: el físico, de las cercanías de Talavera a Cogolludo, y el espiritual al fondo de la propia conciencia, y que se desdobla en esa especie de descenso al infierno de los recuerdos.

Cuando Sebastián desiste de dejar perder su rastro por las calles de Madrid, el deseo de refugiarse en la madre surge a la superficie de su conciencia y se va agrandando, como una marea; la obsesión de la madre marca el itinerario de Madrid a Alcalá y de aquí a Cogolludo. Si este itinerario físico dibuja una especie de línea de flotación, hay otro itinerario sumergido, cuyo espacio es la conciencia y cuyo rumbo podría ser provisionalmente señalado como la *vuelta a los orígenes.*

El movimiento físico de Sebastián en su huida va marcando, en el proceso de su evolución espiritual, nuevos espacios interiores, donde el *nuevo* personaje que se hace, que *está siendo,* se encuentra cada vez más lejos del que *era.* En el nivel de la conciencia, que es el espacio verdadero de la búsqueda, esta distancia se constituye por una progresiva profundización del personaje hacia su más íntima interioridad. Análogamente al cambio del espacio físico, el paisaje de la conciencia se altera y se renueva, simplemente porque, a lo largo de la novela, van cambiando los ojos del protagonista que lo mira, que se mira [20].

Y a esta penetración creciente en la propia conciencia acompaña una inmersión cada vez más profunda en el pozo de los recuerdos, hasta tocar, al fin, el fondo de los orígenes. Ese mundo abigarrado y profuso de recuerdos que se adensan en la memoria del personaje al compás de los estímulos externos más diversos está sustentado en realidad por un eje central que lo sostiene y que lo orienta: la perforación que desde la superficie va haciendo el personaje hasta los estratos más íntimos de la conciencia aparece fugada por un movimiento de los recuerdos que se orienta de lo más reciente —el crimen

---

[20] «Le seul véritable voyage, le seul bain de jouvance, ce ne serait pas d'aller vers de nouveaux paysages, mais d'avoir d'autres yeus...»; M. BUTOR: «Les moments de Marcel Proust», en *Repertoire,* I, París, Minuit, 1962.

en ese «lunes de muerte»— a lo más antiguo —la niñez y la madre, en el «viernes de la sangre».

Entre estos dos puntos se tiende la cuerda sobre la que, a lo largo de las páginas de la novela, danzan como marionetas los recuerdos atropellados de uno y otro tiempo. Pero, de una manera general, el conjunto del tiempo recordado funda su introducción en el discurso narrativo en un sentido que supone orientación hacia el pasado, a los orígenes, marcando un movimiento temporal inverso al orden de sucesión del tiempo vivido: mientras la ficción avanza, en este eje, desde las primeras horas de un lunes hasta la mañana del domingo siguiente, el tiempo recordado hace el camino inverso, que va desde el recuerdo de lo ocurrido ese mismo lunes hasta la muerte del guardia, al recuerdo, revivido en el espacio de «la sangre» —la familia—, de los orígenes. Y, sin embargo, por una paradójica geometría de la conciencia, estas dos líneas cronológicamente divergentes, llegan a encontrarse: en un punto de tiempo interior donde pasado y presente quedan absorbidos y unificados en el acto lúcido de recuperación de ese pasado por el personaje. Sólo a partir de ese punto en que convergen el presente y un pasado totalmente recuperado, es posible el futuro como decisión del personaje.

Este análisis de la organización de la novela sobre el doble eje tiempo vivido-tiempo recordado, cuya confluencia en la conciencia va marcando la evolución del personaje como itinerario real del proceso novelesco en su nivel semántico, se completa, a mi juicio, con el estudio de las técnicas utilizadas por el novelista en la narración de ambos tiempos.

Si el tiempo recordado se genera en un elemento intradiegético como es el personaje de Sebastián, en su pensamiento y en su memoria, es necesario que la narración del recuerdo marque esta dependencia.

La escena y el discurso singulativo caracterizan la narración del tiempo vivido. Como ambos aspectos han sido tratados en el análisis de *El fulgor y la sangre,* no juzgamos necesario insistir en ello a propósito de esta segunda novela. Sí es interesante, en cambio, detenerse a estudiar los diferentes modos narrativos que Aldecoa utiliza para la narración del tiempo recordado.

En primer lugar, hay un uso bastante abundante del «discours transposé» [21], o estilo indirecto. Puesto que se trata de expresar una actividad interior del personaje, los verbos que introducen esta actividad son verbos de pensamiento: «pensar que» es la fórmula más utilizada.

En estos casos, la locución [22] del personaje aparece mediatizada por el narrador, ya que está gramaticalmente subordinada a él; desaparece el personaje como tal —la dimensión locutiva y expresiva de su discurso— para dar paso a la voz del narrador, que sólo retiene, de las palabras —en este caso, los pensamientos y recuerdos— del personaje, su dimensión predicativa, es decir, su contenido lógico.

Algunas veces, Aldecoa recurre a lo que Genette llama «discours narrativisé» [23], es decir, el pensamiento o recuerdo —elemento verbal o verbalizable, visto desde la conciencia del personaje que piensa o recuerda— es tratado como suceso y asumido como tal por el narrador:

> «Sebastián acaricia un recuerdo de Lupe, lejana, en un bar de Talavera» (CVS, 111).
> «Enturbiaban la mente los blandos, sinuosos, olvidados recuerdos de la niñez» (CVS, 259).

La conversión del recuerdo como actividad de conciencia —y, por tanto, de carácter discursivo [24]— en suceso y su incorporación a la actividad narradora del narrador parece que desliga la acción de recordar de la conciencia que recuerda, y la integra, como un acontecimiento más, a la historia; es decir, la actividad narrante y la voz del narrador dominan los pro-

---

[21] Cf. G. GENETTE: *Figures*, III, pp. 190-193. Nótese que se trata de lo que Genette llama «récit de paroles», aunque en este caso no se trata de palabras *pronunciadas*.

[22] Lo que el personaje *dice*. Utilizamos los términos *locutivo* y *predicativo* en el sentido que tienen en P. GUIRAUD: *Essais de Stylistique*. París, Klincksieck, 1969, pp. 73 y ss.

[23] *Figures*, III, loc. cit.

[24] Que pertenece al plano del decir (pensar, etc.) y no al del hacer (acontecer...).

cesos de conciencia del personaje, con más fuerza todavía que
en el discurso «transposé» en estilo indirecto, analizado más
arriba.

No son sólo los valores locutivos y expresivos los que desaparecen; la misma dimensión predicativa del discurso del personaje se eclipsa y desaparece, al menos como realidad discursiva, ante la presencia narrativa y estilística del narrador.

En los ejemplos citados, la voz del narrador queda marcada estilísticamente y es claramente reconocible en el uso de las metáforas sinestésicas: «acariciar un recuerdo», «enturbiar la mente», «recuerdos blandos y sinuosos».

La mediación del narrador es aquí más fuerte que en el caso anterior, y tiene una clara función descriptiva y estilística.

Pero el modo narrativo más utilizado y que más interesa destacar, dadas las características de la novela, es el monólogo interior indirecto, mediante el estilo indirecto libre [25].

La narración del tiempo recordado, generado y elevado a discurso en la conciencia misma del personaje, parecía exigir, por razones de verosimilitud y coherencia entre historia y discurso, alguna de las técnicas que la narrativa moderna ha puesto en práctica para verbalizar el «stream of consciussness», o «corriente de conciencia».

El estilo indirecto libre penetra en la novela ya desde las primeras páginas, cuando Sebastián sale huido de la taberna del Maño y busca el campo del otro lado del pueblo, como un lugar resguardado donde ordenar su pensamiento.

En cuanto se inicia el proceso de introspección del perso-

[25] Sobre el monólogo interior indirecto, cf. R. HUMPHREY: *Stream of consciousness in the modern novel*. Berkeley y Los Angeles, University of California, 1968, pp. 29 y ss.; y E. LÄMMERT: *Bauformen des Erzählens*, pp. 234-236.

G. VERDÍN DÍAZ —*Introducción al estilo indirecto libre en español*. Madrid, C.S.I.C., 1970— define el estilo indirecto libre como: «La incorporación del diálogo a la narración con la misma sintaxis que el indirecto puro, pero independiente de verbos introductorios y nexos que indiquen subordinación y dependencia.»

En el caso que nos ocupa, no se trata de diálogo, sino de la verbalización de un pensamiento no coloquial; pero la técnica es la misma.

naje, Aldecoa recurre a una técnica que ya no abandonará hasta el final de la novela.

Me parece interesante hacer un análisis detenido de este uso generalizado del estilo indirecto libre y de su función en la novela.

La recurrencia del estilo indirecto libre en *Con el viento solano* se resuelve técnicamente en formas de presentación y organización diferentes.

A modo de ejemplo, y sin voluntad exhaustiva, voy a señalar algunas.

A veces, el estilo indirecto libre aparece explícitamente introducido por un verbo de pensamiento:

> «Pensó en Lupe. Contaba los pasos y pensaba en Lupe. Dejó de contar los pasos y solamente pensó en Lupe. Se acabaría de levantar...» (CVS, 57).
>
> «Sebastián caminaba delante. Pensaba en sus hermanos, en su madre. ¿Se habría enterado la madre de lo que había hecho?» (CVS, 185-186).

Otras veces, surge espontáneamente en medio de la narración, sin marcas previas que lo anuncien:

> «El surquillo le llevó otra vez a las tierras de labor perdidas entre el yerbazo y las retamas del monte. Las nubes del fondo del llano habían crecido. Una tormenta en el campo abierto acabaría de molerlo. ¿Cómo estaría Antonio? ¿Y el guardia?» (CVS, 57),

o con marcas que indirectamente se refieren a una actividad del pensamiento:

> «Volvió a recapitular los sucesos. En cuanto amaneciese vería de alcanzar el ferrocarril hacia Madrid...» (CVS, 62).

También, en ocasiones, se mezclan varios estilos, produciéndose un deslizamiento, de claros efectos estilísticos, de uno a otro.

En el siguiente ejemplo, el estilo indirecto puro sirve de

transición —y de introductor, al mismo tiempo— del indirecto libre:

«Juan comenzó a hablar sobre cosas confusas. Sebastián fingía prestar atención. Sebastián pensaba en sí mismo. Pensaba que cuando se levantase la madre le iba a hablar. O mejor lo dejaría para más tarde...» (CVS, 240).

Otras veces, el estilo indirecto libre da paso al directo para expresar la locución del mismo personaje que monologa, o de otro personaje, aflorado a la conciencia y al discurso en la acción de monologar. Un ejemplo de este último caso es el siguiente texto:

«Sebastián pensó en su familia. En casa no estaba más que Anuncia. Anuncia, la hermana, con sus tres chavales. Anuncia que se había vuelto como de piedra después del tercer hijo, que trabajaba en lo que podía, que comía mal, con la que apenas hablaba cuando la veía, que era muy de tarde en tarde. Madre se ha ido a Alcalá donde los tíos que tienen dinero; se largó con los hermanos pequeños...» (CVS, 51-52).

La transición temporal del imperfecto —tiempo narrativo— al pretérito perfecto y presente —tiempos locutivos [26]— marca el paso del estilo indirecto libre, que expresa los pensamientos de Sebastián, al directo, que introduce, aunque sin marcas tipográficas de ninguna clase, la locución de Anuncia.

Más complejos —y más ricos estilísticamente— son los casos en que el paso del estilo indirecto libre al directo no supone un cambio del sujeto del enunciado, es decir, es el mismo personaje que monologa el que continúa siendo el sujeto de una locución expresada ahora en estilo directo.

He aquí, a modo de ejemplo, un texto cargado de marcas estilísticas:

En la mañana del «martes, San Apolinar», Sebastián, en un trenecillo de cercanías, se dirige a Madrid, en cuyo bullicio

---

[26] Llamo transición temporal —con H. Weinrich— al paso de tiempos narrativos a comentativos, o viceversa. Los tiempos locutivos —que expresan la locución del personaje— son, en la terminología de Weinrich, tiempos comentativos.

intentará «perder su rastro». El trotecillo del tren mece los
pensamientos del personaje:

> «Fue contando el tiempo en su reloj. Hubo un instante
> en que deseó que el viaje se alargase, que no terminara
> nunca. En cuanto llegara a Madrid tendría, lo sentía en el
> cuerpo, el miedo de la persecución. Madrid era muy grande
> pero acabarían cogiéndole. En Madrid encontraría ayuda en
> los amigos, pero acabarían cogiéndole. En Madrid uno cree
> perderse en un nubarro de gente, pero acaban cogiéndote.
> En Madrid... solamente le faltaba pronunciar las palabras
> para acompasarlas al ritmo del tren. Decidió que antes de
> llegar a Madrid se bajaría» (CVS, 79).

La narración de los deseos del personaje en estilo indirecto puro prepara la transición al indirecto libre; la ausencia
de las marcas gramaticales de la subordinación es un amplifi-
cador de la voz del personaje; el uso anafórico de sintagmas
—«en Madrid»— o frases enteras —«pero acabarían cogién-
dole»— organiza sintácticamente esa voz del personaje conforme a un ritmo que parece connotar el movimiento del tren.
En este contexto anafórico, sometido, por tanto, a un equilibrio de fuerzas —de líneas de discurso— fuertemente simétricas, se marca más como estímulo estilístico la transición
temporal del condicional al presente, que señala el paso del
estilo indirecto libre al directo, siendo en ambos casos el mismo
el sujeto del enunciado.

Además, Aldecoa juega aquí estilísticamente con las marcas
de persona, en cuyo uso podemos observar una transición
análoga a la de los tiempos verbales, y que hace más perceptible
el paso del discurso «transposé» —indirecto libre— al discurso
«rapporté» —directo—. Es, ni más ni menos, un deslizamiento
en la relación y distinción sujeto de la enunciación-sujeto del
enunciado.

El estilo directo rompe la frontera que separa el sujeto de
la enunciación del sujeto del enunciado; enunciado y enunciación como niveles separables de una misma realidad lingüística, convergen en un único sujeto [27].

---

[27] Aunque habría que matizar, con Jakobson, que cuando el sujeto

En el ejemplo que comentamos, esta transición de un *él* a un *yo* aparece *oscurecida*[28] estilísticamente por el uso retórico de la tercera y la segunda persona gramaticales, en sustitución de la primera.

El yo de Sebastián, recluido en el plano del enunciado en todo el período construido en indirecto libre, emerge al nivel de la enunciación —en el estilo directo—, pero metaforizado sucesivamente en un él —«*uno* cree perder*se*»— y en un tú —«pero acaban cogiéndo*te*»— en que se desdobla. Es como si el narrador nos mostrara el «truco» que permite el paso, en ambas direcciones, del estilo indirecto —puro o libre— al directo; ese truco es la trasposición de pronombres y de tiempos verbales, la sustitución de dos espacios de discurso: uno impersonal —*no-personal*[29]— y objetivo, y otro coloquial e intersubjetivo. La posibilidad de existencia del estilo indirecto libre como espacio intermedio de discurso no hace más que evidenciar la oposición y la relación —es decir, la *transitabilidad*— entre el estilo indirecto puro y el directo.

La emergencia del sujeto del enunciado como sujeto de la enunciación, propia del estilo directo, se denuncia estilísticamente en el contraste y la gradación que se marcan de «perderse» a «cogiéndote». Este *anuncio* de que el sujeto de la enunciación ha pasado a ser el mismo personaje queda ratificado por la intrusión repentina del narrador, que interrumpe el monólogo de su personaje para decir: «solamente le faltaba pronunciar las palabras...». Y una vez que el narrador recupera la voz —y el dominio del discurso—, se completa el iti-

---

de la enunciación se convierte en sujeto del enunciado, no es el mismo sujeto que enuncia; hablar de sí mismo significa, en cierta manera, no ser el mismo.

[28] En el sentido que le da Chklovski, como procedimiento para provocar la visión singularizada del objeto; cf. B. EIKHENBAUM: «La théorie de la "méthode formelle"», y V. CHKLOVSKI: «L'art comme procédé», en *Théorie de la littérature*.

[29] En cuanto la tercera persona es la «no-persona». «La troisième personne représente en fait le membre non marqué de la corrélation de personne (...). Que la troisième personne est bien une "non-personne" certains idiomes le montrent littéralement»; E. BENVENISTE: «La nature de pronoms», en *Problèmes de linguistique générale*. París, Gallimard, 1966, pp. 251-257; lo citado, en pp. 255-256.

nerario narrativo mediante la vuelta al estilo indirecto puro: «Decidió que...»

Por fin, como un caso intermedio entre los dos últimamente citados —paso del indirecto libre al estilo directo—, Aldecoa utiliza también la técnica de generar, a partir del monólogo interior indirecto de su personaje, una serie de escenas, donde el recuerdo se reconstruye como diálogo entre diferentes personajes, uno de los cuales será el protagonista monologante.

Este es el caso del final del capítulo *Viernes, Santa Ana*. Sebastián, solo en el camino otra vez, después de dejar «en la orilla del miedo los amigos, los parientes, la madre» (CVS, 252), vuelve, por última vez, al intramundo de sus recuerdos. Sebastián, «solo por fin frente a la sangre y a la muerte», «está sereno». Los recuerdos, generados también ahora en forma de monólogo interior indirecto en el fondo de su corazón amansado, no tienen ya la densidad de la soledad huida y de los miedos de antes, y, al perder peso, salen proyectados hacia la superficie de un discurso narrativo *escenificado:* la madre, el viejo Cabeda y Roque el faquir, el padre...; y luego, el guardia muerto, y la pistola, y el Maño y el Langó...

En la pantalla de sus recuerdos, Sebastián asiste por última vez a la proyección de su propia existencia; porque, a partir de ahora y por primera vez, Sebastián va a ser capaz de mirar de frente su futuro.

Ya he dicho más arriba que, por debajo del desorden cronológico en que los recuerdos van aflorando a la superficie de la conciencia, hay un eje general según el cual la totalidad del tiempo recordado se organiza de lo más reciente a lo más antiguo, marcando, en ese proceso interior de recuperación del pasado, un movimiento de vuelta a los orígenes.

Este último estrato de su vida pasada es el que Sebastián alcanza en Cogolludo, con sus hermanos y con su madre.

La importancia de este momento en el proceso interior del personaje queda marcada claramente por la situación narrativa que se crea y, consecuentemente, por la técnica utilizada.

Después de la riña en la taberna del Maño, Sebastián, en la soledad de la primera huida, se encuentra ineludiblemente confrontado consigo mismo, con sus pensamientos y sus miedos.

Y a partir de aquí, la soledad —evitada a veces y a veces buscada («Sebastián se percató de que necesitaba estar solo. Temía la soledad y la necesitaba», CVS, 104)— será como una tierra necesaria y fecunda donde germinará, con el agua y la luz de los recuerdos, la flor de la existencia recobrada. La soledad es una inevitable provocación a zambullirse en el pozo de la propia interioridad; los otros —el bullicio de la feria en Alcalá, las calles de Madrid y sus bares de chulos y busconas— es el riesgo de la «diversión», en el sentido pascaliano, la tentación de la caída en el extrañamiento [30].

Por eso, todo el proceso de perforación de su propia interioridad lo va haciendo Sebastián a golpe de soledad, hasta el punto de que la presencia del otro le impide la necesaria penetración en su propio mundo interior. Es un juego de soledades y de encuentros lo que va marcando dialécticamente en Sebastián la progresiva recuperación de sus «señas de identidad».

Pero antes de llegar a ese «carrefour» definitivo de soledades donde Sebastián terminará por fin de re-conocerse, pasará por el trance original de vivir con los otros la última etapa de ese viaje vertiginoso hasta el fondo de sí mismo, porque aquí los otros *son* el recuerdo, puesto que son el origen, la sangre. Son las horas que Sebastián pasa en Cogolludo con su Madre y sus hermanos.

Hasta aquí, el tiempo vivido ha sido una especie de plataforma de lanzamiento hacia el mundo del recuerdo que ha venido surgiendo como resultado del proceso introspectivo del personaje. Para Sebastián vivir es, cada vez con más necesidad, recordar —«Porque el hombre no sólo es presente, buscaba Sebastián en la memoria» (CVS, 76)—. Ahora, en Cogolludo, en la compañía de la familia, la distinción presente-pasado se difumina; recordar no es ya penetrar, con un temor nunca del todo perdido, en el túnel de la propia conciencia, sino simplemente vivir, dejarse vivir, en esa mañana de sol de Cogolludo; sí, recordar es vivir, con Juan, con Micaela, con la

---

[30] Recordemos la noción heideggeriana de «Verfallenheit». En el estudio de la función simbólica, volveré sobre estos aspectos.

madre —con la sangre— y, en el río de la sangre, contra corriente, remontarse a los orígenes.

Por eso aquí no es necesario recurrir a la introspección;
el recuerdo es ahora la materia del tiempo vivido y su espacio
de emergencia no es ya la conciencia de Sebastián, sino el barrio de los gitanos en Cogolludo, la carretera recién barrida
por la tormenta, o, a la hora de la siesta, el patio, lleno con
la sombra de la falda negra de la madre.

Aquí tiempo vivido y tiempo recordado se confunden narrativamente, porque el recuerdo es parte de la ficción del
tiempo vivido. De tal modo que si, como antes señalaba, los
dos ejes divergentes que marcan las direcciones de ambos
tiempos de la ficción tendían, sin embargo, a converger en la
conciencia del personaje, ahora, Cogolludo, como espacio en
el itinerario de la huida y del tiempo vivido, es también punto
de convergencia del tiempo recordado y del viaje moral o proceso de conciencia del personaje.

Aunque más adelante, al hablar de la significación de la
novela, volvamos sobre la importancia de este «viernes de la
sangre» en Cogolludo, quiero señalar aquí, para terminar este
apartado, la importancia de un elemento —el argot caló o
gitano— que si aparece repetidamente a lo largo de la novela,
aquí, creo, es potenciado intencionadamente por el novelista.

En diferentes momentos de la novela —las primeras escenas de alcohol y de juerga en Talavera, o, más adelante, en el
bar de Atocha, con el Marquesito y su comparsa, o al final, en
las horas de la última borrachera de Sebastián antes de entregarse— Aldecoa, en su afán de mimetizar las palabras de sus
personajes, recurre frecuentemente a términos e imágenes de
germanía y de caló.

Pero cuando este recurso se hace más patente y se adensa
estilísticamente es en las cortas horas que Sebastián pasa con
los suyos en Cogolludo.

En la conversación de Sebastián con su hermano Juan, la
estilización del discurso va creciendo hasta un grado donde lo
que se *mimetiza* no es ya el discurso del personaje —el personaje *se identifica* en su habla—, sino el habla misma como
elemento configurador de una cultura, de un grupo humano:

«Juan seguía hablando.
—Cuando me di el cate... la chola... el mengue ciego y el chucho negro... la tía tiñosa... la calentura... el mengue trajelaba bichas... el chucho se trajelaba el rabo... Un sangrón... (...).
—Me sonaba la chola... la jeró del mengue tenía la rosca los curas... el chucho me meó el trupo...» (CVS, 241).

Esta yuxtaposición incoherente de frases incompletas tiene una motivación realista en el ensimismamiento de Sebastián, que le impide percibir la integridad de la conversación de su hermano. Pero el recurso, motivado desde las leyes de verosimilitud del discurso realista, tiene, estilística y semánticamente, una función ulterior. La acumulación de elementos marcados refuerza el recurso estilístico, su calidad lingüística, provocando un deslizamiento del plano de la aventura —de la ficción—, al de la escritura —el lenguaje.

Aquí no es ya la situación narrativa ni el personaje, sino el lenguaje mismo el verdadero protagonista de la ficción.

Desde el punto de vista de la mímesis del discurso del personaje, la acumulación de rasgos específicos sitúa el recurso en esa frontera imprecisa donde el realismo de origen del procedimiento está tocando casi la irrealidad misma. Juan no habla como hablan los gitanos, sino como Aldecoa imitando el habla de los gitanos[31].

Esta convergencia de lo «real puro» en «convencional puro» no es una mera ruptura de la motivación realista inicial, sino su integración en una motivación estética más general, donde un *discurso estilizado* —en el sentido ya apuntado— es funcional y significativo por sí mismo, y no por su capacidad de identificar al personaje que lo emplea.

Y la necesidad, en este momento de la novela, de elevar el lenguaje —un lenguaje— a elemento de la ficción, tiene a nuestro juicio una clara justificación en el proceso interior del personaje, que es el principio que organiza sintáctica y semánticamente el universo novelesco de *Con el viento solano*.

El «viernes de la sangre» completa el ciclo de inmersión

---

[31] GENETTE habla de «circularidad» de este procedimiento, a propósito de Proust y su personaje Legrandin, *Figures*, III, p. 202.

de Sebastián en su propia conciencia y de reconocimiento —y recuperación— de su pasado. La sangre es la familia: la madre y los hermanos; la sangre es el cordón umbilical que le ata —que le sostiene— a los orígenes, y que Sebastián, en el último reducto de la soledad, trata de re-anudar. La sangre es también el lenguaje que define y califica al grupo, a la tribu.

La parla de los gitanos de Cogolludo es más, mucho más, que un rasgo costumbrista-naturalista.

En el último día de la huida, el habla gitana es un elemento más, en ese postrer intento de Sebastián de cobijar su soledad y su miedo en el refugio de la sangre.

FUNCIONES DEL MONÓLOGO INTERIOR INDIRECTO

La descripción de las técnicas narrativas ha permitido verificar la importancia, por su recurrencia en la novela, de la utilización del estilo indirecto libre para expresar el proceso intro- y/o retrospectivo del personaje en forma de monólogo interior indirecto.

Aunque en el apartado anterior, al describir el estilo indirecto libre como técnica narrativa, ha quedado implícitamente apuntado algo sobre la funcionalidad del monólogo interior indirecto, se hace necesario aquí sistematizar las diferentes funciones, o los diferentes niveles del discurso narrativo donde, a mi juicio, el monólogo interior indirecto y la técnica narrativa correspondiente —indirecto libre— se hacen funcionales.

Función estilística. En primer lugar, el estilo indirecto libre como técnica narrativa del monólogo interior indirecto marca estilísticamente el texto de *Con el viento solano,* ya que permite, o enriquece, el contraste entre modos narrativos diferentes.

En el nivel sintagmático, la transición del estilo directo o indirecto puro al indirecto libre, y viceversa, va señalando un juego continuo de contrastes entre términos no marcados y marcados.

Por eso, el primer nivel de funcionamiento donde debe

situarse el estilo indirecto libre como fenómeno lingüístico-narrativo es el estilístico; es en el texto mismo en cuanto enunciado lingüístico donde la presencia del estilo indirecto libre es detectada por el lector como énfasis expresivo sobre el que descansan las claves del proceso de lectura. La función del indirecto libre es así primariamente estilística, en el sentido en que Riffaterre habla de función estilística, y que es, en general, análogo al de la función poética de Jakobson [32].

Pero la función estilística no es autónoma ni suficiente; se ordena a otras funciones, en el proceso de productividad textual y según el tipo textual —género— en que actúa.

En el caso que nos ocupa, el indirecto libre aparece integrado en una estructura narrativa y en ella realiza otras funciones típicas de tal estructura. Se pueden señalar, como más decisivas, la función demarcativa y la función semántica.

Función demarcativa. La función demarcativa se sitúa en el nivel sintáctico del decurso novelesco y actúa en dos planos de articulación de la sintaxis narrativa.

En un primer plano, la presencia —o ausencia— de monólogo interior indirecto —y el correspondiente uso del estilo indirecto libre— marca claramente una primera articulación de la novela en tres grandes unidades narrativas fundamentales.

La primera unidad abarca aproximadamente las dos terceras partes del primer capítulo, «Lunes, Santa María Magdalena». Son ocho secuencias en que se nos cuentan las horas nocturnas de juerga, de vino y chulería de Sebastián con sus amigos de Talavera, hasta el incidente, en la mañana de la Feria, en el tenderete del Maño, cuando el gitano corre hacia el sendero del Vía-Crucis, huyendo de la persecución de los guardias.

En esta primera unidad narrativa *no* hay monólogo interior. Las primeras secuencias de la novela, con un tratamiento no lineal del tiempo de la ficción, como ya se indicó anteriormente, sirven para la presentación y caracterización directa del personaje, al que llegamos a conocer en esa travesía nocturna por casas de trato y bares de Talavera, y luego, en las primeras

---

[32] Cf. M. RIFFATERRE: «The stylistic function», en *Proceedings of the IX Int. Congress of Ling.* Mouton, 1964, pp. 316-322; recogido en los *Essais...*

horas de la mañana, por las calles y tascas del pueblecito en feria. El gitano Sebastián Vázquez se mueve, actúa, habla, chulea y riñe, porque tiene el vino agrio, pero no piensa; no hay espacio para la interioridad, y la escena como modo narrativo y el consiguiente predominio del diálogo es la técnica más adecuada para la presentación de un personaje chulo, valentón y pendenciero.

La segunda unidad narrativa abarca la casi totalidad de la novela. Se inicia en la novena secuencia del primer capítulo, cuando Sebastián, después de herir al Maño, huye hacia el campo y en la huida siente la necesidad de

> «... poner orden en su cabeza. Encontrar justificaciones a lo que había hecho, explicarse los sucesos y alzar una moral» (CVS, 44),

y termina con el capítulo «Viernes, Santa Ana», en que Sebastián, en el último anochecer de la huida, piensa en Lupe y, con un palito, va escribiendo su nombre sobre el suelo de tierra de un viejo molino.

En este itinerario de la huida, que va de la mañana de un lunes al anochecer de un viernes, el gitano Vázquez, desde el vértigo que le produce la huida primero, la muerte del guardia después, acosado por el miedo y la soledad, se ve ineludiblemente abocado a enfrentarse consigo mismo. La interioridad de la conciencia se ha convertido de pronto en el espacio profundo donde se desarrolla y dilucida la verdadera trama de la novela.

La confrontación del personaje consigo mismo y con su pasado —introspección, retrospección— encuentra una adecuada expresión narrativa en el monólogo interior indirecto.

Por fin, la tercera unidad es el último capítulo de la novela, «Sábado...»

En este último capítulo, completado ya el viaje de ida y vuelta del protagonista al fondo de su propio ser, no hay tampoco —como en el primero, pero por razones distintas— espacio para la interioridad y no se recurre, por tanto, al monólogo interior indirecto.

Pero además la presencia o ausencia de monólogo interior

indirecto permite, dentro siempre de la función demarcativa, señalar una segunda articulación del discurso narrativo.

La unidad 2, que se opone a la 1 y a la 3 por la presencia del rasgo «estilo indirecto libre», aparece a su vez construida sobre la combinación y oposición binaria de elementos que se definen por la presencia o ausencia del rasgo distintivo.

Aunque los recuerdos no están narrados únicamente · mediante el recurso del estilo indirecto libre y algunas veces el monólogo interior indirecto expresa la introspección y no necesariamente la retrospección, creo que la sintaxis narrativa en la unidad 2 se define claramente por la combinación alternante, ya descrita, tiempo vivido/tiempo recordado. Desde el punto de vista de las técnicas narrativas, la relación tiempo vivido/tiempo recordado puede sustituirse, de forma general, por la relación ausencia de estilo indirecto libre/presencia de estilo indirecto libre.

La combinación de ambas articulaciones nos permite distinguir claramente una situación inicial y otra final donde la ficción se da únicamente en el nivel del tiempo vivido, y el resto de la novela, donde la ficción va avanzando simultáneamente sobre dos ejes: el del tiempo vivido; aquí la estructura narrativa está marcada por el viaje-huida del personaje; el espacio físico, exterior, casi siempre verificable en la geografía real, y el tiempo, un tiempo también exterior y físico: los seis días y pico que van desde las cero horas del lunes hasta la mañana del domingo; la técnica narrativa es la escena —por tanto, predominio del estilo directo—, resuelta siempre en un relato singulativo. Un segundo eje es el del tiempo recordado[33]: la materia de la ficción es el viaje moral del héroe a su propia conciencia; el espacio es, por tanto, la interioridad misma del personaje, y el tiempo, un tiempo interior y psicológico, donde se integran, al reflejarse por el recuerdo, el espacio y el tiempo exterior de la vida pasada de Sebastián Vázquez. Las técnicas narrativas están al servicio de la expresión

---

[33] Llegados aquí, y para evitar ambigüedades, quiero señalar que como «tiempo recordado» se entiende todo el proceso interior que se desarrolla en la conciencia misma del personaje y que si casi siempre es retrospectivo, otras es únicamente introspectivo.

de este proceso de conciencia, y la dominante, el principio constructivo, es el monólogo interior indirecto en estilo indirecto libre.

Función semántica. La imbricación de niveles del texto novelesco lleva necesariamente a ver la función semántica del monólogo interior indirecto, como un resultado necesario de su presencia como hecho de estilo y de su función demarcativa de la sintaxis de la novela.

Por eso, el monólogo interior indirecto como hecho de estilo o como elemento que señala la articulación de las unidades narrativas del texto novelesco, es también y fundamentalmente un hecho de sentido. Es en el nivel semántico donde la funcionalidad de las técnicas narrativas despliega todas sus posibilidades. Si morfología y sintaxis narrativa se ordenan en definitiva a la semántica, es decir, a la capacidad significadora del texto, el monólogo interior indirecto en la novela que nos ocupa, como rasgo de estilo que incide por su función demarcativa en la sintaxis novelesca, es en última instancia un fenómeno de sentido: a él se orienta, como significación, toda esa corriente textual que va marcando el proceso interior del personaje; el monólogo interior indirecto no sólo expresa, sino que *es* la corriente de conciencia; constituye, por lo mismo, un espacio textual donde el proceso novelesco como producción de sentido acontece de una forma privilegiada.

El estudio de la función simbólica de *Con el viento solano* permitirá describir los diferentes niveles de sentido que actúa el texto novelesco; baste por ahora señalar que en esta actuación del sentido el monólogo interior indirecto en estilo indirecto libre es, más allá de rasgo de estilo o sintáctico demarcativo, una instancia narrativa que significa.

PREDOMINIO DEL TIEMPO INTERIOR

En *El fulgor y la sangre,* la evocación del pasado de las mujeres del castillo le permitía a Aldecoa dar al tiempo de la espera no sólo una justificación, sino también una densidad histórica.

En *Con el viento solano,* la relación presente/pasado que en el universo de la ficción supone la combinación tiempo vivido/tiempo recordado tiene, a mi juicio, características bien diferentes.

El recuerdo del pasado no es tanto un proceso de «historización», de situar el presente en la *historia,* cuanto de «interiorización», es decir, de recuperar para la conciencia ese tiempo pasado —perdido—, mediante la atribución de sentido. Cuando un pasado vivido en la alienación y el extrañamiento va adquiriendo sentido a medida que es recordado, proyecta su luz sobre el presente y es ese juego dialéctico presente/pasado el que va generando la «nueva conciencia» del personaje.

Por eso, en *Con el viento solano* es claro el predominio del tiempo interior; los días de la semana que dan título a los capítulos de la novela acotan un tiempo y un espacio exteriores, en cuyo recinto la conciencia del personaje va generando la verdadera trama novelesca; y aquí tiempo y espacio son los de una vida, en la medida en que se proyectan y son asumidos por la conciencia.

En *Con el viento solano* no hay historia, sino re-memoración. El tiempo no existe más que en la medida en que es generado —re-generado— por el personaje; un tiempo «objetivo», consistente fuera de la conciencia, queda reducido a «forma», a elemento configurador del relato como objeto espaciotemporal; tiempo-forma, vaciado de su sustancia por esa especie de fuerza de atracción de la conciencia del personaje; el recinto novelesco sostenido estructuralmente por coordenadas espacio-temporales, tiene la «forma» de un recinto épico; la fuerte interiorización del tiempo como sustancia del contenido hace prevalecer en la novela la función expresiva, emotiva, lírica[34]. Lo denotativo-referencial queda como anegado en la corriente emotivo-connotativa hacia la que el proceso interior del personaje arrastra los elementos de la estructura novelesca.

Esta interiorización del tiempo —y del espacio—, esta

---

[34] Recuérdese las funciones del lenguaje, de Bühler, Jakobson...

Según STAIGER, frente a la distanciación sujeto-objeto, propia de lo épico, en lo lírico el objeto tiende a fundirse, a identificarse de algún modo con el sujeto; cf. *Conceptos fundamentales de poética.* Madrid, Rialp, 1966.

absorción de lo épico por lo lírico, altera también a mi juicio
la consistencia y la jerarquización de los diferentes niveles semánticos del recinto novelesco, desde la mímesis hasta el símbolo.

Si de *El fulgor y la sangre,* donde el tiempo como historia
tiene consistencia estructurante y estructurada, es forma y sustancia, decíamos que no era, o no era *simplemente,* la novela
de los guardias civiles, con más razón podemos afirmar que
Con el viento solano no es *simplemente* la novela de los gitanos.

El proceso de interiorización de espacio, tiempo y trama
novelesca es, quiérase o no, un proceso de «deshistorización»,
«de-socialización» del personaje. Pero como este proceso tiene
lugar en el interior de un sistema semiótico poético —dialéctico
y multiplicador de sentido— el paso no es del tipo al individuo,
sino del tipo al símbolo [35]; no hay destrucción cuanto superación de los niveles significativos. El protagonista de *Con el
viento solano,* sin dejar de ser el gitano Sebastián Vázquez,
es, fundamentalmente, el hombre. Su proceso —crimen y culpa, huida y autorreconocimiento, decisión y entrega— no es
simplemente la historia de un gitano de Talavera, abandonado
hasta por «la sangre», sino que es sobre todo la historia ineludible de nuestra común condición humana.

Sebastián Vázquez, gitano él y chulo, es al final, como los
guardias y sus mujeres, un habitante más de este castillo de la
existencia, que nos vive y que nos muere.

La huida del gitano Vázquez y el itinerario existencial de la condición humana

Pero, ¿dónde se situaría en el texto esa frontera, ese espacio de tránsito que permite trascender la lectura de la novela
como el relato de la aventura de un gitano que ha matado a
un guardia, por la historia metaforizada de la común y contingente condición humana?

---

[35] Es un proceso de «universalización» del sentido, que más adelante se formula como interiorización de la anécdota en parábola.

Es la dimensión mítica de la aventura del gitano Vázquez lo que presta a la ficción de *Con el viento solano* esa condición de texto plural, por la que el significado denotado funciona a su vez como significante de un universo complejo de connotaciones. Sebastán Vázquez, gitano de Talavera, con sus chulerías y sus miedos, con su soledad —su libertad— recuperada y ya no temida, penetra, de la mano de Aldecoa, y por el camino del texto novelesco, en el umbral del mito. Su aventura se desliga de las ataduras de lo verificable y lo verosímil, rompe las fronteras de la mímesis y se hace universal.

Por eso, antes de pasar a la interpretación de la novela, y como justificación precisamente de la(s) lectura(s) que se va(n) a proponer, parece necesario detenerse en el análisis de lo que llamaré «la estructura mítica de la aventura del héroe» [36].

LA ESTRUCTURA MÍTICA DE LA AVENTURA DEL HÉROE
COMO TRÁNSITO DE LA MÍMESIS AL SÍMBOLO

La aventura de Sebastián Vázquez no es tanto la que se va dibujando en la superficie del texto, de un lunes a un sábado en el espacio que media entre Talavera y Cogolludo, cuanto esa otra más profunda y decisiva que tiene por escenario el recinto de la conciencia y se proyecta hacia el tiempo infinito de la identidad recuperada; la primera es signo de la segunda. No sería aceptable, por tanto, un análisis estructural del proceso del héroe de *Con el viento solano* que no tuviera en cuenta la implicación significativa de ambos planos de la aventura.

Y es aquí donde me parece adecuado el recurso al *modelo mítico,* porque desde él cada uno de los momentos capitales

[36] JUAN VILLEGAS ha señalado acertadamente la presencia de estructuras míticas en la literatura moderna, y ha propuesto un método de análisis. El mismo ha ensayado felizmente la aplicación del método mítico no sólo a estructuras novelescas, sino también a la lírica; cf. *La estructura mítica del héroe en la novela del siglo XX.* Barcelona, Planeta, 1973; y *Estructuras míticas y arquetipos en el «Canto General» de Neruda.* Barcelona, Planeta, 1976.

de la huida del gitano aparece cargado de significación en ese plano segundo —el proceso interior— de la aventura [37].

La experiencia del crimen arranca al protagonista de la novela de su existencia anterior y en los días que dura ese viaje, real y simbólico a un tiempo, por Madrid, Alcalá y Cogolludo, por el miedo y por la sangre, Sebastián va descubriendo la verdadera —y desconocida hasta entonces— dimensión de su ser; desde la experiencia total de la soledad, que le ha liberado de los miedos de siempre, Sebastián Vázquez realiza el primer acto libre de su existencia y se entrega a los guardias.

La aventura de la huida es para el gitano un auténtico rito de iniciación que le acerca al umbral misterioso de una existencia nueva. El motivo del viaje aparece así, como ya es típico en la historia de la novela, elevado a la categoría de correlato estructural de la dimensión mítica de la aventura del héroe. Y la totalidad de la aventura se manifiesta claramente homologable con el proceso —separación, iniciación, retorno— de los ritos iniciáticos [38].

La distinción entre mito —como «acontecimiento primordial que tuvo lugar en el comienzo del Tiempo», según Eliade, o, en un sentido «profanizado», como simple «modo de concebir la relación del hombre con el mundo» [39]— y mitología,

---

[37] OTTO O. FISCHER ha señalado el carácter mítico del gitano protagonista de *Con el viento solano,* al compararlo con Edipo: «Un héroe y un hombre común, convertidos en homicidas por el infortunio, se enfrascan, como seres humanos, en una lucha vital para vencer un destino impuesto por una fuerza superior»; *La tragedia humilde en la narrativa de Ignacio Aldecoa.* Florida, Coral Gables, mayo de 1971 (tesis mecanografiada).

[38] Cf. J. CAMPBELL: *El héroe de las mil caras.* México, F. C. E., 1959; M. ELIADE: *Rites and symbols of initiation.* New York, Harper Torchbooks, 1958.

[39] «Le mythe est donc l'histoire de ce qui s'est passé *in illo tempore,* la récit de ce que les dieux ou les êtres divins ont fait au commencement du Temps. "Dire" un mythe, c'est proclamer ce qui s'est passé *ab origine*», M. ELIADE: *Le sacré et le profane.* París, Gallimard, página 82.

A partir del propio Eliade, Villegas justifica la proyección de lo mítico hacia niveles desacralizados —degradación del mito—, que permite definirlo sin su contenido religioso. Y aquí se situaría la recreación

como sistema mítico incorporado a una cultura religiosa y a una determinada *Weltanschauung,* permite aceptar, como un dato objetivo de la moderna literatura, la recuperación de mitos o de motivos míticos, sin que ello suponga aceptar las implicaciones religioso-ideológicas de las respectivas mitologías. Por eso, cuando se habla de dimensión mítica en la aventura novelesca protagonizada por el gitano de *Con el viento solano,* no se pretende recluir la novela, como universo de sentido, en el espacio sacralizado del mito clásico; sería una incoherencia con la visión del mundo que se expresa en la novelística de Aldecoa. Desde el modelo mítico, la aventura de Sebastián manifiesta su verdadera significación, como experiencia primordial —límite—, desde la que el héroe se acerca al nuevo umbral de la identidad descubierta.

Sin pretender aplicar aquí de manera exhaustiva el método propuesto por Juan Villegas, la utilización de algunos de sus modelos permitirá descubrir, creo que suficientemente, la dimensión mítica de la aventura del héroe de *Con el viento solano* y que funciona a su vez como espacio de tránsito, en el nivel semántico de la novela, de la mímesis al símbolo.

Si más arriba, el estilo indirecto libre, en su función demarcativa, ha permitido articular la novela en tres unidades narrativas fundamentales, el modelo mítico converge en esas mismas unidades, señalándolas ahora como las tres grandes instancias de la aventura mítica y que Joseph Campbell homologa a las tres etapas de los ritos de iniciación [40].

mítica en un mundo desacralizado, como es el nuestro; cf. *La estructura mítica del héroe...,* pp. 50-51.

Un estudio prácticamente exhaustivo de la presencia del mito clásico en la literatura es el que nos ofrece G. HIGHET en *La tradición clásica* (2 vols.), México, F.C.E., 1954 (la primera edición inglesa es de 1949).

Por lo que se refiere a la función de los mitos clásicos en la literatura contemporánea —lírica y tragedia—; cf. LUIS DÍEZ DEL CORRAL: *La función del mito clásico en la literatura contemporánea.* Madrid, Gredos, 1974, 2.ª ed. La relación del mito con la literatura ha sido también estudiada por M. C. PEÑUELAS: *Mito, literatura y realidad.* Madrid, Gredos, 1965.

[40] «El camino común de la aventura mitológica del héroe es la magnificación de la fórmula representada en los ritos de iniciación:

En las primeras secuencias de la novela se nos muestra la existencia degradada de Sebastián en ese mundo oscuro de tabernas ambiguas, prostíbulos y chulerías.

El incidente en el tenderete del Maño obliga al gitano, huyendo de los guardias, a buscar una salida hacia el monte, por el camino del Vía-Crucis. Si su condición de huido le ha separado de pronto de su irreflexiva existencia anterior, es sobre todo el asesinato del guardia el que marca la frontera —el umbral— cuyo cruce supone para el gitano la entrada en un espacio existencial nuevo: una aventura en la que el héroe, en las diferentes situaciones de la huida, irá viviendo en realidad un auténtico proceso de iniciación; al final, cuando en ese recuperado «viernes de la sangre» Sebastián tiene la experiencia más total de la soledad —«los amigos, la familia, la madre habían sido tachados por el miedo (CVS, 253)—, y la acepta, ha superado *las pruebas,* es un *iniciado,* y con ese nuevo cruce del umbral, tematizado ahora en la entrega a los guardias, se incorpora al mundo recién descubierto de la contingencia y de la limitada —pero auténtica— libertad interior de la condición humana.

Pero no es sólo la aventura en su totalidad la que aparece articulable desde el modelo mítico, sino que los diferentes momentos o situaciones de cada una de las tres fases pueden perfectamente ser leídos, en coherencia con el modelo general, como *mitemas,* o *motivos* [41].

a) *Las eapas de la aventura mítica: los mitemas*

Es evidente que para el protagonista de *Con el viento solano* la muerte del guardia funciona como *llamada* o *despertador* [42]: la experiencia de la muerte —de haber matado— sepa-

---

separación-iniciación-retorno, que podrían recibir el nombre de unidad nuclear del monomito», *El héroe de las mil caras,* p. 35.

[41] Para VILLEGAS mitema es la unidad mínima constitutiva de una estructura mítica, mientras que el motivo es «una situación típica que se repite» y que no pertenece a una estructura y «está libre, por lo menos no condicionado, de asociaciones míticas o mitológicas», *La estructura mítica del héroe...,* pp. 53, 59.

[42] La terminología es de J. Campbell.

ra radicalmente al gitano de su mundo y de su vida anterior y le enfrenta —le llama— a una situación desconocida y nueva; Aldecoa, en la línea de la literatura existencialista[43], ha escogido una situación límite, en el sentido de Jaspers[44], para hacerla significativa de ese momento decisivo de la aventura que es el *cruce del umbral;* tras disparar sobre el cabo Santos, el gitano escapa a la carrera:

> «Cruzó el olivar y entró en una tierra roja y polvorienta, luego en un retamar (...). Tendría que correr por toda España, perseguido, hasta que se cayera desmayado y lo recogerían echando el madejón de los intestinos por la boca» (CVS, 53).

El olivar es la frontera entre dos mundos —no físicos, sino morales— que cada vez irán evidenciándose más distanciados. Por la muerte —el crimen— Sebastián penetra en un mundo nuevo y comienza para él el *camino de las pruebas.*

El *viaje* aparece como mitema estructurante de esta segunda etapa de la aventura. Los demás mitemas o situaciones se subordinan al viaje, en cuanto estarán motivados por él. El mitema viaje adquiere, pues, importancia no solamente por su extensión —sobre él se organiza la totalidad de la intriga novelesca—, sino también por su función subordinante de los demás mitemas que integran esta segunda etapa.

Así, el mitema del *encuentro* se motiva desde el viaje físico del protagonista, y, a su vez, esta serie de personajes que van surgiendo en el camino del héroe van posibilitando, con su influjo benéfico o maléfico, su transformación. El sistema mítico viaje-encuentro funciona así como campo de actuación de la aventura interior —el viaje moral— del héroe.

El orden de los diferentes encuentros aparece claramente motivado, desde el desarrollo mismo de la trama novelesca, por la ley de la verosimilitud; pero por debajo de este principio constructivo se advierten unas líneas de fuerza que van dibujando la aventura interior del héroe y dándole orientación.

---

[43] Bástenos recordar, por citar algún ejemplo, *Les mouches,* o *Les mains sales,* de Sartre, o *Les justes,* de Camus.
[44] Cf. KARL JASPERS: *La filosofía.* México, F. C. E., 1953, página 20.

En primer lugar, el clan gitano, amigos, familia, madre, cuyo primario instinto de solidaridad se disuelve en miedo.

Después, esa extraña y heterogénea gente que Sebastián va encontrando, en el camino o al borde del camino, en pensiones y tascas de Madrid, o en los tenderetes del ferial en Alcalá.

La conciencia de Sebastián reacciona ante los diferentes encuentros y los va filtrando: sólo Cabeda y el faquir —«la mirada serena de Cabeda, la mirada de pájaro libre de Roque»— quedarán de la parte de acá del recuerdo; a los demás —el clan de la sangre— se los ha llevado la pleamar del miedo, en esa lucha contra corriente de Sebastián para remontarse hasta el origen, buscando «las misteriosas seguridades de la sangre».

El viejo Cabeda y el escuálido funánbulo perforan la barrera que separa el tiempo vivido del tiempo recordado y quedan instalados benéficamente en la memoria de Sebastián.

Por esto, la permanencia en el recuerdo jerarquiza no el orden de aparición en el decurso novelesco, pero sí la importancia que cobran, desde la conciencia de Sebastián, los personajes encontrados a lo largo de su camino.

Por fin, hay una evidente línea de fuerza que orienta el viaje de Sebastián y los encuentros que a su ritmo se producen.

Ya he indicado más arriba que, mientras el tiempo vivido avanza en el sentido del reloj y del calendario, de un lunes a un sábado, el tiempo recordado, catapultado desde la corriente de conciencia del personaje, va perforando la corteza de la memoria, en estratos cada vez más profundos, hasta remontarse a los orígenes. El viernes de la sangre es el punto donde convergen paradójicamente el viaje físico y el del recuerdo. La sangre borra la frontera entre tiempo vivido y tiempo recordado, y en esa mañana soleada de Cogolludo, Sebastián vive —comparte— con sus hermanos el común recuerdo de los orígenes.

El encuentro definitivo —el último necesario para cerrar el ciclo— con la madre encarna así el mitema de *retorno al origen,* que es una de las formas de la experiencia de la noche, y donde Sebastián, por fin, toca fondo en esa inmersión progresiva al pozo de la conciencia.

Desde el infierno de soledad en que le anega la infidelidad de la sangre, Sebastián «toma conciencia de todas las posibilidades del ser»[45].

Ha terminado el camino de las pruebas; ha finalizado el proceso de purificación; Sebastián, muerto a su inauténtica existencia anterior de chulerías y de miedos, renace, desde su solitaria libertad recuperada, a una nueva forma de existencia.

Esta dialéctica morir-renacer, común a los ritos iniciatorios de las diversas religiones[46], subyace a la estructura mítica de la aventura del héroe de *Con el viento solano*. El deseo de libertad —huir de los guardias es huir de una muerte segura, a la que será condenado por el asesinato del cabo— que provoca la huida de Sebastián Vázquez por caminos y olivares se integra, a lo largo del proceso interior del personaje, en una nueva dinámica de libertad que aquél va descubriendo a medida que la ineludibilidad de la huida le va alejando, física, pero sobre todo moralmente, de su existencia anterior.

Sebastián Vázquez no puede regresar a su vida de antes, ni seguir huyendo de sí mismo. La entrega, después de una noche de vino, en el cuartelillo de la guardia civil es el necesario *cruce del umbral* por el que el héroe penetrará en la tercera etapa del proceso, la vida del iniciado. Entregarse no es una claudicación, o una renuncia a la libertad —en todo caso sería la inauténtica libertad que Sebastián había estado viviendo desde los miedos de siempre—; es, por el contrario, la expresión de una decisión significativa y, por lo mismo, un acto libre; el ejercicio, recién estrenado, de la nueva libertad. El gitano Vázquez muere definitivamente a su anterior existencia trivial, para re-nacer a una vida auténtica. La entrega

---

[45] El viaje a los infiernos «simboliza el descenso al inconsciente, la toma de conciencia de todas las posibilidades del ser, en lo cósmico y en lo psicológico, necesaria para poder llegar a las cimas paradisíacas...». JUAN EDUARDO CIRLOT: *Diccionario de símbolos tradicionales*. Barcelona, Luis Miracle, 1958, p. 421.

[46] Para la iniciación como dialéctica morir-renacer, cf. VILLEGAS: *La estructura mítica del héroe*, pp. 122-123, y las obras ya citadas de Campbell y Eliade.

a los guardias es, en el espacio de la anécdota de la novela, una forma verosímil y coherente de expresar la negativa al regreso [47].

El diálogo que cierra la novela «(—¿Nombre? —Sebastián Vázquez. —¿Edad? —Veintinueve años. —Lugar de nacimiento. —Talavera. —Fecha...)» (CVS, 288) no es sólo la rutinaria filiación para el fichero de los guardias. Es sobre todo la expresión de la individualidad reconocida, de la identidad recuperada.

Aldecoa ha querido buscar, para este definitivo cruce del umbral de su héroe, una situación análoga a la que inició la historia: la borrachera. La ficción parece adquirir así la dimensión circular de un ciclo completo, cerrado sobre sí mismo. Y a ello se debe, a mi juicio, el diferente tratamiento narrativo del «Sábado...», último capítulo de la novela.

Los capítulos anteriores —excepto el primero, en el que una noche blanca, de vino y chulería, preparará la reyerta y la huida— se inician siempre con el despertar de Sebastián. La ficción en cada capítulo cubre verosímilmente cada jornada de la vida de Sebastián hasta el momento de acostarse; es decir, el lector tiene la impresión de que se le informa sobre la vida completa del personaje en esos cuatro días de la huida, con la única elipsis de las horas del sueño, elipsis por otra parte no sólo verosímil, sino necesaria, ya que vendría exigida por el carácter objetivo de la narración.

En claro contraste con esto, en el último capítulo, la ficción se inicia en la hora tardía de la siesta, con una descripción del pueblo, justificada desde el personaje, al que vemos cruzar lentamente la plaza. Es también, como en el inicio de la novela, un pueblo en fiesta —«El pueblo celebra el sábado labrador de la cosecha recogida. Conserva fresca la ley del buen año: Tras Santiago, el trago» (CVS, 265-66)— y también, como al comienzo, el narrador nos oculta su nombre. La verificabilidad

---

[47] «La negativa al regreso adquiere una forma diferente en la mayor parte de la novela moderna, ya que ésta tiende predominantemente a la evolución de la personalidad de individuos. Esta transformación suele conducir a un estado o forma de vida desde la cual es difícil, si no imposible, volver a la anterior, a aquélla que dio comienzo a la historia»; J. VILLEGAS: *La estructura mítica del héroe,* pp. 133-134.

del espacio, que Aldecoa ha mantenido fielmente en el itinerario de la huida desde Madrid a Cogolludo, aquí se borra y la escena de la entrega de Sebastián a los guardias tendrá lugar, como la de su crimen, en un espacio no verificable, aunque verosímil.

Si la experiencia de la sangre en Cogolludo ha completado ese mítico camino de las pruebas que han sido para Sebastián los días de la huida, ya no queda más que la decisión que exprese la nueva existencia descubierta. La decisión, como hemos visto, se tematiza en la entrega del gitano a la guardia civil.

Si en el lunes de muerte el crimen ha debido ser preparado, desde la motivación realista que exigen las leyes de la verosimilitud, por la noche de alcohol y la pendencia que lleva a Sebastián huido hasta el olivar, para este sábado que no se califica en la novela, pero que podríamos llamar *de la decisión*, todo lo narrado anteriormente funciona como motivación; no es la borrachera lo que provoca la entrega de Sebastián, sino el camino que su conciencia ha recorrido en el espacio y el tiempo de la huida.

Por eso, el único acto significativo para este «sábado de la decisión» debía ser la entrega. El novelista parece entenderlo así; elide la narración de un tiempo de la ficción no significativo, y busca para el acto final de su personaje —la entrega— una situación análoga a aquella en que se produjo el acto inicial de la historia —el crimen—: un pueblo en fiestas, y Sebastián Vázquez en el bar, cogiendo la copa como en otro tiempo y bebiéndola al golpe; hasta la borrachera desesperada, golfante y pendenciera.

Si la borrachera podría aparentemente verse como una regresión a la existencia anterior, una caída en la degradación primera, contemplada en el conjunto de la novela como proceso y desde la estructura mítica que venimos analizando, es un regreso, pero en el sentido de que, si el héroe parece volver al mundo de donde salió, no es para incorporarse a la antigua forma de vida, sino para expresar los nuevos valores, la nueva significación de la existencia; la embriaguez que precede a la entrega no es igual, porque no significa lo mismo, que la que precedió al crimen. En el nivel meramente anecdótico podrían

ser dos borracheras iguales; al comienzo y al final de un largo
y profundo proceso de conciencia, no tienen, no pueden tener,
la misma significación. La borrachera final es el espacio en
el que el gitano quiere hacer inteligible la nueva significación
de la existencia, el paso de una identidad huida a otra pro-
clamada. Cuando Sebastián —«Llévame a los guardias, Zafra,
llévame» está ya junto a la Casa Cuartel, balbucea, hacia los
que le han traído:

> «—Decid que habéis conocido a Sebastián Vázquez, de
> Talavera. Decid que lo habéis conocido» (CVS, 286).

Por eso me parece que no es necesario conceder, como
hace Gemma Roberts, que la entrega del gitano es un acto de
decisión libre y hasta voluntarioso «a pesar de su embriaguez» [48]. Al final de su andadura Sebastián regresa a la noche
de vino precisamente para borrarla, haciendo desde ella, en
oposición al comienzo de la novela, el primer acto libre de su
existencia.

Esto quiere decir que esa trayectoria circular que marcan
en la trama novelesca la borrachera inicial y final no cierra
el sentido, orientándolo regresivamente hacia la degradación
primitiva. Si, como aventura de una individualidad y estructuración mítica de esa aventura, el ciclo parece cerrarse sobre sí
mismo, la libre decisión final del héroe es una salida por la
tangente que inicia la línea recta de una existencia con futuro,
aunque ese futuro, previsible desde la anécdota, sea la cárcel.

b) *Las eapas de la aventura mítica: los motivos*

En el modelo mítico, tal como J. Villegas lo propone y lo
practica, se señala, junto a los mitemas, la importancia, estructural y significativa, de los motivos.

Por lo que se refiere a *Con el viento solano,* algunos motivos —soledad, libertad, muerte, camino...— han quedado
apuntados al analizar las grandes instancias míticas de la aventura del héroe.

---

[48] Cf. *Temas existenciales en la novela española de postguerra,* página 104.

Pero hay otros, no aludidos hasta ahora, y cuya importancia en el proceso estructural y semántico de la novela es decisivo; tanto por lo que contribuyen a la configuración mítica de la aventura del héroe, como por su indudable pertinencia en los niveles ideológico-simbólicos que alcanza la novela. Me limitaré aquí a señalarlos, describiendo brevemente su presencia y funcionamiento en el desarrollo de la trama novelesca, dejando una más completa interpretación para cuando se haga la general de la novela en sus diferentes niveles de sentido.

En primer lugar, el *motivo viento solano,* multiplicado a veces de forma más general en el motivo viento, y cuya presencia es recurrente y constante en la novela.

Se inicia ya en el mismo título y en las citas bíblicas —«Os herí con viento solano»— que el autor toma de los profetas Ageo y Amós, y que encabezan el texto de la novela. Luego, a lo largo de ésta, el solano es uno de los elementos con que el narrador, una y otra vez, configura el paisaje que sirve de telón de fondo a la aventura del héroe.

El solano aparece como un elemento de la naturaleza, incontenible y de efectos maléficos.

Este efecto que se atribuye al viento solano se enfatiza con el sentido de castigo de Yavé que tiene en los textos proféticos que introducen la novela, hasta el punto de que Sebastián, su presencia comprometedora después del crimen, es para el amigo Francisco Vázquez y para la madre, primero y último de los encuentros, efecto igualmente de un misterioso y fatídico «mal viento»:

«—Mal viento te ha traído, Sebas. Ahora vamos a estar todos en el ajo» (CVS, 103).
«—Sebastián, ¡qué desgracia! ¡Qué mal viento te ha traído! ¡Díos mío, Santa María!» (CVS, 250).

De este modo, mediante la incorporación de diferentes códigos culturales —el bíblico de las citas de los profetas, el paremiológico de la sabiduría popular—, el solano, además de denotar ese viento cálido y sofocante cuyos efectos sobre la naturaleza y los seres vivos —personas y animales— tan bellamente describe el novelista, connota en la novela una mítica

15

fuerza ineludible y punitiva, a la que el hombre no puede oponer resistencia.

La aventura del gitano Sebastián Vázquez se incrusta así en una corriente irresistible de fuerzas misteriosas, fatales en cierto modo, más allá de las leyes de la causalidad en el nivel de la anécdota.

Por eso, al motivo viento solano, presente en la totalidad de la novela, se une el *motivo fatalismo,* motivado realistamente en la condición gitana del protagonista —el «fatum» como elemento importante de la cosmogonía gitana— y tematizado en esa popular y polivalente idea de la suerte, cuya distinción entre buena y mala vendría a ser en el fondo un mecanismo de autodefensa.

Sebastián, al final de su aventura, siente como nunca la presencia, aceptada presencia ahora, de esa enemiga y fiel compañera de su existencia.

Cuando en Cogolludo hasta el refugio de la madre se derrumba, el gitano, infinita soledad a la intemperie, acaba por entender y por aceptar:

> «No, no podía arrastrar a todos a su destino. Habían tenido razón, pero él cumplía su suerte» (CVS, 255).

Este sentimiento de fatalidad con que Sebastián se enfrenta a su existencia aparece fuertemente subrayado en el acto decisivo —el crimen— que desencadena el proceso de la aventura del gitano.

En los primeros momentos de la huida, corriendo por el olivar, piensa que

> «aquello no tenía ni pies ni cabeza. Era absurdo» (CVS, 48);

y, efectivamente, el sinsentido de lo absurdo parece ser la única lógica que permite encadenar aceleradamente los acontecimientos hasta el crimen.

Tendido tras un adelfo, su mirada tropieza con la pistola y reconstruye mentalmente el modo como logró hacerse con ella: en resumen, «había llegado por casualidad a sus manos» (CVS, 49): una encrucijada de coincidencias y una de sus habituales valentonadas; porque en realidad no la necesita para nada, salvo para bravuconear, como ante Lupe:

«por si un día me da el airón y me meto por los huertos a ganarme la vida en lo fácil» (CVS, ibíd.).

A la adquisición casual de la pistola se enredan ahora vertiginosamente un haz de detalles que parecen conducir a Sebastián, fatalmente y más allá de su voluntad, a disparar sobre el guardia. El narrador los va marcando significativamente:

La pistola ha llegado *por casualidad* a manos del gitano; mientras éste, invadido por el miedo, piensa que lo mejor es enterrarla o esconderla en el tronco de un olivo, maniobra con ella *distraídamente;* cuando, al oír un ruido metálico, pega el cuerpo a tierra y atisba entre las hojas, atrae hacia sí la pistola *inconscientemente;* la vista del guardia, el fusil cogido con las dos manos apuntando a la tierra, y su voz —«date, date»— le produce un *miedo aniquilador;* y sigue sintiendo miedo mientras apunta al guardia con la pistola; «si hubiese tenido tiempo —piensa Sebastián— acaso hubiese tirado la pistola, pero *ya era tarde*» (CVS, 53); y ante una nueva conminación —«Date, hombre, date»—, aprieta el dedo *maquinalmente* [49]. Sebastián vio tambalearse al guardia y echó a correr.

El crimen aparece, pues, provocado por una convergencia de casualidades o de movimientos no voluntarios del personaje, más que por un acto reflejo y libre; cuando el mismo personaje vuelve mentalmente sobre su acción, se la representa como «un mal sueño, una pesadilla del cansancio»; y trata de justificarse situando su culpabilidad no en la muerte del cabo, sino en la pelea con el Maño:

«El no había hecho más que pegarle con una copa rota al Maño, él no tenía otra culpa» (CVS, 58).

---

[49] Los subrayados son míos y recogen literalmente la narración y el texto de la novela. No puedo menos de pensar en el paralelismo de esta escena con la narración que Camus nos hace, en *L'étranger,* de la muerte del árabe por parte de Mersault.

Luego, en la noche de la entrega, la nueva marea del vino va dejando sobre la playa de la memoria de Sebastián restos del primer naufragio:

«La insistencia del vino. La pistola pequeña que el tiempo agiganta y fantasma» (...).
«Aquella pelea sin sentido, sólo porque hay que probar, porque es como una tentación el cuello del Maño, y él nun-. ca se ha resistido a las tentaciones» (CVS, 257).

Cuando cuenta el crimen, a su amigo Francisco Vázquez en el primer encuentro, a su madre en el último, no halla más explicación que el no poder darla.

Y cuando Pepi la buscona le explica que ella misma se decidió a echarse a la vida, piensa, con el fatalismo de siempre, que «hay una hora de caer, una hora negra» (CVS, 111). La suya fue en el olivar, y eso es todo: porque, en definitiva:

«A un crimen se le llama desgracia, porque no es más que un accidente en la vida animal. Un criminal es un hombre arruinado por el miedo, porque no hay otra ruina más terrible...» (CVS, 106).

Este tinte de fatalidad que en la narración del narrador y en la conciencia del protagonista tiene la acción de matar al guardia civil, contribuye decisivamente, junto con el motivo del viento solano como fuerza sobrehumana y maléfica, castigo divino, que resuelve las cosas, los animales y los hombres más allá de las leyes naturales, de los instintos y las voluntades, a situar la aventura mítica del héroe en un nivel donde los perfiles anecdóticos de lo individual o de lo típico —tópico— se esfuminan y se sustituyen por los contornos universalizadores del mito. Por el mismo efecto dioramático por el que Sebastián, mirando el rostro de Pepi, contempla en realidad la figura recordada de Lupe, la lectura de *Con el viento solano* desde su dimensión mítica hace que la andadura de Sebastián Vázquez, gitano de Talavera y de veintinueve años, transparente, simbolizándola, la aventura existencial de la condición humana.

El análisis mítico de la aventura como encrucijada donde

lo mimético se trasciende en lo simbólico nos ha obligado a
dar, de algún modo, aunque no sistemáticamente, una interpretación de la novela como recinto plural de sentido; trataré
ahora de sistematizar, en un conjunto explícito y coherente,
esa lectura plural de *Con el viento solano* que hasta aquí y a
veces de modo implícito hemos venido haciendo.

«CON EL VIENTO SOLANO» COMO NOVELA DE GITANOS; EL TEMA DE LA MARGINACIÓN

Al igual que en *El fulgor y la sangre,* hay también en *Con
el viento solano* un primer nivel de significación que no se puede
ignorar, aunque no constituya de ningún modo el techo de la
función semántica de la novela; hablaré también aquí, como
lo he hecho a propósito del primer texto, de nivel tópico-anecdótico, para situar en él ese primer estrato significativo que
resulta de leer *Con el viento solano* como una novela de gitanos.

> «*Con el viento solano* —señala Sobejano— es la novela
> realista de los gitanos, como la otra de los guardias civiles,
> unos de otros enemigos sempiternos» [50].

Quizá una expresión casi antonomásica como es «la novela
realista de los gitanos» sugiere un texto distinto en muchos
aspectos al de *Con el viento solano,* un texto que estaría más
volcado a lo social —lo típico— que a lo individual, al documento objetivo que a la introspección, al medio que a la conciencia; pero qué duda cabe que se trata de una novela de
gitanos, que sucede a una de guardias civiles, en ese camino
de la trilogía de la España inmóvil, cuyo recorrido quedó sin
completar.

Lo gitano es un elemento decisivo en la anécdota novelesca; y no sólo porque aparece encarnado en el protagonista y
en otros personajes secundarios de la novela, sino también por-
que desde ello la intriga adquiere una tonalidad específica
fuertemente significativa; hasta el punto de que *Con el viento*

---

[50] *Novela española de nuestro tiempo,* p. 392.

solano no es —no resulta ser— tanto la novela de los gitanos
en un intento de abrazar genéricamente y sin selección previa
la pintura de un grupo étnico-social, cuanto la novela de la
marginación de los gitanos, que deviene representada y significada a través de la excepcional aventura que corre uno de
ellos.

Lo gitano, como sistema de propiedades y valores étnico-
culturales atraviesa medularmente el texto de *Con el viento
solano*.

En el plano actancial o de los personajes, además del protagonista, hay que señalar a Francisco Vázquez, el Chistera, el
gitano amigo de cuando andaban por las ferias, avecindado en
Madrid por el barrio de Campamento, y al que Sebastián, en
el primer encuentro, recurre inútilmente; luego están los tíos
y primos de Alcalá, y por fin, en Cogolludo, en el último encuentro, los hermanos y la madre. Al final, tras la última borrachera, son dos gitanos, Zafra y un compañero, los que llevan
al tambaleante Sebastián hasta la puerta del cuartelillo de la
guardia civil.

Pero este paradigma de personajes gitanos que desfilan por
la novela no queda completo si no se lo sitúa en el eje de las
acciones.

En el plano funcional o de las acciones, el viaje-huida que
sostiene toda la trama de la novela aparece vertebrado por
una línea medular de orientación que es el refugio de la sangre,
la pretendida solidaridad del clan gitano; desde aquí se justifica el viaje de Sebastián a Madrid, y, cuando falla el amigo,
la marcha a Alcalá; y luego, cuando esa marea oscura del
miedo ha empezado a llegar hasta los cauces de la sangre, el
camino a Cogolludo, tras el rastro de la madre. La sangre es
un instinto y —Sebastián lo había creído— una seguridad, una
ventaja de los gitanos para andar por la vida, para «salirse del
garfio»; por eso la huida de Sebastián es un viaje completo
y fallido por los cobijos de la sangre, desde el amigo hasta la
madre, pasando por los parientes de Alcalá.

Y son estos encuentros con el clan y con la sangre los
únicos buscados por el protagonista de *Con el viento solano;*
los otros —Pepi o el viejo Cabeda, Roque o el Marquesito—

son casuales, surgen de improviso por las grietas de soledad y de miedo que deja abiertas la vida furtiva de Sebastián.

En el plano conceptual, el elemento más pertinente es, sin duda, esa presencia por la novela del «fatum», como una nube oscurecida que cobija, tirana y malévolamente, la vida —la «negra suerte»— del gitano Vázquez.

Por fin, también en el plano lingüístico-estilístico se denuncia la presencia de lo gitano: en el léxico caló o en el argot con que a veces el narrador, desde su propia voz, trata de mimetizar a los personajes o el universo de valores y creencias gitanos; y sobre todo el diálogo en caló, en su doble función de expresar al personaje que lo emplea, y de constituirse por sí mismo —como hecho de estilo— en rasgo pertinente en el sistema semántico de la novela, como ocurre en la conversación de Sebastián con su hermano Juan, la mañana del viernes en Cogolludo.

Esta presencia de lo gitano en *Con el viento solano* no tiene el estatismo de lo típico —la pintura, el cuadro de costumbres—, sino que se genera y se hace significativa en el sistema funcional de la novela, integrada a la aventura del héroe, e incorporada, como subsistema semántico, a ella. Es, por tanto, en esta corriente de sentido donde se encauzan los elementos realista-costumbristas que como novela de gitanos encierra el texto que nos ocupa; es decir, no podemos negar este primario nivel de sentido presente en el texto, pero se caería en un flagrante reduccionismo semántico si no lo viéramos al mismo tiempo trascendiéndose a sí mismo, esto es, funcionando como significante que proyecta el sentido textual hacia el símbolo.

El crimen obliga al gitano Vázquez a moverse en un espacio fronterizo entre el anonimato y la clandestinidad.

Su condición de huido de la justicia fuerza evidentemente a Sebastián Vázquez a vivir de perfl, avizorando a derecha e izquierda rastros posibles de persecución; pero aun dentro de esta existencia fugitiva se inscribe la marginación que resulta de su condición de gitano.

El hecho de que todos los encuentros buscados sean con gente del clan manifiesta no sólo el desconocimiento, sino la imposibilidad de perforar, desde la condición marginada del gitano, las capas de una sociedad estratificada impermeable. A lo largo del texto podemos inventariar una serie de indicios que apuntan significativamente a esta marginación de la condición gitana.

La huida del gitano Vázquez intentando escapar de los guardias no es en el fondo y en este nivel más que una amplificación retórica —y por lo mismo, también semántica— de la eterna trashumancia de un grupo condenado por la sociedad a la marginación y, a veces, a la delincuencia. Esta suspicacia, cuando no desprecio, de la sociedad hacia el gitano aparece también de algún modo reflejada en la novela. Cuando en la noche de la última borrachera, subiéndole pendenciera la marea del vino, Sebastián chulea la mala sangre de un jaque del pueblo, el tabernero interviene apaciguador:

«—Ten cuidado, que estos gitanos desataos son mala cosa» (CVS, 277),

y luego:

«—No te busques un disgusto por un gitano» (CVS, 278).

El Maño, desde la cátedra de su tenderete de bebidas en la feria, resume magisterialmente el altercado con Larios y Sebastián:

«Chulerías de gitanos que no saben con quién se gastan los cuartos...» (CVS, 42-43).

Sin embargo, como es típico en el realismo de Aldecoa, el documento social implícito —y explícito— en la novela no aparece «ideologizado». Entre el pintoresquismo acrítico y la visión crítica de la realidad desde la ideología, Aldecoa se enfrenta al hombre y a la gente sin mediaciones, o, mejor, como escritor, con la mediación única del lenguaje y de su capacidad poética para poner al descubierto las capas más profundas de sentido que desde esa realidad es posible generar. Aldecoa no clama contra la injusticia de la marginación gitana, pero al escoger como protagonista de su aventura a un hombre marginado doblemente, como gitano y como delincuente, hace más patente el sentido profundo que la novela comporta; el gitano Sebastián Vázquez, por los arrabales de la huida, lleva, como una res la divisa de la ganadería, la marca ancestral de la tribu; puede esconder su identidad y hasta el crimen que lo ha arrojado al camino; pero no puede dejar de ser, por donde pasa, *un gitano*. Por eso, a pesar de que los únicos que lo acogen, Cabeda y el faquir, no son gitanos, es sólo en la sangre donde Sebastián busca cobijo. Pero el miedo deshace hasta las ataduras de la sangre, y cuando Sebastián se queda solo consigo mismo, con su soledad ahora deseada, el acto de la entrega encarna no tanto la inutilidad —la imposibilidad— de seguir huyendo, cuanto el encuentro, en un punto en que la anécdota empieza a trascenderse, es decir, a universalizarse, de dos soledades: la de Sebastián Vázquez, gitano y matador involuntario de un guardia civil, abandonado a su suerte —su negra suerte— por el clan gitano —la sangre—, y la del hombre Sebastián Vázquez, acosado ineludiblemente hasta aceptar enfrentarse en solitario con su propia condición existencial.

Lo gitano como elemento tipificador de personajes o de un medio social tiene, por tanto, en *Con el viento solano* cuerpo estructural y semántico suficiente como para constituirse en sentido —un sentido— de la novela; porque al mismo tiempo que lo gitano *es significado, significa*. La marginación de los gitanos como grupo social, la ruptura del sistema de solidaridades de la sangre en esa inútil carrera del gitano Vázquez de los amigos a los parientes y a la madre se inscribe en un área de sentido más amplia; y es esta inscripción semántica la que evita la caída en el tópico costumbrista y la trivialización de la anécdota [51]. Lo que ha empezado siendo una novela de gitanos —como *El fulgor y la sangre* empezaba siendo una novela de guardias civiles— en el decurso mismo del texto y de la intriga deviene un universo semántico plural, donde la aventura del gitano Sebastián Vázquez ha pasado de ser significado a ser significante. Como señala G. Roberts, aunque

---

[51] Tampoco en otras ocasiones cae Aldecoa en lo trivial cuando toca el tema de los gitanos, v. gr. en el cuento «La humilde vida de Sebastián Zafra».

quizá tiende a minusvalorar la real funcionalidad significadora de lo gitano en la novela,

> «*Con el viento solano* no trata fundamentalmente de la vida de los gitanos, sino que es la historia de un gitano visto como individuo. Lo importante es el hecho de "ser hombre", dentro de la circunstancia de "ser gitano"» [52].

LA «INTERIORIZACIÓN» DE LA ANÉCDOTA EN PARÁBOLA

A la pregunta «¿qué pretendiste en *Con el viento solano*?», Ignacio Aldecoa respondió así:

> «—Conseguir el contraste entre la angustia perseguida y la indiferencia del mundo. Para el mundo nada tiene importancia, las angustias son siempre individuales» [53].

En esta explicitación, por parte de su autor, del sentido de la novela, se hace abstracción de la condición social del héroe, y su aventura queda especificada en última instancia por su genérica y común dimensión humana. El hecho de que en la concreta andadura del gitano Sebastián Vázquez hayan fallado, corroídos por el miedo, los cimientos de la sangre, funciona ahora, más allá de un realismo denotativo, como metáfora de una verdad más profunda y universal: las angustias del hombre son individuales e intransferibles. La aventura del protagonista de *Con el viento solano* está significando entonces la ineludible aventura humana en la que el hombre —todo hombre— está abocado a enfrentarse en soledad con su propia contingencia y a aceptarla, si quiere huir de una existencia inauténtica.

En este proceso de producción de sentido que se opera en *Con el viento solano* nos parece advertir una clara diferencia con la novela anterior, *El fulgor y la sangre*.

Hemos visto cómo en *El fulgor y la sangre* las prehistorias

---

[52] *Temas existenciales en la novela española de postguerra*, página 105.

[53] L. SASTRE: «La vuelta de Ignacio Aldecoa», en *La Estafeta Literaria*, 1959.

permiten *socializar* el tiempo del castillo, dar densidad histórica a las horas lentas de la espera. En *Con el viento solano*
el recurso al pasado del protagonista no es una búsqueda de
raíces socio-históricas para ese presente de excepción que son
los días de la huida. Por supuesto que en la sucesiva reconstrucción que de su vida anterior va haciendo Sebastián Vázquez
hay un hilo —individual en la existencia personal del héroe,
social en el clan gitano— que empalma el presente con el origen; pero no se pasa de aquí; el pasado adquiere densidad
no por su significación objetiva —histórica—, como la guerra,
por ejemplo, en las prehistorias de *El fulgor y la sangre,* sino
en la medida en que es filtrado por la conciencia, se subjetivi-
za y se convierte en un tiempo interior, no medible ya desde
las coordenadas de una cronología externa.

Si el tiempo vivido, el tiempo objetivo del *viaje* —los seis
días de la huida— se absorben en ese tiempo infinito que es
la recuperación de la existencia, igualmente el pasado recordado
queda anegado —y de algún modo borrado como tal pasado—
en la actividad de conciencia que, dándole sentido, lo recupera.

Por eso, en *Con el viento solano* la estratificación de sentido,
el sentido plural que resulta en la novela como productividad
textual, pasa del nivel tópico-anecdótico —los gitanos y su marginación social— al nivel filosófico existencial —el hombre
frente a su propia contingencia y frente a la muerte—, sin la
mediación de ese nivel intermedio que en *El fulgor y la sangre* denominábamos nivel socio-histórico, para situar en él el
drama de la «generación intermedia».

No estoy de acuerdo con G. Sobejano cuando a «la forma
del ensimismamiento» en *El fulgor y la sangre* opone «un ritmo
de enajenamiento en el espacio vario de un paisaje y un paisa-
naje» en *Con el viento solano* [54]. Efectivamente, el *cinetismo* en
el tratamiento del espacio en *Con el viento solano* frente al
estatismo del castillo de *El fulgor y la sangre* podría hacer pensar en la introversión como actitud de los personajes de la
primera novela de Aldecoa frente a la di-versión o extroversión
como actitud del protagonista de la segunda; desde el punto de
vista de la estructuración novelesca, el encierro del castillo y el

---

[54] *Novela española de nuestro tiempo,* pp. 390-391.

viaje-huida tematizarían ambas actitudes. Y desde aquí se decidiría el sentido de ambas novelas.

Yo pienso, por el contrario, que es en *El fulgor y la sangre* donde se da una verdadera evasión de la angustia, mediante el ensimismamiento o el deseo ineficaz —la veleidad— del traslado; mientras que en *Con el viento solano* la angustia se va superando en el proceso de conciencia, que se expresa como decisión en el acto final de la entrega.

Creo que algunos críticos de Aldecoa no han dado suficiente importancia a este proceso de conciencia desde el que se organiza, en sistema de sentido, el tiempo y el espacio de la fábula de *Con el viento solano*. La «descompensación», en una línea tensional, de la trama novelesca, por la inclusión de demasiados pasajes «de relleno», de que habla García Viñó [55], o la dilución de la tensión dramática por el interés que el novelista presta a otros seres, abandonando al personaje principal, que señala A. M. Navales [56], denota, a mi juicio, una insuficiente valoración de la capacidad que el proceso interior del protagonista tiene para integrar, estructural y semánticamente, el espacio y el tiempo objetivos de la huida, así como los diferentes encuentros. Hasta el punto, creemos, de que es ese paso de un tiempo «balzaciano» a un tiempo «proustiano» [57] lo que marca una de las diferencias más claras entre las dos primeras novelas de

---

[55] «La pena es que otros pasajes, y mucho más numerosos, no sólo no contribuyen a la creación del ambiente, del ámbito adecuado a Sebastián con su huida, con su miedo, con su transformación interior, sino que se nos muestran sin otra justificación que la del relleno. De ahí la descompensación de que hablábamos, pues contribuyen a la pérdida de tensión también ya referida, por cuanto van siendo más numerosos conforme el libro se acerca al final, de manera que se carguen en absoluto toda posibilidad de un clímax», *Ignacio Aldecoa*. Madrid, E.P.E.S.A., 1972, p. 100.

[56] «La estructura de esta novela es simple, con un dramatismo de arranque, como es típico en Aldecoa, pero que no aumenta esa tensión dramática, sino que la diluye, prestando su atención a otros seres, abandonando al personaje principal, para acentuar una situación en la que reside el testimonio», *4 novelistas españoles*, p. 121.

[57] De un tiempo exterior y de crónica a un tiempo interior y de conciencia. Cf. el interesante estudio de JEAN-IVES TADIÉ: *Proust et le roman*. París, Gallimard, 1971.

Aldecoa, diferencia que de alguna manera se «dobla» en las dos novelas siguientes [58].

Si el pasado reconstruido de las mujeres funcionaba en *El fulgor y la sangre* como *historia* no sólo individual, sino social, que explicaba el presente del castillo, el pasado de Sebastián Vázquez no tiene más que la dimensión individual que le da la conciencia que lo va recuperando, y funciona como *parábola;* por eso, del nivel tópico-anecdótico en que se sitúa primariamente la aventura del protagonista y el tema de la marginación de los gitanos —es indudable, también, la dimensión social de este nivel significativo— se pasa directamente al nivel del símbolo y del mito, donde la aventura de culpa, miedo, soledad y muerte del gitano Vázquez funciona claramente como metáfora de la común aventura humana [59].

EL EXISTENCIALISMO «ABIERTO»
DE «CON EL VIENTO SOLANO»

Aldecoa no ha llegado a la literatura desde la ideología, sino desde la vida; sus novelas no son ilustración de tesis previas, sino representaciones poéticas, creaciones de espacios de sentido, a partir de lo real. Pero esto no quiere decir que en la novela de Aldecoa —como en toda obra literaria— no subyaga una determinada visión del mundo. En el caso concreto de *Con el viento solano,* y en coherencia con la línea apuntada en la novela ante-

---

[58] Frente al carácter más marcadamente *social* de las novelas de protagonismo colectivo —*El fulgor y la sangre* y *Gran Sol*—, se subraya más lo existencial en las novelas de héroe individual —*Con el viento solano* y *Parte de una historia* (como luego tendremos ocasión de ver, en esta última novela, el verdadero protagonista es el propio narrador).

[59] No estoy de acuerdo con IGLESIAS LAGUNA, que ve el viaje del gitano Vázquez desde Talavera a Cogolludo como mero pretexto para una «acción picaresca»: «... la huida, de Talavera a Cogolludo, del gitano asesino de dicho guardia, no está dramatizada por el agobio de la persecución; sirve de pretexto para una acción picaresca», «El escritor Ignacio Aldecoa», en *La Estafeta Literaria,* 1 de diciembre de 1969. En *Treinta años de novela española,* I, Madrid, Editorial «Prensa Española», 1969, las alusiones a Ignacio Aldecoa son mínimas y absolutamente insignificantes.

rior, la visión del mundo subyacente puede adscribirse claramente a las modernas corrientes de la filosofía existencial. No sabemos si Ignacio Aldecoa leyó a los filósofos existencialistas alemanes Heidegger, Jaspers...—, pero sí conoció a los representantes más caracterizados del pensamiento y la literatura existencialista francesa —en su orientación atea [60]—: Sartre y Camus, y precisamente, lo cual será significativo, por este orden [61].

De cualquier forma, la aguda sensibilidad que Aldecoa demuestra en su narrativa para lo problemático de la condición humana es susceptible de una clara sistematización teórica desde modelos operatorios típicos del pensamiento existencialista, entendiendo a su vez por tal no una orientación filosófica concreta —en realidad, como señala Mounier, habría que hablar de «existencialismos»—, sino una manera, genérica y común, de enfrentarse, reflexiva y prácticamente, a la problemática del mundo y del hombre.

Con el viento solano, por ser la historia de una *conversión,* en un sentido existencial no religioso, de una *recuperación* en

[60] EMMANUEL MOUNIER habla acertadamente de «existencialismos»; cf. *Introduction aux existentialismes.* París, Gallimard, 1962. No parece verosímil que Aldecoa se interesara por el existencialismo de signo cristiano de un Gabriel Marcel.

[61] Remito al lector al texto ya citado de una conferencia de Ignacio, a raíz de la muerte de Camus, en el Colegio Mayor Universitario Santa María, de Madrid.

Habría que recordar, además, que no deja de ser problemática la adscripción de Albert Camus a la corriente existencialista; desde luego, él mismo marca claramente su distancia frente al pensamiento y la actitud sartriana; puede verse la famosa —y violenta— polémica entre Camus y Sartre en *Etudes,* noviembre de 1952. CHARLES MOELLER, en un precioso estudio titulado «Albert Camus o la honradez desesperada» dice: «Ignoro cómo se ha podido embarcar a Albert Camus en la galera del existencialismo. El barullo de los primeros años de postguerra influyó indudablemente en ello (...). Ahora se ve ya más claro. El autor de *La Peste* ha negado formalmente su pretendida adscripción a la escuela de Sartre. Este último ha dicho que no hay nada de común entre su pensamiento y el de Camus.» *Literatura del siglo XX y cristianismo,* vol. I, Madrid, Gredos, 1958, p. 35.

Sin embargo, aunque se insista en marcar las claras diferencias entre Camus y Sartre, estimo que el pensamiento subyacente en la obra de Camus es marcadamente existencialista, aunque no sea un existencialismo sartriano.

el sentido heideggeriano del término [62], aparece, mejor todavía que *El fulgor y la sangre,* como una fabulación metafórica de ese proceso dialéctico por el que el hombre llega a la libre aceptación de su auténtica y contingente existencia [63].

Sebastián Vázquez, gitano de Talavera, expresa a su modo, que es en última instancia el de su creador, Ignacio Aldecoa, como el argelino Mersault o el francés Roquentin expresan al suyo, el de Camus y el de Sartre, una actitud existencial ante la vida.

El hombre se encuentra de pronto arrojado al mundo —el concepto de «derelicción» *(Geworfenheit)* de Heidegger [64]—, culpable de una especie de pecado original, de cuya comisión no se siente responsable [65].

La insistencia con que en *Con el viento solano* la acción de matar al guardia aparece más bien como resultado de una cadena de pequeñas casualidades y fatalismos que de un acto libre de la voluntad expresa elocuentemente esa trágica condición en que el moderno existencialismo contempla al hombre, con conciencia de culpabilidad en el hecho mismo de existir.

Sebastián Vázquez, gitano por la necesidad de la herencia

---

[62] Para el concepto de *Sichzurückholen* —re-cuperación—, cf. M. HEIDEGGER: *El Ser y el Tiempo,* pp. 291-294.

Como señaló E. SORDO a la aparición de la novela, «En el fondo, *Con el viento solano* es otra novela de "homme traqué", pero concebida y realizada a la española, con sangre y nervio carpetovetónicos».

[63] «*Con el viento solano,* novela de Ignacio Aldecoa», en *Revista,* 15-21 de marzo de 1956.

[64] H. CORBIN, en su versión de M. Heidegger, *Qu'est-ce que la métaphysique?* París, Gallimard, 1938, traduce el concepto heideggeriano de *Geworfenheit* por *déréliction.* Sobre Heidegger, puede verse: R. JOLIVET: *Las doctrinas existencialistas.* Madrid, Gredos, 1953, 2.ª ed. (Sobre el concepto de derelicción, p. 110); JOSEPH LENZ: *El moderno existencialismo alemán y francés.* Madrid, Gredos, 1955.

[65] «El hombre es inevitablemente culpable. No hay una vida sin culpa», K. JASPERS: *Von der Wahrheit,* 1949, p. 873; la cita está tomada de J. LENZ: *El moderno existencialismo alemán y francés.*

Tanto para Jaspers como para Heidegger, el sentimiento de culpabilidad es una categoría óntica, indiferente por sí misma a la posibilidad de una noción religiosa como el pecado original. En cambio, para los existencialistas cristianos —Kierkegaard, Marcel—, la conciencia de culpabilidad es un pathos religioso, conectado con la categoría de pecado.

y asesino a su pesar, entra, por el sentimiento de la culpa, en el descubrimiento progresivo de su vacío existencial, de ese profundo extrañamiento [66] de su vida anterior. Por eso, el camino hacia una existencia auténtica aparece fundamentalmente como una recuperación del propio yo, como un «traerse-de-nuevo-a-sí-mismo» —*das Sichzurückholen,* de Heidegger—, y en este esfuerzo se integra y cobra significación toda la rememoración que de su vida anterior va haciendo el héroe de la novela en los días de la huida. Se trata de un proceso que aparece confrontado continuamente al riesgo de la caída en lo empírico, a dejarse perder en la objetividad [67], a la alienación de lo cotidiano. Los encuentros van expresando el desarrollo y la dimensión dialéctica de este proceso. Pepi y el Marquesito, el vértigo del ferial en Alcalá, y hasta el refugio de la sangre, son la tentación de lo inauténtico, de seguir viviendo en la falsedad, de instalarse en la huida —no tanto de la justicia, cuanto del propio yo.

En cambio, Cabeda —«parecía que el viejo fuese la clave de la existencia» (CVS, 130) —y el faquir sitúan a Sebastián «en la órbita de la libertad», una libertad que se reconquista recorriendo hasta el final el camino de la angustia y de la soledad; una libertad que no es simplemente lo opuesto a ser apresado por los guardias, a vivir encarcelado, sino que resulta del descubrimiento de las posibilidades de la existencia y de aceptarlas como pro-yecto [68], esa limitada libertad a la que el hombre, en la doctrina sartriana, está *condenado,* esa misma libertad que para G. Marcel es un *misterio,* desde el que se explica que

> «el hombre es un ser (...) capaz de tomar posición frente a su propia vida» [69].

---

[66] Para la categoría de *Entfremdung* —extrañamiento—, cf. HEIDEGGER: *El Ser y el Tiempo,* p. 198.

[67] El concepto heideggeriano de la «caída» —Verfallenheit— aparece próximo a ese «perderse en la objetividad» de JASPERS, en su *Filosofía,* 2 vols., Madrid, Revista de Occidente, 1958.

[68] «Llamamos libertad aquello que por su esencia proyecta y propone algo como quehacer en general...»; M. HEIDEGGER: *Vom Wesen des Grundes,* p. 31; tomado de J. Lenz.

[69] Cf. GABRIEL MARCEL: *Homo viator,* 1944, p. 116. Para la libertad como misterio en Marcel, cf., sobre todo, *Du Refus à l'Invocation,* 1948, 5.

Por eso, la dialéctica de libertad que subyace al proceso interior del protagonista de *Con el viento solano* no se destruye, sino que se afirma con el acto de la entrega. No estoy de acuerdo con D. Pérez Minik cuando dice que Sebastián

> «prefiere perder su libertad, quizá perecer, antes de soportar‘ la angustia irredimible de la soledad. En esto no se parece a los héroes de Graham Greene ni a los de Albert Camus. Es posible que a estos hombres les guste la soledad, pero ésta no la resisten sino cuando se sienten verdaderamente libres»[70].

Mersault, el protagonista de *L'étranger,* no es más libre cuando se baña con Marie Cardona en la barra del puerto de Argel que cuando en la cárcel, horas antes de su ejecución y después de rechazar al sacerdote, se siente purgado del mal, vacío de esperanza, y se abre, por vez primera, «a la tierna indiferencia del mundo». Como no es menos libre el cura de *Power and Glory* de G. Greene, cuando, traicionado por el mestizo, atraviesa la frontera hacia Tabasco, donde será ejecutado, que cuando consiguió pasarla en el sentido contrario, librándose de la persecución.

Desde la perspectiva del ser, la región de la libertad no es, ni sobre todo ni solamente, un espacio que permite oponer no reclusión física/reclusión física, sino fundamentalmente la conciencia según la cual, como señala Marcel,

> «yo puedo no ser lo que soy (...) yo puedo traicionarme»[71].

Si Sebastián Vázquez, rechazado por la sangre en Cogolludo, es capaz, no ya de resistir, sino aun de aceptar la experiencia de la máxima soledad, es precisamente porque empieza a sentirse verdaderamente libre; con una libertad que no es ahora la libertad antes deseada, y que en el viaje a Alcalá identificaba

---

[70] «Conversación con Ignacio Aldecoa», en *Entrada y salida de viajeros.* Tenerife. Ed. Nuestro Arte, 1969, pp. 86-96; lo citado, en páginas 89-90.
[71] Cf. *Etre et Avoir,* p. 154.

16

con el paisaje que se iba abriendo al paso del tren; ni el poco de libertad que en algún momento pensó poder comprar, junto con un viaje y una mirada de su madre, con las sesenta pesetas que le quedaban.

El acto libre es aquel en el que el hombre se reconoce a sí mismo y se expresa auténticamente a sus propios ojos. Este acto, para el gitano Sebastián Vázquez, que lleva seis días de peregrinación huyendo de los guardias, es paradójicamente el acto de la entrega [72]; en él se expresa definitivamente la negación de una existencia enajenada y el deseo eficaz, esa posibilidad de ser recién descubierta, de no traicionarse.

Pero el camino de la libertad como autorreconocimiento y aceptación de sí mismo pasa inexorablemente por la experiencia de la angustia y de la soledad, ingredientes ambos también esenciales del pensamiento existencialista.

La conciencia de Sebastián, agrietada por el crimen, se ve de pronto invadida por una oleada incontenible de miedo, el miedo de la persecución, que lo siente a veces como un «amedrentamiento muscular que le poseía el cuerpo» un miedo que parece agigantarse por las palabras, cuando intenta dar una explicación de lo sucedido.

En la ineludible soledad de la huida, la marea del miedo va subiendo, hasta tocar los altos niveles de lo existencial, de lo metafísico casi.

Los miedos del gitano Vázquez, desde la situación verosímil que los motiva, llegan hasta invadir las raíces mismas de la existencia. La náusea que le sobreviene y le puede en los primeros momentos de la huida, el presentimiento de un final humillante —«Cuando a uno le fusilan se mea antes de morir» (CVS, 53)—, son imágenes fisiológicas de una verdadera angus-

---

[72] No entiendo la interpretación que da Ramón Nieto: «En la novela de Aldecoa el hombre se encuentra de pronto, sin saber por qué, en la situación de fugitivo, y en ningún momento se identifica con su situación hasta hacerla carne de su carne. Ni siquiera cuando se entrega (por algo se entrega cuando está borracho). No hay tampoco un proceso evolutivo hacia esa entrega; en *Con el viento solano*, Aldecoa llega al umbral de la madurez novelística», en *La Hora*, 15 de noviembre de 1956.

tia vital; el miedo de la huida y de la soledad, el miedo de la vida, es en realidad miedo de la muerte:

«Pensó Sebastián en su falta de valor, en su miedo a la vida y a la muerte. Miedo a la vida cuando era libre, miedo a la muerte ahora que la sentía acercarse lentamente, desde la lejanía» (CVS, 221).

Sebastián es el «ser-arrojado-ahí», abandonado al sentimiento fundamental de la derelicción; el miedo y la angustia son los modos de ser que se derivan de este enfrentamiento radical del hombre con su situación original.

La angustia arranca al hombre de la caída en la cotidianidad, le lleva a experimentar con intensidad extrema ese heideggeriano «solipsismo existencial», como la forma más radical de soledad; el hombre, desde ese rotundo sentimiento de inseguridad y extrañamiento, experimenta su propio ser como obligado a la libertad de elegir entre la existencia auténtica y la existencia inauténtica [73].

Desde el miedo como fenómeno puramente fisio-psicológico hay un deslizamiento hacia la angustia como categoría ontológica, que interesa la estructura misma del ser [74]. El miedo de Sebastián Vázquez recorre este camino; y cuando, despedido de Cogolludo, se siente definitivamente solo, se abraza serenamente a esta infinita soledad, *suya* por aceptada; y se pierde en la lejanía, sin volver la vista atrás, donde quedan «la madre y los hermanos, el miedo y el asombro». Ahora no tiene miedo, porque desde la angustia ha ejercitado su libertad y ha escogido la existencia auténtica. La acción de entregarse tematiza, dentro de una lógica del relato, esta libertad asumida por el hombre, cuando se acepta a sí mismo como «Sein-zum-Tode», como *ser-para-la-muerte* [75]; en la huida Sebastián —el hombre— inten-

---

[73] Cf. HEIDEGGER: *El Ser y el Tiempo*. Heidegger volverá, desde otro aspecto complementario, sobre la angustia en *Was ist Metaphysik?*, 1930. Cf. R. JOLIVET: *Las doctrinas existencialistas*, pp. 121 y ss.

[74] Para KIERKEGAARD, que tan lejos ha llegado en el análisis de la angustia, ésta es un fenómeno psicológico ligado indisolublemente a las nociones de pecado y de perdón; cf., por ejemplo, el *Diario*.

[75] Cf. *El Ser y el Tiempo*. R. JOLIVET: *Las doctrinas existencialistas*, página 133, nota 75, señala el equívoco subyacente en la fórmula

taba dejar perderse en la objetividad de lo cotidiano el enfrentamiento radical con su propia condición contingente; huía, en realidad, de la muerte, porque «una muerte se paga con otra»; y por eso buscaba el refugio de los otros, de la sangre, del «se» heideggeriano. Pero la experiencia de la angustia y de la soledad le hace descubrir a Sebastián —al hombre— el pascaliano «se muere solo». Antes se resistía a aceptar que «uno se muere solo, a pesar de la vida...» (CVS, 114). Ahora, abandonado de todos, solo con su ineludible soledad, por primera vez no tiene miedo:

> «Siente su propia soledad. Solo por fin frente a la sangre y a la muerte. Y en la orilla del miedo los amigos, los parientes, la madre. Está sereno (...). Siente el corazón amansado, golpear suavemente el ritmo de su vida» (CVS, 252).

Se puede vivir arropado por los otros, cobijado en la sangre; para morir, uno se queda, se tiene que quedar, infinitamente solo. El viaje-huida del protagonista de *Con el viento solano*, que se inicia en un «lunes de muerte» y concluye el «viernes de la sangre» es, simbólicamente, un viaje de ida y vuelta alrededor del misterio existencial de la muerte.

Muerte y sangre, que, en un momento de la novela, le permiten al héroe especificar el día del crimen y el del retorno al origen, van adquiriendo, en el proceso semántico que es el texto, un sentido plural por el que, sin dejar de oponerse, se identifican. El lunes la muerte es la del cabo Francisco Santos, y el viernes la sangre es la madre y los hermanos, el clan gitano donde Sebastián buscará vanamente el último refugio de su existencia fugitiva; pero el lunes es también día de sangre —«Vengo con sangre, vengo de muerte» (CVS, 249), confesará Sebastián a su madre— y el viernes es igualmente día de muerte —Sebastián «solo por fin frente a la sangre y a la muerte» (CVS, 252)—; muerte y sangre, principio y fin de la huida, origen y destino, se confunden en esa ineludible condición humana que la vida va desplegando ante los ojos del personaje

---

heideggeriana «ser para la muerte». Aldecoa, como Heidegger, ignora la trascendencia religiosa. El existencialismo cristiano —v. gr. Marcel— supera la muerte en la esperanza.

—del hombre—: ser-para-la-muerte, y tener-que-morirse-uno-
solo.

En la víspera de la entrega, después de salir de Cogolludo,
Sebastián se tiende sobre la hierba seca, bajo los árboles, cerca del viejo molino donde pasará la última noche; ahora la
sangre

> «es tinte de crepúsculo y la muerte una garra negra que
> aprieta la vida hasta hacerla estremecerse en golpes de ago-
> nía» (CVS, 254),

pero las sensaciones de miedo han desaparecido; Sebastián
Vázquez, gitano de Talavera, sintiendo el futuro «blanco y
vacío», ¿no tiene algo de esa gozosa y tierna indiferencia de
Mersault, o de la fatal grandeza de Orestes alejándose de Argos y llevándose tras de sí el griterío de las moscas?

Ya he indicado cómo en *Con el viento solano* el sentido
pasa directamente de lo anecdótico a lo filosófico, sin la mediación, al menos marcada en el texto como estrato semántico ana-
lizable, de lo que en *El fulgor y la sangre* llamábamos nivel
socio-histórico. Creo que en su segunda novela Aldecoa apunta
más directamente —orientación del sentido de la novela— hacia la *trascendencia* del ser, en el sentido puramente existencial de que el hombre, en última instancia, y en su más profunda «ipseidad», es irreductible: al mundo de las cosas, o de
los otros.

El miedo a morirse solo es una forma de la tentación de
la intrascendencia; la angustia vital, la soledad existencial y
la muerte no se *resuelven,* aunque a veces parezcan *disolverse,*
en el grupo, en el vértigo de la realidad exterior. ¿Sería demasiado gratuito insinuar, desde la interpretación que venimos
dando de la segunda novela de Aldecoa, una cierta desconfianza hacia las ideologías de signo colectivista?

Qué duda cabe que la novela social, tal como se desarrolla
en España por la década de los 50, está orientada fundamentalmente desde un análisis de la realidad inspirado en la concepción marxista, y según el cual la problematicidad y conflictividad humanas se hacen inteligibles y se resuelven desde
la noción de grupo, o, mejor, de clase social. La insistencia

con que Aldecoa va planteando en sus novelas los problemas
más típicos y radicales de la condición humana, ¿no será en
el fondo una resistencia a dejar que se disuelvan en la dialéctica de las clases?

El protagonismo individual de *Con el viento solano* frente
al colectivo de *El fulgor y la sangre* marcaría también este
mismo énfasis que Aldecoa parece querer dar a la dimensión
estrictamente individual de los grandes temas de la condición
humana: la temporalidad, la soledad existencial, la muerte.

Pero tampoco pretendo «ideologizar» indebidamente la novela de Aldecoa, extrapolando una problemática filosófica que
desde el texto no sería coherente plantear. Sencillamente pienso que Ignacio, perforando la vida con su corazón de hombre
y con su pluma de escritor, llega a tocar aquellos estratos más
profundos que especifican la existencia humana como tal y que
también como tales son irreductibles; a esto y no a otra cosa
he llamado trascendencia del ser.

Porque no pretendo cargar el término de connotaciones religiosas que el texto de Aldecoa no tiene, o que, en todo caso,
aparecerían difícilmente verificables.

Algunos críticos han apelado a lo religioso a la hora de
interpretar *Con el viento solano* [76].

---

[76] Para CARLISLE —*La novelística de Ignacio Aldecoa*, pp. 63 y
siguientes—, si el tema principal de la novela es la enajenación, en
ella el aspecto más importante es la enajenación de Dios; los únicos
indicios, muy débiles a mi juicio, que el autor encuentra para su interpretación son los textos de los profetas Amós y Ageo al comienzo de la
novela y el rumor de domingo —el día del Señor— que, al final de la
novela, sube desde la calle hasta la habitación del cuartel donde Sebastián está siendo interrogado.

Más rebuscados todavía son los simbolismos religiosos señalados por
P. BORAU —*El existencialismo en las novelas de Ignacio Aldecoa*,
páginas 27-28—. A modo de ejemplo, valga lo que dice de una relación
entre el santo de cada día, que figura en el título de los capítulos, y el
proceso interior de Sebastián: «Además, cada uno de los días está
rebautizado con el nombre de un santo, no tomado al azar, sino teniendo en cuenta el proceso por el que transcurre el alma del personaje, su vida interior.» Y busca simbolismos a Santa María Magdalena, a Santiago Apóstol, a Santa Ana... Pero, ¿por qué se olvida de
Santa Cristina y San Apolinar? No, Aldecoa no ha buscado los santos;
se los ha dado el calendario. Y el caso es que el mismo Borau, después

La presencia de motivos y de alusiones religiosas es un dato objetivo en el texto de la novela. ¿Forman estos elementos una isotopía desde la cual sería posible atribuir también una dimensión religiosa a la aventura interior del gitano? El único personaje que aparece de forma explícita sostenido vitalmente en la creencia religiosa es Roque, el faquir. Este extraño y humilde personaje, que procura no cometer pecados, y lee vidas de santos en un viejo librito de tapas gastadas por el uso, que nunca se ha quedado sin comer —«habré comido poco, pero he comido»— y piensa que «una de las cosas mejores que le pueden suceder al hombre es no tener dinero» —«hombre, digo dinero, que no sea el de vivir»—, ese hombre al que, cuando respira hondo, se le marca el esternón, «casi en quilla, como el de las aves del cielo» y que por todo patrimonio tiene su vieja maleta de feriante y en ella «unos platos, unas bombillas, dos camisas (...), peine, jabón, trebejos de afeitar, una piel de gato, una baraja, una pecera y una faja de falsa seda de color verde», encarna, sencillamente y sin aspavientos, el consejo evangélico de la perfección: «Buscad primero el reino de Dios y su justicia y lo demás se os dará por añadidura»; el novelista lo ve metafóricamente como un ave del cielo, y a través de su escuálido cuerpo deja transparentarse un alma hermosa, que es un testimonio espléndido de la providencia divina [77].

---

de multiplicar con muy poco rigor los simbolismos religiosos en la novela, señala que Sebastián se halla en camino de la conversión, «no en sentido religioso, sino existencialista» (cf., *op. cit.*, p. 77). ¿Por qué oponer «religioso» y «existencialista»? Hay una rama religiosa —cristiana— de ese «árbol existencialista» de que habla Mounier, y que va desde los filósofos de la interioridad —La Berthonière y Blondel—, hasta los rusos Soloviev, Chestov y Berdiaeff, pasando por Bergson y Péguy, Scheler, Barth y Buber, Kierkegaard, Marcel y Jaspers, y el personalismo de raíz cristiana, del que el propio Mounier es un claro representante; cf. *Introduction aux existencialismes*. París, Gallimard, 1962, pp. 10 y ss.

[77] No me parece arbitrario ver en todo este pasaje y el retrato no sólo moral, sino hasta físico que se hace de Roque, reminiscencias claras del espíritu del Sermón de la Montaña. El desgarbado faquir, visto metafóricamente como un insignificante pajarillo, y con una confianza ciega en la Providencia, no puede menos de evocar las palabras del Evangelio sobre el providencial cuidado de Dios a las aves del

Cuando se despide del gitano, desea «que Dios nos dé suerte», pero

«Sebastián pensaba que, aunque Dios repartiera suerte, poco le iba a tocar a él» (CVS, 223).

El escéptico Cabeda y el creyente Roque son las dos personas cuyo encuentro resulta igualmente benéfico para el espíritu y el proceso interior del gitano Vázquez. Los dos encarnan, a mi juicio, actitudes y formas de ver el mundo que el novelista comparte o en todo caso aprecia; la religiosidad espontánea, sencilla y desinteresada del faquir puede ser, para el agnóstico Aldecoa, una forma de contestar un catolicismo oficial, rutinario, poderoso y cómplice; pero en cualquier caso el proceso interior de Sebastián no se explicita en ningún momento como una conversión religiosa.

A lo más, la connotación mítico-sobrenatural que el solano adquiere por las referencias bíblicas podría tender sobre la historia del gitano un difuminado telón de fondo, a cuya perspectiva su aventura —la aventura humana— se perfila fatídicamente condicionada desde un mítico elemento supra-humano cuya identidad difícilmente puede ser dilucidada desde el texto de la novela.

Ahora bien, si el existencialismo que subyace en la visión del mundo de *Con el viento solano* no es el cristiano de un Gabriel Marcel, donde el misterio del ser se abre a la esperanza teologal [78], ni siquiera el existencialismo laico, pero religioso de Jaspers, donde la existencia de Dios es un contenido de la fe filosófica [79], tampoco está anclado en la náusea existencial

cielo, que «ni siembran, ni siegan», y a los lirios del campo, cuya hermosura ni siquiera Salomón pudo alcanzar; cf. Mt. 5, 25-34.

[78] En toda la obra de Marcel alienta la esperanza teologal; *Homo Viator* es, indudablemente, uno de los ejemplos más radiantes. CH. MOELLER ha titulado su estudio sobre Marcel: «Gabriel Marcel y el "misterio" de la esperanza»; cf. *Literatura del siglo XX y cristianismo*, IV, Madrid, Gredos, 1960, pp. 177 y ss.

[79] Cf. esa breve síntesis de su profesión de fe que es para JASPERS el libro *Der philosophische Glaube*. Puede verse, también, J. LENZ: *El moderno existencialismo alemán y francés*, pp. 85 y ss.

y el antiteísmo de patronato de Sartre [80]. Son seguramente Heidegger, con su existencialismo secular, y el agnóstico Camus con su inquebrantable pasión por el hombre, los autores más próximos, intelectual y vitalmente, al Aldecoa de *Con el viento solano*. Las famosas palabras del Nobel francés —«En el hombre hay más cosas dignas de admiración que de desprecio» [81]— podían haber sido suscritas por nuestro novelista; precisamente en una conferencia pronunciada a raíz de la muerte de Albert Camus en 1960, Ignacio Aldecoa proclama al escritor recién muerto como paradigma para «buena parte de los intelectuales y escritores españoles», confiesa compartir con él «determinadas sinsoluciones», y termina su disertación —«como compartido homenaje a Albert Camus y a estos hombres de los que hablo»— con estas palabras del desaparecido escritor en *L'homme révolté*:

«¿Se puede rechazar eternamente la injusticia sin dejar de proclamar la naturaleza del hombre y la belleza del mundo? Nuestra respuesta es afirmativa. Esta moral, al mismo tiempo insumisa y fiel, es, en todo caso, la única que ilumina el camino de una revolución verdaderamente realista. Man-

---

[80] *La nausée* y *Le diable et le bon Dieu* pueden ser títulos significativos de la actitud vital y religiosa de la que parte el existencialismo sartriano.

MOELLER define bien a Sartre como «la negación de lo sobrenatural»; pero a lo largo de su estudio no puede evitar a veces una cierta incomprensión para la obra y la persona de Sartre; cf. *Literatura del siglo XX y cristianismo*, II, Madrid, Gredos, 1959, pp. 41 y ss.

[81] Pertenecen estas palabras al final de *La Peste*: «Au milieu des cris qui redoublaient de force et de durée, qui se répercutaient longuement jusqu'au pied de la terrasse, à mesure que les gerbes multiculores s'élévaient plus nombreuses dans le ciel, le docteur Rieux décida alors de rédiger le récit qui s'achève ici, pour ne pas être de ceux qui se taisent, pour témoigner en faveur de ces pestiférés, pour laisser du moins un souvenir de l'injustice et de la violence qui leur avaient été faites, et pour dire simplement ce qu'on apprend au milieu des fléaux, qu'il y a dans les hommes plus de choses à admirer que de choses à mépriser», A. CAMUS: *La peste*. París, Gallimard, 1959, p. 254.

Unos años después —cf. *Nouvelles Litteraires*, núm. 1.236, 10 de mayo de 1951—, CAMUS confiesa: «... aunque he tenido mi parte de experiencias difíciles, no he comenzado mi vida por el desgarramiento. Tampoco he entrado en la literatura por la imprecación ni por el denigramiento, como muchos, sino por la admiración».

teniendo la belleza preparamos ese día de renacimiento en
el que la civilización pondrá en el centro de su reflexión,
lejos de los principios formales y los valores degradados de
la historia, esa virtud viva que fundamenta la común digni-
dad del mundo y del hombre y que tenemos que definir
ahora frente a un mundo que la insulta» [82].

Esto me lleva a afirmar, contra lo defendido por Borau en
el estudio citado [83], que el existencialismo de *Con el viento
solano* no es cerrado, sino abierto. La historia del gitano Vázquez no es la historia de un fracaso, sino la de una victoria;
pírrica, si se quiere, pero, al fin, la única victoria posible, supuesta la visión del mundo que sustenta conceptualmente la
novela, y que es la del hombre sobre su propia contingencia
—«ser para la muerte»—, aceptándola. Si en el nivel denotativo de la anécdota la entrega final a los guardias es un fracaso —abandonado por los amigos, los parientes y la madre,
la huida se ha hecho insoportable—, en el nivel del símbolo,
del que la anécdota se hace significante, la entrega es un acto
de *decisión* y constituye, como muy bien ha señalado Gemma
Roberts:

«el momento culminante de todo un proceso de conciencia
que va llevando al gitano Sebastián del miedo más elemen-

---

[82] Cf. I. ALDECOA, Conferencia pronunciada en el Colegio Mayor
Universitario Santa María, de Madrid, texto mecanografiado, sin título
ni fecha.

[83] «De ahí que esta su primera fase vaya cargada con tanto pesimismo en su obra *Con el viento solano,* y que su protagonista Sebastián
tenga una existencia de hombre fracasado. Es la etapa que llamamos de
existencialismo cerrado, sin resquicio a la esperanza»; *El existencialismo
en la novela de Ignacio Aldecoa,* p. 165.
Esta interpretación negativa de la visión existencialista de la vida
en *Con el viento solano* le obliga a Borau a alterar el orden cronológico de publicación de las dos primeras novelas de Aldecoa, para hacer
coherente su tesis: a una primera etapa de «existencialismo cerrado,
sin resquicio a la esperanza» —*Con el viento solano*— sigue una segunda fase en que «los personajes se abren y ya alienta la esperanza.
De la soledad más cerrada (se) da un paso a la convivencia en *El
fulgor y la sangre*». El hecho de que *Con el viento solano* sea dos
años posterior a *El fulgor y la sangre* se salva, muy poco rigurosamente,
diciendo —sin ninguna prueba convincente— que «estéticamente» la
segunda novela de Aldecoa es más «vieja» que la primera (?).

tal a la vida y del más absoluto extravío de la personalidad al encuentro consigo mismo en el acto de libre determinación» [84].

Desde el punto de vista conceptual, que es el que ahora nos interesa, *Con el viento solano* supone un progreso en relación a *El fulgor y la sangre*. Las horas de espera en el encierro del castillo-cuartel y los días de huida en el espacio exterior entre Talavera y Cogolludo significan situaciones existenciales homólogas: el hombre acosado por su propia contingencia: la temporalidad y la muerte. Las siete horas del castillo y los siete días del viaje de Sebastián son un tiempo símbolo —la vida contingente—, que los personajes tratan de hacer estallar; y el ensimismamiento en las prehistorias o el deseo de traslado es, para las mujeres, una forma de huida del presente acuciante del castillo. Pero, mientras en *Con el viento solano* el tiempo-viaje es creador de conciencia, el tiempo-espera de *El fulgor y la sangre* no lo es; al castillo llegará otro cabo que sustituya al muerto y las mujeres seguirán intentando huir del tedio alienador del presente, por la fácil pendiente del recuerdo hacia el pasado, por la escarpada cuesta del deseo hacia el futuro, soñando en un traslado que sólo llega con la muerte; no hay toma de conciencia, no hay transformación interior, no hay decisión; sólo, la pasividad inerte y repetida de la espera. La vida del castillo es absurda, porque el hombre, al no asumirla, no es capaz de dominarla, confiriéndole sentido.

En cambio, para el gitano Vázquez la existencia va cobrando sentido, un sentido nuevo, a medida que desde la soledad y la angustia va asistiendo a su propia transformación interior [85]. Por la entrega final a los guardias Sebastián cruza ese umbral existencial por el que la existencia anterior, alienada

---

[84] *Temas existenciales en la novela española de postguerra*, página 99.

[85] «El fugitivo corre a través de sí mismo, en dramática introspección, y al descubrir esta o aquella raicilla de su carácter, se siente mejor de lo que él mismo pudiera creer: se humaniza», M. FERNÁNDEZ-ALMAGRO: «Crítica y glosa. *Con el viento solano*», en *ABC*, 8 de julio de 1956.

en la animalidad [86], inauténtica, queda ya para siempre del otro lado de la decisión. La cárcel —a la que irá el gitano— y el castillo-cuartel —como el barco de *Gran Sol*, como la isla de *Parte de una historia*— son espacios equivalentes, porque son todos imágenes del mundo; lo que cambia es la actitud del hombre, su forma-de-estar-en-el-mundo. Frente a la existencia pasiva e inauténtica de las mujeres del castillo, Sebastián, con su decisión final, culmina su proceso de transformación e inicia —repetimos que la cárcel es en todo caso un símbolo existencial— una existencia en la verdadera, y contingente, libertad.

Son así estas dos primeras novelas de Aldecoa como la cara y la cruz de la moneda de la vida.

Recordando unas palabras del propio escritor,

«La fatalidad gravita sobre el hombre y el hombre es libre para aceptarla o no aceptarla; de aquí su agonismo» [87].

Ahora podemos comprender, desde otra perspectiva, por qué la proyectada trilogía «La España inmóvil» quedara sin completar. Desde dos de los tres elementos de «la Fiesta» —guardias civiles y gitanos—, Aldecoa construye, más que una *historia,* más que un cuadro de costumbres o de crítica social, una imagen arquetípica de la existencia humana, en las dos actitudes que el hombre puede adoptar ante su propia contingencia: huir de ella, instaladándose en una existencia inauténtica, alienada en la cotidianidad; asumirla, mediante una decisión libre, inaugurando así la posibilidad de una existencia auténtica.

Después de esto, no quedaba espacio semántico para otro texto. La novela del tercer elemento de la fiesta —el torero—, más allá de un nivel socio-costumbrista, resultaba in-significante. Aldecoa, consciente o inconscientemente, no encontró razones para escribirla.

---

[86] «Nunca recordaba haber vivido alegremente ni tristemente. Había simplemente vivido. Exactamente como un animal cualquiera. Unicamente con una razón animal»; *Con el viento solano,* p. 106.

[87] Cf. B.: «Preguntas a Ignacio Aldecoa», en *Indice,* núm. 132, enero de 1960.

3

«GRAN SOL»: EL CUADERNO DE BITACORA DE UN NOVELISTA

«Simón Orozco, echado en su litera, calculaba la moneda que lleva cada ola, si salía cara, si salía cruz; calculaba en la rosa de los vientos como en una ruleta, y dejaba opinión en su rolar. Sudeste bueno o sudeste malo, según qué banco, qué sondaje, qué marcha, qué aparejo.»

(IGNACIO ALDECOA: *Gran Sol.)*

Austeridad narrativa de «Gran Sol»: riesgo y grandeza del reportaje

Gran Sol (1957) es la novela más *clásica* de Ignacio Aldecoa. Y, a mi juicio, la más lograda; fruto, sin duda, de esa metódica ascesis de narrar que Aldecoa vivió y fue trabajando, no ya desde su primera novela, tres años antes, sino desde que empezara a publicar sus primeros relatos cortos. Esa esplendorosa sencillez que, como relato, nos ofrece *Gran Sol* sólo es explicable como resultado del trabajo consciente de un novelista ya hecho que limita drásticamente el espacio de su aventura narrativa: encerrarse en un bacaladero y subir con sus trece tripulantes hasta los bancos del Great Sole para convertir en relato la previsible monotonía de una marea sólo se justifica desde la concienzuda honradez del reportaje, o desde la magia transfiguradora de la escritura épica. Porque, como señala G. de Nora:

> «probablemente no hay en la novelística española un solo ejemplo de relato tan ascética y sobriamente ceñido a un tema concreto» [1].

Un juicio como éste provoca necesariamente la comparación —hecha ya por la crítica— con una obra tan próxima, y no sólo en la cronología, como es *El Jarama,* de R. Sánchez Ferlosio; el propio Aldecoa señaló, en una conferencia sobre

---

[1] *La novela española contemporánea,* II, II, p. 331.

la novela española contemporánea, las analogías y las diferencias entre ambas novelas [2].

Efectivamente, ambas novelas, tan parecidas y tan distintas, un objetivismo behaviorista en Sánchez Ferlosio, un objetivismo lírico en Aldecoa [3], marcan dos puntos entre los que discurre la novela española del realismo de los años 50.

Porque es en *Gran Sol* cuando más cerca está Aldecoa del realismo objetivo que funciona de hecho —y de derecho— como el dogma aceptado y respetado en la práctica novelesca de esos años [4].

No se trata tan sólo de proyectar una mirada des-subjetivi-

---

[2] Conferencia mecanografiada, con el título «La novela española contemporánea», 17 pp., sin fecha. Se trata de un texto que sirvió de base para varias conferencias, en España y en el extranjero. Según Josefina Rodríguez de Aldecoa, la redacción de este texto podría ser de 1958.

Aldecoa establece un paralelismo entre *El Jarama* y *Gran Sol*, en cuanto a espacio, tiempo, técnica objetiva —aunque señala que «*Gran Sol* no es totalmente una novela objetiva»—, personajes, etc. Al final apunta: «En ambas novelas apenas hay argumento y se ha tratado de recoger un trozo de vida y probablemente nada más. *El Jarama* dicen los críticos que es un símbolo. Y los críticos dicen de *Gran Sol* que es un símbolo.»

JULIO M. DE LA ROSA, después de establecer un paralelismo entre *El Jarama* y *Gran Sol*, concluye: «Las dos novelas son, en realidad, sendas claves de la épica de la vulgaridad, dos testimonios irreprochables del vacío del mundo del trabajo y de la diversión menguada de una clase social»; «Notas para un estudio sobre Ignacio Aldecoa», en *Cuadernos Hispanoamericanos*, núm. 241, enero de 1970, p. 195. A. VILANOVA señala que frente a *El Jarama*, *Gran Sol* «no alcanza la hondura, amplitud y trascendencia de aquel vasto retablo humano y social», siendo «una forma nueva y personal de más aparente intención artística y menos fondo de verdad objetiva...»; «*Gran Sol*, de Ignacio Aldecoa», en *Destino*. Barcelona, 1 de marzo de 1958.

[3] R. BUCKLEY señala la novela de Sánchez Ferlosio, junto a las de Hortelano —*Nuevas amistades, Tormenta de verano*— como ejemplos más típicos de behaviorismo narrativo; *Gran Sol*, en cambio, ofrece «soluciones de una objetividad bastante grande, pero que no llega a ser "behaviorista"». *Problemas formales de la novela española contemporánea*. Barcelona, Península, 1968, p. 31.

[4] Una justificación teórica de esa tendencia puede verse en los trabajos de JOSÉ MARÍA CASTELLET, recogidos en *La hora del lector*. Barcelona, Seix-Barral, 1957, y los de J. GOYTISOLO, en *Problemas de la novela*. Barcelona, Seix-Barral, 1959.

zada sobre la realidad, sino de acotar drásticamente el tiempo y el espacio —físico y humano— de lo mirado.

En *El fulgor y la sangre,* las estrechas fronteras estranguladoras del castillo-cuartel estallaban ante la presión de la memoria y los deseos de las mujeres; en *Con el viento solano* el espacio surgía a medida que el personaje lo necesitaba para su huida; y los días escasos de la huida generaban otro tiempo, interior y recuperado, en cuyo fondo el gitano Vázquez asistía ebrio de sorpresa a la anagnórisis de su propia identidad; incluso en *Parte de una historia* hay una creación de espacio, de ámbito, por la transformación que en la vida de la isla operará la extravagante presencia de los chonis.

En *Gran Sol,* Ignacio Aldecoa, sobre el posible océano infinito de la escritura, ha decidido correr la limitada aventura del «Aril» por los bancos del mar de Irlanda, y dejarnos de ella esa austera maravilla narrativa que es como el cuaderno de bitácora del escritor.

El mérito de esta novela comienza ya en esa consciente y generosa elección de narrador que lleva a Aldecoa a embarcarse en lo de «Gran Sol», en un intento de tocar con su palabra —y hacerla visible— esa «épica de los grandes oficios», a riesgo de que su empeño narrativo se viera frustrado —como la marea de los hombres del «Aril» y el «Uro»— por la muerte: la de la escritura, en este caso, incapaz de trascender el tópico, por la magia del relato, hasta la región transfiguradora del mito.

Es la austeridad de medios lo primero que sorprende en la aventura narrativa de *Gran Sol* [5]; y nos hace pensar en otra aventura, más austera todavía, la del protagonista de *The old man and the sea,* en la famosa novela de Hemingway [6]; en la lucha del hombre con el mar está de algún modo metaforizado ese otro combate del escritor con su propia escritura, para no

---

[5] Cf., por ejemplo, el comentario de J. L. ALBORG: *Hora actual de la novela española.* Madrid, Taurus, 1958, pp. 276-277; puede verse también A. RODRÍGUEZ ALMODÓVAR: *Notas sobre estructuralismo y novela. Teoría y práctica en torno a «Gran Sol»,* Universidad de Sevilla, 1973.

[6] La crítica ha señalado claramente la analogía; cf., por ejemplo, E. G. DE NORA: *La novela española contemporánea.*

quedar aprisionado entre las mallas del tópico, y remontarse, por encima de una aventura en apariencia intrascendente, hasta la región luminosa del símbolo.

Es este proceso el que nos interesa seguir, sobre todo en una novela como *Gran Sol* que, precisamente por su «clasicidad» formal y por la «vulgaridad» misma de la historia que se narra, apenas ofrece elementos destacables, en uno u otro plano, como para intentar desde ellos un estudio totalizador de la novela.

Es esta ausencia de relieves en la aventura de *Gran Sol,* apenas alterada por el accidente mortal del pesca Simón Orozco, este carácter aparentemente plano del relato, junto a su precisión y minuciosidad lingüística y su realismo documental, lo que justificó, para algunos críticos, la calificación de *Gran Sol* como reportaje [7].

El mismo Aldecoa atribuyó a su novela esta dimensión documental, cuando declaraba a un periodista:

> «Mi novela, dentro del concepto que yo tengo de lo que la novela debe ser, tiene mucho de reportaje, puesto que estudié directamente el tema, primero relacionándome con los

---

[7] «... *Gran Sol* no es propiamente una novela (...). ¿Qué es, pues, según mi leal entender, *Gran Sol*? Un magnífico, un sensacional documental»; F. C. Sáinz de Robles: «Al margen de los libros; Aldecoa, Ignacio: *Gran Sol*», en *Madrid,* 30 de enero de 1958. Las razones, nada convincentes, a nuestro juicio, de Sáinz de Robles para negar a *Gran Sol* el carácter de novela, son: el tema, el lenguaje marinero, utilizado «hasta el exceso», y el estilo seco, cortado.

Parecido razonamiento, aunque más matizado, es el de J. Manegat: «... el libro es tan exacto de verdad, de lenguaje, de circunstancias, que nos parece más un documento que una novela. En todo caso es una novela sin argumento...»; «*Gran Sol,* de Ignacio Aldecoa», en *El Noticiero Universal.* Barcelona, 1 de abril de 1958.

En la misma línea se manifiesta G. Torrente Ballester: «Sin tiempo a que sus experiencias personales de marino se decantasen y convirtiesen en materia artística, *Gran Sol* está más cerca del reportaje que de la novela: un reportaje que fuera, al mismo tiempo, exhibición de conocimiento y dominio del lenguaje marinero»; *Panorama de la literatura española contemporánea.* Madrid, Guadarrama, 1965, 3.ª edición, p. 528.

pescadores en los puertos y después acompañándoles en sus largas y penosas navegaciones» [8].

Otros en cambio creyeron inmediatamente percibir en *Gran Sol* un aliento narrativo que le permite al autor pasar del nivel documental y de reportaje en que la novela se apoya a ese otro mundo menos limitado y más rico de sentido que es el de la moderna literatura épica. «Reportaje trascendido a literatura», es la acertada definición con que un crítico saludó la aparición de *Gran Sol* [9]. Y es ese proceso literario —novelesco—, ese paso de lo referencial a lo poético, de la materia —el reportaje— al símbolo —la novela— donde estriba el mérito del Aldecoa de *Gran Sol,* más que en la precisión léxica o en el realismo documental, que no son fin, sino medio —significante—, como en este estudio intentaré probar, en esa ambigua, por su plurisemia, aventura de los marineros del «Aril» por los bancos de pesca del «Great Sole» [10]. Hoy, ningún crítico niega a *Gran Sol* su dimensión de novela, con las implicaciones formales y de sentido que ello lleva consigo [11]. Y si discutir

---

[8] Aldecoa se ha referido a una navegación, en el verano del 55, en el «Puente Viesgo», que está en la base anecdótica de *Gran Sol.*

[9] A. VALENCIA: «Libros», en *Arriba,* de Madrid, 29 de diciembre de 1957.

[10] Basten, a modo de ejemplo, dos testimonios, muy próximos ambos a la aparición de la novela:

M. FERNÁNDEZ ALMAGRO —«*Gran Sol,* por Ignacio Aldecoa», en *ABC,* del 9 de febrero de 1957— dice: «No nos satisface el calificativo de "documental" aplicado a *Gran Sol* porque daría a entender, con error, su carencia o escasez de los elementos literarios que cualifican al género narrativo.»

Y R. P. —«Ignacio Aldecoa: *Gran Sol*», en *Cuadernos.* París, número 23, noviembre-diciembre de 1958—: «La novela de Aldecoa tiene un ímpetu, un aliento —permítaseme la palabra: un más allá— que la levanta del simple documento de la copia mostrenca de los hechos y los diálogos.»

[11] Habrá que señalar, como excepción, algún juicio debido, quiero suponer, a una falta de estudio suficientemente profundo y desinteresado de la novela; me refiero en concreto a J. CORRALES EGEA, que «despacha» su crítica con estas ambiguas frases: «Aldecoa publicó otros libros además de los indicados (se refiere a *El fulgor y la sangre* y *Con el viento solano*): relatos como *El corazón y otros frutos amargos* (1959); viajes, como en *Gran Sol* (1957) inspirado en la pesca de altura al norte de Irlanda, libro en que se encuentran probablemente las

la adscripción genérica de la obra no tiene demasiada justificación, sobre todo desde la Poética contemporánea, para la que la noción de género, y más en el caso de la novela, es algo tan fluido, sí puede ser importante decidir si *Gran Sol,* como universo de sentido, se queda en ese mundo denotado del documento sobre los hombres del «Aril» y la pesca en el Great Sole, o si desde ahí, y por la magia de la escritura, Aldecoa toca otros niveles semánticos, más profundos y más altos a la vez, y que el mero reportaje no alcanzaría.

Como problema de género, la discusión sobre *Gran Sol* no pasaría de ser convencional; como cuestión de sentido, es dilucidar lo que está en la entraña misma de toda obra, porque es penetrar hasta el fondo mismo de «lo literario»: Si hay en la obra que comentamos —y cómo está organizada— esa zona de tránsito de la denotación a la connotación, de la mímesis al símbolo, que al comienzo he denominado función poética.

«GRAN SOL» Y LA «TRILOGÍA DEL MAR»

En octubre de 1957, Ignacio Aldecoa confesaba a Julio Trenas, a propósito de *Gran Sol*:

> «... una novela del mar que tenía necesidad de hacer, por-que yo aliento una vocación truncada de marino...» [12].

Y antes todavía de su publicación, había declarado:

> «La novela que he escrito es el resultado de mi navegación del 25 de julio al 18 de agosto del año último, a bordo del "Puente Viesgo", barco compañero del "Puente Nansa", de la matrícula de Santander entonces y vendidos después a Freire, de Vigo (...).
> Sólo he necesitado inventar una trama para darle contextura novelesca, porque los pormenores de la acción proceden de lo que he visto...» [13].

---

páginas más bellas, de más rico y preciso vocabulario del escritor»; *La novela española actual,* p. 131.

[12] «Así trabaja Ignacio Aldecoa», en *Pueblo,* 5 de octubre de 1957.

[13] C. FERNÁNDEZ CUENCA: «Entrevista con Ignacio Aldecoa», en *Ya,* 25 de noviembre de 1956.

Hay una realidad concreta —«el puro trabajo de la mar», dice Aldecoa en la citada conversación con Trenas— y una experiencia personal de esa realidad, en el origen de *Gran Sol*. Una vez más, nuestro autor escribe de lo que ve, y lo que ve es, también una vez más, triste; porque es triste la mar, cuando en ella se vive, se trabaja «en plena tragedia»; y no precisamente porque el trabajo en la mar vaya a ser interrumpido, como es el caso en el «Aril», por la imprevista llegada de la muerte; Aldecoa da una visión menos heroica, más humilde, pero más cierta y hasta más radical, de esa «plena tragedia» de la mar:

> «el espacio reducido, las incomodidades, el despertar de la violencia en el corazón de la gente, el escaso tiempo de franquía en los puertos. También, sobre todo, el mar, que es amigo y enemigo...» [14].

Es esta ambigüedad del mar —¿o de *la* mar? [15]— lo que abre la vida del trabajo marinero a una tragedia que puede estar coronada, como en *Gran Sol*, por la muerte.

Pero la condición trágica del «puro trabajo» de la mar no está dada por la muerte, sino por la vida. ¿Por qué, entonces, la muerte de Simón Orozco, al final de la novela? Sin ella, la existencia de los pescadores del «Aril» es ya una existencia trágica; tampoco la trama novelesca, prácticamente inexistente, parece «exigir» la muerte del patrón; tal vez, es por el momento una hipótesis que más adelante intentaré verificar, Aldecoa ha necesitado de esa muerte para construir, en torno a ella, un universo de sentido anclado más allá del documento de los trabajadores de la mar [16]. Porque es el mar

---

[14] «Así trabaja Ignacio Aldecoa.»

[15] En *Gran Sol*, «mar» es femenino, como lo es para la gente marinera. Sólo en dos ocasiones se dice «el mar».

[16] GARCÍA VIÑÓ atribuye a esta muerte de Orozco una motivación estética. Después de aludir a la muerte de Lucita, al final de *El Jarama*, dice: «Lo mismo puede decirse de *Gran Sol*, donde el episodio de la muerte hay que tomarlo más que como un acierto argumental, como un acierto estético. Imagínese una y otra novela sin esa presencia. Serían obras muy diferentes, de menor entidad poética»; *Ignacio Aldecoa*, páginas 113-114.

Para mí, como intento demostrar en mi estudio, la muerte de Simón

del trabajo y no el de la aventura el que el autor ha querido llevar a su novela; como otros novelistas que intentaron lo mismo antes que él y que el propio Aldecoa cita: Pereda en *Sotileza,* Palacio Valdés en *José,* o A. Menchaca en *Mar de fondo* [17]; y al mismo tiempo, el austero tratamiento que nuestro novelista hace de esa mar del trabajo queda también lejos del didactismo proletario de un Blasco Ibáñez, del pintoresquismo de Pereda, o del aventurerismo de rasgos folletinescos de alguna novela marina de Baroja.

Gran Sol es adscrita unánimemente por la crítica a la proyectada trilogía del mar: Aldecoa ha hecho la novela de la pesca de altura; *Parte de una historia* estaría dedicada a la bajura, aunque sus especiales características argumentales hacen muy problemática su adscripción a la trilogía del mar, y quedó sin hacer —tampoco se completó la trilogía de «La España inmóvil»— la novela de los trabajos en el puerto.

En el paralelo ya citado que el mismo Aldecoa establece entre su novela y *El Jarama* dice que en ambas obras se trata de recoger un trozo de vida «y probablemente nada más», aunque a continuación apunte que ya la crítica ha querido ver, también en ambas novelas y tras el trozo de vida, el símbolo. Y en la misma entrevista citada más arriba señala que en *Gran Sol* «late un problema social», y —añade— «¿qué sé yo si cierto oscuro simbolismo?»

Es desde luego problemático y arriesgado pretender acudir al proyecto de trilogía del mar como si en él estuviera la clave de la lectura de *Gran Sol.* Y no sólo porque la novela, una vez escrita, no «cabe» en el molde que la generó, sino porque incluso es dudoso que con esta novela Ignacio Aldecoa pretendiera efectivamente iniciar su proyectada trilogía del mar. Ya he aludido a Ch. R. Carlisle, quien apela a una carta en que el mismo Aldecoa confiesa que «*Gran Sol* no es cabeza de trilogía alguna». Y parece, por las declaraciones que he podido leer, que Aldecoa no habló de su novela como inicio de la en

---

Orozco tiene en el universo novelesco de *Gran Sol* una clara función semántica.

[17] Cf. I. ALDECOA: *La novela de mar en la narrativa española,* texto mecanografiado, sin fecha, 14 pp.

un tiempo proyectada trilogía del mar. Desligada, incluso en la
voluntad de su autor, de ser el comienzo de un progresivo
documento de los trabajadores del mar, *Gran Sol* parece así
más liberada de las servidumbres del reportaje intencional, para
levantarse a mayores vuelos formales y semánticos; aunque, en
cualquier caso, es el texto mismo y no la intencionalidad del
autor el que debe darnos las claves objetivas para una lectura
de la novela más allá del nivel documental.

Por eso, de acuerdo con la metodología propuesta, también
para el estudio de *Gran Sol* me detendré primero en el análisis
de la novela como relato —lo que de forma general se podría
llamar la estructura narrativa, la sintaxis novelesca— para intentar, a partir de ahí, una lectura de sus posibles niveles de
significación. Es precisamente la función poética lo que hace
que *Gran Sol* no quepa en los modelos convencionales del documento; aunque pretendiéramos, como el propio Aldecoa apun-
taba maliciosamente a propósito de algunos críticos, excusar
la imprecisión diciendo que en este caso se trata de un documento «poético»; no es un documento bien escrito sobre los
pescadores de altura lo que Aldecoa ha hecho en su novela;
el artificio poético —en el sentido que tiene en la Poética contemporánea a partir del formalismo ruso —entendido aquí como
empeño del novelista no sólo en el discurso, sino también en
la historia—, da como resultado un texto donde lo denotado
—el reportaje— funciona como significante de las significaciones generadas en el proceso novelesco.

INTEGRACIÓN ÉPICA DE UN ESPACIO VERIFICABLE

La aventura del «Uro» y el «Aril», desde ese atardecer en
que abandonan un puerto cantábrico, camino del Gran Sol,
hasta ese otro atardecer en que desaparecen tras la boca de la
bahía, después de haber dejado al patrón Orozco varado para
siempre en el cementerio de Bantry, está resuelta como relato
en dos partes simétricas, compuestas cada una de ellas de siete
capítulos. Hay incluso una cierta proporción en el número de
páginas de los diferentes capítulos, mayor en la primera parte
que en la segunda, acelerándose la velocidad narrativa a partir

de lo que se constituye en clímax de la breve trama novelesca, y que es el accidente mortal del patrón Orozco.

Además, hay otras marcas, incluso en el nivel mismo de la historia, que subrayan la simetría de ambas partes de la novela. El viaje del «Uro» y el «Aril» aparece, como aventura, estructurado en dos momentos que corresponden a las dos partes del relato. En el primero, desde las escenas del puerto —los últimos toques al barco, las últimas palabras de los familiares, los últimos tragos en el bar— hasta otro puerto, el de Bantry ahora, adonde llegan un anochecer, el «Aril» remolcando al «Uro» averiado. Entretanto, la vida del barco, el temporal, la pesca en el Petí Sol, el embarre y la avería... Bantry es tiempo de franquía para los pescadores, de recuerdos para Orozco, en ese cementerio que imagina «como un muelle pesquero con gente conocida», Zugasti, Arbaizar, los gallegos del «Miño»..., como un parque chiquito, como una plaza de pueblo vascongado. Y cuando terminan de arreglar la avería del «Uro»,

> «Al atardecer, los barcos de Simón Orozco eran dos manchas negras en la boca de la bahía de Bantry (...). El "Uro" y el "Aril" hacían rumbo al norte» (GS, 121-122) [18].

En los bancos del Norte, en Gran Sol, la aventura de la segunda parte de la novela; las faenas de la pesca, sacando el copo una vez el «Aril» y otra el «Uro», hasta el accidente de Simón Orozco. Y otra vez hacia Bantry, ahora con el cadáver del patrón envuelto en una manta... Hasta que, como al final de la primera parte de la aventura,

> «al atardecer el "Uro" y el "Aril" eran dos manchas negras en la boca de la bahía de Bantry (...). El "Uro" y el "Aril" hacían rumbo al sur» (GS, 201).

Hay un claro juego de identidades y oposiciones en esa buscada analogía con que finalizan ambas partes de la novela. La travesía —viaje— del «Uro» y el «Aril», que funciona como motivo estructurante de la historia, aparece así clara-

---

[18] Los textos de la novela se citarán con las siglas GS y la página correspondiente. Cito por la 5.ª ed., Noguer, Barcelona, 1972.

mente articulada en dos tiempos —dos duraciones de historia y de discurso— que, al corresponderse y oponerse, se completan.

En la primera parte, cuando, reparada la avería del «Uro», la pareja de arrastreros sale otra vez de puerto camino del Gran Sol, el narrador habla de «los barcos de Simón Orozco»; cuando, unos días después, la pareja enfila de nuevo la salida de la bahía de Bantry, ya no son «los barcos de Simón Orozco», que reposa en el cementerio, desguazándose junto a Anthón Zugasti, Arbaizar y los gallegos del «Miño»...; ahora son simplemente, el «Uro» y el «Aril»; en la primera parte, navegan rumbo al norte, hacia los bancos de pesca, de trabajo y de esperanza, del Gran Sol; al final de la novela, es hacia el sur; con la certeza, para los pescadores del «Aril», de que hay un puerto de arribada necesaria, que es la muerte.

Norte y sur marcan así las dos direcciones de ese viaje de ida y vuelta que es la aventura del trabajo —de la vida y de la muerte— de los pescadores del «Aril». Ir y venir, subir y bajar —¿vivir y morir?— son los dos tiempos de un único movimiento vital de la novela, como discurso y como historia.

La oposición norte/sur se marca ahora no sólo en el final de cada una de las dos partes de la novela, sino sobre todo entre el comienzo y el final de ella: norte es la situación inicial: salida hacia Gran Sol; sur, la situación final, vuelta hacia el puerto de origen. Entre ambas situaciones, el mar, como espacio específico de la aventura; pero el desarrollo de la trama novelesca permite distinguir un mar que es sólo de trabajo —el mar de la primera parte, localizado como historia sobre todo en el Petí Sol— y un mar de trabajo y de muerte, que es el mar de la segunda parte, el mar de la novela, el Gran Sol. Es el mar amigo y enemigo, al que el propio Aldecoa aludía a propósito de su novela.

La oposición tierra/mar se concreta también en el interior de la historia en la relación mar/puerto de Bantry. Y si hemos distinguido un mar de trabajo y un mar de trabajo y de tragedia, un mar de vida y un mar de muerte, el puerto de Bantry aparece con una doble función según que se oponga al mar de vida o al mar de muerte.

Al final de la primera parte, Bantry, ginebra en el *Mulligan's Shop* y festejo en el *Dancing*, es, después de seis días de barco y de trabajo, desahogo y diversión para los pescadores del «Aril» y del «Uro»; al final de la segunda parte, Bantry es, aunque de forma elíptica en el discurso novelesco, el cementerio donde ha quedado, encallado para siempre, el cadáver del patrón de pesca Simón Orozco. Hay un Bantry de diversión y alboroto que corresponde al mar de trabajo de la primera parte; y hay un Bantry de tristeza y silencio —el capítulo XIV, resuelto con una austeridad admirable, en media página de texto—, que corresponde al mar de muerte de la segunda parte [19].

Pero en el caso de *Gran Sol,* y por lo que se refiere al tratamiento novelesco del espacio, hay que destacar que se trata siempre de un espacio verificable, registrado con exactitud, y que como tal es integrado épicamente en el recinto de la trama novelesca.

Como ya quedó estudiado en el primer capítulo, frente a una sólo aproximada localización del castillo-cuartel de *El fulgor y la sangre,* el itinerario de la huida del gitano Vázquez entre Talavera y Cogolludo aparece marcado por el narrador de *Con el viento solano* con precisión suficiente como para ser situado, en sus diferentes etapas, en la geografía de Castilla la Nueva. Pero en ninguno de los dos casos la verificabilidad del espacio parece responder a la intención directa del narrador.

En *Gran Sol* hay una clara voluntad documental en el tratamiento épico del espacio de la ficción, que aparece ya en la dedicatoria del autor:

> «Dedico esta novela a los hombres que trabajan en la carrera de los bancos de pesca entre los grados 48 y 56 de latitud norte, 6 y 14 de longitud oeste, mar del Gran Sol.»

Y a lo largo de la novela, este carácter documental —y por lo mismo, verificable— del espacio se manifiesta no sólo en la toponimia, sino también y sobre todo en la minuciosidad car-

---

[19] Aunque no es el mar el que en realidad mata a Orozco, se puede hablar de un «mar de muerte».

tográfica con que el narrador va dando, de tiempo en tiempo, la posición de los barcos y, mediante ello, situando en el espacio la acción de la novela.

Para ello, Aldecoa utiliza repetidamente las notas del cuaderno de bitácora que al hilo de la travesía va escribiendo sobre la mesa del cuarto de derrota el patrón de costa Paulino Castro. Las singladuras y posiciones sucesivas del «Aril» son recogidas por la escritura marinera y lacónica del costa en su cuaderno de bitácora, o por esa otra escritura, austera a veces, rica otras, sugeridora siempre por poética, del narrador. Este, en ocasiones, se limita a señalar, con una clara finalidad referencial, el espacio integrante de una situación narrativa.

Otras veces, la descripción espacial aparece elevada a lugar poético, cuya función no es ya la meramente representativa de localizar los barcos en un punto del océano, cuanto crear un espacio épico original, donde la acción de la novela pueda ser significativa más allá de su elemental valor de documento.

Este tipo de descripciones de paisaje, organizadas generalmente desde el campo semántico del color y resueltas retóricamente mediante el recurso profuso a la metáfora, contrasta vivamente con el laconismo técnico del cuaderno de bitácora; son dos escrituras, dos usos lingüísticos que se opondrían como lenguaje científico y lenguaje poético [20]; si desde un punto de vista paradigmático es clara su diferente funcionalidad —denotativa en un caso, connotativa en el otro—, no resulta tan sencillo dilucidar su función en el nivel sintagmático de la novela como texto. Porque a veces el narrador parece querer integrar ambos tipos de descripción espacial en una escritura donde a la exactitud cartográfica se añade la ambigüedad —es decir, la polisemia— del lenguaje poético.

La aventura del «Aril» y del «Uro» aparece generada en ese espacio de relato que surge al contrastarse, en el recinto sintagmático del texto, esas dos escrituras: el cuaderno de bitácora —singladuras y acaecimientos— escrito al ritmo de la

---

[20] WELLEK y WARREN, para definir la naturaleza de la literatura, recurren a la noción de «uso», y distinguen, frente a un uso científico y un uso corriente del lenguaje, el uso literario; cf. *Teoría literaria*, páginas 27 y ss.

travesía, con la despersonalizada exactitud científica del informe, y ese otro «cuaderno» del narrador, donde el reportaje de los trece días de navegación, de trabajo y de tragedia, es trascendido a literatura.

El texto novelesco podría verse así como una derivación de ese esquemático texto que le sirve de soporte y que es el cuaderno de bitácora, presente al comienzo —capítulos II, III y V— y al final —capítulos XIII y XIV— de la novela. De ahí la ambigüedad esencial de una obra como *Gran Sol;* aparece por un lado sometida a las servidumbres del reportaje documental: tratamiento del espacio y del tiempo, minuciosidad y realismo en la descripción de los instrumentos y las faenas de la pesca, naturalismo en el habla de los personajes...; las notas del cuaderno de bitácora parece que contribuyen a amarrar el texto novelesco a ese punto fijo de sentido que es el reportaje; y, sin embargo, *Gran Sol* como texto —discurso y sentido— rompe las amarras que lo sujetan al espacio exiguo del documento y en su singladura novelesca, al viento de la palabra poética, sale al océano de la aventura narrativa, y va dejando en su infinita superficie estelas inconfundibles de simbolismos, liberados ahora del modelo insuficiente del reportaje.

Esas dos formas —la esquemática del cuaderno de bitácora, la poética de las descripciones del narrador— mediante las cuales se registra el espacio de *Gran Sol* aparecen separadas —y contrastadas— unas veces; integradas, otras, en una única escritura del narrador, intentando instaurar, más allá de la plana univocidad del documento, o de la insignificancia de un esfuerzo retórico gratuito, un texto donde sea posible el proceso poético y la convivencia de la mímesis y el símbolo.

En esta misma perspectiva debe ser visto también el tratamiento que del espacio *barco* hace Aldecoa en su novela.

Aunque la historia es la de una pareja de arrastreros, el relato está hecho en el «Aril», y sólo desde él. La presencia del otro barco, el «Uro», es una presencia registrada sólo para hacer más verosímil —más documental, si se quiere— la ficción novelesca; pero el «Uro» no existe como elemento y espacio de la ficción más que en la medida en que navega y faena con el «Aril», es visto desde el «Aril», o cuando el telégrafo establece la comunicación entre ambas embarcaciones; ni siquiera sabemos los nombres de los tripulantes del «Uro», porque el narrador va construyendo el relato siempre a partir de la vida en el «Aril». Si ello permite una mayor concentración, no sólo descriptiva, sino también de la breve trama que se constituye en acción de la novela, limita, por otra parte, las posibilidades narrativas, al reducir a uno sólo de los dos barcos el espacio de narración; sin embargo, la opción de Aldecoa en *Gran Sol* parece estar motivada tanto por el carácter objetivo de la narración como por la intención concreta de la novela: no es un mar de aventura, sino de trabajo, el que el novelista ha querido reflejar; y en esta línea, la historia del «Uro» no haría más que «doblar» la del «Aril», estableciendo con ella una relación de identidad —una repetición— y no un contraste capaz de crear intriga.

Esto quiere decir que, si exceptuamos el capítulo I —escenas en el puerto—, el VII —horas de franquía en Bantry, mientras se repara la avería del «Uro»—, y el XIV —otra vez Bantry, para dejar en un rincón de su cementerio, mecido por el viento del norte, el cadáver de Simón Orozco—, las reducidas dimensiones del «Aril» en su accidentada travesía desde la costa cantábrica hasta la del noroeste de Irlanda se constituyen en espacio único y necesario de la novela. A mi juicio, esto explica el detallismo documental con que Aldecoa nombra y describe los diferentes lugares, partes y elementos del barco.

A veces se ha señalado como defecto de *Gran Sol* un abuso por parte del autor de términos técnicos para designar las partes del barco, los instrumentos de la pesca, los peces o los pájaros marinos, que resultan en ocasiones ininteligibles para un lector no especializado; hasta el punto de que algún crítico ha sugerido incluso la conveniencia de acompañar la novela de un pequeño léxico que aclare el significado de esas palabras [21]. Volveré sobre esta cuestión, cuando se hable de algunos recur-

---

[21] M. FERNÁNDEZ ALMAGRO —«Una novela de la mar y los barcos», en *La Vanguardia Española,* de Barcelona, 11 de febrero de 1958— alude a la conveniencia de un vocabulario, como en *Sotileza,* de Pereda. Pero califica la prosa de *Gran Sol* de «ceñida, flexible, vigorosa y tensa».

sos de lenguaje que Aldecoa utiliza en *Gran Sol* y que, pienso, contribuyen a trascender el reportaje y situar el relato en ese nivel polisémico del texto novelesco. En este momento del estudio interesa plantear la posible funcionalidad —la justificación narrativa— del lenguaje técnico que Aldecoa utiliza para designar los diferentes elementos del barco como espacio de la ficción.

Si el mar de *Gran Sol* no es el mar de la aventura sino el del trabajo, sus personajes no son descubridores de espacio —aventureros— como los personajes de Melville o de Julio Verne—, sino trabajadores sometidos a las servidumbres de un espacio —el mar—, al que hay que dominar desde otro espacio —el barco—, que se constituye en ámbito de existencia y en instrumento y lugar de trabajo. Hasta el punto de que la relación espacial barco/mar es pertinente no sólo en la organización de la novela como estructura narrativa, sino también y sobre todo, en la significación que en el proceso novelesco va generando la historia de *Gran Sol*.

Aldecoa demuestra en toda su obra narrativa un gran sentido del espacio, que en *Gran Sol* aparece tratado y utilizado con rara perfección. Aparte de la *localización* —como integración del espacio novelesco en el espacio real—, hay en el escritor una aguda sensibilidad para el color y las formas, una minuciosa atención a los objetos, a veces aun los más nimios, como creadores y organizadores de espacio, y una rara maestría para que el espacio, seleccionado y tratado poéticamente —líricamente a veces— no aparezca desarticulado o no «aplaste» la historia, la situación narrativa en la que nace y a la que sirve. La razón está en que en la novela de Aldecoa el espacio no es un mero «coeficiente de credibilidad» [22], sino que se constituye, por su condición de signo, en elemento de la historia que el espacio, por sí mismo, metaforiza, de modo que:

> «... l'espace prend autant plus d'importance que l'auteur *dit* l'espace plutôt qu'il ne raconte une histoire, —en tout cas

---

[22] Cf. M. RAIMOND: «L'expression de l'espace dans le nouveau roman», en *Positions et oppositions sur le roman contemporain*, página 182.

ne *dit* l'histoire que par truchement de l'espace qu'il présente» [23].

Esa ha sido la función —*decir* la historia de un encierro— del castillo-cuartel de *El fulgor y la sangre,* será también la de la isla de *Parte de una historia,* y es igualmente, como luego veremos, la del barco de *Gran Sol.* En la novela de Aldecoa, como en general en la novela contemporánea a partir de Kafka, predomina un espacio opresor, que funciona como metáfora de una existencia angustiada en un mundo cercado por la muerte [24].

Aldecoa ha corrido el riesgo de encerrarse con los trece pescadores del *Aril* durante los días, trece también, aproximadamente, que dura la aventura de *Gran Sol.* Si el barco es el espacio del trabajo y del peligro en el diálogo —en la lucha— con el mar, es también el espacio aplastante de la monotonía de tantas horas vacías en la vida marinera: «el cansancio, el aburrimiento, la vaciedad de siempre», piensa Orozco, en uno de esos interminables ratos de inactividad, mientras contempla el barco compañero.

Trabajo e inactividad, expectación y sosiego en la vida del «Aril» permiten al narrador recoger con exacta minuciosidad todos los elementos o espacios que configuran el barco como ámbito de vida y de trabajo.

Y si Aldecoa se empeña en designar cada cosa por su nombre específico, no es simplemente por la lógica del documento, que obliga al lector no especializado a utilizar el diccionario, sino porque el narrador mira el barco con los ojos del marino, y éste habla de trancanil y de amura, de espardel y de imbornales.

Esos tecnicismos que individualizan cada espacio parcial del barco, liberándolo de ese semianonimato en que quedaría recluido por una generalización que apenas distinguiría más allá de oposiciones espaciales elementales como adelante/atrás,

---

[23] M. Raimond, ibíd.
[24] Ludovic Janvier ha señalado acertadamente: «Ce n'est peut-être pas un hasard si la tragédie moderne, depuis Kafka, s'exprime surtout en termes d'espace...», *Une parole exigeante.* París, Minuit, 1964, página 27.

derecha/izquierda, abajo/arriba..., es en definitiva un método de singularización, que permite superar la imagen habitual y desindividualizada, y sustituirla por una visión original y nueva del objeto [25].

Este empeño del narrador de llamar a cada cosa del «Aril» por su nombre, aunque este nombre sea a veces desconocido para el lector medio, obedece, en definitiva, a la misma voluntad poética por la que otras veces el narrador o los personajes ven y sienten el barco como algo vivo y animado, capaz de reacciones y con lo que es posible incluso entrar en comunicación.

Por eso Aldecoa, al recuperar para el lector el léxico con que en el lenguaje marinero se designan los diferentes elementos o espacios del barco, recupera también la imagen familiar, pero *singular* al mismo tiempo, que los pescadores del «Aril» tienen de *su* barco.

Esas visitas al barco que, de la mano del narrador, hace el lector sobre todo en las horas blancas que quedan entre faena y faena, son verdaderos descubrimientos no sólo de los tripulantes del «Aril» en sus rasgos individualizadores o típicos, o de la vida del pescador en su inmensa monotonía, sino también, y sobre todo, de ese proto-personaje de la novela que es el barco mismo, que en su majestuosa confrontación con el mar, forma con los hombres que lo tripulan —que lo habitan y lo viven (dan vida)— una única y mítica gigante criatura.

Léxico técnico y animación metafórica del barco convergen en la novela en una misma función poética, que es precisamente, como hemos visto a propósito de las novelas estudiadas anteriormente, la que hace transitable el paso del reportaje al símbolo.

Al mismo tiempo, esta individualización de los espacios parciales del barco, lo mismo que de cada uno de los objetos que los integran, permiten al narrador, en la organización espacial —la triple relación personaje ——→ acción ——→ espacio— de la novela una movilidad y una —relativa— variedad, que de otra forma difícilmente se lograría; sobre todo, si tene-

---

[25] Cf. V. Chklovski: «L'art comme procédé», en *Théorie de la littérature.*

mos en cuenta el profundo carácter descriptivo que la novela tiene.

Aldecoa, con su dominio, pleno ya en *Gran Sol,* de la forma narrativa, sabe superar esas dificultades y nos da cuadros tan vivos y tan variados, como ese del capítulo III, día de ocio en el «Aril», donde la vida de los trece tripulantes va siendo presentada, de la mañana al anochecer, del puente y el timón a los ranchos y a las máquinas.

El espacio de la ficción aparece, por todo lo dicho, estructurado simultáneamente en un doble sistema de cuya integración —sintáctica y semántica— resulta la novela.

Hay un primer sistema, centrado en el motivo *viaje,* y que se expresa en la relación barco/mar; hay también un segundo sistema, inscrito en el primero, y que es el que se constituye en el barco mismo como espacio novelesco generado por el motivo que se puede expresar mediante la relación vida/trabajo; el espacio novelesco se localiza —se inserta— en el espacio real, pero la verificabilidad que de ello resulta no agota la función que el espacio tiene en la ficción, sino que a partir de aquí se constituye en elemento significativo, valorizado por las acciones y los sentimientos de los personajes, es decir, por la ficción misma.

La integración de ambos sistemas en un único y totalizador espacio de ficción aparece resuelta sobre todo mediante las descripciones, numerosas y casi siempre de extraordinaria calidad. Cada capítulo es un cuadro, o un conjunto de cuadros, en la vida marinera del «Aril». Y a la vez un punto, en el espacio y en el tiempo, de esa travesía —barco/mar— de trabajo y tragedia desde la costa cantábrica hasta el Gran Sol.

Tratamiento del tiempo

El tiempo de *Gran Sol* es, en lo que tiene de fidelidad documental, la duración de una marea que queda interrumpida por el accidente de Simón Orozco; no se incluye, como relato, la travesía de vuelta, sino que el narrador, desde el puerto de Bantry, se conforma con mirar cómo los barcos son al atardecer dos manchas negras que se pierden por la boca de la bahía, y señala: «El "Uro" y el "Aril" hacían rumbo al sur.»

El tratamiento narrativo del tiempo de la ficción tiene un riguroso carácter lineal, que contrasta con las analepsis que en las novelas anteriores introducían las prehistorias de *El fulgor y la sangre* o los monólogos de *Con el viento solano*. El tiempo de *Gran Sol* es un tiempo de crónica; su linealidad perfecta nunca se ve alterada por técnicas narrativas de «flashback», sino que se integra y se corresponde perfectamente con la dimensión lineal del discurso novelesco. Los recuerdos de la vida pasada, esporádicos y más bien breves, que afloran a la conciencia de los personajes y que se narran casi siempre como monólogo interior indirecto, no alteran este absoluto carácter lineal que tiene el tratamiento narrativo del tiempo de la historia. En las vacías horas lentas de la mar, se hacen necesarias esas salidas fugaces al mundo sin frontera de los recuerdos, desde la ocupada monotonía del timón, o la soledad del cuarto de derrota, desde las previsibles conversaciones y silencios de los ranchos, o la infinita noche de la sala de máquinas; pero el tiempo de la ficción sigue su curso lineal y esas breves y poco frecuentes excursiones al pasado son una forma más de intentar llenarlo.

Por otra parte, la historia de *Gran Sol* es, como ya he indicado, una historia de trabajo, más que de aventura marina. Es, por tanto, el trabajo lo que mide y organiza la vida del barco y en ella mide la acción de la novela y su organización en relato; el trabajo decide, en última instancia, lo que debe ser contado y lo que puede no ser contado.

Esto permite establecer ya una clara distinción: el día, tiempo de trabajo o de convivencia en las horas de inactividad en el barco, se hace relato; la noche, tiempo de descanso, donde no ocurre nada, salvo las previstas alternancias en el timón, es elidida como relato. El ritmo amanecer-noche —luz-oscuridad— marca también la estructuración de las diferentes unidades narrativas, que se corresponden a veces con los capítulos.

Ese tiempo de trabajo, que es el de la historia del «Aril», tiempo cuya principal orientación es la luz —la sucesión día-noche— no necesita ser medido por el reloj; son suficientes

esas unidades menos exactas, pero más acordes con la vida en
el barco. Los pescadores del «Aril» no necesitan más reloj
que el que resulta del recorrido diario de la luz solar por la
esfera cambiante del océano. Por eso, las marcas de tiempo
son casi siempre momentos del día y de la noche —amanecer,
anochecer, mañana, tarde, mediodía, medianoche—, y casi
nunca horas de reloj. Sólo el cuaderno de bitácora va marcando con minuciosidad, no sólo de horas sino también de minutos,
el tiempo exacto de la singladura y los acaecimientos, de los
vientos y las maniobras; pero no es este tiempo, descarnado y
frío, de informe, sino ese otro, vivo, de luz y de oscuridad, el
que mide el día y la noche, el trabajo y el descanso, la vida
y la muerte de los pescadores del «Aril».

Con este criterio es posible medir de forma bastante exacta
la duración de la ficción y el orden de sucesión de las diferentes unidades narrativas.

No hay marcas, al menos suficientemente explícitas, que
permitan inferir rupturas en la continuidad de la ficción en
el paso entre capítulos, fuera de las que, de modo generalizado,
eliden el relato de las noches del «Aril». Si se une a ello la
naturaleza misma de un relato cuya base es el reportaje objetivo
y verista de una marea en los bancos del Gran Sol, podemos
legítimamente deducir que hay una rigurosa y ordenada sucesión en los días que constituyen la duración de la historia;
en algunos casos, expresiones como «al día siguiente» u otras
evidencian el dato; otras veces es la verosimilitud interna del
relato la que lo justifica.

Según esto, entre la primera salida desde un puerto no
nombrado, capítulo I, y las horas de navegación hacia Bantry
con el cadáver de Orozco, capítulo XIII, han pasado doce días.
En el capítulo XIV no hay marcas de tiempo que permitan
afirmar o negar la continuidad temporal con lo narrado en el
capítulo anterior. Pero la naturaleza misma de la historia de
ese capítulo —dejar a Simón Orozco descansando de la mar y
de la vida en el conocido cementerio de Bantry— permite deducir que cuando el «Aril» y el «Uro» desaparecen por la boca
de la bahía rumbo al sur, es el atardecer del día siguiente.
Por tanto, trece días de historia, organizados como relato en

los capítulos de que consta la novela; sin embargo, la relación tiempo de relato-tiempo de historia no se recubre con la relación un capítulo en el relato=un día en la ficción, sino que, una vez más, el tiempo, tanto en el discurso como en la historia, aparece subordinado en su tratamiento a las necesidades de la acción.

Dentro de una tendencia a equilibrar la relación de duración entre el eje del relato y el de la ficción —utilización dominante de la escena, con el lógico predominio del estilo directo, frecuencia de descripciones...—, hay un ritmo narrativo que surge del contraste de dos velocidades narrativas que se marcan, como resultado y expresión del ritmo mismo de la trama novelesca; en sus dos partes, la novela tiene en sus primeros capítulos un fuerte carácter indicial: descripción de la vida en el barco, de las faenas de la pesca, de los diálogos en los ranchos o en el puente; un accidente desequilibra la plana monotonía de la acción novelesca: la avería del «Uro» al final de la primera parte —capítulo VI—, el accidente de Orozco en el capítulo XI; en los dos casos —más claramente en el segundo— la necesidad de alcanzar puerto acelera la acción de la novela, en esa lucha del barco y de los hombres contra el mar y contra la muerte.

De los trece días que dura la historia de *Gran Sol,* el narrador selecciona —convierte en relato— aquellos momentos que son pertinentes en la totalidad del tiempo representado; además de las noches, hay también otros vacíos en el tiempo de ficción narrado; algunos días —tercero, quinto, sexto, noveno, décimo, undécimo, decimosegundo— aparecen relatados en su totalidad desde la mañana hasta la noche; en otros casos —días primero, segundo, cuarto, octavo, decimotercero— el narrador ha seleccionado unos momentos en función indudablemente de la totalidad de la acción de la novela: en una clara simetría, al servicio de la estructuración general —relato e historia— en dos partes, el narrador selecciona el atardecer del día primero —capítulo I— para narrarnos las escenas de la despedida en el puerto; también el atardecer del día octavo —final del capítulo VII, último de la primera parte— para situar a los barcos de Simón Orozco saliendo de la bahía de

Bantry rumbo al norte, hacia los bancos de Gran Sol; igualmente el atardecer del decimotercero y último día de la historia —capítulo XIV y también último de la novela—, cuando, otra vez desde Bantry, el «Aril» y el «Uro» ponen rumbo hacia el sur.

En los casos en que un día entero se convierte en relato, podemos hablar de totalidad del mundo representado, porque el narrador pasea su mirada no sólo por la totalidad del tiempo —día— de la ficción, sino también por la totalidad del espacio novelesco —barco—, y por la totalidad de los personajes. El predominio —mediante la yuxtaposición de escenas— de esta técnica calificada como relato total —de la totalidad del mundo representado— es un indicio más del carácter predominantemente descriptivo de una historia que avanza toda ella y linealmente, y no tanto por un sistema de relaciones funcionales entre sus elementos. Tocamos aquí la estructura no sintagmática, sino episódica, y, por tanto, yuxtapositiva de una novela como *Gran Sol*.

Por fin, interesa señalar que esta forma de resolver narrativamente el tiempo de la ficción —mediante la elisión de las noches como tiempo no relevante para narrar el mar del trabajo, y la selección de los días y partes de día que el narrador entiende necesarios para la verosimilitud del relato— permite mantener la sensación de tiempo continuo que tiene, como totalidad, la historia de *Gran Sol*. Es decir, es *toda* la aventura de los pescadores del «Aril» la que se nos da en la novela, aunque haya rupturas detectables en la continuidad del tiempo de la ficción; el lector no tiene la impresión de encontrarse ante un relato elíptico, puesto que las necesarias elipsis en el tiempo de la ficción no funcionan como tales, sino que se neutralizan en esa continuidad temporal de historia desde el día primero hasta el decimotercero, consiguiéndose así un relato verosímilmente de tiempo continuo.

Linealidad y continuidad aparecen, por tanto, como las características esenciales que el tratamiento narrativo del tiempo ofrece en *Gran Sol*. La relativa complejidad que en las novelas anteriores ofrecía el juego combinatorio de presente/pasado, tiempo exterior/tiempo interior, se sustituye aquí por ese tiempo de una sola dimensión, el de la marea en el Gran Sol y el del trabajo, y al que Aldecoa da un austero tratamiento de reportaje.

PERSONAJES INDIVIDUALES Y PROTAGONISMO COLECTIVO

La elección del «Aril» como ámbito de la acción novelesca de *Gran Sol* condiciona de entrada algunas de las características de la organización del mundo de personajes de la novela; el espacio es determinante del personaje, en cuanto que éste tiene que venir exigido verosímilmente por ese espacio; los personajes de *Gran Sol* tienen que ser precisamente los marineros del barco; su número y su condición debe ser coherente con el espacio habitado. Aldecoa no urde ningún haz de casualidades para poder incluir algún o algunos personajes que mejor sirvieran a sus objetivos previos de novelista [26]. La inclusión de personajes ajenos al barco —las mujeres, en las escenas de puerto del capítulo I, el generoso José O'Halloran, alias «Mister Ginebra», representante de las casas armadoras en las escalas de Bantry— es absolutamente incidental y no condiciona el ámbito funcional de la novela, que es siempre el barco y sus habitantes. Incluso los pescadores del «Uro», anónimos siempre, existen en el relato más que por necesidad de la acción en cuanto tal, por exigencias de la verosimilitud de la historia.

Si la historia de *Gran Sol* es la del «Aril», los personajes de aquélla serán consecuentemente los tripulantes de éste; y si el mar de la novela es un mar de trabajo, los hombres se definirán a partir de su oficio, de su responsabilidad en el barco como lugar de trabajo. En el primer capítulo de la novela, el narrador aprovecha las escenas de despedida en el muelle para ir presentando, uno a uno, a los trece tripulantes del «Aril»; y en todos los casos, mediante dos notas individualizadoras: el nombre propio y el oficio que desempeñan en el barco.

En el caso de Simón Orozco, su condición de patrón de

---

[26] Un ejemplo típico podría ser *Huis-clos,* donde SARTRE *hace coincidir,* en un espacio cerrado, una serie de personajes, previamente seleccionados por sus significaciones, o incluso por sus simbolismos.

pesca de la pareja de arrastreros viene dada implícitamente por la convergencia de otros datos: es el personaje presentado en primer lugar, el narrador se detiene en su figura, más que lo hará en las de los otros personajes; alude a los barcos como *sus* barcos; y luego, en el desarrollo de las escenas en el muelle, la figura, repetidas veces aludida, de Orozco —«Señor Simón», le dicen las mujeres— cubre con su severa y vigilante presencia esos últimos minutos de despedida en el puerto, hasta que, entre las voces del costa —«fuera amarras», «avante, poca», «noventa»— el «Aril» se va separando del muelle y el ruido de la hélice al girar va deshaciendo en estela los últimos adioses de la despedida.

Desde la salida de puerto conocemos a los tripulantes del «Aril»: sabemos sus nombres y cuál es el quehacer de cada uno en el barco. Luego, las horas lentas de travesía en el océano o las capas interminables bajo el temporal, nos darán ocasión de penetrar en los ranchos, de visitar en la noche la guardia en el timón, o en el día el cuarto de derrota, de entrar en la cocina y de bajar a las máquinas; la vida del «Aril» —el barco y los hombres— se va haciendo familiar, y esa escueta presentación del capítulo primero se adensa en colectiva biografía de lo que los pescadores del «Aril» son, viviendo —el barco como vida— y, es el caso del patrón Orozco, muriendo —el barco también como muerte.

A Aldecoa no le ha interesado, para los fines de su novela, convertir la interioridad de los personajes en espacio de investigación y en escritura novelesca; no es la psicología del pescador de altura lo que le ha atraído, sino la dimensión épica de esa aventura cotidiana en el mar y en el trabajo.

¿Quiere esto decir que se trata, recurriendo a la clásica distinción de E. M. Forster, de personajes *planos*? Es verdad que hay tendencia a insistir en un rasgo que termina por convertirse en caracterizador de un determinado personaje: la adustez de Orozco, o la procacidad de Macario Martín; la ingenuidad de Artola, o la falta de compañerismo de Domingo Ventura. Se trata, en cualquier caso, de personajes elementales, y sobre los que Aldecoa no carga mayores responsabilidades significativas que aquellas que verosímilmente pueden aguantar; no distorsiona a sus personajes convirtiéndolos en máscaras o en mitos [27]; en este sentido, los personajes de *Gran Sol* están lejos, por ejemplo, de los del Melville de *Moby Dick;* Aldecoa llega a levantar con sus personajes un universo significativo desde la ternura y el respeto —no sólo como actitud moral, sino sobre todo como convención estético-literaria—; al escoger para su mundo narrativo a «la pobre gente de España», ha renunciado al mismo tiempo al héroe y al antihéroe; desde esta perspectiva, los personajes de *Gran Sol,* como los de las demás novelas de su autor, responderían mejor a la denominación de planos que a la de esféricos; pero ello no quiere decir que les falte profundidad, porque si es cierto que no sorprenden [28], es igualmente cierto que enternecen.

En todo caso, en *Gran Sol* se evidencia, con más claridad que en otras novelas, el mínimo espacio de maniobra que Aldecoa se ha concedido para el tratamiento novelesco de sus personajes. El autor se ha encerrado con los trece tripulantes del «Aril» en un universo de previsibilidades —hasta la muerte de Orozco es, de algún modo, previsible— y ha renunciado a toda posibilidad de sorpresa. Porque no es lo sorprendente, sino lo previsible —por cotidiano, o por fatal, como la muerte— lo que constituye el contexto en que Aldecoa sitúa a sus personajes. A esta ética narrativa corresponde la voluntad de Aldecoa de novelar lo que él mismo llamó «la épica de los grandes oficios», convirtiendo en relato no el mundo imprevisible de la aventura, sino el previsible del trabajo. Y desde esta perspectiva se entiende el tratamiento que de los personajes hace el novelista en *Gran Sol.*

El narrador, que tiende a la objetividad, renuncia a presentar a los personajes desde el exterior; es la vida misma del barco la que genera una red de relaciones por las que los diferentes personajes se van haciendo como tales y resultan pre-

---

[27] ¿Cómo se compagina esto con el simbolismo que más adelante se atribuye al mundo de *Gran Sol?* No son los personajes los que —al ser creados como símbolos— transforman el nivel significativo de su mundo. Es el mundo novelesco mismo el que se transforma y en él sus personajes.

[28] La capacidad de sorprender es, según FORSTER, una característica del personaje esférico; cf. *Aspectos de la novela,* p. 104.

sentados. El narrador parece no tener de los personajes más
información que la que el propio relato va dando; es, por
tanto, el desarrollo de la acción el que permite ir completando
ese retrato de cada uno de los trece tripulantes del «Aril» apenas esbozado en el capítulo inicial de la novela.

Y esta progresiva caracterización de los personajes se hace,
al ritmo del proceso novelesco, en una doble —y convergente— dirección: una que acota a cada personaje en sus rasgos
individualizadores, y otra por la que el conjunto de los pescadores del «Aril» —el barco como ámbito— se eleva como
tal a la categoría de personaje, pudiéndose calificar *Gran Sol*
como novela de protagonista colectivo.

Pero esto no quiere decir que los rasgos individualizadores
de cada personaje queden esfuminados en esa especie de archi-
personaje que sería genéricamente la tripulación del «Aril».

La distinción personaje individual/personaje colectivo es
funcional a lo largo de toda la novela, y como tal permanece,
porque lo que podemos considerar como acción en *Gran Sol*
resulta del cruce continuo de dos ámbitos, que ya han sido
señalados al analizar el espacio novelesco.

El barco como ámbito —de vida y de trabajo— acota un
sistema, un espacio de la acción donde cada actuante se define —y es definido— individualmente; en este nivel es la vida
en el barco y la disciplina en el trabajo —y no una *intriga*
novelesca, en realidad inexistente— la que marca las relaciones entre los personajes; ello haría imposible hablar de protagonista y personajes secundarios, ya que en este nivel el
desarrollo de la historia es indicial y conceptual más que funcional.

Tal vez el desarrollo de la historia permite destacar, en
ese gran mural de los personajes de *Gran Sol,* la figura de
Simón Orozco. Su condición de patrón de pesca le atribuye
automáticamente una función decisiva —de arbitraje, podríamos decir— en las relaciones interpersonales, las que resultan
del trabajo, en el barco; su carácter duro y austero —los
pescadores, en general, hablan mal de él—, su tendencia al
aislamiento —come solo, y a las doce en punto, en el cuarto
de derrota—, y, sobre todo, su muerte, lo elevan como persona-

je de la novela, si no a la categoría de protagonista —no sería
exacto el término—, sí al menos a una posición semántica
donde es más visible el tránsito del tópico al símbolo [29]. El
individuo Simón Orozco —con su vida y con su muerte—
parece encarnar mejor que otros personajes de *Gran Sol* ese
espacio de historia —de sentido— donde el documento sobre
la vida de los pescadores de altura es trascendido por el mito
de la lucha universalizada del hombre con la naturaleza y con
la muerte; ello puede quedar además marcado por el posible
simbolismo de Orozco hacia la figura de otro pescador, el
apóstol Simón Pedro, aludido en la cita bíblica que precede
al texto de la novela.

A su vez, el sistema de actuantes que constituye el ámbito
barco se inscribe en un sistema más amplio, que puede formalizarse, de modo correlativo a la organización épica del espacio, como relación y oposición barco/mar.

Y es este sistema barco/mar, englobante del primero —barco/barco—, el que se constituye en eje principal, sintáctico y
semántico, de la novela. En realidad son el barco y el mar los
que devienen protagonistas —protagonista y antagonista— de
esa humilde y recia epopeya de los hombres del «Aril». De
modo que el verdadero núcleo actancial de la novela aparece
claramente formalizable como:

$$barco \longrightarrow pesca \longleftarrow mar,$$

donde *barco* es el instigador de la acción, la fuerza temática,
pesca el objeto deseado, y *mar* el oponente [30]. El término *barco*

---

[29] De hecho, en otras novelas de Aldecoa, no es el *personaje muerto,*
sino su simbolismo hacia *la muerte* lo que tiene importancia semántica
decisiva. Los muertos son personajes secundarios: el cabo de *El fulgor
y la sangre* y *Con el viento solano,* Jerry en *Parte de una historia.* Ahora
bien, en las dos primeras novelas, la muerte del cabo es una situación
inicial de la que se parte, mientras que en *Gran Sol* y *Parte de una
historia* la muerte de Orozco y de Jerry es una situación final a la que
se llega.

[30] Es el modelo propuesto por E. SOURIAU para el análisis de la estructura dramática —cf. *Les deux cent mille situations dramatiques.*
París, Flammarion, 1950— y adaptado y aplicado por BOURNEUF y
OUELLET al análisis funcional de los personajes de la novela —cf.
L'univers du roman—.

es a su vez un sistema actancial, que puede describirse como diferentes redes relacionales que entre los actantes marcan predicados como trabajo, ocio... Este sistema, como he señalado, se subsume en ese diálogo pluriforme barco/mar, y es aquí donde efectivamente se puede, a proposito de *Gran Sol*, hablar de personaje colectivo. Aquí, como en la primera novela de Aldecoa, la acción novelesca aparece protagonizada no por *un personaje* sino por *un grupo*, una colectividad; el barco, como el castillo, no son meros espacios físicos, sino ámbitos, espacios habitados. Y como tales funcionan en el sistema actancial de la novela. Pero Aldecoa no desdibuja, no reduce, no instrumentaliza al personaje individual, para convertirlo en mero rasgo de esa especie de archi-personaje que sería el personaje colectivo, sino que permite a cada uno de los trece tripulantes del «Aril» pasar por la historia novelada no sólo con un nombre propio y un oficio —una tarea— en el barco, sino con una vida, monótona y recortada como necesariamente es la de un pescador, pero personal e individualizadora; es una vida pequeña, hecha de actividad y de ocio, de alegría compartida y de menudos conflictos, de desesperanza y de ilusiones; cada uno, al vivirla en la necesaria solidaridad de la cubierta o de los ranchos, la hace suya, y no se deja anegar por esa pleamar que es un real protagonismo colectivo.

Sin embargo, en el barco como personaje colectivo, quedan efectivamente neutralizados algunos de los rasgos individualizadores creadores de conflictos parciales en la vida del «Aril» como ámbito. Son sobre todo los momentos de ocio y de calma —el barco se deja llevar por «el duende de la bitácora», mientras el marinero dormita sobre el timón— los que mejor permiten la espontánea expresión individualizadora de cada personaje, en sus sueños y en sus aficiones, en sus obsesiones y en sus proyectos, en sus dichos y en sus manías. El trabajo duro o las dificultades en la travesía —niebla, temporal, avería— son los momentos donde la disciplinada y antirretórica solidaridad de los hombres del «Aril» mejor patentiza ese real y decisivo protagonismo colectivo, donde cada pescador es una tarea, o, mejor, un órgano de ese gigante caballo embridado que es el barco.

Por otra parte, la forma como Aldecoa presenta los elementos de la historia contribuye efectivamente a marcar en el verdadero nivel del protagonismo novelesco la importancia de la colectividad —*todos* los tripulantes del «Aril»— y el barco como espacio humano.

Cada capítulo es una secuencia de planos cortos, mediante los cuales el narrador completa siempre una visión totalizadora del barco y de sus tripulantes. El narrador se mueve del timón a las máquinas, del espardel a los ranchos, de la cubierta a la cocina, para captar la vida de los hombres y del barco allí donde el trabajo o el ocio, la faena o el descanso los retiene verosímilmente en cada momento. Pero es *todo* el barco y *todos* sus tripulantes los que hacen la historia no sólo de la novela como totalidad, sino de cada secuencia narrativa.

Por todo ello, se hace más evidente ese protagonismo colectivo no sólo de la aventura marinera del «Aril», sino también de esa otra y universal aventura humana de la que el «Aril» y sus hombres son, por la fuerza de la escritura, significante y metáfora.

Y por fin, la visión metafórica, tanto del mar como del barco, acrecienta ese proceso de condensación del protagonismo de la novela, dando a la relación barco/mar una dimensión mítica, desplazada a un tiempo y a un espacio primordial —y, por tanto, ejemplar, como el mito—; la historia aparece entonces movida por una imprevisible fatalidad —«la mar tiene su ley», dice Orozco, en el umbral de la agonía, mientras el «Aril», a muchas millas todavía de Bantry, intenta inútilmente salvarse de la capa—. La mar, como un monstruo de la imaginación, cuyo torso infinito es transitado por el plácido o desbocado galope del «Aril»; y en la carrera, la vida y la muerte de sus hombres...

El paso de los personajes individuales al personaje colectivo es, como acabamos de ver, un tránsito narrativo que tiene sus marcas en el espacio —relato e historia— del texto; esas mismas huellas van señalando un camino en el proceso novelesco que lleva del mero documento sobre la pesca de altura al símbolo de la existencia.

EL LENGUAJE POÉTICO COMO TRÁNSITO
DE LA REFERENCIA AL SÍMBOLO

Todo lo que hasta aquí vengo diciendo evidencia que *Gran Sol* no puede quedar confinada en el espacio estrecho del mero reportaje, de una escritura puramente documental sobre los pescadores de altura. Y, sin embargo, es también evidente que la novela es eso; el análisis precedente no ha hecho sino confirmarnos que Aldecoa se ha sometido fielmente a las convenciones de la narrativa documental: espacio, tiempo y personajes, en su configuración y tratamiento novelesco parecen ceñirse rígidamente a esos moldes sin apenas perfiles de la literatura de reportaje.

¿Dónde está entonces ese espacio *textual* que explica y justifica la superación del documento? Porque es el texto mismo el que tiene que darnos las claves que permitan el tránsito de la mímesis al símbolo: del reportaje a un texto épico polisémico.

En *Gran Sol* Ignacio Aldecoa ha llegado, a mi juicio, a un dominio perfecto de la forma narrativa; sin duda, *Parte de una historia,* diez años después, es un deslumbrante alarde de estilo, nunca antes alcanzado por su autor; pero la clásica austeridad de los materiales, la justeza de su organización, la brillante armonía de su tratamiento, hacen de *Gran Sol* uno de los ejemplos más perfectos de la narrativa española contemporánea. Pero con ello no quiero limitarme a la afirmación de que *Gran Sol* es una de las novelas *mejor escritas,* expresión suficientemente ambigua como para que el crítico no aventure en ella apenas otra cosa que palabras. Todo lo que todavía puede sugerir un juicio tan gastado como el de «novela bien escrita» es una forma imperfecta de señalar hacia aquello que hace transitable el universo semántico de *Gran Sol* de la unidimensionalidad del reportaje a la plurisemia del símbolo. Y es este tránsito el que se debe ahora justificar, como umbral precisamente de penetración en lo que, en la primera parte, quedó definido como función simbólica de la novela.

Gran Sol, reportaje de los pescadores cantábricos en los bancos de los mares de Irlanda es, al mismo tiempo que la travesía del «Uro» y el «Aril», la travesía de una escritura. Marcar las singladuras de esta navegación textual es describir las fases, los elementos, de una aventura que es en el fondo semántica, ya que es descubridora, productora, de sentido. Voy a centrar este análisis en el estudio de algunos recursos poéticos [31] que, si no son los únicos, sí son los más decisivos para hacer del texto de *Gran Sol* una semiótica connotativa, un sistema *literario*.

a) *Los tecnicismos náuticos*

Hay en *Gran Sol* dos usos lingüísticos que, si en principio parecen contraponerse, en la novela, sin embargo, cumplen una misma función; me refiero al lenguaje técnico y a la metáfora. En una perspectiva paradigmática, lenguaje técnico y metáfora se oponen como uso científico y uso literario del lenguaje. En una perspectiva sintagmática, donde el texto funciona como una estructura autónoma que genera su propia norma, lenguaje técnico y metáfora aparecen ambos como *desvíos,* en una relación de contraste, contraria, pero equivalente, con un contexto no marcado, que funciona como norma, y que es un lenguaje que se define a la vez como no técnico y no metafórico. Si en el paradigma lenguaje y metáfora son formas opuestas, en el sintagma se unifican en una misma función, que es la de ser estímulos estilísticos contrastando ambos con una norma común.

Esto permite desplazar la funcionalidad de ese léxico especializado utilizado por Aldecoa en su novela de lo referencial a lo estilístico; esa minuciosa exactitud léxica de que el autor hace gala se subordina, paradójicamente, a lo que, con terminología formalista, podemos denominar «oscurecimiento de la forma», es decir, la función referencial se integra en una función poética superior, a la que sirve. Y es esto, a mi juicio, lo que no han visto los críticos que se han limitado a atribuir al lenguaje marino de *Gran Sol* una funcionalidad meramente referencial; situado el recurso únicamente en ese nivel, tiene

---

[31] Los llamo «poéticos» simplemente porque se inscriben en lo que metodológicamente he definido como función poética.

sentido —pero no tiene solución— la cuestión de si el autor
abusa o no de ese léxico especializado, de si la novela debería
llevar o no un pequeño diccionario de estos términos.
El propio autor se ha situado en esa perspectiva para justificar su vocabulario de especialista, intentando convencer de
que no hay tal léxico especializado:

> «El idioma de mis libros es lejano a todo tecnicismo. Con-
> cretamente, el lenguaje que empleo en *Gran Sol* y que algu-
> nos creen eminentemente profesional, no es más que puro
> "argot" vasco del mar, que no fue estudiado, ni perfeccio-
> nado, ni ampliado para esa obra. Me limité a escribir lo
> que sabía, sin más historias ni complicaciones» [32].

> «El vocabulario no está en su mayoría trasladado al len-
> guaje académico; pertenece al idioma de la mar, que tiene
> voces vascongadas, gallegas, anglicismos, etc. Es un vocabu-
> lario funcional» [33].

A pesar de estos testimonios del autor, estimo que lo pertinente, al menos desde el punto de vista de mi estudio de la
novela, no es dilucidar si ese léxico de *Gran Sol* es efectivamente un lenguaje técnico, o, como el propio Aldecoa pretende,
una mera «parla de la mar» [34] —descripción y definición lingüística del recurso—, sino cuál es su función, con autonomía
de la previa dilucidación lingüística, en el texto de la novela;
se desplaza así la cuestión del nivel lingüístico a un nivel poético-narrativo.

Pero para ello no se debe considerar el recurso aisladamente, sino formando sistema con otros recursos que, también en
el nivel del lenguaje, son utilizados en la novela.

El uso más generalizado es aquel en que el vocabulario
náutico o pesquero aparece integrado en enunciados narrativos
a cuya funcionalidad se subordina. Se trata de hechos lingüís-

---

[32] Cf. FAUSTO BOTELLO: «Ignacio Aldecoa, un novelista triunfador»,
en *Diario de la tarde*, de Sevilla, 12 de noviembre de 1960.

[33] Cf. J. TRENAS: «Así trabaja Ignacio Aldecoa», en *Pueblo*, 5 de
octubre de 1957.

[34] «En mi novela hay parla de la mar, nunca tecnicismo»; L. SASTRE:
«La vuelta de Ignacio Aldecoa», en *La Estafeta Literaria*, núm. 169,
15 de mayo de 1959.

ticos donde la función poética —en el sentido jakobsoniano—
es clara. La exactitud identificativa y descriptiva que propor-
ciona al narrador el dominio del léxico —función referencial—
se incorpora a esa magia del artificio poético por el que los
objetos o los acontecimientos se despegan del referente y se
constituyen en sistemas autónomos, y plurales, de significación
—función poética—. El vocabulario técnico no es así una fría y
esotérica taxonomía de especialista, sino que actúa, en un sistema definible claramente como poético, como «procedimiento
de singularización». Y aquí está el acierto de Aldecoa como
escritor, y no en el mero alarde de conocimiento de un léxico
más o menos especializado; porque el novelista no se limita
a llamar a cada cosa por su nombre —que ya es algo—, sino
que ese conjunto de vocabulario especializado, como sistema,
se integra perfectamente en ese sistema más amplio que es la
novela, de cuya esencial función poética pasa a recibir la definición y el sentido [35].

El lenguaje marino de *Gran Sol,* más allá de su clara función referencial, forma parte de un sistema estilístico cuya funcionalidad poética —cuya plurisemia— es indudable; ello hace
que esa «parla de la mar» a la que alude Aldecoa no permanez-
ca anclada en el espacio inalterado del reportaje; el tratamiento
poético a que le somete el autor la va configurando como
universo autónomo de sentido que hace posible el tránsito del
«reportaje» a la «literatura».

b)   *La metáfora (metáfora locutiva y metáfora discursiva)*

El estudio de la función —decisiva— que en este tránsito
tiene la metáfora confirmará, creo, lo que hasta aquí se viene
sosteniendo. Debo aclarar que mi pretensión en este momento

---

[35] Si el léxico especializado, como forma, es una estructura lingüística que parece explicarse suficientemente por su función referencial
(servir mejor a esa función), al integrarse en la novela recibe otra función; y entonces la forma tiene que definirse por esa nueva función.
Sería conveniente recordar aquí las nociones de forma y función, y la
relación entre ambas, que desde los formalistas es definida como evolutiva; cf., por ejemplo, J. TYNIANOV: «De l'évolution littéraire», en
Théorie de la littérature, pp. 120-137.

no es hacer un análisis de la metáfora en Ignacio Aldecoa, ni
siquiera en la novela que nos ocupa. Me interesa el uso de la
metáfora en *Gran Sol* sólo en la medida en que funciona como
artificio poético que permite la trascendencia del reportaje, el
proceso textual —porque es el texto novelesco el espacio de
ese proceso— que va de la función mimética a la función
simbólica.

No es tanto la abundancia —notable, desde luego [36]—, cuanto el uso poético que de la metáfora se hace en *Gran Sol* lo
que interesa para el estudio. Y este uso frecuente de la metáfora es amplificado y potenciado al máximo, pues Aldecoa recurre a ella no solamente en la narración propiamente dicha,
sino también en el diálogo; es este género de metáfora, la que
nace del diálogo, como locución de los personajes, la que primero voy a analizar.

La llamaré metáfora *locutiva* —pertenece a la voz de los
personajes—, para distinguirla de la metáfora *discursiva,* que
se inscribe como voz en la del narrador [77].

El lenguaje de los pescadores del «Aril» es a menudo un
lenguaje metafórico; incluso en algún caso esta capacidad de
locución metafórica se convierte en rasgo caracterizador: frente al vasco Artola, lacónico por obligación desde el refugio de
su lengua, Macario Martín es por el contrario un personaje que
se define hablando; y no tanto por la cantidad de locución
—locuacidad—, cuanto por la calidad de lo que habla: Macario Martín, el Matao, «barbariza» y metaforiza con la misma
facilidad. Aldecoa tiende a velar el alboroto de las «barbari-
zaciones» de sus personajes en silenciosos eufemismos del narrador; en cambio, deja sueltos a los personajes, para que
desplieguen su capacidad expresiva en ese habitual y significativo recurso a la metáfora.

---

[36] El número de metáforas en *Gran Sol* es sensiblemente mayor que
en *El fulgor y la sangre* y en *Con el viento solano.*
[37] Se parte de distinguir la *locución,* del personaje, del *discurso,* del
narrador. GUIRAUD, a propósito de la distinción, en el nivel de la expresividad, entre el estilo directo y el indirecto, distingue los valores
locutivos y los valores predicativos; cf. *Essais de stylistique. Problèmes
et méthodes,* pp. 73 y ss. J. TRABANT utiliza la distinción expresivo/dis-
cursivo, en *Semiología de la obra literaria.*

Si la metáfora, como dato lingüístico objetivo, encuentra motivación suficiente en los tratados de Retórica, como hecho humano de expresión hunde sus raíces en la fuente misma del lenguaje como modelo de la presencia hermenéutica —simbolizadora— del hombre en el mundo [38]. La metáfora no es una «forma bella» de designar las cosas, ni siquiera la necesaria manera de decir, más allá de la lógica, lo que no podría ser suficientemente dicho en lenguaje lógico. La metáfora es sobre todo una forma ineludible de organizar el mundo como espacio de sentido, de interpretarlo, es decir, de hacerlo habitable: sin «poesía» —sin actividad simbolizadora— el mundo sería inhabitable.

Por eso, las metáforas locutivas de los personajes de *Gran Sol* no se explican tanto desde la Retórica, cuanto desde los personajes mismos. Para éstos, el trabajo y las cosas de la mar funcionan de hecho como el único ámbito de sentido desde el que es posible designar —significar— los actos de la existencia humana. Metaforizar la vida desde su experiencia marinera es, para los hombres del «Aril», la única manera coherente de hacer significativa la expresión lingüística de su propia existencia.

Esto hace, por ejemplo, que el pescador se identifique con el pez. «Tú haz caso del pez viejo», le dice Macario a Artola en una de sus lecciones magistrales sobre mujeres, y prosigue:

> «El que ha mordido el anzuelo sabe el sabor del anzuelo. También sabe soltarse si es de cola larga y tiene buena aleta (...). Ellas (las mujeres) te abren la chalupa por debajo (...) (La mujer) se te revuelve, se te escapa, como el congrio...» (GS, 19).

---

[38] Efectivamente, si toda racionalización de la presencia del hombre en el mundo es, en última instancia, hermenéutica, podemos decir, con Cassirer, que la razón hermenéutica es razón simbólica, puesto que el hombre es un «animal symbolicum»; cf. la famosa obra de E. CASSIRER: *Filosofía de las formas simbólicas.* México, F. C. E., 1971. Para una visión de las teorías de Cassirer como una «hermeneutización del pensamiento», cf. A. ORTIZ-OSÉS: *Mundo, hombre y lenguaje crítico.* Salamanca, Ed. Sígueme, 1976, pp. 17 y ss.

Joaquín Sas define al patrón Orozco «buen bicho para poca red» (GS, 71), y cuando el contramaestre tienta al cocinero para enredarlo en una discusión —«Afá carnaba el anzuelo para Macario», ha señalado el narrador— Domingo Ventura recomienda:

«No lo macices tanto, que ya pica» (GS, 76);

y el mismo Ventura, dirigiéndose luego a Arenas, apunta:

«No te hagas el magano, oscureciendo las aguas con tinta» (ibíd.).

Otras veces, es el barco el término desde el que los pescadores del «Aril» metaforizan su vida y sus acciones: la vida es una «marea», casarse es «amarrar chicotes», y cuando uno se siente viejo, «está para el dique», «para anclarlo en el muelle», no está «para estos temporales». La proximidad de la muerte —la agonía de Orozco— es designada por Sas como «estar en el fondo», y el vividor Macario, ante la fatalidad ineludible de la muerte, piensa que hay que «navegar» todo lo que se pueda, porque «ya llegará el momento de amarrar chicotes, de agarrarse al puerto y esperar el desguace» (GS, 128).

En ocasiones, las cosas más insignificantes de la vida cotidiana se expresan con otras tantas metáforas de la experiencia marinera: tener mucho tabaco es «tener buen lastre», fastidiar, «hacer un aparejo de marrajo»; el humor «vira», la bomba del retrete «embarranca», al borracho «le da el galernazo», y «se va por la borda», o «tiene golpazos de mala sangre»; zafarse de algo es «cubrirse la popa con artimañas», el despido es que a uno le mandan a «pintar la chalupa por bajo»; en las horas nocturnas de expansión en Bantry, a Sas y al Matao «les sopló una surada y se arrearon» y cuando el anochecer penetra hasta la nevera donde Macario y Afá preparan el pescado, el Matao señala: «se nos va a echar la red de la noche».

Es muy expresiva la forma como Afá orienta a un engrasador del «Uro» hacia una casa de trato:

«Tú coges el paseo grande a estribor, avante hacia el sur, luego al oeste por la calle de Cajal, avante, luego timón al rumbo de la bodega de Sánchez, avante, libre, hasta el final» (GS, 18).

La función de la metáfora locutiva de mimetizar el idiolecto marinero de los pescadores del «Aril» parece caer a veces, por un exceso de «naturalismo», en una especie de «cliché», según el cual los pescadores del «Aril» dan la impresión de hablar no como los pescadores, sino como el escritor Ignacio Aldecoa imitando a los pescadores. Efectivamente, este lenguaje sustentado a veces en un uso, excesivo para ser natural, de metáforas locutivas da impresión de estar muy construido; la mímesis, por demasiado «denunciada», termina haciéndose irrelevante, es decir, desapareciendo; y es en ese espacio y a partir de ese momento donde es posible emplazar la función poética que, como recurso estilístico, tiene la metáfora locutiva marinera en el universo poético —y semántico— de *Gran Sol*.

Porque, más allá de su poder caracterizador, más del grupo —les pescadores— que del individuo, como referencia a los personajes, la importancia de la metáfora locutiva queda manifiesta cuando se analiza su función en el sistema metafórico total de la novela.

El recurso a la metáfora —tanto la locutiva como la discursiva— le permite al novelista crear una doble corriente de correspondencias —de identidades— por la que el hombre y las cosas que no son mar se funden con «lo marino» —hombre = barco, hombre = pez—, y lo marino se anima y se incorpora a un universo viviente —barco, mar = seres animados.

La mar —«lo de la mar»— es en *Gran Sol* la clave desde la que se absorbe semánticamente todo el universo de la novela. Lo marino funciona como término metafórico totalizador desde el que reciben existencia como texto y cobran sentido los elementos significativos de la novela. Las metáforas —locutivas y discursivas— cuyo vehículo es la mar funcionan así como clave decisiva de globalización de *Gran Sol* como metáfora marinera.

El narrador interpreta también las acciones humanas más rudimentarias —comer, beber, hablar— como predicados de sujetos de la mar: barco, pez: si Macario «se calafatea» la garganta con un trago, Domingo Ventura «lastra el estómago» con pan y chorizo, mientras la conversación, al decaer, «coletea» en las bocas de los hablantes.

Pero si a veces, como en los ejemplos citados, la metáfora discursiva le permite al narrador marcar plásticamente y en coherencia con las claves semánticas generales de la novela, gestos, acciones o situaciones de los personajes, otras veces exprime las posibilidades metafóricas que presta lo marino, convirtiéndolo implícitamente en alegoría de la vida, y haciendo explícitas y metafóricas aplicaciones a los momentos fundamentales de la existencia: desde esa subyacente alegoría generalizada, la vida como travesía, casarse es «tener un cabo en tierra» y estar muerto «hacer capa para siempre».

Lo marino inunda también metafóricamente la totalidad del paisaje; en un cielo de atardecer, las nubes son «un racimón de mejillones, cárdeno y nacarado»; cuando el sol se pone, se va rompiendo y «escamando» en las aguas; en la noche serena, en el cielo se aprieta «un cardumen de estrellas», mientras que ante el cielo cubierto de nubes el narrador señala: «una gran concha morada sobre la mar, con su interior de nácar hacia el cielo» (GS, 169). Hasta tal punto la metáfora rompe las fronteras espaciales mar-cielo, que ambos elementos terminan a veces por fundirse en un nuevo ser metafórico, que es el que los unifica y les atribuye el sentido connotado que tienen en la novela: cuando el «Aril» trompea en medio del temporal y los tripulantes apenas pueden sostenerse sobre la cubierta, el narrador apunta:

> «el cielo y la mar formaban una axila negra y profunda en cuya concavidad parecía que fueran a ser aplastados los barcos» (GS, 101).

El mar se convierte así en vehículo que integra toda la vida y la experiencia de los hombres del «Aril» en un recinto de significación radicalmente metafórico. Y por ello mismo distanciado de un primario y referencial significado que, mediante el uso puramente retórico de la metáfora, hubiese quedado simplemente «embellecido».

La animación metafórica de elementos inanimados —mar, barco...— es uno de los recursos que más eficazmente contri-

buye a generar una propagación del sentido desde el estrato
superficial de la referencia hacia estratos más profundos que
resultan del tejido mismo —el proceso— novelesco.
La palabra metafórica es una palabra esencialmente creadora. En *Gran Sol,* Aldecoa, dios-poeta de una segunda creación,
mediante la magia de la palabra poética, desde la «nada» de la
referencia va creando un nuevo y fantástico mundo marino,
donde el mar no es mar, ni el barco es barco; el aliento vivi-
ficador de esta nueva palabra creadora sacude la entraña de las
cosas y las «anima»: la mar cobra vida, e, incitada por el
temporal, es en la noche «una gigante, musculosa oscuridad»
(GS, 33), que amenaza, acaricia o golpea; y cuando golpea,
el barco «enloquece»; porque también el barco ha cobrado
vida al conjuro de la palabra poética, y ahora el «Aril» es, en
su desigual lucha con la mar gigante, «un caballo embridado,
luchador, que quisiera levantar la cabeza» (GS, 104), o «un
animal furioso, encadenado» (GS, 178); por eso «tiembla» y
«alienta» en sus máquinas y ulula en su sirena; por eso tiene
razón Macario Martín cuando le golpea con los pies el techo
del guardacalor para darle confianza, «como se hace con los
caballos»; porque «el barco tiene que oírnos» (GS, 104).
La red, la proteica red de los pescadores, atravesada por
la mirada del narrador o de los personajes, es, tendida en el
muelle cubriendo los norays, «como una enorme cuera de
animal de imaginación», «hitos cefalópodos» en esas ristras
de «ojos» que son las bolas de flote (GS, 137); cuando, preña-
da de pescados, flota todavía entre las aguas, la red, advierte
Afá —nostálgica advertencia de masculina soledad— «tiene
forma de mujer»; y el narrador completa la descripción: «de
mujer con las caderas prominentes de fecundidad aparente, de
pechos grandes y redondos, de cabeza pequeña» (GS, 63). Y
por fin cuando, izada al barco, va alumbrando sobre la cubierta una brillante maraña de pescados, es «como un monstruo de fondo, flojo y poderoso», y tiene «sus parásitos», como
«los grandes animales de la mar» (GS, 82).

c) *La descripción metaforizada*

Por fin, es necesario señalar la presencia estilística de la metáfora en los textos descriptivos. La descripción es frecuente e importante en *Gran Sol;* más aún, el carácter lineal, ya que no plano, de la novela, la ausencia de una intriga que estructure sintagmáticamente los diferentes episodios y situaciones narrativas, dan a todo el texto un fuerte carácter descriptivo: de la vida de los pescadores de altura, de los paisajes marineros del barco y de la mar. Aldecoa, sensible al color y a la forma, y dominador del lenguaje, pone al servicio de la descripción recursos estilísticos como la anáfora, la construcción nominal, el paralelismo, la metáfora, y consigue, en algunos textos descriptivos, los puntos más altos de perfección estilística.

Si en todos los casos la presencia de metáforas presta a los momentos descriptivos una mayor fuerza y riqueza expresiva, quiero aquí señalar especialmente una técnica usada repetidamente por Aldecoa y que consiste en «rematar» una descripción mediante una metáfora que permite integrar lo descrito en un nuevo y metafórico sentido; la metáfora funciona en estos casos como un elemento recursivo, que suspende la dimensión lineal de la donación de sentido, retrotrayendo su efecto a todo el enunciado descriptivo del que forma parte.

La descripción que el narrador nos hace de la acción de verter el contenido del copo sobre la cubierta del barco finaliza con esta metáfora:

«Las redes de arrastre vuelcan el quinto día de la creación del mundo sobre las cubiertas de los barcos pesqueros» (GS, 83).

La narración de la faena, y la coloreada descripción de la variedad de pescados que ha traído la red penetra, por la metáfora final, en un nuevo recinto de significación que acerca la aventura pescadora a una mítica cosmogonía primordial.

En las horas de franquía en Bantry, Simón Orozco visita el pequeño cementerio, que es para él «un muelle pesquero con gente conocida». La descripción se mezcla con los recuerdos de los marineros amigos, que duermen a la sombra de sus árboles, «grandes y copudos, sin pájaros»:

«Zugasti y su tripulación hacían capa para siempre bajo la tierra de Bantry, a una braza de profundidad, con alto vuelo de gaviotas y árboles sin pájaros» (GS, 119).

Orozco ve ahora el cementerio como un barco capeando inútilmente el temporal definitivo de la muerte. Barco, mar, vida, muerte... Las fronteras semánticas se diluyen, y la historia marinera de Zugasti y los suyos, como la de Orozco y su tripulación, deviene, por la magia de la metáfora, una historia ejemplar.

Todo el sistema metafórico de *Gran Sol* —del que aquí me he limitado a señalar sólo algunos usos más pertinentes desde una perspectiva concreta— desplaza el diálogo hombre ——> barco ——> mar a un distorsionado nivel simbólico, donde el trabajo del pescador va siendo como una ancestral lucha de dioses o de monstruos; la referencia del reportaje sobre la pesca de altura queda como velada por una niebla que sobre el paisaje de la ficción despliega la función poética, y los hombres y el mar y los barcos, desnortados de la función referencial, buscan en el sistema metafórico de la novela la orientación para una nueva travesía de sentido.

d) *Los motivos míticos*

Esta transposición metafórica de la historia de *Gran Sol* al universo semántico del símbolo queda además subrayada por lo que G. Sobejano ha llamado «motivos míticos de gran poder sugestivo» [39]; y alude en concreto al posible simbolismo de Simón Orozco, con algo de eterno y sagrado, que haría del pesca del «Aril» una representación de valores mitificados en el apóstol pescador Simón Pedro [40]; a las cailas, devoradoras de los pescados muertos que se arrojan desde los barcos,

[39] Cf. G. Sobejano: *Novela española de nuestro tiempo,* p. 394.

[40] En realidad, además del nombre de Simón, es la cita del evangelista Lucas, que precede a la novela, la que provoca el paralelismo: «Dijo a Simón: Tira a alta mar y echad vuestras redes para pescar.»

y que son, para el narrador de *Gran Sol*, «las hienas de la mar»; la peligrosa ferocidad de la caila encarna míticamente en la novela una hostil y misteriosa fuerza que el hombre ha de acertar a conjurar en su lucha con la mar y con la muerte. También la escena del arrendote moribundo —«la rota cabecilla caída, el pico feroz en su desmandibulado ahogo de muerte, las alas todavía trenzadas, hacían del pájaro un grotesco fracaso de la hermosura» (GS, 156)— supondría, siempre según Sobejano, una variación del simbolismo de «L'albatros» baudelairiano, incluyéndose así en el universo de motivos míticos que se insinúan en la novela.

Pero además se encuentran también otros motivos por los cuales Aldecoa parece querer orientar la historia de *Gran Sol* hacia los umbrales del mito.

Son precisamente los comentarios del narrador —es decir, su lectura de la historia marinera de *Gran Sol*— los que mejor nos pueden permitir detectar ese posible sentido segundo que se genera desde la narración de la aventura del «Aril».

En los ocios de a bordo, desde los pensamientos de Simón Orozco —el calor de la chimenea en la espalda y el frescor de los vientos en el rostro— el narrador despega hacia un espacio imaginado donde los barcos —ya no son simplemente el «Aril» y el «Uro»— surcan la superficie impenetrable del mito:

> «En los barcos de fuegos, los paleadores del carbón saben que hay un alma asesina en la multitud de las llamas. De los barcos de velas se sabe que el viento, en un mal calculado impulso de gigante, en el punto donde la fuerza bruta se hace fuerza de muerte, rompía los equilibrios milagrosos de las naves, abriendo la estela de los naufragios. En los barcos de motor no hay mitología de la fuerza» (GS, 56).

Los poderosos dioses míticos del fuego y del viento han sido sustituidos, en los barcos de motor, por ese caprichoso duende de los rumbos que habita en la bitácora y que sólo se ajusta a la llamada de los polos; pero hay también una mítica e imprevisible veleidad en ese danzarín duende de la bitácora, que encanta y atormenta la inquietud y el corazón del marinero:

> «Salta como los delfines, vuela como los albatros; duerme con los ojos abiertos, vela con los ojos cerrados; se mece emperezado, corta paralelos, brinca meridianos. En el carrusel de la rosa de los vientos, de los rumbos, en la rosa náutica, en la aguja, habita el duende de la inquietud del hombre. El duende que gasta el corazón del marinero en el juego de sus treinta y dos caprichos principales» (ibíd.) [41].

El «Aril» en su travesía parece cruzar así ese misterioso umbral del mito a partir del cual la pelea del hombre con la mar en el trabajo de la pesca se inserta en una lucha más primitiva y universal del hombre con una innominada y sólo intuida fuerza que únicamente hacia el final de la novela revelará su identidad: la muerte.

Por eso, si cada marea es un viaje metafórico al centro mismo de nuestra existencia primordial, la patraña de cada viaje, en esa mar de fondo de la imaginación marinera, es un mítico pez que

> «saltó a bordo en el muelle de las despedidas; creció en las meditaciones del puente, en la soledad de las guardias; buscó guarida en los ranchos de las conversaciones del ocio y del descanso» (GS, 77);

la patraña coletea rabiosamente y sólo al llegar otra vez a la vista del puerto se vuelve a la mar por los agujeros imbornales, o por los escapes de las puertas de trancanil.

La patraña es como un pequeño y casi manejable mito familiar, que crece «en los barcos de altura, en los cuarteles, en las cárceles» y que se alimenta de la inquietud del hombre, de sus esperanzas y desesperanzas en el porvenir.

Esta patrañera y cotidiana mitología de los barcos de altura que el narrador de *Gran Sol* extiende a los cuarteles y a las

---

[41] Es evidente la perfección estilística del párrafo, que descansa sobre el paralelismo, la combinación de construcción verbal y nominal, de frase larga y frase corta, el empleo de imágenes, y la adecuación del ritmo sintáctico a lo expresado en el nivel semántico.

cárceles junta, en una misma familia de soñadores, a los pescadores del «Aril», a los guardias y mujeres del castillo-cuartel de *El fulgor y la sangre,* al gitano huido de muerte de *Con el viento solano:* seguridad de la tierra firme, traslado, libertad...; otras tantas formas de la mítica patraña —pez, hierba o pájaro—, estrangulada siempre por la realidad de la muerte.

Lenguaje marinero, metáfora y descripción metaforizada, y motivos míticos son así otros tantos recursos sobre los que la novela —historia y discurso— se apoya, en esa marea semántica que le lleva a pasar de las conocidas aguas costeras del documento al imprevisible océano del símbolo.

«Gran Sol»: la travesía del sentido

En esta parte de mi estudio de la tercera novela de Aldecoa, y procediendo según la orientación señalada en la metodología y practicada ya en las dos novelas hasta aquí analizadas —de lo *más conocido* a lo *menos conocido,* de lo denotado al universo de connotaciones—, voy a distinguir, en lo que metodológicamente corresponde a la función simbólica en *Gran Sol,* tres estadios progresivos y relacionados, y que, provisionalmente podrían ser explicitados como: descripción de la vida de la pesca de altura a través de la experiencia del «Aril», y lectura de esa vida marinera como existencia penosa y como lucha; simbolismo del combate barco (hombres)/mar, como metáfora de la dimensión agónica de la existencia humana acosada, una vez más, por el fatalismo implacable de la muerte [42].

DEL DOCUMENTO SOBRE LA PESCA DE ALTURA
A LA VIDA COMO COMBATE

Ya se ha indicado que el mar de *Gran Sol* no es un mar de aventura, sino de trabajo, y que ello condiciona el contenido

---

[42] El americano OTTO O. FISCHER ha señalado esta dimensión mítica de la novela, al comparar a los pescadores de *Gran Sol* con Prometeo; cf. *La tragedia humilde en la narrativa de Ignacio Aldecoa* (tesis de doctorado, mecanografiada).

y el ritmo de la mínima intriga sobre la que se construye el relato.

Desde el trabajo se organiza la travesía del «Aril» hasta las costas de Irlanda y la vida de los hombres en el barco. Y luego, ese espacio amplio de azar y de riesgo que tiene siempre la vida en el mar, se concreta en la novela en la avería de las toberas primero, luego, la red enganchada en la hélice del «Uro», que hace necesario su remolque hasta Bantry, y por fin, el accidente de Simón Orozco; este encadenamiento de contratiempos convierte la aventura del «Aril» a Gran Sol, al decir de uno de los tripulantes, en «el viaje de las desgracias».

Sin embargo, Aldecoa no ha amontonado arbitrariamente desgracias y fatalismos sobre su barco y su gente, como si con ello la delgada trama del relato fuera a adquirir densidad y consistencia; la aventura del «Aril» no es desmesurada, como lo es, por ejemplo, la del navío Pequod tras el rastro de Moby Dick por los mares australes; ni siquiera en el accidente que cuesta la vida al patrón de pesca; su verosimilitud —el realismo de su motivación—, así como la mesura y austeridad de su tratamiento narrativo hacen que funcione como situación climática de la novela en perfecta relación de coherencia con el conjunto.

Tampoco es desmesurada la descripción de la vida en el barco y la presentación de los personajes y sus pasiones. Hasta el punto de que algún crítico ha visto en este «tono menor» de la historia-lucha de los pescadores del «Aril» una insuficiente adecuación al momento histórico de la novela [43].

Qué duda cabe que la aventura de *Gran Sol* podía haberse escrito *de otra forma;* habría sido, en todo caso, *otra aventura* en Gran Sol; la opción de Aldecoa no deja por eso de ser menos legítima y, vista en sí misma y en el sistema más global de la narrativa de su autor, resulta no sólo coherente, sino también, y a mi juicio, convincente.

---

[43] «Pero, como te dije, yo buscaba las pasiones, la vida en lucha de tus hombres. Sinceramente, esperaba más; si no es que no lo supiera ver. Ojalá. Tu barco tiene una vida de pasión menor. Casi horizontal. O simplemente limpia. Veo poco incardinada a nuestro espacio y tiempo la historia de tus pescadores»; ROSENDO ROIG: «Carta abierta a Ignacio Aldecoa», en *La Hora,* 8 de febrero de 1958.

La novela presenta un primer estrato significativo que tiene el carácter documental del reportaje; el espacio y el tiempo como coordenadas que convierten la fábula en «historia», las faenas de la pesca, la vida de ocio y aburrimiento en el barco, son descritos con tal rigor que acaparan por sí mismos el sentido —un sentido— del relato. En este nivel, la aventura del «Aril» es descrita por Aldecoa *como si* la finalidad del texto fuera meramente testimonial; la verificabilidad de algunos elementos y la escrupulosa verosimilitud de los demás parecen amarrar el texto al espacio semántico de la crónica.

Si anteriormente he sido reticente a la hora de calificar *El fulgor y la sangre* como la novela de los guardias civiles, y *Con el viento solano* como la de los gitanos, *Gran Sol* es, desde el título —el único título, de las cuatro novelas de Aldecoa, que aparece en principio puramente denotativo— hasta el capítulo final, la novela de los pescadores de altura.

Y en este nivel el desarrollo de la anécdota se somete a las exigencias del reportaje, que no deja de serlo ni siquiera en el suceso excepcional de la muerte accidental del patrón.

Si Simón Orozco, no sólo por su muerte sino por su vida, e incluso por el lejano simbolismo de su nombre, parece aguantar sobre sus recios hombros de marinero vasco una carga semántica mayor que la meramente referencial, ello no se hace de ningún modo a expensas de la verosimilitud de su función denotativa: Orozco es el típico —aunque no por ello desprovisto de individualidad— patrón de pesca de la costa cantábrica vasca. Una vez más, el paralelismo con *Moby Dick* nos permitirá contrastar la figura del capitán Achab, cuya evidente y descomunal dimensión mítica está hecha a costa de borrar los perfiles típicos, con la del «vulgar» Orozco, amarrada reciamente al noray de la función representativa, y orientada desde ahí a una más amplia, pero siempre subsiguiente, finalidad significadora. Los demás tripulantes del «Aril», con más claridad todavía que el patrón Orozco, se mueven, física y vitalmente, en ese espacio menor del barco y del trabajo, en la cotidianidad de la faena, interrumpida por la niebla, por la avería o por la muerte, con el gesto monótono de lo acostumbrado, de lo que, por previsible, aparece de antemano cerrado a la gran aventura; porque en esa cadena de previsibilidades y desfavorables acaecimientos en que se engarza el viaje —este viaje— del «Aril», la muerte final del patrón no sería más que un último y necesario eslabón.

Si Aldecoa ha escogido para su novela precisamente *ese* viaje de las desgracias, es por su tendencia, ya manifestada en las dos novelas anteriores, a seleccionar situaciones límite en la vida de sus héroes, que por lo mismo justifican un acontecer vital más intenso que el discurrir cotidiano; como él mismo confiesa:

> «Ese mundo cerrado y previstamente trágico es lo que me interesa» [44].

Ahora bien, a diferencia de las dos primeras novelas, en *Gran Sol* la muerte no es una situación inicial desde la que cobra intensidad y sentido la vida de los pescadores del «Aril», sino que constituye una situación final, que funciona como clímax en el nivel de la trama novelesca, y que si resulta verosímil, aceptable en el sistema semántico de la totalidad del texto, es porque se nos aparece coherente con el acontecer de la existencia marinera de los pescadores.

Ya se señaló antes que la aventura de los pescadores de *Gran Sol,* tal como Aldecoa nos la presenta, adquiere dimensión trágica no tanto por la muerte cuanto por la vida de los hombres que la protagonizan.

Por eso no se necesita como situación narrativa inicial de la muerte del patrón para que el vivir cotidiano en el barco, en la lucha con el mar, evidencie su dimensión trágica; la muerte de Simón Orozco es un acontecimiento más —excepcional estadísticamente, pero que forma parte de la existencia marinera— en esa permanente situación límite que constituye para Aldecoa la vida de los pescadores de altura.

Aquí radica una diferencia manifiesta con las dos novelas

---

[44] «... escojo algo que es *límite* en la vida de los protagonistas, por tanto, más intenso que el discurrir cotidiano de los mismos. Ese mundo cerrado y previstamente trágico es lo que me interesa»; M. FERNÁNDEZ BRASO: «Ignacio Aldecoa levanta acta de los años de crisálida», en *Indice,* octubre de 1968.

anteriores, y la razón, o una al menos de las razones, de que *Gran Sol* empiece siendo el reportaje de la pesca de altura, cosa que de ninguna manera son —reportaje sobre la Guardia Civil o el mundo gitano— *El fulgor y la sangre* y *Con el viento solano.*

Pero el reportaje resulta de la condición trágica que para Aldecoa tiene la vida del pescador, independientemente de que sea vista desde la perspectiva límite de la muerte; el que ésta acontezca contribuye a redondear en sistema una existencia abocada a la tragedia; pero también sin ella la aventura del «Aril» seguiría teniendo la misma esencial significación.

Por eso, cuando Aldecoa se ciñe en *Gran Sol* a las convenciones de la novela-reportaje y opta por un tratamiento narrativo claramente documental, no es porque de entrada pretenda poner límites a la capacidad significadora del texto, o renunciar a la trascendencia de la mímesis en el símbolo; Aldecoa no pretende erigirse en cronista de los pescadores del Great Sole, porque no es la crónica el objetivo de su texto; pero la crónica resulta de alguna manera hecha en ese magnífico esfuerzo del escritor por relatar —convertir en relato— la vida pescadora del Cantábrico a los mares de Irlanda, vista no como aventura, sino en esa otra dimensión, oscuramente cotidiana y trágica al tiempo, del trabajo. El habló, en sus proyectos de trilogías, de «la épica de los grandes oficios». Es clara la escasa correspondencia del proyecto con la escritura; pero, en cualquier caso, un oficio como el del pescador de altura, sin necesidad de ser distorsionado hacia la aventura o hacia pasiones o conflictos descomunales, tiene, para Ignacio Aldecoa, las medidas adecuadas para enmarcar esa visión tan característica suya de la existencia como combate del hombre con la vida, con su vida, que es una forma, la única forma verdadera, de expresar la existencia como lucha del hombre con la muerte, con *su* muerte.

Por todo esto, en *Gran Sol* el reportaje *era necesario;* sin que con ello se quiera decir que se constituya en el único espacio de sentido transitado por el texto. Porque su evidente carácter documental y su claro objetivismo conviven con una manifiesta presencia estilístico-selectiva del narrador, por la que la «realidad», al ser representada, resulta interpretada.

Por eso aquí no interesa una mera repetición de cómo es la vida del «Aril», tal como se nos describe en la aventura de *Gran Sol,* sino, a partir de ello, cómo *ha leído* Aldecoa a través de su misma escritura la aventura de sus pescadores a los bancos irlandeses.

LA DIMENSIÓN AGÓNICA DE LA EXISTENCIA HUMANA

Aldecoa sitúa la anécdota de su novela en un espacio, el barco, móvil y cerrado a un tiempo, como si quisiera integrar en uno solo las características espaciales de sus dos novelas anteriores: lo cinético —la movilidad del viaje— de *Con el viento solano,* y el estatismo del encierro en el castillo, de *El fulgor y la sangre.*

Si el viaje aparece en *Gran Sol* como motivo estructurante de la fábula, no se trata de un viaje ordenado al descubrimiento del espacio —el viaje en la novela de aventuras—; ni tampoco funciona el viaje físico como correlato de un viaje espiritual por el que el personaje va descubriendo los espacios de su propia vida interior y de su conciencia, como ocurre en *Con el viento solano.*

En ese accidentado viaje del trabajo que es la travesía del «Aril» y el «Uro» desde las costas cantábricas hasta los mares de Irlanda, no hay «aventuras», ni proceso de conciencia. La relación espacial barco/mar que constituye el marco épico de la trama novelesca se ve siempre desde el ineludible y áspero trabajo del pescador de altura, cuya condición social —y existencial— expresa.

Por eso, la infinita grandeza del mar —de *la* mar de los marineros—, tan plásticamente captada por el narrador en algunas descripciones, aparece filtrada por esa penosa experiencia que del trabajo en la mar tiene el pescador de altura. La mar del trabajo es «la mar del peligro», que, en la proximidad de la tormenta, se ensancha «en la confusión de la cargazón de la atmósfera». La mar que con temporal «da dentera» está siempre seria y tiene «su ley» y «su tajo».

En esta mar que Simón Orozco dice no querer ni para su peor enemigo, el «Aril» encarna ese espacio cerrado donde la vida tiene las características de una reclusión.

La vida en el barco, cuando no está llena del ajetreo solidario del trabajo, o de la ondulante calma del sueño, se puebla de la monotonía inmensa del timón o del cuarto de derrota —«El cansancio, el aburrimiento, la vaciedad de siempre» (GS, 159), piensa Orozco—, de las charlas en los ranchos —las bromas, los insultos y las obsesiones de todas las mareas—, o del silencio de las horas blancas de la siesta, ese silencio que, para el narrador de *Gran Sol,* se siente, se palpa, suena; es el silencio «compacto y gelatinoso, triste, de las siestas colectivas: prisión, cuartel, barco» (GS, 145).

Desde la ardua experiencia que de la mar tienen los pescadores, cruzando de sur a norte y de norte a sur la distancia entre la costa cantábrica y la irlandesa, el barco es un espacio cerrado, que oprime y llena de hastío la existencia de sus moradores; como el castillo-cuartel de *El fulgor y la sangre,* como la prisión adonde habrá ido a parar, con su achulada figura, el gitano Vázquez.

La infinitud de las aguas, contemplada desde el riesgo fatal del trabajo, funciona paradójicamente como un espacio que constriñe, limita y aísla. Por eso, en la reflexión de los pescadores del «Aril» aparece con frecuencia un elemento decisivamente pertinente en el sistema semántico de la novela: la oposición física mar/tierra, como figura, en un nivel conceptual, de una oposición más profunda y genérica, que podría explicitarse como realidad/deseo, y que a su vez actuaría de connotador de una última y universal oposición muerte/vida.

Desde la ruda y arriesgada experiencia de las faenas en la mar, el trabajo en tierra aparece como una liberación y, por lo mismo, como un deseo.

Y, sin embargo, la mar no es sólo un castigo, una rutina, una fatalidad; termina siendo una necesidad, la única posibilidad de la existencia; la tierra, el trabajo en tierra, flota así en un espacio ambiguo de deseo, utopía y veleidad.

En el fondo, el pescador es como el pez, que cuando se le saca de las aguas se muere.

No, la vida ya no deja que se les pase ese «bravío de la mar» que llevan pegado a la carne, como las ligareñas o los arrendotes.

Los pescadores del «Aril», que llevan la mar como una fatalidad, como una piel no deseada, pero que los constituye, querrían que al menos la generación de los hijos se liberara de la servidumbre de la mar.

Como las mujeres del castillo, los hombres del Gran Sol están recluidos en un espacio cerrado, de cuyo fatalismo sólo escapan por el deseo —el traslado, el trabajo en tierra— o la esperanza de los hijos. Pero al final, la realidad se impone fatalmente, como la noche, la pleamar o la tormenta, y sólo queda, para todos, la mar; y la mar —el mar, en esta ocasión— es la última palabra del patrón Orozco, recogida por el costa Paulino Castro, y comunicada, cruzando las aguas, hasta el «Uro» y hasta otros barcos de la flota del Gran Sol, avisando de la llegada de la muerte:

> «—Dijo: "Dios, Dios...", y su mano izquierda golpeó la barra de la litera, después cerró el puño de la derecha. Luego dijo: "María, los hijos..." y abrió los ojos y se quedó mirando para la trampilla del puente. Y cuando gritó, gritó fuerte, como al mandar la maniobra siguiendo la faena y dijo: "El mar..."» (GS, 187).

Unas horas después, a la pregunta de Macario Martín, «¿Cómo va?», Joaquín Sas responde: «Ya está en el fondo», señalando expresivamente el hundimiento definitivo de la muerte. El «Aril», mecido desesperadamente por un recio viento del norte, hace capa a la espera y choca sonoramente con densos muros de lluvia. Hasta que al día siguiente, en ese muelle pesquero con árboles grandes y copudos que es el cementerio de Bantry, sepulturas por cascos y por mástiles cruces, Simón Orozco, patrón de pesca del «Aril» y el «Uro», junto a Antón Zugasti y su tripulación, y Arbaiza y sus hermanos, y los gallegos del Miño, junto a los ingleses de los bous y los franceses de los pitís, haga capa para siempre, a una braza de profundidad, con alto vuelo de gaviotas y árboles sin pájaros.

Cuando al atardecer, mientras los perfiles de la costa irlandesa se difuminan en la distancia y el «Uro» y el «Aril» hacen rumbo al sur, en el mar no quedan señales de la tragedia reciente. La mar es siempre la misma.

Ese agónico diálogo del pescador de altura con el mar, desde el poder o la impotencia de los barcos de arrastre, se termina con la muerte.

A diferencia de las dos novelas anteriores, en *Gran Sol* la muerte, como ya se ha indicado, no es la perspectiva inicial desde la que se lee la peripecia novelesca. Pero cuando acontece, tiene un poder semántico recursivo y cubre, con un oscuro y ancho manto de sentido, la marea entera del «Aril» y el «Uro», el trabajo y el ocio, el hastío y la alegría, los desesperos y los sueños de sus hombres. Si para la gente del castillo no había más traslado que la muerte, para estos pescadores del Gran Sol no hay más tierra de descanso que la escasa y definitiva de una tumba cn Bantry, o en algún cementerio de la costa cantábrica. Es la ley de la mar, que se cumple fatalmente, como la del castillo.

Aldecoa definió *Gran Sol* como una novela «absolutamente trágica» desde el punto de vista temático. Hay una grandeza trágica cierta en «el puro trabajo de la mar»:

> «En ella se vive en plena tragedia: el espacio reducido, las incomodidades, el despertar de la violencia en el corazón de la gente, el escaso tiempo de franquía en los puertos...» [45].

Son estas características de la vida marinera las que le han brindado a Aldecoa la anécdota de la tragedia. Por eso *Gran Sol* se escribe —tiene que ser así— desde la técnica narrativa del reportaje; pero no para significar simplemente la crónica coyuntural de un oficio penoso y de algún modo exótico, y cuyo riesgo se paga a veces, como es el caso, con la vida, sino para descubrir, por debajo de la línea de flotación que marca el nivel anecdótico del documento, el sumergido universo semántico del combate del hombre con la naturaleza, de la dimensión agónica y trágica de la existencia.

---

[45] Julio Trenas: «Entrevista con Ignacio Aldecoa», en *Pueblo,* 6 de octubre de 1956.

La tonalidad ya trágica de la penosa y agobiante vida en el barco se amplifica en ese diálogo majestuoso y ambiguo con el mar; el mar adquiere, a lo largo de la travesía poética que es el texto, la dimensión mítica de un proteico titán que acaricia y golpea, acuna y derrumba, besa y devora; es el mar del que Aldecoa dice que «es amigo y enemigo», el mar que crece hasta esa pleamar textual que es la novela, y se constituye, frente al barco, en antagonista de la trama [46].

La individualidad de cada uno de los trece tripulantes del Aril queda trascendida semánticamente en el protagonismo colectivo del barco como espacio habitado, y, por lo mismo, humanizado, es decir, elevado a símbolo de (un modo de) la existencia.

El agonismo de los personajes de Aldecoa llega en *Gran Sol* a una altura y adquiere una grandeza que no tienen otros textos narrativos —largos o breves— de su autor; se trata en todos los casos de «tragedias humildes»; o tal vez sería más exacto hablar de la tragedia de gentes de vida humilde [47], como son casi siempre las que desfilan por los cuentos y las novelas de Ignacio Aldecoa; y la tragedia humana, cuando lo es de verdad, apenas necesita de especificaciones. En *Gran Sol,* la inmensidad del escenario marino, o la espectacularidad de las faenas de la pesca, son elevadas, por la magia de la palabra poética a cosmogónico momento primordial, y la cotidiana lucha del hombre con la naturaleza y con la muerte atraviesa el umbral de la existencia mítica y ejemplar. Pero la muerte de Simón Orozco, aplastado por el peso fosfórico de ese «quinto día de la creación» que las redes dejan caer sobre las cubiertas de los barcos de pesca, es como la muerte del cabo Francisco Santos, abatido absurdamente en un olivar por un gitano aterido de miedo; o como la del choni Jerry, nadador y borracho, englutido por las aguas y la noche de Carnaval en la

---

[46] «El mar en *Gran Sol* no es ciertamente el protagonista de la novela, sino un antagonista perfectamente caracterizado, humanizado en titán de inmenso torso jadeante y múltiples brazos de espuma, la lejana cabeza perdida en el lejano horizonte». M. FERNÁNDEZ-ALMAGRO: «Gran Sol, por Ignacio Aldecoa», en *ABC,* 9 de febrero de 1958.
[47] «La humilde vida de Sebastián Zafra» es el significativo título de uno de los mejores cuentos de Aldecoa.

isla de *Parte de una historia;* como la muerte del gitano Zafra, reventado por una granada, «hacia los altos nidos de las nieves», en *La vida humilde de Sebastián Zafra;* como la del niño José, el hijo de José Fernández Loinaga, peón, aunque de oficio es maestro entibador, en *Quería dormir en paz;* como la de Pepe el Trepa, cincuenta y siete años, ex-torero y enfermo del pecho, sin amigos y sin un clavel, en *Caballo de pica.* Tiene razón Macario Martín; qué más da morirse en la mar que en tierra, en la litera que en la cama; al fin, todas las muertes son la muerte, es decir, la MUERTE.

Desde el combate de los hombres del «Aril» —del hombre— con la mar, la dimensión agónica de la existencia humana es proyectada semánticamente hacia un último y universal recinto de sentido, que es la unamuniana agonía del hombre con la muerte [48].

«GRAN SOL», ¿NOVELA SOCIAL?

Este deslizamiento semántico de la aventura del «Aril» a la aventura humana como combate con la naturaleza y la muerte

---

[48] La crítica, en general, ha subrayado repetidamente el barojianismo de Aldecoa, que, de cualquier modo, debería ser matizado, como hace ANA M. NAVALES al escribir: «(Aldecoa) No es tan barojiano como se ha dicho. Puede serlo en el modo de que se ocupa, pero ni su sensibilidad ni su técnica ni su manera de escribir son las de Baroja»; *Cuatro novelistas españolas,* p. 140.

Dado el marcado carácter existencial de la novela de Ignacio Aldecoa, se podría hablar de su «unamunianismo», que también, naturalmente, debería ser matizado. No hay en Aldecoa, por ejemplo, la preocupación religiosa de D. Miguel. Hablando de sus autores preferidos, Aldecoa confesaba, pocos meses antes de su muerte: «Me interesaron, entre otros, Galdós y los escritores del 98, pero leía con mucho entusiasmo las traducciones de los escritores ingleses y norteamericanos que llegaban a España»; entrevista en *La Nación,* de Buenos Aires, 20 de abril de 1969; en otra ocasión, bastantes años antes, había señalado, como «autores de cabecera» a Dickens, Dostoyevsky, Faulkner, Husley...; cf. entrevista en *Ateneo,* 1 de noviembre de 1954. Y por esas mismas fechas, 6 de noviembre del mismo año, en una entrevista que le hace DEL ARCO para *La Vanguardia,* de Barcelona, leemos: «—¿Admiras a algún escritor español? —A Cervantes. —¿Contemporáneo? —No hay admiración; siempre respeto; a Don Pío.»

—es, una vez más, el tránsito de la mímesis al símbolo— plantea una cuestión aludida de algún modo en el estudio de *Con el viento solano:* la dimensión social de la novela.

El propio Aldecoa, interrogado sobre el probable sentido de *Gran Sol,* confiesa:

> «—Sí. Late en ella un problema social y, ¿qué se yo si cierto oscuro simbolismo?» [49].

Pablo Gil Casado, en su conocido estudio sobre la novela social española, excluye explícitamente del apelativo de sociales

> «las novelas reportaje (como *Gran Sol* o *El fulgor y la sangre,* de Ignacio Aldecoa) o las del costumbrismo laboral» [50],

y justifica su exclusión señalando que, a pesar de la técnica testimonial, la mezcla de la ficción y el documento tiene como finalidad no la intención crítica, sino la representación épica de la lucha del hombre con la naturaleza; sin embargo, los hechos narrados tienen un carácter y un significado social que se transparenta necesariamente en la novela;

> «pero cuando así ocurre —puntualiza Gil Casado— es *involuntariamente*» [51].

Posición muy parecida es la sostenida con anterioridad por Gonzalo Sobejano [52].

Efectivamente, la vida de los pescadores de altura, testimonialmente representada en esa novela reportaje que es *Gran Sol,* tiene una evidente dimensión social. Ya hemos visto ade-

---

[49] J. TRENAS: «Entrevista con Ignacio Aldecoa», en *Pueblo,* 6 de octubre de 1956.

[50] *La novela social española,* p. 59. Me parece sencillamente inaceptable la adscripción de *El fulgor y la sangre* a la novela-reportaje.

[51] Ibíd. El subrayado es mío.

[52] «Con este cuadro verídico Aldecoa no trata, sin embargo, de abogar por los derechos de los obreros del mar; si acaso, esto es aquí lo secundario. Lo esencial está en expresar la realidad de esos hombres, testimonialmente, sin discurso de la defensa; y, sobre el testimonio, o más bien dentro de él, la hermosura...»; *Novela española de nuestro tiempo,* p. 394.

más cómo a Aldecoa no le ha interesado utilizar la travesía del «Aril» como punto de arranque para organizar la ficción novelesca sobre una aventura, marinera o psicológica, desligada de la cotidianidad del mar del trabajo y de la vida de sus hombres; hasta la muerte del patrón Orozco se adscribe inicialmente a esa cotidianidad. Además, el real protagonismo colectivo de los tripulantes del «Aril» hace que la acción de la novela se especifique no tanto por la función individualizadora de cada uno —o de alguno— de los personajes —*Gran Sol* no es la historia de Simón Orozco—, cuanto por el grupo, es decir, el barco como ámbito de vida y de trabajo.

Aldecoa ha insistido en que su mar —el de *Gran Sol*— es el mar del trabajo y no el de la aventura. Y así es efectivamente; lo cual orienta la novela hacia un espacio de sentido eminentemente social, que se habita con el simple testimonio de la vida penosa de los hombres del Gran Sol.

Sin embargo, es claro también que falta una explícita dimensión crítica; ciertamente, no hay un «discurso de la defensa», ya que no llegan a tal las esporádicas alusiones que los marineros hacen a la injusticia de su situación en esas interminables charlas de las horas de ocio en los ranchos.

Pero ni los diálogos de los personajes, ni la voz del narrador —no lo permitiría el objetivismo de la narración— se ordenan a la perforación de un sustrato de significado que oriente la aventura protagonizada por los pescadores del «Aril» en la dirección analítica, ideológica y crítica, propia de la novela social, al menos en el estricto sentido del término [53].

Diríamos, pues, que en *Gran Sol* la dimensión social de la novela queda recluida en el nivel de lo *implícito,* mejor que de lo *involuntario,* que es el término, como hemos visto, utilizado por Gil Casado; aunque el mismo crítico, en otro lugar de su estudio, habla de «la intención *implícita* social» de la novela [54].

Aldecoa conoce a fondo la indefensión y el desvalimiento

---

[53] El que le da, por ejemplo, Gil Casado. No ese sentido más genérico, según el cual, para el mismo Aldecoa, toda literatura es social, y lo son desde luego sus novelas.

[54] *La novela social española,* p. 301.

de los hombres y los grupos humanos y se hace, como escritor, solidario de ellos. Más aún, esa evidente predilección por los seres humildes, sufrientes, víctimas muchas veces del infortunio y de la marea social, es una forma válida de compromiso, que actúa como «avanzadilla de la conciencia colectiva» [55].

A la pregunta «¿contra qué escribirías?», Aldecoa en una ocasión responde sin vacilar: «Contra la injusticia» [56]. La narrativa de Aldecoa no es un grito programático contra la injusticia. Es más bien un sincero y dolorido gesto de compasión *con* y no simplemente hacia el hombre que sufre.

En un tiempo en que la literatura social —cierta literatura social— se esgrime como una bandera, el escritor Ignacio Aldecoa entiende defender su necesaria independencia no dejando adscribir su escritura a

«una literatura social con minúsculas, que tiene un marcado carácter partidista» [57];

pero esto no quiere decir que la solución se busque recluyéndose en una aséptica neutralidad, que no sería sino una forma de complicidad con la injusticia:

«El novelista es un testigo de excepción. No puede falsificar sus declaraciones a favor del acusado ni en contra, y, además, tiene que juzgar al Tribunal y se tiene que juzgar a sí mismo» [58].

---

[55] RAMÓN DE GARCIASOL, en un comentario al libro de relatos *Vísperas del silencio*, habla de esa predilección de Aldecoa por los seres sufrientes, humildes y primitivos, compartida, en general, por los escritores contemporáneos, y se pregunta: «Esta devoción de los escritores actuales por los personajes vencidos, derrotados por la marea social, ¿querrá decir, sociológicamente, que son los únicos que tienen vida narrable, no melodramas, convencionalismo y cursilería? ¿Es acaso esta temática una avanzadilla de la conciencia colectiva en trance de restitución presentando a unos seres maltratados a los que el escritor reivindica y justifica?»; *Insula*, núm. 115, Madrid, 1955.

[56] M.: «Entrevista con Ignacio Aldecoa», en *S. P.*, 5 de junio de 1968.

[57] M. GÓMEZ SANTOS: «Entrevista con Ignacio Aldecoa», en *Madrid*, 18 de enero de 1955.

[58] Ibíd.

El hecho de que en *Gran Sol* no haya «discurso de la defensa» —no lo hay nunca en la narrativa del autor— no despoja a Aldecoa de su condición de testigo. Si su relato de la aventura del «Aril» no es un «paidoyer», no deja de ser un testimonio lúcido de la vida llena de penalidades de los hombres de la mar; más claro, desde luego, y directo que el que sobre los guardias y los gitanos representan sus novelas anteriores. Pero un testimonio que, sin destruirse, se trasciende en parábola, donde la lucha de los pescadores del Great Sole con el mar y con la muerte se orienta hacia un sentido decisivamente existencial. Y es en este espacio de la fatal contingencia humana donde el accidente de Simón Orozco cobra todo su significado. Así lo apunta el mismo Aldecoa, cuando, a la pregunta «¿por qué al final de sus novelas siempre hay el fatalismo de la muerte?», responde:

> «—Bueno, no en todas. Al gitano sólo le salieron treinta años y un día. En ésta (se refiere a *Gran Sol*), sí. Parece que terminan bien las cosas de ese modo, que se cierra la parábola...» [59].

Una vez más, el testimonio funciona como «relais» en una travesía de sentido que apunta claramente a ese espacio donde el desvalimiento del hombre, más allá de los condicionamientos de clase o de las circunstancias históricas o políticas, llega a tocar el fondo más radical de la condición humana.

EL SIMBOLISMO DE LA MUERTE

Esto permite afirmar, como conclusión de todo lo dicho hasta aquí, que una novela como *Gran Sol*, desde su aparente carácter lineal de mero documento, se eleva a una zona de simbolismo, equiparable a la de las dos novelas anteriores.

Leer esta novela como un mero reportaje o, como algún

---

[59] MAURO MUÑIZ: «Gran Sol», última novela de Ignacio Aldecoa...», en *La Estafeta Literaria*, 7 de julio de 1956.

crítico ha hecho, como libro de viajes, es haber ignorado que la densidad poético-narrativa del libro, que esos mismos críticos reconocen, no es una gratuita y hermosa demostración del dominio estilístico del autor —el tópico del libro «bien escrito»—, sino una *función* del sistema de texto y de sentido que es la novela.

Si reducimos el alcance semántico de la novela al primer nivel, nos quedamos en la función mimética. La función poética queda así aislada, distorsionada de ese sistema funcional —la obra— al que pertenece, y es vista entonces como simple virtud literaria, retórica, como mero resultado de estilo [60], y no en el proceso de la productividad textual, donde es la «poiesis» la que hace posible trascender la mímesis en la generación del símbolo. Y también en esta novela, como en las dos anteriores, el texto de Aldecoa alcanza claramente esa región del sentido.

Y es aquí donde la muerte del patrón, contingente en el nivel de la anécdota, se hace «necesaria». Es decir, el accidente de Orozco y su muerte permite «tirar» de la trama hasta hacerle alcanzar zonas universales de significación.

Las diversas oposiciones en que se resuelve, en sus anteriores niveles, el sistema semántico de la novela —barco ——→ (trabajo) ——→ mar, hombre ——→ (lucha) ——→ naturaleza— quedan neutralizadas ahora en una oposición englobante, que se puede explicitar como vida/muerte. La trágica existencia de los pescadores de altura en el Gran Sol —la violenta incomodidad de un espacio que aprisiona, el escaso desahogo en la franquía de los puertos, el mar, amigo y sobre todo enemigo...— se esfumina, en una técnica de fundido, para superponerse la recia figura del patrón Orozco, aplastado por el peso del copo repleto de pescado; pero tampoco sus rasgos son ya los del señor Simón, ni el accidente será su muerte; es el hombre, y es la muerte, a los que el novelista Aldecoa ha atribuido nombres y características diferentes.

---

[60] Sería esa concepción del «discurso de la poesía» que Todorov llama «ornamental»; cf. T. TODOROV: «Théories de la poésie», en *Poétique*, 28, 1976, pp. 385-389.

En ese agonismo esencial de la existencia humana, metaforizado ahora por Ignacio Aldecoa en la aventura de los pescadores del «Aril», una vez más la muerte impone su irremediable fatalidad. Prisión, cuartel, barco... metáforas espaciales que repiten, en otras tantas novelas, como una obsesión de su autor, la imagen del hombre como «ser-para-la-muerte».

4

LA HISTORIA PLURAL DE «PARTE DE UNA HISTORIA»

«Estoy aquí junto a esta barca, humedeciendo las manos en la arena. Estoy otra vez en la isla y de huida. ¿De quién huyo? No sabría decírmelo. Todo es demasiado vago. ¿Tengo alguna razón? ¿Por qué y de qué? No, no sabría decírmelo. ¿Y estoy aquí porque es aquí donde puedo encontrar algo? No sabría decírmelo. Huir acaso explica la huida. Y estoy aquí junto a esta barca, solo en la noche. ¿Y estoy, como esta barca, rumbo al vacío y para siempre?»

(IGNACIO ALDECOA: *Parte de una historia.*)

Análisis del discurso novelesco

Diez años deja pasar Aldecoa desde la aparición de *Gran Sol* hasta la publicación de su cuarta novela, *Parte de una historia* (1967). Después de publicar tres novelas en cuatro años —de 1954 a 1957— se produce un ancho vacío de diez años que, para seguir la andadura narrativa del autor, tiene que ser cubierto con las narraciones cortas, que Aldecoa siguió escribiendo y publicando hasta la muerte, y con proyectos y tal vez esbozos de novelas que no llegaron a ver la luz, porque en realidad nunca se escribieron [1].

La muerte, que de forma repentina corta en 1969 la carrera literaria de Ignacio Aldecoa, hace de *Parte de una historia* la última novela de su autor, novela que, por el espacio de la ficción y por la fábula misma —ya que no el tema, como luego veremos— parecería incluirse en la proyectada trilogía del mar; el «Aril» y el «Uro», al bacalao por los bancos del «Gran Sol», han marcado sobre el agua, en una clamorosa escritura de espuma, la epopeya de los pescadores de altura; en el grao de esa isleta innominada del Atlántico donde Aldecoa sitúa la acción de *Parte de una historia* las falúas que duermen escora-

---

[1] Entre *Gran Sol* y *Parte de una historia* es abundante y de importancia la serie de libros de relatos que Aldecoa publica: *El corazón y otros frutos amargos,* en 1959; *Arqueología,* en 1961; *Neutral Córner,* en 1962; *Pájaros y espantapájaros* y *Los pájaros de Baden-Baden,* en 1965. Además, habría que señalar *Cuaderno de godo,* de 1961, donde el escritor recoge sus impresiones de las islas Canarias, y el texto de la guía turística sobre el país vasco, publicado por Noguer en 1962.

das proa a tierra y tienen nombres gustosos —«La Desinquie-
ta», «Lirio del Mar», «Alegranza»...— recuerdan la historia
de esos isleños, pescadores de la bajura, rota por la exorbitada
aventura de los chonis, y recogida inquietamente por la mirada misteriosa del anónimo narrador.

Pero *Parte de una historia* se resiste a dejarse clasificar entre las novelas del mar, ya en el nivel mismo de la fábula.

El propio Aldecoa precisa, antes de la publicación de su
novela:

> «En esta isla tiene lugar una llegada de extranjeros y hay
> una persona que ve todo eso y lo cuenta, *no se sabe por
> qué, precisamente por eso se llama Parte de una histo-
> ria*» [2].

Como en *Gran Sol,* también hay una experiencia del autor
en la génesis de *Parte de una historia.* Se trata aquí de una
estancia de cuarenta días en «La Graciosa», «una isla pequeña
que forma grupo con "Montaña Clara" y "Alegranza" en Lanzarote» [3]. Se remonta a 1961 una declaración de Aldecoa en
que recuerda los días de «La Graciosa», «donde —dice— ha
estado escribiendo una novela que llevará por título «El Desconocido» [4]. Se trata, sin género de duda, de la novela que
no ve la luz hasta seis años más tarde y que ya no se llama
El Desconocido, sino *Parte de una historia* [5].

---

[2] J. J. PERLADO: «Ignacio Aldecoa escribe *Parte de una historia*»,
en *El Alcázar,* 3 de marzo de 1967.

[3] Sobre la isla de *Parte de una historia,* cf. DOMINGO PÉREZ MINIK:
«La isla de Ignacio Aldecoa: "Parte de una historia"», diario *El Día,*
de Canarias, 8 de octubre de 1967.

[4] C. P. E.: «Ignacio Aldecoa en Vitoria», en *La Gaceta del Norte,*
Bilbao, 26 de abril de 1961.

[5] Parece que la última novela de Aldecoa tuvo en la mente de su
autor varios títulos anteriores y distintos al que luego sería el real.
Josefina Rodríguez ha confesado al autor de este estudio ignorar «El
desconocido» como título proyectado para la novela; en cambio, según
su testimonio, Ignacio pensó en algún momento titularla «El vacío».
Volveré sobre estos proyectados títulos cuando analice la función simbólica en la novela.

«Ayer, a la caída de la tarde, cuando el gran acantilado es de cinabrio, he vuelto a la isla» (PUH, 7) [6].
«Mañana, poco después de que amanezca, dejaré la isla» (PUH, 219).

Con estas dos frases se abre y se cierra *Parte de una historia*. Y en ellas quedan marcados, de forma correlativa al principio y al fin de la novela, los ejes sobre los cuales se va instaurando el discurso narrativo.

Aldecoa inicia y finaliza la novela con dos frases gramaticalmente equivalentes. Sobre este plano de equivalencias, se organiza un juego de correspondencias y oposiciones, cuya verificación juzgo necesaria para plantear después el análisis y estructuración del discurso narrativo.

Una comparación de inicio y fin de la novela —en las frases ya citadas— nos ofrece como elementos comunes: un yo sujeto de los dos verbos «he vuelto» y «dejaré», y un espacio común, «la isla», complemento también de aquéllos; y, junto a esas correspondencias, una clara oposición semántica entre «ayer» y «mañana», y «volver a»/«dejar», reforzada la primera por la oposición de las marcas de tiempo de los verbos, pretérito perfecto/futuro. El relato aparece, por tanto, generado desde la oposición pasado/futuro («ayer he vuelto a la isla»/«mañana dejaré la isla»), neutralizada como presente que un yo narrante va convirtiendo en discurso. De donde resulta como relato la actividad narradora de un yo homodiegético [7] que convierte en escritura *su estar hoy en la isla* (yo/aquí/ahora/=narrador (⟶ texto)/espacio/tiempo/). El yo narrante, la isla como (espacio de) ficción y un presente narrativo donde se esfuminan los contornos cronológicos de la historia son a mi entender los elementos decisivos de la sintaxis y la semántica narrativa de *Parte de una historia*. Sobre ellos se organizará el análisis de la novela.

---

[6] Los textos de la novela se citarán con las siglas PUH y la página correspondiente de la 1.ª ed., Noguer, Barcelona, 1967.
[7] Utilizo la terminología de G. GENETTE: *Figures,* III, pp. 255-256, para referirme a un narrador en primer grado, que cuenta —al menos *también,* en el caso de *Parte de una historia*—, su propia historia.

LA PERSPECTIVA NARRATIVA

En contraste con las tres novelas anteriores —narradas en tercera persona—, en *Parte de una historia* Aldecoa utiliza la primera persona narrativa. Desde el «he vuelto a la isla» del comienzo hasta el «dejaré la isla» del final, hay una voz del narrador, un yo pluriforme, cuyo *registro* tiñe ese «juego de voces» que es toda novela [8].

Si el cambio de perspectiva narrativa que supone, con relación a la novelística anterior de Ignacio Aldecoa, el paso de la tercera a la primera persona en *Parte de una historia* puede en principio no pasar de ser una cuestión de técnica narrativa, de *retórica*, según W. C. Booth, indiferente por sí misma al mundo narrado [9], un modo diferente de filtrar esa «inocultable» voz del narrador [10], sin embargo, la introducción de un yo no sólo como instaurador primero del relato —narrador extradiegético—, sino además como integrante, en un nivel que

---

[8] «Para nosotros, tanto o más que un «mundo», la novela es un complejo y sutil «juego de voces». La novela, más que «espejo», es «registro»; OSCAR TACCA: *Las voces de la novela*. Madrid, Gredos, 1973, p. 15.

La noción de *registro* —cf. TODOROV: *Poétique*; G. GENETTE: *Figures*; DUBOIS y otros: *Dictionnaire de Linguistique*— completa las aportaciones que para la novela han supuesto las investigaciones sobre el *punto de vista*.

[9] «Decir que una historia se narra en primera o tercera persona no nos indicará nada de importancia a menos que seamos más precisos y describamos cómo las cualidades particulares de los narradores se relacionan con efectos específicos»; WAYNE C. BOOTH: *La retórica de la ficción*. Barcelona, Bosch Casa Editorial, 1974, p. 142 (la primera edición inglesa es de 1961); más adelante, el mismo autor añade: «Por otra parte, determinar la narración en primera persona soluciona sólo una parte del problema, quizá la más fácil. ¿Qué clase de primera persona? ¿Caracterizada hasta qué punto? ¿Cuán consciente de sí misma? ¿Hasta qué punto fidedigna? ¿Hasta qué punto limitada a la deducción realista: hasta dónde privilegiada para ir más allá del realismo? ¿En qué momento dirá la verdad y en qué momento no pronunciará un juicio o incluso proferirá falsedades?» (p. 156).

[10] «Esa tradicional "voz del narrador" es inocultable, ya se emplee la tercera, la segunda o la primera persona»; M. BAQUERO GOYANES: *Estructuras de la novela actual*, p. 125.

luego analizaré, de la historia misma que es narrada —narrador homodiegético—, genera, en el universo novelesco que es *Parte de una historia,* una serie de relaciones (narrador, ficción, lector) que son decisivas en la sintaxis y en la semántica de la novela. Hasta el punto de que la novela sólo se *ex-plica* (sintaxis y semántica) desde ese yo narrante que es al mismo tiempo yo narrado.

Por eso, en el análisis de *Parte de una historia,* voy a privilegiar el punto de vista o perspectiva narrativa, e intentar abarcar desde él los demás elementos sobre los que se organiza el discurso novelesco.

Desde el arranque de la novela, el relato aparece generado por el acto de narración de un narrador que, después de cuatro años largos, ha vuelto a la isla donde se va a desarrollar la ficción.

Al tratarse de una narración en primera persona, la llegada del narrador a la isla funciona no sólo como primera secuencia narrativa, a partir de la cual se despliega la trama novelesca, sino que posibilita el relato de los acontecimientos de la isla, ya que el yo narrador se constituye en mediación necesaria del discurso narrativo. De modo que «volver a la isla» es narrar, y «abandonar» la isla es dejar de narrar, donde, a la actitud y a la voluntad de narración del narrador corresponde la isla como espacio de emergencia del relato; ello hace posible una aproximación analógica entre la estancia en la isla y la posibilidad de narración, tendiendo hacia un punto metafórico, cuyo término real es el relato como historia y como discurso, donde aventura y escritura tienden a confundirse.

Esto nos muestra la complejidad estructural —y semántica— de ese narrador cuya presencia en el relato es pluriforme y cuya relación con el mundo narrado aparece también múltiple.

Porque no es suficiente indicar que el narrador de *Parte de una historia* es interior al relato y narra en primera persona, ya que el narrador representado puede estar de formas distintas dentro de la historia que narra, según que su estatuto —su función en la ficción— sea la de personaje —protagonista o secundario— o la de mero testigo. Es decir, hay una relación estable del yo narrador a su propio acto de narrar —la narración— y una relación variable a la historia narrada.

Es claro que en el caso de *Parte de una historia* podemos hablar de un yo-testigo y de un yo-protagonista. Pero la pregunta se impone: El anónimo narrador que llega a la isla en el atardecer de un día cualquiera, ¿es testigo y protagonista con relación a la misma historia? ¿Salta de un estatuto narrativo a otro sin alterar el equilibrio, la relación de fuerzas narrativas —narradas— de la ficción?

a) *El narrador-testigo*

«En esta isla tiene lugar una llegada de extranjeros y hay una persona que ve todo eso y lo cuenta»; estas palabras, antes citadas, de Aldecoa, señalan los estratos que se van superponiendo y que explican el paso de la historia a la narración de la historia. La mediación entre historia y discurso es la mirada de alguien que ve y que, al contar lo que ve, deviene narrador. La historia de la isla se hace relato mediante la acción narradora de un narrador que ve y que cuenta. El yo que en el arranque de la novela parece constituirse en protagonista de la historia que se inaugura con su llegada a la isla va diluyéndose en la acción misma de narrar, permitiendo que la historia adquiera relieves y perspectiva por sí misma. Es decir, la historia de la isla va surgiendo al plano del discurso de forma cada vez más objetiva e independiente, en apariencia, de la mediación del narrador. Sin que ello quiera decir que el yo narrante haya dejado de ser el foco desde el que la historia es vista y, por tanto, contada. Pero hay un dominio de la ficción claramente acotable, y que surge de la relación narrativa que se establece entre la isla como historia y un yo narrador que se revela únicamente como testigo de lo que narra.

Se trata ciertamente de un yo homodiegético, interior a la historia narrada, pero cuya presencia en la ficción no incide en el desarrollo de la historia de la isla como trama novelesca.

La vida de la isla, su alteración con la llegada de los americanos hasta la muerte de Jerry, y la perezosa y necesaria vuelta al trabajo y a la vida rutinaria de siempre se van desarrollando, a lo largo de la novela, con total autonomía del yo del narrador; este yo «ve todo eso y lo cuenta». En esta frase quedan resumidas las características de ese narrador que llamamos testigo.

La historia es relato sólo en cuanto es vista por el narrador; se hace relato desde la mirada de ese narrador. Lo que quiere decir que sólo se narra lo que el narrador ve, o, de otro modo, el narrador *tiene que* estar allí donde la historia *debe* convertirse en relato.

De ahí que la primera característica del narrador testigo de *Parte de una historia* sea consecuentemente su *movilidad*.

El relato se genera en la mirada —excepcionalmente en el pensamiento— del narrador. Sólo lo que el narrador ve puede convertirse en relato.

Desde esta perspectiva, la mirada es lógicamente anterior a la historia (en cuanto) narrada. Los sucesos de la isla se hacen relato *porque* son vistos por el narrador, que los convierte en escritura. Parece, pues, establecerse así una servidumbre de la ficción como historia de la isla a la mirada del narrador; hay una cierta «tiranía de la mirada», como resultado de focalizar la narración desde un narrador testigo, que controla y decide del paso a relato de una historia en la que está, pero en cuyo desarrollo no interviene, más aún, parece serle indiferente.

Pero también se puede hablar de una «tiranía de la historia» como resultado del realismo —del carácter verosímil— de la narración.

Porque si por un lado la mirada selecciona la historia y manipula en ella, haciendo que pase a relato sólo lo que el narrador *quiere* ver, la historia a su vez ejerce una inevitable fuerza de atracción sobre la mirada y hace que el narrador *pueda* ver aquello precisamente que, según la lógica de la trama novelesca, *debe* convertirse en relato.

Es la movilidad del narrador lo que permite establecer, a lo largo del proceso novelesco, un equilibrio suficiente entre el dominio de la mirada y el de la historia.

El narrador se mueve siempre —*tiene que moverse*— en la dirección de la historia, con una exacta fidelidad a las exigencias de la perspectiva narrativa. Sólo en dos o tres ocasiones parece que el narrador, rompiendo las barreras de su estatuto narrativo —de su *ciencia*— se atribuye un conocimiento de la ficción que sólo sería aceptable en un narrador omnisciente u omnipresente.

Esta presencia —mínima y silenciosa casi siempre— del narrador testigo allí donde la ficción le llama parece caer a veces en una cierta gratuidad; es decir, no es tanto la lógica de la historia cuanto la del relato la que justifica, en determinados momentos, la presencia del narrador. De modo que, en más de una situación narrativa, si nos preguntáramos qué hace ahí el narrador, la única respuesta aceptable tendría que ser: lo ve y lo cuenta, o, mejor todavía: está ahí porque lo *tiene que* ver para *poder* contarlo [11].

Sin embargo, el conjunto de la aventura de la isla como historia de la que forma parte el narrador no queda distorsionado por la necesidad de narración. La movilidad del foco narrativo, necesaria para que la historia *objetiva* de la isla no se subjetivice al ser filtrada por una interioridad, es bien encarnada por ese misterioso narrador-testigo que llega a la isla a descansar y cuyo papel en la ficción —en esa «parte de una historia»— es —y de forma verosímil— ver lo que pasa y contarlo.

La narración como acción de narrar va marcando en esa masa de sentido —y de relato— que es la novela una especie de línea de flotación: lo que emerge, lo más patente, es la historia de la isla como espacio físico y humano y esa especie de seísmo en las costumbres de los isleños que provoca la aventurera llegada y alborotadora presencia de los americanos; hasta que la muerte imbécil de Jerry aleja a los chonis y devuelve la pequeña isla al trabajo y a la monotonía, ahora tal vez nostálgica, de siempre.

En esta historia *vista,* el narrador testigo se mantiene —es

---

[11] Después de haber mirado, desde la duna de la fardela, cómo tres de los americanos y alguna gente de la isla pululan en torno a la embarcación encallada, el narrador se encamina también hacia el yate. A la pregunta de Roque: «—Bueno, ¿qué te hacías en la duna?», responde: «—Una *necesaria* centinela (...). Desde allí *se os ve muy bien...*»; *Parte de una historia,* p. 65 (el subrayado es mío).

mantenido— además distante —con una distancia no física, sino moral— de lo narrado. Cuando lo que su mirada registra penetra hasta la conciencia y surge al plano de la escritura no como narración de hechos, sino como *corriente de conciencia* en una especie de breves monólogos interiores del narrador [12] —v. gr. los capítulos VIII y XI— estamos en un espacio narrativo intermedio, que funciona como «relais» entre la historia que emerge y la «biografía sumergida» [13].

Ello permite afirmar, con validez general para la narración de la historia de la isla, que el narrador testigo es —intenta ser— un narrador objetivo. La narración se focaliza no desde su conciencia, sino desde su mirada; nos cuenta no lo que piensa, sino lo que ve y oye; la necesaria mediación de un narrador no mediatiza la historia, no la incorpora a su propia interioridad. Precisamente, esa distancia moral —¿indiferencia?— del narrador frente a lo narrado contribuye a la objetividad. Al tratarse de un narrador testigo —interior a la historia, pero sin influir en ella— su única verdadera relación —influencia— con la ficción es, como en cualquier narrador en tercera persona, la narración como acto y como actitud [14].

Este narrador testigo, móvil, distante y objetivo, se hace gramaticalmente presente en el relato como *yo* y como *nosotros.* ¿Se trata de una mera cuestión retórica, exigida por la lógica gramatical del número?

Como más adelante se verá, *Parte de una historia* es fundamentalmente la historia del yo, de ese misterioso y anónimo narrador, un yo que huye y que se busca al misma tiempo; la isla es precisamente el espacio donde huida y búsqueda —¿encuentro?— llegan a coincidir. En la narración —en la escritura, porque se trata de un narrador que no sólo cuenta,

---

[12] Aunque el capítulo VIII estaría narrado mediante la técnica que HUMPHREY llama «description by omniscient author»; cf. *Stream of consciousness in the modern novel,* pp. 33 y ss.

[13] Tomo de G. SOBEJANO —*Novela española de nuestro tiempo,* página 395— la denominación de «biografía sumergida», para referirme a la «historia» del narrador.

[14] El narrador testigo se reduce, en última instancia, a forma narrante, índice de narración; su presencia denuncia no la historia, sino el discurso, la narración de esa historia, su conversión en discurso.

sino que escribe [15]— un único y mismo yo narrante dice relación a la historia de la isla, en la que es narrador-testigo, y a su propia identidad como historia, donde narrar es ser, y donde, por tanto, narrador y personaje —protagonista— se identifican y confunden.

Esto quiere decir que el yo narrante, gramaticalmente único, no tiene una única funcionalidad narrativa. No es el mismo, narrativamente, el yo que en la taberna del Fardelero dice, en una noche de juerga con los chonis, «me dispongo a ver y a beber», que el que al día siguiente de la borrachera reflexiona:

> «¿Qué pasó anoche? Tengo un tenebroso sentimiento de furia y asco al recordarlo. Ahora me purifico (...) nadando fuera de la caleta bajo el débil sol de la media tarde» (PUH, 101).

El primer yo es un yo narrativo que surge al plano del discurso para hacer verosímil, coherente con el punto de vista escogido, la narración de la escena en la tienda del Fardelero; el segundo es un yo autorreflexivo, que convierte la narración misma en historia, que ya no es la de la isla, sino la de su propio ser. El primer yo es transparente, filtra con la mayor objetividad posible la historia de la isla; el segundo yo es opaco, es como una pantalla que se interpone entre la historia de la isla y el lector, y que de cuando en cuando se ilumina, se hace visible, adquiere forma de relato por la acción misma de narrar.

El narrador testigo es siempre el primer yo, un yo que he calificado como meramente narrativo y no autorreflexivo; es un yo gramatical, sobre cuya identidad y características no tendría sentido preguntarse; es, simplemente, un vehículo de narración. Si la existencia de este yo es meramente narrante y gramatical, razones gramaticales lo diluyen a menudo en la

---

[15] Al comienzo del capítulo IV, refiriéndose a la arena fina que, llevada por el viento del este, ha penetrado en la habitación, el narrador apunta: «... solamente es perceptible en los dientes, en el respirar, en el tacto de las teclas de la máquina de escribir, en una cierta aspereza que tiene el satinado de los papeles...»; *Parte de una historia*, página 37.

generalización del *nosotros;* desde la perspectiva de narración
como mera actividad instauradora de relato, lo mismo vale
decir «camino hacia la casa de Roque» (PUH, 24, 42), que
«nos acercamos en grupo a la casa de Roque» (PUH, 45).
El paso del *yo* al *nosotros* contribuye incluso a la objetividad del relato, disolviendo en los otros —en la historia de
la isla— los contornos individuales del narrador testigo. Es
como si éste pretendiera esconder su presencia personal, para
no *denunciar* una narración que surge del filtro, del control,
de su mirada. Es por eso mismo el yo testigo, y nunca el yo
autorreflexivo, el que aparece generalizado en el nosotros.
En las dos formas gramaticales, *yo* y *nosotros,* la función
del narrador testigo es siempre y únicamente la de sostener el
relato de lo que acontece en la isla; es, entre otras posibles,
una mera forma de narración. Es un yo cuya única razón de
ser es remitir, mediante la narración, a lo narrado.

b) *El narrador-protagonista*

Ya en la entrada de la novela, después de que el narrador
testigo nos da la primera descripción del paisaje insular que
se ofrece a su llegada, comenta:

> «Tal vez el pueblo tiene más falúas y se han construido
> algunas casas, pero he reconocido todo y todo me ha sido
> familiar después de cuatro años largos, así que he saludado
> a los amigos como siempre, como si no me hubiera ido...»
> «—Buenas tardes nos dé Dios —he dicho y luego he pre-
> guntado: —¿Mejorcito?» (PUH, 7-8).

Parece que la irrupción del narrador en la historia no es
sólo *narrante* —instaurar, mediante su acto de narración, el
relato de la isla—, sino también *narrada:* el yo es además *lugar
narrativo,* espacio de emergencia de relato, es decir, historia.
La dilución del narrador en un mero testigo que hace posible el relato de la historia de la isla, que desaparece incluso
gramaticalmente como tal en ese cobijo generalizante del nosotros, no evita que en la historia *objetiva* de la isla subyaga,
desde el comienzo de la novela, la sombra del narrador, que

va marcando, en la acción misma de narrar, los esfuminados contornos de su misteriosa historia. El narrador mira, y cuando desaparece lo mirado, va quedando, como el humo tras el fuego de artificio, sobre el cielo claro del relato, como una huella de la mirada misma. El narrador testigo ve y cuenta *lo que ve;* pero el hecho mismo de *ver,* ¿no es también historia? [16].

Porque mirar no es simplemente registrar desinteresadamente lo mirado; la mirada misma adquiere consistencia en la acción de mirar; por eso, el estatuto novelesco del narrador de *Parte de una historia* no se agota en esa función *centrífuga* —hacia lo visto, lo narrado— de narrador-testigo de una historia de la que se mantiene distanciado; hay otra función *centrípeta,* donde la mirada y el sujeto que al mirar *se mira* [17] adquieren validez por sí mismos, y por la cual el yo del narrador va escapando a los moldes estrechos de ser mera instancia narrativa, foco de narración, para consolidar, por debajo de la historia de la isla, otra historia menos explícita, pero no menos «real», de la que el propio yo narrante es protagonista, y que, utilizando la certera calificación de G. Sobejano, he llamado «biografía sumergida».

Por toda la novela, en un vuelo rasante cuyo ruido se sobrepone a veces a la jarana de los chonis, planean las preguntas iniciales que desde su amarga lejanía lanzan al narrador los interrogadores ojos zarcos de Luisita:

> «—¿Por qué has venido? ¿A qué has venido donde nada hay? ¿Qué buscas?» (PUH, 10).

Es *la pregunta,* que el lector también hace, como la acaba de hacer Roque, después de cenar, en la noche misma de la

---

[16] «Cuando el narrador se enfrenta con los personajes de esa parte de historia y se interroga sobre ellos, más nos dice este hecho de su propio estado de ánimo que de la vida o del ser de aquéllos. Para saber algo de esto tiene el lector que aplicar sus propias dotes de adivinación sobre unas claves que se le ofrecen con extremada economía»; M. GARCÍA VIÑÓ: «Ignacio Aldecoa y la expresión novelística», en *Reseña,* año VI, núm. 26, febrero de 1969, pp. 5-6.

[17] A propósito de Proust, G. GENETTE habla de «doble focalización»; cf. *Figures,* III, pp. 223 y ss.

llegada: «¿qué te trae por acá esta vez?», la necesaria pregunta que el propio narrador justifica:

> «La pregunta, tarde o temprano, me la harán todos los amigos, como ya me la ha hecho con su mirada Luisita» (PUH, 13).

Y un silencio que Roque distrae, acercando su mano a la botella de ron, hasta la respuesta, reticente como la novela misma [18], del narrador:

> «—Ya te explicaré. Es largo —le he contestado.
> —Bueno, ya me contarás» (PUH, 13).

Hay, por tanto, una historia del narrador, que se anuncia y se suspende a un tiempo, en el inicio de la novela, y que vuelve a aparecer, en los repetidos diálogos del narrador y Roque durante los días de la isla. Tal vez, porque «es muy difícil contar lo que a uno le pasa por el alma», como sentencia el mismo Roque en un intento vano por relatar al narrador algo que queda interrumpido por la llegada de gente a la tienda.

También la historia de la isla, la llegada de los americanos, y la vida alborotada que se instala hasta la muerte de Jerry deja en suspenso esa promesa del narrador de contar a Roque la causa que lo ha traído esta vez hasta la lejana isla.

La biografía del narrador queda efectivamente sumergida por el peso de esa visible masa de relato que es la historia de la isla subvertida por la presencia de los extranjeros.

Pero el relato —la acción de contar— es como una marea, como un rítmico movimiento de subida y de bajada. Esa convencional línea de flotación que marca la frontera entre la historia de la isla y la del yo del narrador se ve alterada al ritmo mismo del relato. En los momentos de «bajamar», salen a la superficie, con la huella húmeda todavía de la marea reciente,

---

[18] Efectivamente, creo que la *reticencia* es parte decisiva de la retórica de la novela; este aspecto ha sido señalado por JUAN GOMIS: «Novela y reticencia. *Parte de una historia,* de Ignacio Aldecoa», en *El Ciervo,* septiembre de 1967.

retazos sueltos de esa inquietante y misteriosa «biografía sumergida».

Ese yo que a lo largo de la novela conserva un único e inalterado estatuto de narración —la instauración de la totalidad del relato— aparece, sin embargo, con una doble función en relación a la novela como historia. Si antes se ha dicho que es testigo nada más de la historia de la isla —su presencia está prácticamente reducida a instancia narrativa, forma de narración—, ese mismo yo aparece como protagonista de esa reticente intrahistoria, que es su existencia, no sólo *narrante,* sino *narrada,* en la frontera misma entre relato e historia. Porque la biografía del anónimo narrador de *Parte de una historia* queda constituida no sólo por *lo dicho* a propósito de sí mismo, sino también, y sobre todo, por el *decir* mismo. Desde la perspectiva de esa biografía del narrador, el relato en cuanto tal —como discurso que se genera en una actividad de narración— deviene automáticamente historia. Por tanto, el narrador de la novela se hace personaje al convertirse en ocasiones en objeto —tema— de la ficción y también por el hecho mismo de narrar. Ello quiere decir que el narrador protagonista debe ser estudiado tanto en el nivel de la historia como en el del relato.

Pero no se trata de la misma historia en la que antes se situaba el narrador como mero testigo. En realidad, se trata de dos historias, o, para ser fieles al título de la novela, de dos partes de una historia.

A la historia de la isla se opone, por distinguirse de ella, la historia del yo que la relata. La oposición surge de ese polimorfismo del narrador, que afecta sobre todo a la semántica, pero también a la sintaxis de la novela.

Frente al narrador testigo, limitado a ser foco desde donde se ilumina —se relata— la historia de la isla, nos encontramos a veces con un narrador que se interpone entre la isla y la posibilidad de relato, convirtiéndose él mismo en historia, y, por tanto, en relato. Es como un fenómeno de «des-enfoque»: la historia de la isla pierde nitidez, para adquirir contorno y relevancia la figura del narrador.

Un grado mínimo de esta movilidad del foco narrativo

vendría dado por ese pequeño «atentado» a la objetividad, cuando de la narración desinteresada de hechos externos, el narrador pasa al comentario, reflejando de alguna manera su subjetividad. Pero es todavía una subjetividad proyectada hacia la historia de la isla y en función de ella.

La mirada del narrador deja a veces de ser el objetivo distante y neutro, para convertirse en una encrucijada donde convergen —y se mezclan— las imágenes que vienen de fuera —lo mirado— y las que la propia subjetividad narrante proyecta —lo pensado—. Y, sin duda, cada vez que a la visión objetiva se superpone o se mezcla el pensamiento, la interpretación del narrador, una subjetividad se interpone entre el foco y lo enfocado, y la historia, naturalmente, se altera. No importa que —como es el caso en *Parte de una historia*— esa subjetividad sea el propio narrador.

Al narrador-testigo sustituye, pues, el narrador-personaje; pero su subjetividad no desplaza todavía la historia de la isla del plano de la ficción; se limita a interpretarla; surge así una especie de «tierra de nadie», o mejor, un espacio común, que marcaría, en el nivel de la ficción, la frontera entre la historia de la isla y la biografía del narrador; es un espacio donde ambas historias coexisten, marcando al mismo tiempo, su relación: son historias que se tocan, y, por tanto, se condicionan, en el recinto semántico de la novela.

Pero además de estas incursiones —en forma de interpretación o de comentario— del narrador al recinto de la historia de la isla, tenemos otros momentos de relato donde la emergencia del yo no es comentario de algo externo que es narrado, sino que funciona con autonomía en el nivel de la ficción, convirtiéndose en historia: son como golpes de marea en el volumen del relato, que alteran el equilibrio de su línea de flotación, y dejan al descubierto intermitentemente retazos aislados de esa «biografía sumergida».

A pesar de estas esporádicas y parciales salidas a la superficie, sigue siendo la del narrador una biografía sumergida; no conocemos, por abajo, la profundidad de su calado, y por arriba se deja perder casi siempre en la mole visible de la historia de la isla.

El propio Aldecoa apunta este carácter fragmentario de la biografía del narrador de *Parte de una historia* con estas palabras:

«He querido dejar abierta la novela por delante y por detrás; que realmente sea lo que puede contar un individuo de su propia existencia. Antes, no se sabe nada de él, y después el lector tampoco sabe nada de este individuo y de lo que le va a suceder; ni siquiera sabe cuáles son las motivaciones que le impulsan a marcharse de esa isla a la que ha llegado también por un impulso que no sabemos cuál es» [19].

«No se sabe», «el lector tampoco sabe», «no *sabemos*» [20]... Aldecoa habla como si él también ignorara todo lo que de su criatura no consigue, a lo largo del relato, salir a la superficie. Y es verdad. Suspendido entre la abisal profundidad de las aguas y el vacío infinito del cielo, el anónimo narrador de *Parte de una historia* parece no tener más raíces de su existencia que su propia *actitud de narración*.

EL TIEMPO, ENTRE LA HISTORIA Y LA ESCRITURA

Parte de una historia es también, como *Gran Sol,* una novela de construcción clásica, organizada linealmente y con un montaje episódico: capítulos generalmente muy cortos, compuestos a su vez de varias escenas o situaciones narrativas, cuyo punto de unión es a menudo, más allá de la lógica de la causalidad de los acontecimientos o del orden temporal de los mismos, la presencia del narrador.

Después de la frase inicial de la novela —el narrador llega a la isla, a la acción de narrar—, el relato entra en un registro claramente narrativo, donde, utilizando el imperfecto, el narrador describe ese familiar paisaje isleño recuperado después de cuatro años largos: las rocas cercanas al muelle y las gavio-

---

[19] José Julio Perlado: «Ignacio Aldecoa escribe *Parte de una historia*», en *El Alcázar*. Madrid, 3 de marzo de 1967. (La primera edición de la novela es de junio de ese año.)
[20] El subrayado es mío.

tas abatiéndose sobre los despojos de los cazones, el grao de la caleta y los muchachos de Roque pulpeando, el molino de gofio y el rebaño de camellos, recortado sinuosamente sobre las dunas.

El «ayer» con que se inicia la novela atrae la descripción, produciendo un desnivel entre el tiempo presente de la enunciación —el hoy de la escritura— y el tiempo pasado —imperfecto— del enunciado —el ayer de la historia—. Pero en seguida se marca una transición a tiempos comentativos, en una perspectiva retrospectiva, primero, mediante el uso del pretérito perfecto; el relato sigue dominado por el *ayer* que lo ha fundado, para ir deslizándose hacia una perspectiva de locución de grado cero [21] sostenida por la utilización, absolutamente dominante a lo largo de la novela, del presente de indicativo: un presente narrativo como punto de convergencia del tiempo de la enunciación y del tiempo del enunciado, propio de novelas escritas en primera persona, cartas, diario íntimo, donde la historia, a medida que acontece, se va convirtiendo en relato [22]. Desde la perspectiva retrospectiva que marca el «ayer he llegado a la isla» del comienzo, y la prospectiva señalada por el «mañana dejaré la isla» del final de la novela, el relato aparece fundamentalmente instaurado sobre un presente que expresa la coincidencia, en cada punto, del tiempo de la narración y el de la ficción.

Sin embargo, esto no quiere decir que la ficción suceda en un presente intemporal y no medible. Ese hoy maternal y metafórico que genera el relato de *Parte de una historia* aparece, en el eje de la ficción, sometido a un desarrollo, a una duración, caracterizable mediante marcas temporales. Aunque el tiempo de la ficción no tenga aquí ni la rotundidad de per-

---

[21] Siguiendo a H. WEINRICH —*Le Temps,* pp. 66-70— la perspectiva de locución se deriva de la distinción entre tiempo del texto y tiempo de la acción. Entre los tiempos comentativos, el presente de indicativo es un tiempo «no marcado», que señala un punto cero, es decir, una coincidencia de tiempos entre el texto y la acción.

[22] Cf. A. A. MENDILOW: «Time and the Novel», en *The Theory of the Novel*, pp. 258 y ss. Puede verse también el interesante artículo de PHILIPPE LEJEUNE: «Le pacte autobiographique», en *Poétique*, 14 (lo referente a esto en la página 138), y el libro que con el mismo título se ha publicado por la Editorial Du Seuil, París, 1975.

files —verificables en el calendario del tiempo *real*— de las dos primeras novelas de Aldecoa, ni la coherencia y densidad cronológica de reportaje de la tercera.

El molino de gofio, sin velas, visto por el narrador, a su llegada a la isla, «como un gigantesco esqueleto de reloj», parece poder indicar que en ese olvidado rincón del Atlántico la duración temporal no tiene medida, o al menos la tiene diferente. El mismo narrador parece confirmarlo cuando, en su primera conversación con los isleños, escucha contar las cosas sucedidas en el tiempo de su ausencia: lo del cachalote que se varó en las rocas, lo del barco perdido en Port-Etienne, lo del viejo muerto, que hace la tercera tumba del cementerio de la Duna Grande. Y el narrador intenta recordar al viejo y comenta:

> «Tal vez ha ocurrido hace unas semanas, aunque pueden haber pasado meses o años, *porque el tiempo es muy difícil de contar en la isla* y dan por consabidos sucesos que yo ignoro y que creen que viví» (PUH, 9) [23].

Tan difícil de contar es este tiempo de la isla, que ya el primer día de la ficción es narrado como ayer y como hoy, en una sorprendente confusión temporal, que, sin embargo, podría ser incorporada significativamente a la especial valoración que del tiempo en la isla ha hecho el narrador en el comienzo mismo de la novela.

Ayer, hoy, mañana... Es como si el viento de la isla arrastrara el tiempo, como arrastra las arenas de las dunas, y lo cambiara de posición.

Tal vez, el ayer con que se inicia la novela y el mañana con que se cierra son restos de un tiempo externo, que el narrador arrastra cuando llega a la isla, o que recupera cuando la abandona. Ese hoy sobre el que se va extendiendo el relato es un tiempo elástico, indiscernible y viscoso, que ni el narrador ni el lector aciertan a medir.

Porque el tiempo en la isla no se cuenta, se esparce. Como

---

[23] El subrayado es mío.

esa pastora niña que conduce su rebañito de cabras hacia las dunas, perseguida por la mirada y el pensamiento del narrador:

«Ingrato destino el de esta chiquilla, nacida para monologar desparramando los días de mano a mano en puñados de arena por el breve desierto de esta isla...» (PUH, 24).

Sin embargo, hay marcas en la novela que nos permiten describir el tiempo de la ficción, y relacionarlo con el del relato, deduciendo así su tratamiento narrativo.

El desarrollo del tiempo de la ficción es absolutamente lineal. Y es quizá ésta la característica más clara que nos ofrece el tratamiento narrativo del tiempo de la ficción en *Parte de una historia*.

Porque la duración de la ficción es más difícil de medir. Sí se puede señalar que los veintidós capítulos de relato corresponden en la ficción a dieciséis días distintos, pero sería imposible decir sobre qué duración temporal se han seleccionado, para su relato, esos dieciséis días de la ficción.

Es claro también que desde que se inicia la historia novelada hasta que concluye han pasado más de dieciséis días. Porque el relato es elíptico; hay vacíos, soluciones de continuidad en la historia, que el discurso se limita a registrar.

Por otra parte, la acción de cada capítulo, o las diferentes situaciones narrativas que lo componen, aparecen, en general, localizadas en los momentos del día —mañana, mediodía, tarde, noche (tengamos en cuenta que ningún capítulo *dura* más de un día), aunque su duración no se mida necesariamente, normalmente, por las horas del reloj.

En cuanto a la época del año en que se sitúa la historia, la única marca la encontramos en los capítulos XV y XVI; ello permite saber que lo narrado en el capítulo XVI tiene lugar precisamente el Martes de Carnaval; por lo que la historia de *Parte de una historia* puede ser situada, de forma aproximada, en el mes de febrero.

De todo lo dicho, y desde el punto de vista de la construcción de la novela, interesa destacar dos elementos: el respeto, en la forma de contar la historia de la isla, hacia un tiempo lineal, cronológico, sobre cuyo eje se va organizando el relato, y la superposición, sobre este tiempo de crónica, de otro tiempo —un tiempo de la acción y de la narración misma— que no destruye el primero, pero lo trasciende, sometiéndolo a la significación última de la novela.

Esto explica el interés sólo relativo que para el narrador de *Parte de una historia* tiene el medir escrupulosamente la duración de la ficción, o el ir marcando el desarrollo temporal de cada parte.

En realidad, el tiempo de la ficción parece atraído por ese intemporal presente de narración —de enunciación— donde estallan y se diluyen los relieves cronológicos de la historia.

Desde el punto de vista de la *actitud de locución* [24], dominan en la novela los tiempos comentativos. El relato está hecho en presente. Se marcan, sin embargo, como es lógico y con una relativa frecuencia, transiciones temporales homogéneas hacia el pretérito perfecto y hacia el futuro, cuando el narrador da informaciones diferidas o anticipadas.

Más raras, y por eso mismo más marcadas estilísticamente, son las transiciones temporales heterogéneas, que se producen por el paso de un tiempo comentativo a un tiempo narrativo [25].

Sin embargo, el predominio absoluto —ya que no exclusivo— de los tiempos comentativos, y, entre ellos, del presente, marca fuertemente, a lo largo de la novela, por encima de la sucesión cronológica de la ficción, la identidad temporal de enunciación y enunciado.

El tiempo de la ficción, descriptible, si no exhaustiva, sí

---

[24] «C'est cette opposition entre le groupe des temps du monde raconté et celui des temps du monde commenté que je caractériserai globalement comme *attitude de locution*»; H. WEINRICH: *Le Temps*, página 30 (el subrayado es del autor).

[25] H. WEINRICH llama transición «le passage d'un signe à l'autre au cours du déroulement linéaire du texte» (*Le temps*, p. 199). Cuando los signos entre los que se hace el paso son las formas temporales, se trata de transiciones temporales. Desde el punto de vista de la actitud de locución, son transiciones temporales homogéneas aquellas que se realizan entre tiempos del mundo comentado, o entre tiempos del mundo narrado; cf. WEINRICH: *op. cit.*, pp. 203-204.

En una estilística estructural, como la de M. Riffaterre, el efecto que un tiempo narrativo produce en un contexto —micro y macrocontexto— de tiempos comentativos funcionaría como «estímulo estilístico».

suficientemente para el fin de la novela desde una cronología
exterior, queda en definitiva disuelto en un «intemporal» tiempo de narración, en el acto de escritura [26], que es el que funda,
como una concesión a la verosimilitud de la historia, el tiempo de la ficción, y que puede también destruirlo, o, al menos,
neutralizarlo, en ese ilimitado presente que no es tanto un *tiempo* cuanto una *actitud* de narración.

LA OPOSICIÓN ISLA/YATE COMO ORGANIZACIÓN
ÉPICA DEL ESPACIO

La isla es el único espacio físico de desarrollo de la trama
novelesca. Las escasas salidas a otras islas vecinas no sólo no
amplían el espacio natural de la ficción, sino que incluso contribuyen a marcar más la *insularidad* física y moral —el desvalimiento— del lugar en que Aldecoa ha querido situar la acción de su última novela.

La isla circula anónima por la historia, con un anonimato que
se ofrece paralelo al del narrador: conocemos los nombres de
otras islas vecinas —Isla Mayor, del Faro, de la Montaña, Islas Salvajes—, cuya incidencia en la ficción es mínima o nula,
como conocemos los nombres de algunos personajes que, sin
embargo, no son funcionales [27]; pero no sabemos cómo se llama
esta pequeña isla donde acontece la «parte de una historia»,
como ignoramos igualmente quién es y qué nombre tiene el
anónimo narrador por cuyo medio la aventura de la isla se nos
comunica en relato. Tal vez la reticente identificación de la
isla y del narrador forman parte de esas otras elusivas historias
que por la magia de la narración misma afloran al universo
de significado de la novela. Por eso, esa innominada y medio
perdida mancha de arena y roca en el azul inmenso del Atlántico es simplemente «la isla», en una especie de juego antono-
másico, sobre cuya trascendencia semántica habrá que volver,

---

[26] El tiempo de narración no es el tiempo de la escritura en el
sentido de momento en que es escrito el libro, sino un intemporal
presente que supone la acción de escribir.
[27] Tienen un valor simplemente indicial con relación a la pintura de
la isla.

y es también a veces «nuestra isla», en un esfuerzo, casi siempre vano, del narrador por refugiarse en ese áspero espacio de acogida, no se sabe bien si por solidaridad con los isleños, o en un intento de escapar a su propio paisaje interior.

Ya desde el capítulo primero se nos van dando elementos que permiten la progresiva configuración de la isla como ámbito novelesco. El carácter volcánico y desértico del paisaje —lava, dunas, camellos—, la rutinaria y exacta pobreza de los habitantes, el mortuorio abandono —«loza rota y osario a la luna llena»— de algunos barrios parecen efectivamente justificar ese pensamiento del narrador, cuando, en la primera noche, contempla desde la ventana la altura iluminada: «hay como demasiada soledad» (PUH, 15). La isla no es más que «un puñado de arenas y rocas habitadas»; y los isleños lo saben, porque lo viven. De ahí la pregunta que se enciende como un semáforo en los ojos de Luisita: «¿A qué has venido donde nada hay?» (PUH, 10), o el comentario de Roque: «Este es el último rincón del mundo» (PUH, 21); o el del señor Mateo, ya al final de la historia, cuando el loco Jerry reposa del mar y del viento de la vida bajo la cruz de limoncillo en el cementerio de la Duna Grande: «Miren el Jerry dónde ha encontrado su descanso. Aquí, en esta isla que yo no quiero que sea mi paz» (PUH, 202).

Los primeros capítulos de la novela tienen un carácter presentativo, fuertemente indicial. Los primeros días del narrador en la isla nos permiten ir conociendo los espacios de la ficción.

Porque la isla, por encima de su inhóspita y agresiva configuración física, aparece como un espacio habitado por la vida de trabajo —en la mar y en tierra—, con el desahogo de las conversaciones en el cabildo y de los tragos en la tienda de Roque; la tranquila vida de los isleños, es alterada sólo, en esta primera parte de la novela, por el accidente de Juanillo Arenas en el barco de Doreste —tal vez una quella, cuando jalaba el arte—; ha perdido mucha sangre y hay que llevarlo a la Isla Mayor, al hospital; o por la tormenta, que ha cogido a los hombres —Maestro Juan, el señor Mateo, Casimiro...— en la mar.

Y esta vida de trabajo grande y diversión pequeña rezuma

una felicidad a la medida de la isla, que crece con los resultados felices de las faenas de la mar, y con el grito y la canción del trabajo en el muelle.

Es, por tanto, el trabajo, la rutina del trabajo, lo que define esencialmente la isla como espacio habitado y la vida de los habitantes. Espacio y tiempo —vida— aparecen organizados desde el trabajo. Y es éste el que marca de verdad la distinción día/noche, mar/tierra, muelle/tienda-taberna de Roque...

Hasta ese día del tormentón, cuando, al atardecer, mientras Antica sigue recibiendo radiogramas que confirman que Casimiro, el señor Mateo, Maestro Juan, están a salvo en costa, un muchacho del Barrio Verde entra en la casa de Roque y trae la noticia.

El naufragio del «Bloody Mary, Florida», que ha arrojado sobre la playa de Las Conchas a ese pequeña «troupe» borracha y náufraga de los americanos.

A partir de aquí, la mínima acción que va fraguando la trama novelesca se constituye precisamente por el contacto de los «chonis» —los americanos y el matrimonio inglés— con la vida de los isleños.

Esta relación de oposición extranjeros/isleños —con el narrador, el ambiguo narrador, atraído simultáneamente por ambos polos— que desencadena el desarrollo de la acción en el nivel de los personajes, tiene su correspondencia en la organización novelesca del espacio de la ficción.

El «Bloody Mary», abierto en canal sobre su matadero de Las Conchas, es un *espacio novelesco,* contrapuesto al que en los cuatro capítulos anteriores se nos ha mostrado. Sin entrar por el momento en la interpretación que de esos espacios hace el narrador —y de su propia lucha interior entre ambos—, lo que aquí nos interesa señalar es cómo al espacio *isla,* configurado como vida ordenada y asentada en el trabajo, se va a contraponer otro espacio, significado por el lujoso yate encallado, y que será un espacio *no-isla;* la oposición de ambos espacios, necesaria para la existencia de *acción* novelesca, se marcará como desorden —el del barco mismo, por la borrachera de sus tripulantes y la destrucción del naufragio— frente a orden, diversión frente a trabajo, y, al final, como oposición más universal y neutralizadora de las anteriores, muerte frente a vida.

Es verdad que la isla, como espacio natural y físico de la ficción, permanece inalterada a lo largo de la novela; pero como ámbito, se ve *invadida* por el yate naufragado. El yate *es* espacio y es, por su simbolismo y por el cargamento humano que arroja sobre la playa de Las Conchas, *creador* de espacio. Porque, aunque permanece varado entre las rocas, batido por el agua y por el viento, hay una clara oposición espacial —como espacios humanos —isla/yate, que es funcional en el desarrollo de la trama. Porque el yate y la isla son en definitiva formas de vida que, a partir del naufragio, entran en contacto y en colisión, produciendo ese fulgurante y rápido chispazo —como un fuego de artificio sobre el agua— que constituye el «punto caliente» de *Parte de una historia.*

Esta oposición como espacios de vida entre la isla y el yate se marca, en el nivel de los personajes —prescindiendo de ese coro anónimo y espectador, a veces escandalizado, envidioso a veces y siempre desconcertado, de la aventura americana— como una oposición que podríamos explicitar en: gente de la isla/gente del yate: Roque y los suyos, sobre todo, por un lado, y por el otro, junto a los extranjeros, los aprovechados satélites de sus juergas y su libertinaje: el señor Mateo, Domingo, Félix...

A partir de esta oposición inicial isla/yate, el desarrollo de la trama va marcando progresivamente un deslizamiento de la acción hacia el espacio —la vida— significado por el término *yate.* Y en el cambio de lugares parciales que la intriga novelesca va exigiendo, este deslizamiento espacial está claramente señalado por el desplazamiento de la acción desde la tienda de Roque —el sensato y patriarcal Roque— hasta el tugurio del Fardelero, al que el narrador emparenta, por su figura, «con la familia del raposo ladrón y verdugo».

La tienda de Roque —es siempre *tienda*— y la taberna del Fardelero —*tugurio, chamizo, chiringuito, rincón,* la llama el narrador en sólo dos páginas— encarnan, en cuanto espacios de parte de la acción de la novela, la misma oposición que hemos señalado para isla/yate.

Cuando, tras la muerte de Jerry, los chonis se van, la isla vuelve a ser la de antes: un puñado de arena y roca, pero habitado por la rutina —y la felicidad— del trabajo. Y otra vez la tienda de Roque, y no ya el tugurio del Fardelero, es el espacio donde la gente marinera se agolpa para ver por última vez a los chonis que parten. «Es el final de esta historia», apunta el narrador.

Todo ha sido como un ciclo de marea, cuya pleamar ha estado determinada por el punto más alto de la fiesta y de la tragedia: la grotesca celebración del Carnaval y la vuelta al mar —a la muerte del mar esta vez— del naufragado Jerry. Cuando los extranjeros se han ido, sobre la vida de la isla sólo queda ahora la huella de la aventura, como ese brillo húmedo que deja sobre la playa la marea al retirarse.

Todo lo que hasta aquí hemos dicho sobre la organización novelesca del espacio de la ficción nos permite explicitar la integración épica del espacio, su relación con la acción y con el sentido de la novela, a través de los siguientes elementos:

$$\text{isla} \rightarrow \text{isla/yate (tienda de Roque/taberna del Fardelero)} \rightarrow$$
$$\rightarrow \text{yate } (\rightarrow \text{muerte}) \rightarrow \text{isla}.$$

Se trata de un espacio configurador de la acción y configurado, al mismo tiempo, por ella. Porque, en correspondencia con el desarrollo novelesco del espacio, el de la acción podría formalizarse como:

$$A \rightarrow A/B \rightarrow B' \; (\rightarrow \text{muerte}) \rightarrow A',$$

donde A es la situación inicial de la novela: la isla y su rutinario ritmo de vida en el trabajo (capítulos I a IV). El naufragio del «Bloody Mary» altera la situación inicial, y hace avanzar la trama, oponiendo al espacio *isla* el significado por el *yate* de los americanos, como vida opuesta a la de la isla (capítulos V a IX). La juerga con los chonis, iniciada en la tienda de Roque y continuada, cuando la noche se mete, en el tugurio del Fardelero, marca el predominio del espacio *yate* sobre el espacio *isla;* si lo llamamos B' es porque remite a B, pero, al ser otro momento de la acción, no es una simple vuelta a la situación B; el movimiento de los personajes, al que luego aludiremos, viene a confirmar esta distinción (la secuencia B' queda entonces formada por los capítulos X a XVII). Por fin, la muerte de Jerry, como final de ese Carnaval grotesco y trágico, y la posterior partida de los extranjeros marca no la vuelta a la situación inicial —la trama de *Parte de una historia* no es exactamente circular—, pero sí al recuperado espacio de la isla, con la huella todavía de la vertiginosa recién vivida aventura (capítulos XVIII a XXII) [28].

EL SISTEMA FUNCIONAL DE LOS PERSONAJES

Si al esquema del espacio novelesco se superpone, en homología perfecta, el de la acción, éste a su vez puede ser recubierto por un tercer esquema que resulta de formalizar las funciones que en el desarrollo de la acción tienen sus actores principales.

La situación inicial (A) está llena prácticamente de la presencia patriarcal de Roque y la corte de los suyos, entre la casa y la tienda. En la segunda secuencia (A/B), a los personajes de la isla se oponen los cuatro americanos, náufragos en Las Conchas con su yate de lujo.

El paso a una nueva situación —B'— significa el predominio del ámbito B (yate) sobre A (isla); pero, desde el punto de vista de los actores, no hay equivalencia entre B' y B, puesto que B' se configura como acción mediante la incorporación de los personajes de B —los americanos— y algunos de A —el señor Mateo, Domingo, Félix, el matrimonio inglés...—. A ellos hay que añadir un personaje que no «viene» de las secuencias anteriores, sino que entra en la acción en B', porque es precisamente *su* espacio el que dará acogida significativamente a la historia en ese momento: se trata del Fardelero, ese personaje sin escrúpulos, aprovechado y siniestro, en cuyo tugurio se cobijarán las altas borracheras de los chonis y su cortejo.

La muerte de Jerry da paso a una nueva situación narrativa, que hemos formalizado como A'. Ahora es el ámbito de la

---

[28] Quiero subrayar que esta estructuración es una mera «propuesta». Algunos capítulos parecen salirse de este esquema, v. gr., el IX, viaje a la Isla del Faro, o el XIII, viaje a la Isla Mayor.

isla el que predomina sobre el del yate; pero la calma recuperada no es la del trabajo en la mar o en el muelle y la charla sosegada en el cabildo de los viejos; es el silencio tenso de la muerte, en cuya mano helada se han aplastado los gritos de la borrachera y el estallido blanco de los cohetes.

En cuanto a los personajes, el desarrollo de la secuencia nos permite distinguir dos momentos: uno primero, en que $A' = A + (B - Jerry)$; es la muerte el único punto de encuentro, en la novela, de A y B; ello es importante para ver una vez más la presencia decisiva que la muerte tiene en el universo novelesco de Ignacio Aldecoa; en un segundo momento, cuando los extranjeros abandonan la isla, $A' = A$.

Esta breve sistematización de los personajes de *Parte de una historia* teniendo en cuenta el espacio y la acción nos permite deducir algunas conclusiones. La oposición isla/yate, no tanto como espacios físicos, sino como ámbitos, como espacios «humanizados» y connotadores de formas de vida, hace posible distinguir los personajes que *son del ámbito isla:* Roque y los suyos, de los que *son del ámbito yate:* los americanos; y entre ambos, ese camino que hace transitable el paso de uno a otro espacio, y que recorren personajes como el señor Mateo, Domingo, Félix, la pareja de ingleses... No es sólo la oposición isla/yate, sino también la transitabilidad de esos dos ámbitos lo que constituye el espacio habitable de *Parte de una historia.* Por eso, la relación más funcional para el desarrollo de la acción de la novela no es la que opone —en una visión meramente anecdótica de la trama— a los isleños y a los extranjeros; porque esa oposición queda neutralizada, parcialmente al menos, en B', donde resultan incorporados algunos personajes de A —isla—; el verdadero núcleo actancial lo constituye la oposición Roque/americanos, como símbolo ambos de los dos ámbitos —isla/yate—, que entran en colisión. Un elemental, y de ningún modo exhaustivo, análisis funcional de los personajes, nos permitirá señalar, como funciones esenciales sobre las que se estructura en intriga el decurso novelesco, las siguientes [29]:

---

[29] Según el modelo, ya indicado, de Bourneuf y Ouellet, a partir de Souriau.

La función de *instigador,* del que da a la acción su primer impulso dinámico y pone en marcha el mecanismo de la trama, estaría ejercida por los americanos. Ya he señalado que el arranque de la novela es predominantemente indicial; hasta la arribada de los náufragos del «Bloody Mary» no hay conflicto, y no hay tampoco propiamente acción, al menos en el nivel de la historia novelesca como totalidad, y no de cada situación narrativa en particular. La forma de vida, tan opuesta a la de la isla, que los americanos defienden por el mero hecho de vivirla y de querer seguir viviéndola en la nueva situación después del naufragio se constituye en *objeto deseado.* Roque es el *oponente* que de alguna manera obstaculiza el desarrollo de la «fuerza temática» desplegada por el instigador; pero, a su vez, Roque, en cuanto función opuesta a la de los americanos, representa un valor —la vida de la isla, antes de la arribada forzosa de los yanquis—, que se constituye en objeto deseado.

Esto permite generalizar una primera relación funcional, la que opone a Roque y a los americanos ante el objeto deseado que es una forma de vida:

$$\text{Roque} \longrightarrow \text{objeto deseado} \longleftarrow \text{americanos.}$$

La realización en la novela de esta oposición es doble, según que el objeto deseado se actualice como *forma de vida de la isla,* o *forma de vida del yate,* intercambiándose las funciones respectivas —instigador y oponente— de los americanos y Roque, según el siguiente esquema:

(v	instigador (Roque)	$\longrightarrow$	objeto deseado (forma de vida de la isla)	$\longleftarrow$	oponente (americanos)
b)	instigador (americanos)	$\longrightarrow$	objeto deseado (forma de vida del yate)	$\longleftarrow$	oponente (Roque)

La forma de vida que no es objeto deseado funciona en cada una de las dos oposiciones, implícita o explícitamente, como *objeto rechazado.* En realidad el revestimiento semántico de la novela está hecho del cruce continuo de ambas oposiciones, cruce que subyace incluso en la secuencia narrativa que hemos formalizado como B', y definido como predominio del ámbito yate sobre el ámbito isla —Roque es un pequeño dios, cuya serena presencia se va transparentando intermitentemente a lo largo del relato.

Por fin, el conflicto que surge de la confrontación, en ambas direcciones, Roque $\longleftrightarrow$ americanos se resuelve por la intervención de un personaje cuya función es la de *árbitro,* y que es Jerry, o, mejor, *la muerte* (de Jerry). Los demás personajes de la novela no alteran este esquema fundamental y podrían ser formalizados como *destinatarios* o beneficiarios de la acción, o simplemente como *ayudantes* —función ayuda— de alguna de las funciones hasta aquí descritas.

Sin embargo, hay un personaje cuya significación en la novela no se agota, a mi juicio, en la función ayuda; me refiero al Fardelero. Ya he señalado más arriba que la oposición isla/yate no se identifica, en su realización en la novela en el nivel de los personajes, como oposición isleños/extranjeros, ya que entre la *gente del yate,* junto a los extranjeros, se apretujan en seguida algunos isleños —Domingo, Félix, Mateo el Guanche...—; igualmente he indicado que la oposición isla/yate y el deslizamiento de la primera al segundo como ámbitos de predominio en la novela, se recubre por la oposición tienda de Roque/taberna del Fardelero, y el desplazamiento de la vida de la isla, después de la llegada de los americanos, de la primera a la segunda. Esto hace que, aunque en el nivel superficial de la fábula el Fardelero pueda aparecer como un personaje totalmente secundario, de menor relieve incluso que el que puedan tener Domingo o el señor Mateo, en el nivel más profundo del tema, el análisis funcional sitúa al Fardelero en una posición equivalente —y opuesta— a la de Roque.

El chamizo del Fardelero, «un lujo, si bien nada fino y hasta infame», se contrapone a la honorable tienda de Roque, que se ajusta al ritmo del poblado de pescadores. No parece aventurado señalar que Roque y el Fardelero, y sus respectivos establecimientos, simbolizan en la isla —y en la novela— independientemente de los americanos, dos fuerzas opuestas —dos formas de vida— cuyo choque la extraña y alborotadora llegada de los chonis no hará sino acelerar y amplificar. La temática profunda de la novela iría así más allá de la aventura protagonizada por el «Bloody Mary» y sus exóticos tripulantes. Sólo una lectura superficial, en el nivel de la fábula, fosilizaría el conflicto en la simple oposición isleños/americanos. Pero la isla es en sí misma —y como la vida— espacio conflictivo.

Y esta ambigüedad de la isla —de todo espacio humano— estaría también significada por la existencia —conflictiva existencia, antes y después de los americanos— de Roque y el Fardelero, de la tienda en el poblado de pescadores y el tugurio en el Barrio Verde.

EL NARRADOR COMO ACTITUD DE NARRACIÓN

En esta esquemática descripción funcional de los personajes de *Parte de una historia,* hemos silenciado —y premeditadamente— la posición del narrador, ausencia que debemos justificar, puesto que antes hemos definido al narrador también como personaje.

Más arriba ha quedado descrito como un narrador homodiegético, cuyo estatuto narrativo —ser vehículo de narración— es uniforme a lo largo del relato, pero cuya presencia en la *diégesis* —historia— es múltiple: mero testigo en una historia —la de la isla— que se limita a ver y contar; personaje de otra historia —su propia biografía— que él mismo, viviéndola y contándola, protagoniza.

Como testigo —mero filtro narrativo— el narrador de *Parte de una historia* no es funcional en el sistema actancial de la historia de la isla; no pertenece siquiera al nivel indicial o conceptual; es únicamente forma de narración, identificable en el nivel del relato y no en el de la historia. Los señaladores de persona —yo, nosotros— que, a lo largo del discurso apuntan al narrador [30] no tienen en este caso un referente en el nivel de la historia; la única referencia es interior al relato, y podría enunciarse como posibilidad de narración.

---

[30] Se trataría de mera deixis gramatical.

Si el lector tiende naturalmente a convertir en personaje —en carácter[31]— esa instancia narrativa que surge de modo repetido a la superficie del relato, es por la fuerza de atracción de la «biografía sumergida» —el narrador protagonista—, sobre todo en ese espacio intermedio —el comentario— que pone en comunicación, en relación, las «dos partes de una historia». Pero el narrador es también héroe de una historia que no es la de la isla, aunque es una historia que *resulta contada* al contar la de la isla. Es decir, sólo razones metodológicas pueden justificar la separación en la novela de esas dos historias; aunque, a lo largo del relato, podamos enmarcar fragmentos de discurso que pertenecen más a la biografía del narrador que a la historia de la isla. En realidad, las dos historias —¿hay de verdad *dos* historias?— *se hacen* —se comunican— y se cuentan a un mismo tiempo.

El narrador en cuanto personaje no forma sistema, no entra en el mismo nivel de relaciones funcionales, que ha sido descrito para los otros personajes en la isla.

Cuando el narrador, entre el puerto y los despojos del barco naufragado, se ve a sí mismo como expresión de un debate interior entre mundos contrapuestos —isla/yate—, imposible de dilucidar, no tiene demasiado sentido decir que el narrador es de esos dos espacios a la vez, o no es de ninguno de ellos. El narrador no está en el espacio de Roque ni en el de los americanos; ni tampoco en un imaginario punto equidistante entre ambos; su relación con el espacio —los espacios— de la isla es puramente metafórica[32]; la relación isla/yate es una

[31] Desde una visión funcional de la estructura narrativa, TODOROV distingue el «personaje», como mero agente de una serie de acciones, y el «carácter», que surge de la transformación del personaje por el determinismo psicológico; cf. «La lecture comme construction», en *Poétique*, 24, 1975, p. 422.

[32] El propio narrador, mirando a Jerry y pensando en el naufragio, califica como *metáfora* elementos denotados de la historia: «Aunque hubiera corrido todos los temporales del mundo —del que no excluyo el gran temporal de la guerra, a manera de metáfora— el que me preocupa es éste, el que yo he vivido desde la isla y él en el peligro, debido al azar en sus distintas formas de ebriedad, incapacidad, locura y hasta situación geográfica, que lo ha hecho llegar, al igual que a mí

figura de *otro* espacio vital en que se sitúa, como personaje, el narrador.

Esto quiere decir que la historia de la isla tiene con la del narrador una relación fundamentalmente retórica: es, sobre todo, una metáfora de la «biografía sumergida», en la que se asume como figura.

La noche misma de la llegada a la isla, después de la cena en casa de Roque y de los labios de éste, ha surgido la pregunta: «—¿Qué te trae por acá esta vez?», y la suspensiva respuesta del narrador: «Ya te explicaré. Es largo...» La pregunta sobrevuela el relato, aparentemente sin contestación; pero, ¿no es la novela, historia y relato, narración, una metafórica respuesta a esa pregunta de las páginas iniciales?

La autobiografía del yo narrador es contada metafóricamente en la historia de la isla; el término real aparece intermitente en la superficie del relato, formando un hilo conductor que funciona como *invariante* en la que se apoya la reducción —la interpretación— de los *desvíos* —la historia de la isla como metáfora [33].

Por otra parte, el yo protagonista de la biografía sumergida es alguien que cuenta —que escribe—: narrar es el predicado supremo del narrador y forma parte, por tanto, de su biografía. Es la narración, la actitud de narración, la que sostiene la escritura —la novela como relato y como historia—, y, en última instancia, la explica, es decir, se constituye en clave última de lectura.

Ello hace posible concluir que *la historia* de *Parte de una historia* es también la narración misma, la escritura como acto fundador de relato. La isla es entonces, y metafóricamente, un espacio narrativo, un lugar de narración.

El análisis hasta ahora propuesto de *Parte de una historia*

—otro temporal, también a modo de metáfora— hasta este puñado de arena y rocas habitadas»; *Parte de una historia,* p. 72.

[33] «C'est ce fil conducteur que nous désignerons par le nom *d'invariant* et c'est essentiellement en s'appuyant d'une part sur la partie non figurée du discours et, d'autre part, sur les invariants subsistant dans l'autre partie, que pourra s'opérer la réduction des écarts»; J. DUBOIS y otros: *Rhétorique générale.* París, Larousse, 1970, p. 44.

me ha llevado, en todos los casos, a subrayar la importancia
de lo que he llamado *actitud de narración*.

El doble estatuto del yo narrador con relación a la historia
—testigo de la de la isla, protagonista de su propia biografía—
converge en el punto único que lo ha generado: la actividad
narrante. La narración como acto instaurador de relato atrae hacia
sí —y subordina— la pluriforme masa de lo narrado. De tal
modo que por encima de la historia de la isla y de la autobiografía del narrador queda el relato mismo en cuanto tal, y que
es también *historia*. La plural historia de *Parte de una historia*
es lo mirado y el que mira, pero es también, y sobre todo, la
mirada misma como actividad, lo contado y el hecho de contar, ese mágico tránsito de ver a decirlo, donde decir es, de
alguna manera, un predicado trascendental del ser.

El espacio velado de la biografía sumergida no es tanto la
historia aludida —elidida—, cuanto el relato mismo como
cristalización de la actividad de narración. En realidad, en la
última novela de Aldecoa, asistimos al nacimiento del yo por
la acción de narrar: la aventura más trascendental de *Parte de
una historia* es el mismo discurso novelesco, más allá de lo
narrado en ese discurso; sólo en segunda instancia, la aventura
de la isla o los procesos de autorreflexión aparecen como predicados de un yo cuya existencia es fundamentalmente narrante.

Parte de una historia es así y en última instancia, un intento de recuperación, de identificación del yo por la escritura.

La historia plural de «Parte de una historia»

Todo lo señalado hasta aquí permite, a la hora de enfren-
tarnos con la novela como universo de sentido, comenzar afirmando que *Parte de una historia* es susceptible —aparece como
cruce— de una triple lectura que resulta de un sistema triple
de isotopías [34] en que se sitúa la isla: la isla como aventura,

---

[34] La noción de isotopía y el sistema de relaciones isotópicas entre
el plano de la expresión y el del contenido se muestran altamente ope-

la isla como representación, la isla como lugar de la escritura. Una vez más, el proceso de revestimiento semántico del discurso novelesco se manifiesta desde lo más aparente —la aventura de la isla— hasta lo más oculto —como *historia*— y que es el acto mismo de narración, pasando por ese espacio metafórico donde la isla y su aventura es vehículo [35] de representación —*escenario*— de la existencia humana. El texto es así el punto de convergencia de estos tres sistemas semánticos que se remiten y se sostienen recíprocamente. Sólo razones metodológicas justifican que en el análisis los considere separadamente.

LA HISTORIA DE LA ISLA: LA ISLA COMO AVENTURA

Hay un primer nivel de significación que es la historia de la isla, contada por el narrador, en los días, pocos, aunque el número exacto quede indeterminado, de su estancia.

Es la historia de una subversión. La que en la vida monótona y previsible de esa pequeña e incomunicada isla en el archipiélago canario provoca la exótica y alborotadora arribada de los náufragos americanos.

Ya he indicado más arriba cómo es la oposición de espacios —de ámbitos— yate/isla la que expresa el encuentro y choque de dos formas de vida: la tradicional de los isleños —el trabajo en la bajura o en el muelle, las charlas a palo seco en el cabildo de los viejos o, acompañadas de trago en la tienda de Roque, las esporádicas angustias de la tormenta y de la mar—, y la nueva y descontrolada de los chonis —borracheras de ron y de canciones en el tugurio del Fardelero.

El narrador, el pueblo a la espalda y en frente los restos del yate naufragado, califica esos dos mundos: organizado, firme y vital uno, desorganizado, anárquiso y mortuorio el otro. El barco, varado entre las rocas y la arena de la playa

---

rativos para un análisis semiótico del discurso poético, como se muestra en el interesante trabajo de FRANÇOIS RASTIER: «Systématique des isotopies», en *Essais de sémiotique poétique*, pp. 80-106.

[35] Es decir, término metafórico de un nuevo sistema de significación.

de Las Conchas, es visto como el panteón de los cuatro tripulantes que el temporal y la borrachera han arrojado a la isla.

El paso por la isla de ese alborotador cortejo de náufragos y turistas es esencialmente subversivo; de aquello que constituye los fundamentales valores comunitarios en los que se asienta la vida y la convivencia de los isleños: el trabajo, la diversión, el amor: encarnación, precisamente, de lo que el narrador ha descrito como organizado, firme, vital.

Porque la isla de *Parte de una historia* es una isla de trabajo; y su mar, un mar también «del trabajo y de los sufridos peligros» (PUH, 34). Es el trabajo el que define la isla y el mar de la novela, como ha definido antes el mar y el barco de *Gran Sol.*

Y es el trabajo lo primero que altera y corrompe la presencia de los chonis: Domingo se olvida de la casa que está construyendo, Pedro, por cada noche de parranda, tiene que dejar irse en siesta el tiempo del caleo, y el señor Mateo invita, tienta, promete y miente, porque «tocar la guitarra no cansa» y hoy —y ayer, y mañana— «pide parranda», aunque alguna vez recapacita y piensa que está perdiendo jornales. Pero pronto encuentra solución a su dilema, porque, como él mismo dice, «estos malditos me tienen cogido por mi pecado», y

«La mar y lo demás pueden esperar. La mar siempre está ahí y las aves de paso, pasan» (PUH, 112).

Y con el trabajo, la necesaria y escasa diversión que hace más llevadera la rutina del mar y de la isla.

La organizada diversión de los isleños —ese tiempo que queda entre el trabajo del día y el descanso de la noche y que se mide y se controla por el ritmo que marca a la convivencia la tienda de Roque —a las ocho se cierra, porque mañana espera el trabajo— es ahora desmesurada parranda, que crece como una marea e invade la vida de la isla, anegando en ron y en vino el tiempo del trabajo y del descanso. Todo ello expresado en ese cambio de espacio que supone el deslizamiento de la acción de la tienda de Roque a la taberna del Fardelero, del transparente poblado de pescadores al ambiguo Barrio Verde.

Y, en fin, la subversión del amor, en esa promiscuidad que

hacen posible las fáciles mujeres de los chonis. Al viejo señor Mateo se le afilan los dientes y muerde, como las murenas, de procacidad y de envidia, cuando cuenta.

Esta alteración del amor como valor en que se sostiene la vida de la isla se expresa sobre todo en la aventura de Domingo y Beatrice.

Domingo es el «novio» de la isla:

«Se va a casar y ha dejado por una temporada las pesquerías del sur para construir su casa» (PUH, 29).

Pero los proyectos y las ilusiones de Domingo se quedan enredados en las miradas de la americana, y el agudo sonido del timple y las canciones de parranda y noche en casa del Fardelero van apagando sus primeros recordimientos.

Beatrice es «la mujer caída» (PUH, 71); así la ve el narrador, una mañana, a la hora del desayuno, en el gran comedor de la casa de Roque. «Es la mujer, o pasa por serlo, de Jerry, pero sus cuidados y atenciones son para Boby». Luego, en las juergas en el Barrio Verde y en las noches descontroladas de la isla lo serán para Domingo; o para otros, porque tienen donde elegir, y estas mujeres chonis, como dice el Fardelero, «pueden cambiar de marido sin consecuencias» (PUH, 105).

Beatrice es definida como «la mujer caída» en clara referencia al rescate de los náufragos en la playa de Las Conchas, cuando, a la luz de una luna en menguante, Roque y los que le acompañan van descubriendo el barco desfondado y junto a las rocas dos personas que gritan y aspan los brazos. Luego,

«una de las personas cae a tierra y ya no es más que una mancha de roca, inmóvil en la arena» (PUH, 50).

En el momento del encuentro, el narrador completa la descripción:

«La caída es una mujer, vestida con un jersey de cuello marinero y pantalones, descalza, pero el rostro no se le ve, porque está echada de bruces...» (ibíd.).

Por eso, en la escena del comedor, Beatrice es la mujer caída, como Jerry es el hombre de la playa, o Boby el hombre de la litera, y Gary el de la mano rota. Pero esta definición puramente denotativa y referencial [36], vista en la totalidad de la novela, de la historia, cobra una significación más amplia, connotada ahora, donde Beatrice no es ya simplemente uno de los cuatro náufragos americanos, sino que es además un símbolo: el símbolo, precisamente, de *la mujer* caída. Su conducta libertina —precisamente con Dominguillo, el enamorado que construye su casa con ceniza de volcán y encarna el curso incontaminado y sereno del amor en las costumbres de la isla— no es sólo un aspecto más de la desenfrenada existencia que se implanta con los chonis. Creo que es significativo el nombre mismo de la mujer. De hecho contrasta en ese breve parámetro de nombres propios, que son los de los cuatro americanos. Sobre todo, para un lector español, el nombre de Beatrice descubre inmediatamente una grafía italianizante, que contrasta con la típica forma inglesa familiar de los otros nombres, Jerry, Boby, Gary. Para un lector de mediana cultura, el nombre de *Beatrice* se inserta en un contexto cultural en el que funciona como tópico en la lista de enamoradas célebres.

Beatrice es la mujer amada por Dante, pero es sobre todo y por la magia de sus versos en la *Vita Nova* el símbolo del amor, de tal modo que podemos establecer una identidad Beatrice (nombre)=Amor, con todos los atributos que las convenciones stilnovistas del poeta florentino confieren a esa simbolización: un amor puro, como expresión de la fuerza que mueve lo más alto del corazón no sólo del hombre, sino también del cosmos. Por eso, el nombre italianizante de Beatrice, marcado al contrastar con los familiares nombres ingleses de sus compañeros de naufragio, proyecta sobre el personaje que lo lleva los símbolos que comporta en el código literario-cultural al que pertenece [37]. Beatrice es el mito, el símbolo de *la Mujer.*

---

[36] Referencial dice, en este caso, relación a un referente literario, que se da en el nivel de la historia: la escena anterior del salvamento. La función referencial, como relación extralingüística con la realidad, no es pertinente en este momento para nuestro estudio.

[37] Cf. el interesante comentario que, en otro contexto, hace MARÍA DEL PILAR PALOMO sobre el nombre Beatrice, en «Alvaro Cunqueiro:

Su comportamiento procaz en el desarrollo de la historia la convierte en anti-mito; por eso es *la mujer caída,* porque encarna la destrucción de los valores que por su nombre estaba llamada a simbolizar. Esta ambigüedad —mito y destrucción del mito— de Beatrice (nombre + personaje) en la ficción puede quedar reflejada cuando, al intentar levantarla del suelo después del naufragio, el narrador advierte:

«Su rostro es muy bello, pero está señalado. Hay al mismo tiempo en él horror y beatitud...» (PUH, 51).

La torpe aventura de Domingo y Beatrice no es, por tanto, una anécdota más, de las muchas en esos días sin norte de la isla; es la expresión de que el vendaval de los chonis pudre en su raíz y arrasa las formas limpias del amor. Es necesario que los chonis se vayan para que Dominguillo, con el aire ausente todavía, no se sabe ahora si de nostalgia o de arrepentimiento, vuelva a trabajar en su futura casa.

La contraposición entre los dos ámbitos, el tradicional de la isla y el creado con la llegada de los americanos, se marca progresivamente como:

Organizado/desorganizado, firme/anárquico, vital/mortuorio; es decir, la oposición vida/muerte recubre semánticamente todo el desarrollo de la historia, y es la expresión que al final de la novela cobrará la relación significante que en el inicio de la trama opone, como ya dejé señalado, el *ámbito yate* al *ámbito isla.*

El yate naufragado es descrito como algo muerto —«barco sin vida»—, y receptáculo de muertos —«panteón».

Y es efectivamente la muerte la que remata fatalmente el desaforado carnaval de la isla.

Los isleños conocen, porque viven de la mar, la angustiosa grandeza del hombre midiéndose a muerte con la naturaleza. Los americanos han vivido la lucha con el mar desde la locura opaca de la borrachera; y han naufragado —han nacido— sobre la playa de Las Conchas. Pero la mar termina cobrándose su tributo.

"Vida y fugas de Fanto Fantini della Gherardesca"», en *El comentario de textos,* 2, Madrid, Castalia, 1974, pp. 227 y ss.

Jerry, «teatralmente recién nacido de la mar, pordiosero Ulises en la arena de Las Conchas» (PUH, 69) ha vuelto —ha sido devuelto— a la mar en esa gran apoteosis final de la representación carnavalesca. Aunque su panteón no será el «Bloody Mary», sino una sencilla sepultura de arena, con una cruz de limoncillo, en el cementerio de la Duna Grande.

La muerte es en *Parte de una historia,* como lo era en *Gran Sol,* el final de la aventura. ¿Qué queda en la isla, cuando desaparece, camino de la Isla Mayor, saludando con la mano desde la cubierta del «Chipirrín», esa extraña corte, misteriosa y trágica, de los chonis?:

«Desgana en unos, exaltación en otros, cansancio, fantasía, rememoraciones...» (PUH, 213).

Pero la isla —otra vez Roque dirigiendo a las gentes de su clan— irá recobrando «el humor, malo o bueno, del trabajo».

La aventura de la isla —esos días de parranda y muerte que se han vivido con los chonis— no es en realidad más que *parte de la historia.*

Hay también otra(s) parte(s), cuyas claves de lectura vienan dadas igualmente en el texto de la novela.

Y la más inmediata a esa primaria lectura anecdótica que se acaba de proponer es la que marca el tránsito de la isla como aventura a la isla como representación: un sistema significativo de segundo grado, donde la historia de la isla no sólo acontece, sino que *representa,* es decir, funciona a su vez como significante.

La historia del narrador, tránsito de la isla como aventura a la isla como representación

En el tránsito de una a otra lectura, el espacio de la ficción pasa del tópico al símbolo: esa pequeña isla atlántica cuya identidad la fábula novelesca no perfila, pero que es un espacio prácticamente verificable, pierde sus contornos individualizadores, rompe las amarras que le atan a la función referencial y adquiere un nuevo estatuto significativo en el sistema semiológico que se produce como texto: la isla se universaliza y se convierte en símbolo: es, ni más ni menos, el espacio de la existencia humana [38].

Pero es preciso señalar que en el caso de *Parte de una historia* el paso de una lectura puramente anecdótica a otra existencial se hace a través de una mediación: la del narrador que actúa como «relais» entre esos dos niveles de significación; pero no el narrador-testigo —el símbolo no *se cuenta, se produce,* es decir, se interpreta, *se lee*—, sino ese otro narrador-protagonista que lee, que interpreta los —algunos— acontecimientos de la isla a medida que suceden y que él mismo los va contando. Leer, y no sólo contar, es uno de los predicados de ese proteico narrador de *Parte de una historia;* entre el narrador-testigo y el narrador-héroe se sitúa ese *narrador-lector: su* lectura de la historia de la isla forma parte —¿es?— de *su* biografía. Y es precisamente la lectura que el narrador hace —propone— de la historia de la isla el espacio donde convergen la aventura de los chonis y la «biografía sumergida»; el encuentro entre ambas partes de la historia genera ese nivel de significación que he tematizado como: la isla, espacio simbólico de la existencia humana; nivel que surge, precisamente, de la confrontación que el narrador hace de *dos textos;* uno fundamentalmente elíptico —su propia historia—, y otro fundamentalmente contado —la historia de la isla.

La primera noche de su estancia en la isla, el narrador, solo ya en su cuarto, monologa:

> «Tengo deseos de hablar e intento convencerme de que no quiero hablar, de que estoy cansado del viaje, y mañana por la mañana... Pero es muy pronto para un hombre que vive en la ciudad acostumbrado a la noche...» (PUH, 15).

---

[38] «Anécdota y circunstancia instituyen, en ese relato hondo y cabal de Ignacio Aldecoa, cifra y alegoría de un inexorable naufragar —para salvarse o perecer, en última instancia—, módulo que abarca a la humanidad entera, trascendiendo la simple peripecia inserta en un círculo geográfico y humano mucho más restringido y concreto»; A. MARSA: «Náufragos», en *El Correo Catalán,* 30 de julio de 1967.

Y a la mañana siguiente, en la tienda de Roque, mientras Luisita busca en el dial de la radio alguna emisora de la península:

«No sé por qué, en estos momentos me encuentro desazonado por un tacto de nostalgia» (PUH, 21).

Este pronto resurgir a la superficie del texto de un yo que se interpone —como historia— entre el lector y la isla provoca necesariamente la pregunta: ¿quién es el que en la novela dice «yo»?, pregunta que se legitima, no para justificar la mera existencia de un relato primo-personal generado por el yo como simple forma de narración, sino porque, en el caso de *Parte de una historia,* el yo narrante es al mismo tiempo yo narrado. Y sobre todo porque la novela misma es una formulación metafórica de la pregunta, que resulta de transformar, de re-escribir, de convertir en relato —en novela— una interrogación fundamental, ¿«quién soy yo»?, y del intento de respuesta.

No hay una presentación, ni directa ni indirecta, del narrador a lo largo de la novela. Ni siquiera llegamos a conocer su nombre, en claro contraste con los chonis —el matrimonio inglés y los cuatro americanos— y muchos isleños que aparecen claramente identificados. Sólo algunos indicios nos permitirían esbozar una esfuminada y aproximativa ficha personal: así, sabemos que es un hombre que vive en la ciudad —«ciudad de desasosiego», la llama— y que está acostumbrado a su noche; de un comentario de Roque —«Se te ven los años jóvenes en lo bien que duermes» (PUH, 79)— deducimos, aunque de forma indeterminada, su juventud; el mismo Roque le atribuye conocimiento de las cosas del mar cuando le dice: «—Un marinero como tú no se puede perder ese caleo» (PUH, 168). Alguna otra alusión —«los nervios no te dejan en paz», Enedina interpretará la noche de juerga con los americanos como «un atentado a mi salud»— nos permiten inferir que se trata de un hombre de salud —tal vez psíquica, más que física— débil.

Y si inquirimos las motivaciones de su llegada a la isla, él mismo la entiende, ya desde el comienzo, como una huida (PUH, 21), y antes incluso de la aventura del «Bloody Mary», hablará de la suya como naufragio.

Porque si ha sido un temporal el que ha arrojado a los americanos sobre la playa de Las Conchas, es igualmente otro temporal —«también a modo de metáfora»— el que hace que el narrador arribe una tarde cualquiera «a este puñado de arena y rocas habitadas». También el narrador, como los exóticos tripulantes del «Bloody Mary», es un náufrago [39].

Es la mirada sobre la vida de la isla la que provoca por refracción —hay un cambio de dirección en el foco y un consiguiente tránsito del narrador-testigo al narrador-protagonista— ese proceso introspectivo de auto-identificación. Y es a partir de aquí donde se marca la dimensión de búsqueda, tan típica de la novela como género, y ese ambiguo espacio —el debate entre dos mundos contrapuestos— en que se sitúa la biografía del narrador.

Este es un náufrago, pero no es un choni. Hace esfuerzos por diluirse en la comunidad de la isla —nosotros es siempre yo + isleños, y nunca yo + chonis—, por «poseerla» mediante la palabra [40] —cuántas veces habla de *nuestra* isla—; todo, sin embargo, le denuncia como extraño.

Tan *no llega a ser* de la isla que Luisita, en un breve diálogo —de los pocos que el narrador mantiene a lo largo de la novela— le sitúa en el grupo de los chonis cuando le dice:

«—Tú no deseas hablar conmigo. Tú estás con los otros.»

Hay una real imposibilidad del narrador, más allá de su movilidad narrativa como testigo, para ubicarse en la historia de la isla. Su llegada y su partida, aparentemente inmotivadas, al menos no explicadas, parecen dar relieve a esa imposibili-

---

[39] G. Díaz Plaja, en un breve estudio sobre la novela, cf. «Parte de una historia, de Ignacio Aldecoa», en *La creación literaria en España*. Madrid, Aguilar, 1968, pp. 331-334, ha apuntado esta condición de náufrago del narrador.

[40] De la gente del relato corto *Seguir de pobres,* el narrador dice: «No poseen con la brutal terquedad de los afortunados y hasta parece que han olvidado en los rincones de la memoria los posesivos débiles de la vida». Emilio Lorenzo cita este pasaje de Aldecoa como ejemplo de «una evidente indiferencia o, mejor dicho, escrúpulos del hombre español hacia la afirmación de lo que es propiedad suya» en *El español de hoy, lengua en ebullición.* Madrid, Gredos, 1971, 2, p. 44 y nota 18.

dad. Pero, ¿no hay en el fondo una razón más poderosa, que es el necesario extrañamiento sin el que la historia de la isla no tendría el sentido que ahora tiene, porque habría sido vista —mirada, y, por tanto, contada— de distinta manera?

Es precisamente ese extrañamiento, esa radical dificultad de ubicación lo que permite la incorporación de la historia de la isla —lo mirado— a la historia del narrador —la mirada—. *Parte de una historia* habría sido otra historia contada por Roque, y otra distinta contada por alguno de los chonis.

El extrañamiento genera distancia y la distancia posibilita una actitud crítica que, dadas las convenciones de relato objetivo en que se sitúa *Parte de una historia,* se salva por el doblaje de la historia de la isla en la voz —la historia— del narrador.

Ese relato objetivo señalado a propósito del narrador testigo queda de algún modo subjetivizado, cuando el narrador protagonista lo incorpora a su propia historia. Y entonces no son solamente los monólogos de autorreflexión del yo narrante, sino la totalidad del relato la que pasa a formar parte de la «biografía sumergida»: hay una autobiografía *denotada:* lo que el narrador dice de su propia historia; pero hay también otra autobiografía *connotada:* la *lectura* que el narrador hace de la historia de la isla.

Y esta lectura es esencialmente interrogadora. Contar es, para el narrador de *Parte de una historia,* formular sobre lo narrado las preguntas que asaltan su propia interioridad, fundar el relato entre dos puntos de interrogación —que no tienen por qué ser signos gramaticales— que en este caso vienen marcados por la llegada y el abandono de la isla. La interrogación que enmarca el recinto del relato es ese vacío de texto —ese *más allá del texto*— que Aldecoa señalaba al decir: «he querido dejar la novela abierta por delante y por detrás» y al que el texto se orienta por su escritura metonímica.

Es la pregunta y el intento de respuesta, metaforizada en la aventura de la isla, lo que se constituye entonces en verdadera trama de *Parte de una historia.* En realidad, la novela es la historia de una búsqueda: la del yo narrante, a la conquista de su propia identidad. La isla es el espacio de esta búsqueda,

y la aventura con los chonis su parábola; es la llegada de los
americanos la que da perfiles *espectaculares* —recordar el simbolismo, anterior a la llegada de los extranjeros, de la tienda
de Roque y el tugurio del Fardelero— a la vida de la isla;
la hace espectáculo, es decir, la convierte en *moralidad:* la
historia de la isla deviene así *representación.*

El proceso que marca el tránsito de la isla-aventura a la
isla-representación viene señalado por una serie de unidades
significativas con un sema común —*teatralidad*—, constituyendo así un campo semántico en cuyo recinto la aventura de la
isla adquiere una nueva significación.

A partir de la llegada de los americanos, tanto el narrador
como los personajes se refieren a veces a la aventura que empieza a vivir la isla en términos que denotan teatralidad.

Términos como «teatro», «función», «espectáculo», «papel», «títeres», «coro», «espectador»... vienen a formar, así,
una isotopía desde la que se hace posible leer la aventura de la
isla como representación. A partir de la llegada de los americanos el relato va organizando una especie de cerco semántico en
cuyo interior se *re-significa* lo que acontece; si la aventura
es espectáculo, la isla como espacio de la representación es
escenario. Y a medida que con el bullanguero y acelerado ritmo
de la parranda la aventura llega a su punto álgido en la celebración del Martes de Carnaval, de la misma manera hay una
dinámica de condensación del sentido, donde la relación significativa aventura-representación se va haciendo explícita en
la novela.

Es un proceso de simbolización, cuyo arranque es la des-
individualización de la aventura de la isla, es decir, la universalización del sentido mediante el tránsito de la historia —denotación— al símbolo —connotación.

Es significativo que sea ese día —el Martes de Carnaval—
el único de la ficción que aparezca individualizado, identificado en la cíclica celebración lúdico-litúrgica del calendario. Los
otros días de la ficción sólo se pueden localizar con relación a
éste —«mañana es carnaval»—, porque es efectivamente este
día —el Martes de Carnaval— la medida del tiempo —de la
vida y del sentido de la vida— en la novela. Es el día de la

gran celebración carnavalesca y desde él todo lo que ha acontecido en los días anteriores y lo que acontecerá después queda de pronto teatralizado, se convierte en representación.

Mientras, a la puerta de la tienda de Roque, los muchachos de la isla piden a voces: «los porreros, los porreros», el narrador va haciéndonos la presentación de los «dramatis personae», «los celebrantes de la matraca y el carnaval», en sus grotescos y trascendentales disfraces.

Sólo Gary no se ha disfrazado. En la grotesca caravana que marcha hacia el espigón y que «la luz hace más lamentable» hay un tono funeral que parece preludiar de algún modo el desenlace trágico de la fiesta y que el narrador deja señalado en los incoherentes disfraces de estos improvisados porreros del Martes de Carnaval.

Porque la gorra de Boby es «*lutosa*», como es «*negro*» el parche en el ojo del pirata Jerry, y si Laurel, con su rojo pañolón y su indígena sombrero de pleita, caricaturiza la sobriedad «*negra y parda*» de las isleñas, la sudorosa cara embetunada de David «es una máscara despintada y *lúgubre*».

Hay algo de mascarada macabra, de inconsciente danza de la muerte, en ese abigarrado cortejo que abren los chonis disfrazados; mañana piensan abandonar la isla; pero antes, en este Martes de Carnaval, «dan su primera y última representación» (PUH, 156).

Las diferentes partes de la historia de la isla en este simbólico y trágico Martes de Carnaval son como escenas de esa única representación. Primero en el espigón, frente al río de mar y al acantilado; los cohetes acuchillan el cielo y estallan en la altura; y cuando Roque entrega el último a Dominguillo, el narrador señala: «la función se acaba». Pero la representación sigue en la taberna del Fardelero; y luego, ya noche, otra vez en el muelle —cohetes y fuegos de artificio—, llenando el agua de colores y de ruido, para que los chonis, todos menos Gary, representen el cuadro final de

«esta función sonámbula que se ha estado desarrollando en la isla» (PUH, 173).

Los chonis, trágica y ridículamente disfrazados de porreros de Carnaval, son los títeres que en la noche del naufragio hemos visto avanzar por la Duna Grande, desvertebrados y mecánicos todavía por la borrachera, hacia la casa de Roque. Todo lo vivido en la isla es el ensayo general para esa única y apoteósica representación del Martes de Carnaval; desde aquí, la historia de la isla queda teatralizada, convertida en espectáculo: representación de la vida y de la muerte; no la de Jerry; Jerry se ha limitado a cumplir bien su papel hasta el fin, por eso la representación sigue, cuando el cadáver destrozado del americano es rescatado del agua: es todavía la escena final, la imprevista y trágica escena final de ese singular y simbólico «happening» de la existencia.

El narrador sigue marcando la teatralidad de las situaciones.

Es teatral la descripción que se hace del cortejo fúnebre, esperando en el muelle la llegada de las embarcaciones que traerán el cadáver de Jerry. Parece una austera acotación con la que el narrador quisiera organizar la posición y el movimiento de los personajes en el espacio escénico [41]:

> «Primeras y solas, las dos mujeres chonis, tras de ellas, a unos pasos de respeto, los viejos cabilderos; al final, un coro de negras vestiduras, de negros pañuelos, cubriendo los rostros...» (PUH, 186).

Y el mismo narrador define explícitamente la escena que acaba de construir, diciendo:

> «Es una composición teatral» (ibíd.).

Es también teatral el cuadro siguiente, cuando, al desembarcar el cadáver, el narrador vuelve a acotar los movimientos y gestos de los personajes:

> «Laurel retrocede unos pasos y Beatrice queda sola —en la soledad de la protagonista, en el primer plano de la pers-

---

[41] La «kinésica», tan importante en la semiología teatral, empieza también a ser considerada relevante en el análisis de la narración; puede verse el interesante estudio de FERNANDO POYATOS: «Paralenguaje y kinésica del personaje novelesco: nueva perspectiva en el análisis de la narración», en *Prohemio*, III, 2, septiembre, 1-97, pp. 291-307, y «Nueva perspectiva de la narración a través de los repertorios extraverbales del personaje», en *Teoría de la novela*, pp. 353-383.

pectiva de la tragedia—, esperando impasible. Desde el coro llegan sílabas y quejas, apagados ayes y rezos bisbiseados» (PUH, 186).

Protagonista y coro: lo que comenzó en inofensiva carnavalada —la fiesta de la vida— se ha convertido en tragedia —«el rito para los muertos en el océano».
Si en lugares anteriores del relato hemos identificado toda una serie de unidades semánticas con el sema común de *teatralidad,* ahora, en la narración del Martes de Carnaval, es el narrador el que hace una lectura teatral de lo que acontece en la isla en ese día, es decir, lee la fiesta de los porreros y la muerte de Jerry no como suceso singular, sino como representación, es decir, como símbolo.
La introducción de un claro campo semántico de lo teatral, mediante el que se acota el espacio de la acción convirtiéndolo en escenario, provoca al mismo tiempo la conversión de los chonis de *personas* —que viven— en *actores* —que *representan*—; los disfraces de carnaval son los mediadores para este cambio de función. Por fin, la acción, sobre su denotada singularidad —en el nivel antes analizado de la aventura— genera otra historia, connotada y simbólica, que hace de la isla, en ese carnaval en que celebra la vida y la muerte, una clara metáfora de la existencia.
Ya he señalado que la visión metafórica de la isla como representación surge precisamente de esa lectura teatralizadora que el narrador hace de los sucesos de carnaval; hace y propone, y, por tanto, convierte en texto.
Pero no se trata de una propuesta *inocente,* sino que es generada lógicamente en este ambiguo espacio de huida e interrogación que vengo llamando «biografía sumergida». Sólo ella justifica el tránsito de la primera lectura —la isla como aventura— a la segunda —la isla como representación.
Esto quiere decir que la tragedia de carnaval recibe sentido de ese espacio interior donde se genera como lectura y como texto; y, a su vez, el espacio de la «biografía sumergida» se hace significativo por la representación; ambos ámbitos novelescos, en su existencia semántica, dependen el uno del otro.
La historia de la isla se ha convertido en parábola de la

existencia al ser leída por el narrador en un intento de buscar —de producir— una respuesta a la interrogación fundamental que parece ser su existencia. Es aquí, por tanto, en la biografía del narrador, donde están las claves de interpretación, el término *real* de esa metafórica lectura de la historia de la isla.

Si la isla es ahora espacio simbólico de la existencia y el narrador, al confrontarse con los americanos, se ve a sí mismo, metafóricamente, como náufrago, la pregunta radical que sobrevuela el relato y que articula la biografía sumergida es el sentido de la existencia.

A la pregunta «¿qué buscas?», que Luisita le hace con los ojos, el narrador responde narrando, es decir, preguntando a su vez; una pregunta que no es formulada en el nivel de la estructura superficial, pero que es omnipresente en la profunda, provocando a veces conjeturales y significativas respuestas; como la que el propio narrador se da cuando, en la negrura de la noche, navegan y buscan al desaparecido Jerry:

> «Supongo que también nosotros somos un arrancado pedazo de tiniebla, un jirón de la noche y la sombra que invade el río de mar» (PUH, 175-176).

Ser hijo de la noche y el silencio es ignorar el origen y el destino, perderse en ese nebuloso vacío del antes y el después que Aldecoa ha dejado —ha tenido que dejar— abierto en su novela. El naufragio del narrador —su huida a la apacible y perdida isla— es una búsqueda de sentido para su existir. La identidad del narrador no es una cuestión que se plantea en el nivel puramente individual; a su través, es el hombre mismo el que se interroga sobre su primera y última realidad [42].

La isla, en una primera instancia, aparece como espacio de *diversión:* bronca y desaforada, alienante, en los chonis y su cortejo; apaciguada y pascaliana en el narrador; de ahí que

---

[42] En una reseña a la aparición de *Parte de una historia,* R. Roig señaló: «Ignacio Aldecoa ha escogido para su último libro el único tema que hoy interesa: el estudio de la última realidad del hombre actual», «Aldecoa en una cárcel de alcohol y mar», en *Ya,* 19 de octubre de 1967.

en este nivel la isla sea el espacio de la huida; huida ¿de qué?: de sí mismo, de la propia conciencia como recuerdo.

A veces, la memoria tira de uno y le atenaza a lo que *es*, lo que *ha sido*:

> «Ahora rememoro, encontrando una suerte de compasión gozosa, todo lo que ha sido encastillado desastre y orgulloso cansancio de mí mismo (...) (PUH, 64).

Es como un forcejeo del yo con su propio pasado, del que se suelta para diluirse —divertirse— en el ello [43]:

> «Huyo una vez más, encaminándome hacia el yate...» (PUH, 65).

Hay una resistencia al recuerdo —ordenar el recuerdo es volver al lugar del naufragio— como si las cosas existieran sólo porque las recordamos.

Pero hay también horas muertas, en el que el vacío inmenso de la soledad se va llenando con una marea creciente de rememoraciones y de ensueños.

Ese espacio neutro entre dos mundos contrapuestos —isla/yate— donde se mueve el narrador expresa la actitud ambigua —«fuga y rememoración»— entre bucear en el pozo de los recuerdos —de la existencia—, o perderse —«divertirse»— en el ruido de la aventura. Los elementos de la biografía sumergida son, a lo largo del relato, un dialéctico y continuo vaivén entre ambos polos: recuerdo y diversión, búsqueda y huida.

Por otra parte, ese mismo ámbito neutro —entre recuerdo y diversión— donde el narrador, ni choni ni isleño, se mueve, es una zona de soledad, la suya, de la que, a lo largo de la novela, no consigue liberarse.

El primer diálogo algo prolongado del narrador es con Roque, y precisamente sobre la soledad. El tema lo sugiere la solitaria vida del torrero de la Isla del Faro, adonde han ido a llevar el suministro.

---

[43] En el sentido en que las doctrinas existencialistas hablan de caída en lo objetivo, en lo cotidiano; cf. lo dicho en el análisis de *Con el viento solano*.

Es «la soledad temida de otras veces», la que vuelve también a la conciencia del narrador, mientras sube el camino escarpado de Isla Mayor, adonde ha ido con Roque a vender la vieja camella.

Pero el mismo narrador, casi al comienzo de la novela, ha dejado apuntado:

«... La soledad es de los insolidarios, de los de abatido corazón» (PUH, 24).

¿Es un insolidario el anónimo narrador de *Parte de una historia?* Sí, en el sentido de que parece llegar a tocar fondo en esa vertiginosa y elíptica inmersión en el pozo de su «solitariedad»; hay una real incomunicación que no hace sino expresar la radical incomunicabilidad del hombre —los hombres y las mujeres— del universo novelesco de Aldecoa, y que arrastra, en su historia y en su relato, al narrador de esta novela[44].

Pero pienso que el tema de la soledad y de la incomunicabilidad es apuntado en *Parte de una historia* no sólo en el nivel —siempre elíptico— de la historia del narrador y como un predicado de su biografía, sino en un nivel más profundo y general que es el de la condición humana e, incluso, el de la escritura misma.

En *Parte de una historia* la novela misma como estructura narrativa ofrece algunas notas que pueden ser leídas como expresión —en la retórica misma del relato— de esa incomunicabilidad. Todas las *historias* de la novela —la de los isleños, la de los chonis, la del narrador— son elípticas, son «parte de una historia»; y en este caso no me parece válida, o al menos estimo insuficiente, una explicación desde la convención de raíz naturalista de la novela como «trozo de vida»[45]; porque

---

[44] «Toda la atmósfera que respira el hombre de Aldecoa habla de esta incomunicabilidad y de la renuncia que el hombre hace de sí mismo al constatar su propia limitación»; R. ROIG: «Aldecoa en una cárcel de alcohol y mar», en *Ya,* 19 de octubre de 1967.

«El sentimiento de incomunicación parece elemento fundamental en la novela...»; CONCHA CASTROVIEJO: «Libros y Revistas», en *Hoja del Lunes,* de Madrid, 30 de octubre de 1967.

[45] *«Parte de una historia* no es una novela inacabada que pueda tener continuidad, sino que es la vida de unos seres sorprendida por el

el novelista perfora las tres historias y las abre a un «más allá» que no es, que no puede ser, texto; y es precisamente esa perceptible dificultad, esa imposibilidad de convertir en texto otras partes de historia la que hace de la incomunicabilidad una dimensión de la novela como discurso y como universo significado.

Pero además hay en la novela otras historias que tampoco se cuentan, o no se cuentan del todo, una dificultad para hablar, para comunicar, claramente verificable en más de una ocasión. El laconismo del narrador, más allá de una cualidad de su condición de narrador testigo, ¿no expresa también, en el nivel de la «biografía sumergida», una real imposibilidad de comunicación? Sus palabras —«Ya te explicaré. Es largo»— a la pregunta de Roque por la causa de su venida a la isla quedan flotando en el relato, sin una respuesta directa.

Cuando las autoridades de la Comandancia llegan a la isla para hacer la encuesta del naufragio, Maestro Juan señala al narrador y dice: «—El señor le dirá»; pero el narrador apunta: «—Y yo no sé explicarme» (PUH, 61). Como tampoco sabe explicarse Roque, en un intento de confidencias al narrador, interrumpido por un cabildo de viejos que quieren empezar de víspera la celebración de la fiesta de Carnaval. Y de alguna manera, la incomunicabilidad se apunta, cuando después el narrador señala:

> «Roque y yo hemos hablado poco este atardecer y ahora que es de noche (...) nada decimos y de vez en vez nos contemplamos indiferentes» (PUH, 168).

---

novelista, como un flash instantáneo que capta parte de una realidad...»; CARMEN LLORCA: «Parte de una historia», en *Diario SP,* 22 de noviembre de 1967.

Y el mismo SOBEJANO habla de la historia de la isla como «trozo de novela», y señala, después de aludir a la «biografía sumergida» del narrador: «Pero la verdadera "parte de una historia" es, en último término, ese segmento que el autor recorta del vivir cotidiano de una humilde colectividad...»; *Novela española de nuestro tiempo,* página 395.

Pero hay un confesado deseo de comunicación —al mismo tiempo que una clara denuncia de la imposibilidad de hablar— en un breve diálogo del narrador con Luisita:

> «—Apenas hablo contigo (...). Parece que ya no hay tiempo aquí para hablar con quien se desea» (PUH, 153).

Y cuando manifiesta a la chiquilla lo fatigoso de la vida con los chonis, argumenta: «no hablan».

La ruidosa y promiscua camaradería que la llegada de los náufragos entroniza en la isla corta los cables de la verdadera comunicación, arrasa el diálogo, pone en carne viva la profunda herida de la soledad —de la insolidaridad— de la condición humana [46]. Una vez más, es el fondo mismo del misterio de la existencia el que Aldecoa toca desde su novela.

El voluntario anonimato del narrador es una clave decisiva para esta lectura existencial que, desde la «biografía sumergida», podemos hacer de la novela.

El yo que narra no agota su referencia en marcar la identidad entre sujeto de la enunciación y sujeto del enunciado; queda todavía un problema de identidad, que, si en el nivel lingüístico se expresa como ausencia de un indicativo donde se articulen persona y discurso [47], en el de la «biografía sumer-

---

[46] Algunos críticos, al aludir a la incomunicación como uno de los temas de *Parte de una historia*, han apuntado a la situación concreta del escritor; así, CONCHA CASTROVIEJO, cuando dice: «Estamos aquí ante la grande y patética contradicción que se plantea a la novelística actual, entre la misión de comunicación del escritor y su enfrentamiento a la incomunicación con la que se establece irremediablemente contacto al tocar fondo y llegar a las últimas realidades...»; «Libros y revistas», en *Hoja del Lunes*, de Madrid, 30 de octubre de 1967.
L. AZANCOT señala «la desubicación del intelectual en la sociedad española de hoy; atraído por los modos de existencia del pueblo, que se le presentan como algo orgánico, enraizado con los orígenes, comunitario, pero sintiéndose más próximo al individualismo sin justificación vital de los extranjeros, cobra conciencia de que flota en el aire —por así decir—, y de que se encuentra incapacitado para dar un sentido a su vida y, a la vez, para renunciar a él», «Novela», en *Indice*, noviembre de 1967.
[47] Cf. PH. LEJEUNE: «Le pacte autobiographique», en *Poétique*, 14, 1973, pp. 142 y ss.; puede verse también E. BENVENISTE: «L'homme dans la langue», en *Problèmes de linguistique générale*, pp. 225-285.

gida» marca el camino de un existente en búsqueda de su identidad existencial.

Ha quedado ya señalado que el anonimato del narrador contrasta claramente con el hecho de que los otros personajes, hasta los mínimamente funcionales, aparecen indicados —identificados— y sustentados por un nombre propio.

Si el pronombre de primera persona es suficiente para instaurar sobre él el relato primo-personal —el yo como forma de narración—, la esfumación del yo como historia mediante la negación de nombre propio se revela pertinente y debemos preguntarnos por su sentido.

La reducción del narrador a un indicador de primera persona, disuelto a veces en un «nosotros» como expresión de yo+él, yo+ellos, podría expresar que el yo no se identifica —y, por tanto, no se agota— en el referente único del nombre propio. En ese caso, el indicador de primera persona funciona como un nombre común, genérico, aplicable, por tanto, a cada yo.

Pero, además, un yo impotente para articularse como persona que habla —sujeto de la enunciación y del enunciado— en un nombre propio como indicativo de su irreductible subjetividad es un yo que se desconoce, es un yo que busca su propia identidad. El calificativo «el desconocido», que en algún momento Aldecoa pensaba utilizar como título de la novela, es también un indicio claro de la ausencia —y la búsqueda— de identidad de ese yo que ejemplarmente protagoniza su propia historia.

Ambos sentidos son posibles, y de forma simultánea, en el caso del narrador de *Parte de una historia*. El sujeto no individualizado de la «biografía sumergida» es cada yo, es el hombre abocado a las interrogaciones acuciantes de su condición humana, es cada náufrago de la existencia arrojado a este puñado de rocas y de arena que es la vida, espectador interrogante de ese «gran teatro del mundo» que termina grotescamente con la muerte.

Es también Ignacio Aldecoa, que una vez más desde su novela lanza al aire la interrogación fundamental de la existencia y escucha, también una vez más, en la respuesta, la voz ya casi familiar, por tan cercana ahora, de la muerte... [48].

Porque la muerte es también la gran presencia y el gran tema fecundador de la última novela de Aldecoa. Si en el nivel de la anécdota la muerte de Jerry es el final de la aventura y la necesaria vuelta de la isla a su rutina de antes y de siempre, en ese otro nivel simbólico donde la isla funciona como metáfora de la existencia, la muerte —la Muerte— es ni más ni menos la clave desde la que debe leerse ese texto que es la novela, de la vida como representación.

Hay en la vida habitual de la isla una silenciosa y aceptada conciencia de la muerte, que resulta simplemente de una aceptación realista del transcurrir cotidiano. Cuando, a propósito de la próxima boda de Domingo y Pepita, el narrador apunta las costumbres de la isla, según las cuales el hombre construye la nueva casa con cenizas de volcán y «la mujer prepara las telas domésticas para toda la vida y para la muerte», explica:

> «Porque hay lienzos destinados a ser sudarios en los cajones aromados de alhucema de las cómodas del ajuar» **(PUH, 29).**

Familiar presencia de la muerte, en la vida de estos isleños, de los que puede decirse lo que el narrador dice de Enedina, la mujer de Roque:

> «Está preparada para vivir unos pocos años más y darse resignadamente a la muerte. Lo que tenía que hacer está hecho» (PUH, 44).

---

[48] Algunos críticos han señalado un claro parentesco entre el narrador y el autor de *Parte de una historia:*
«Y leyendo tu libro te vemos a ti, sin nombre, tras el relato, la parte de historia que no cuentas, y gritamos, no sabemos si náufragos o asustados en la tierra, tu nombre»; EMILIO SALCEDO: *«Parte de una historia.* Carta a Ignacio Aldecoa sobre la soledad del hombre», en *El Norte de Castilla,* 30 de julio de 1967. Para GARCÍA VIÑÓ, el narrador «se identifica a todas luces con el novelista»; «Ignacio Aldecoa y la expresión novelística», en *Reseña,* año VI, núm. 26, febrero de 1969, páginas 3-11; y A. TOVAR dice de la figura del narrador que «tiene algo de autorretrato»; «Ni un día sin línea, *Parte de una historia»,* en *Gaceta Ilustrada,* 8 de octubre de 1967.

Pero hay otro rostro, también familiar, aunque más torvo e implacable, de la muerte; porque en esa lucha del hombre con el mar, quien vence es a veces la muerte. Mientras el temporal, los hombres esperan y beben en la tienda de Roque. El narrador comenta:

«La ronda de Roque tiene algo de primera ronda de velatorio» (PUH, 41).

Los hombres que están en la mar, el señor Mateo, Maestro Juan, alcanzan esta vez la costa. Otro día ganará la muerte, porque «es el pago», como en ese absurdo y desproporcionado suceso del Martes de Carnaval; pero Jerry, ahogándose, no hace más que volver al agua de donde nació «teatralmente» para la vida de la isla —para la vida, simplemente—. Un naufragio nos trae y otro nos lleva; cumplimos, como dice el narrador de *Parte de una historia,* con «la ley del laberinto».

Esta lectura que el narrador hace del naufragio y la muerte de Jerry es la clave desde la que adquiere(n) sentido toda(s) la(s) aventura(s) de *Parte de una historia.* Es la identidad humana —el origen y el destino— lo que el narrador huye y busca en definitiva. Aldecoa, una vez más, desde la anécdota que genera la ficción de su última novela, nos hace descender al pozo vertiginoso de la aventura existencial y tocar fondo: ¿de dónde venimos?, ¿a dónde vamos?, es decir, ¿quién somos?

La respuesta es ese existencialismo cerrado a la trascendencia [49] que sustenta el universo conceptual de *Parte de una historia:* el hombre es un náufrago, recluido en el reducido y laberíntico espacio de la vida; cuando se cumple la medida de su tiempo, regresa, cumpliendo con «la ley del laberinto»; el hombre es *un ser para la muerte.*

Es ésta la lección —la moralidad— que deduce el espectador —el narrador— de ese gran teatro del mundo que la macabra «troupe» de los chonis representa el Martes de Carnaval en una innominada islita del Atlántico. Cuando al final de la novela —de la representación— el narrador —el espectador,

---

[49] Me refiero a la trascendencia religiosa, a la que el hombre se abre por la creencia.

el lector— abandona la isla —el lugar del espectáculo—, ese gesto significa aceptar la muerte, es decir, la condición humana, la ley inexorable del laberinto.

LA ISLA, LUGAR DE NARRACIÓN: LA HISTORIA DE UNA ESCRITURA

Algún crítico saludó en la última novela de Aldecoa también parte de *otra* historia: «la historia literaria de su autor, aún blanca de muchas páginas futuras».

Si la muerte —esa puntual muerte prematura— de Ignacio Aldecoa dejó en blanco para siempre, huérfana de escritura, esa infinita página de otra posible historia, sin embargo, la última novela de Aldecoa, en el espacio viviente de su texto, señala también la historia de su propio nacimiento como relato, la historia de una escritura.

El presente como tiempo donde convergen narración y ficción —enunciación y enunciado— es el presente de la isla como lugar que hace posible —que genera— el relato: la isla como espacio de la escritura.

El yo narrador —y lector— de *Parte de una historia* es también un yo escritor; escribir, como mirar, como leer y pensar, como vivir, es también predicado de su biografía; la isla es también el espacio de una aventura que, por la mirada, llega a la escritura; llegar a la isla es poder narrar, abandonar la isla es renunciar al relato.

La actividad de escritura del narrador se marca explícitamente una sola vez, cuando una de las primeras mañanas de la isla, después de una noche de viento rolando al este, la habitación está anegada de una arena «como de polvillo de mariposa» que sólo es perceptible

«en los dientes, en el respirar, en el tacto de las teclas de la máquina de escribir, en una cierta aspereza que tiene el satinado de los papeles y en la irritación de los lacrimales» (PUH, 37).

Sin embargo, este solo texto es suficiente para mostrarnos al narrador consciente de su propia escritura. Y es en la escritura donde se consuma ese mágico proceso iniciado en la mirada, y por el que las cosas viven —son re-vividas, adquieren sentido— cuando son leídas: el relato es como un seno inmenso donde la mirada va dando a luz, transformando en escritura, el sentido nuevo de lo mirado.

Si las cosas empiezan a vivir cuando son miradas —la mítica existencia del relato—, la actitud de narrar se convierte en una metafórica voluntad de existencia. El narrador vive en la escritura y por la escritura; el relato es como el líquido amniótico de una existencia originalmente narrativa y que se alumbra en palabra.

Esa voluntad de ser del anónimo narrador de *Parte de una historia* se traduce en un esfuerzo de autoidentificación por la palabra, por la escritura.

Contar es vivir, y el relato nos impide desintegrarnos en esos vertiginosos vacíos de la existencia, en la página en blanco, en la muerte. Scherezade no es sólo un personaje y un motivo literario; es la única posibilidad de seguir viviendo, porque morir es dejar de mirar, dejar de contar. La isla como metáfora de la existencia es también metáfora de la escritura; la isla es, en definitiva, el texto. Abandonar la isla es renunciar a la escritura, es aceptar la muerte.

Ignacio Aldecoa, en ese complejo mundo de sentido que es su última novela, se enfrenta una vez más con su fundamental problema de siempre: el hombre es un ser para la muerte. Pero esta vez, en el envite, va también el sentido de la escritura misma, como actitud y como actividad. La historia de una escritura —¿la de Ignacio Aldecoa o la de toda escritura?— es también «parte de una historia». Narrar —escribir— es una forma de ser, de existir —el texto como «ex-sistencia» del escritor [50]—, de escapar, en definitiva, de la muerte. La historia del narrador de *Parte de una historia* es, en última instancia, la de su propio lenguaje; la aventura más radical, porque es

---

[50] A. PRIETO habla de «la novela como estado biográfico»; cf. *Morfología de la novela*, pp. 26 y ss. El libro del mismo autor sobre Garcilaso —*Garcilaso de la Vega*, SGEL, Madrid, 1975— y que podría definirse como una biografía de la palabra poética de Garcilaso, puede ser una magnífica muestra del texto como forma de «ex-sistencia» del escritor.

generadora de las otras que en la novela resultan contadas, es la escritura misma. Ese magnífico e inaccesible paraíso de perfección estilística que Aldecoa alcanza en su novela es un esfuerzo, un hermosísimo y último esfuerzo del autor por escapar a la muerte. De él surge la historia de la isla; y en ella, la repetida lección inexorable de nuestra contingente condición humana. Dar fin a la novela —abandonar la isla— es una decisión existencial y «escritural» a un tiempo: esa página en blanco que ya no será vivida —llenada— en escritura, es así el espacio indefinido de una doble —y única— muerte [51]. Porque el repentino final de Ignacio Aldecoa, el 15 de noviembre de 1969, ¿no fue también «parte de una muerte»?

Llegamos así, y no es paradoja, al comienzo mismo de la novela: el título, cuya lectura total sólo es posible en el sistema entero del texto novelesco.

¿Cuál es la parte de la historia «denunciada» en el título? Si otros títulos que el mismo Aldecoa pensó en algún momento para su novela —«El vacío», «El desconocido»— se refieren indudablemente a lo que hemos venido calificando, con palabras del profesor Sobejano, la «biografía sumergida», parece legítimo pensar que es también esta biografía la que queda aludida —o elidida, pero, de cualquier modo, *referida*— en el título definitivo de *Parte de una historia* [52]. Pero me parece que, a la luz de la(s) lectura(s) que he propuesto, el título adquiere igualmente una compleja carga significativa. En realidad

---

[51] *Parte de una historia* es de hecho la última novela de Aldecoa, y en el sistema de su novelística este dato es pertinente y, por tanto, significa.

A favor de una interpretación de *Parte de una historia* como novela escrita en un momento de «crisis de escritura» en su autor, puede jugar el hecho de que Aldecoa, en los dos años y medio que van de la publicación de su última novela hasta su muerte sólo escribe unos pocos cuentos; es, sin duda, el período menos productivo del autor.

[52] Es legítimo preguntarse cuál es la parte de historia «anunciada» en el artículo de la novela. Los que lo señalan, entienden siempre que se trata de la historia de la isla; v. gr., G. SOBEJANO: *Novela española de nuestro tiempo,* pp. 395-396; CH. R. CARLISLE: *La novelística de Ignacio Aldecoa.* Y así parece también entenderlo el narrador, cuando, en la despedida de los chonis, apunta: «En la tienda de Roque, la gente marinera se agolpa, bebiendo, para ver partir a los chonis. Es el final de esta historia» (PUH, 202).

son varias —¿muchas?— las historias —las «partes de historia»— que resultan contadas en la novela: la de la isla, como aventura y como metáfora de la existencia, la del narrador, la de su escritura... ¿A cuál de ellas hace referencia el novelista desde el título de su novela? A ninguna en particular, y a todas en general; el título en realidad no *denota* ninguna parte de historia, porque las connota todas, las leídas por nosotros y las no leídas; se trata de un título ambiguo, polisémico, que se nos ofrece como figura metonímica —la parte por el todo— de la novela misma: porque, ¿qué es *Parte de una historia* sino una hermosa y exhuberante sinécdoque? [53].

---

[53] Es decir, el título de la novela respondería a la fórmula de la sinécdoque retórica de «la parte por el todo».

TERCERA PARTE

EL UNIVERSO NOVELESCO DE ALDECOA

«Es claro que mis libros responden a mi concepción de la vida y de la muerte.»

(IGNACIO ALDECOA)

Hemos llegado a la tercera y última parte del trabajo; las cuatro novelas, estudiadas por separado como sistemas autónomos, en su doble función poética y simbólica, forman una totalidad, un sistema englobante, un «universo novelesco» que es el que ahora se trata de dilucidar. Si cada novela ha sido vista como un proceso —textual y semántico—, donde la función poética permitía el tránsito de la mímesis al símbolo, la novelística de Aldecoa en su conjunto se nos aparece también como un proceso, cuya transitabilidad —orientación del texto y del sentido— queda señalizada por cada una de las cuatro novelas. Explicitar este proceso general de la escritura novelesca aldecoana y describir sus leyes de funcionamiento —como texto y como ámbito de sentido— es la finalidad de esta parte del estudio.

Por eso, en un primer momento, intentaré recoger aquellos elementos que mejor pueden caracterizar el estilo y las técnicas narrativas de Ignacio Aldecoa. Y puesto que la novela es el espacio de encarnación de este estilo, en un segundo momento describiré el mundo de la novela aldecoana, estudiando en concreto lo que llamo *ámbitos novelescos* —espacios, personajes, temas—, en la medida en que su recurrencia a lo largo de las cuatro novelas permite caracterizar el universo novelesco del autor.

De la convergencia de ambos —estilo y ámbitos novelescos— en una actitud —dimensión ética de la tarea de escribir—, nace lo que, con un sentido muy próximo al de Barthes, denominaré escritura: el discurso como punto de encuentro de un doble compromiso del escritor: con la realidad y con el lenguaje; la escritura es así resultado estético y ético a la vez, y expresión de una actitud —escritural— en el mundo.

Por fin, mediante una técnica de amplificación intertextual [1], intento situar el sistema novelesco estudiado en sistemas más amplios y que son exactamente el autor y la novela española contemporánea, en cuyo espacio es y funciona la obra de Aldecoa.

El estilo

Sin duda, una de las más claras unanimidades de los críticos que se han ocupado, total o parcialmente, de la obra narrativa de Aldecoa, es la manifestada sobre el esmerado cuidado que nuestro autor presta a los problemas de la expresión y su dominio excepcional de los recursos estilísticos. Esta perfección formal de la prosa aldecoana resalta aún más si se la contempla en un contexto literario en que la urgencia de una literatura comprometida y crítica y un didactismo muchas veces mal entendido hace a muchos escritores desplazar a un lugar secundario, cuando no menospreciar explícitamente, los problemas de la forma literaria y un trabajo concienzudo sobre la expresión [2].

Hoy, a pesar de que la perspectiva histórica desde la que

---

[1] J. KRISTEVA afirma que, al ser la estructuración novelesca resultado de una transformación, la novela aparece «comme un *dialogue* de plusieurs textes, comme un *dialogue textuel,* ou disons mieux, comme une *intertextualité*»; en cuanto «inter-texto», la novela hace relación al medio que le rodea; cf. *Le texte du roman,* The Hague-París, Mouton, 1970, pp. 67-68.

[2] He aquí lo que dice R. SENABRE —«La obra narrativa de Ignacio Aldecoa», en *Papeles de Son Armadans,* 1970, t. VI, núm. CLXVI, página 22—: «Pocos escritores contemporáneos pueden ofrecer una postura semejante de serenidad, de disciplina y de amor al lenguaje, y mucho menos en los últimos años, en que pululan de modo alarmante el borrón, la tosquedad y la prisa, erigidos en denominador casi común, con el beneplácito de amplios círculos intelectuales.» Pueden verse otros juicios semejantes en: G. GÓMEZ DE LA SERNA: *Ensayos sobre literatura social,* p. 192; G. SOBEJANO: *Novela española de nuestro tiempo,* p. 386; M. GARCÍA VIÑÓ: *Ignacio Aldecoa,* p. 165.

podemos contemplar críticamente la obra de la llamada «generación del medio siglo» es necesariamente corta, y una valoración de la novela realista de los años 50 en España está abocada a ser cuando menos provisional —«ni acusación ni defensa; explicación», señala acertadamente F. Morán [3]—, la importancia de la escritura narrativa de Aldecoa se hace más patente en ese necesario proceso de decantación a que la evolución literaria somete —está sometiendo— a la literatura de su generación; sin que ello quiera decir que los posos que irán quedando en la operación vayan a valer como verificación de una postura contraria, pero igualmente contaminada de didactismo.

Si Ignacio Aldecoa sale —ha salido— de esa especie de «purgatorio» literario en que pretendían recluirlo algunos intolerantes de la novela «social» o de la novela «metafísica», no es porque unos años después de su muerte ya sea posible decidir a cuál de esos dos pretendidos «paraísos» le corresponde ascender [4].

La novela de Aldecoa, sin adjetivaciones a las que el autor tanto se resistía, está ahí, como expresión de un encuentro entrañable con la realidad, donde la ineludible representación del hombre desvalido situacional y existencialmente no sólo no impide, sino que provoca, en una especie de catálisis poética, la manifestación más esplendorosa de la belleza y de la capacidad significadora del lenguaje. Creo que el estudio que se ha hecho de cada una de las cuatro novelas muestra cómo esa magia de la expresión que despliega la escritura aldecoana no es un juego gratuito de prestidigitación estilística, sino que es sustancialmente el necesario y amoroso ayuntamiento de realidad y lenguaje, que hace posible la generación del símbolo. Por ello, en un estudio que ha intentado identificar las huellas de ese proceso de generación del símbolo a partir de la mímesis, el

---

[3] Cf. *Explicación de una limitación: La novela realista de los años cincuenta en España*. Madrid, Taurus, 1971; véase también, del mismo autor, *Novela y semidesarrollo*. Madrid, Taurus, 1971.

[4] En el *ABC* del 4 de diciembre de 1973, F. MARTÍNEZ RUIZ comienza un breve artículo que titula «Nueva lectura de Ignacio Aldecoa» con estas palabras: «Definitivamente, Ignacio Aldecoa ha salido del purgatorio con el que la literatura purifica y prueba a sus cultivadores.»

trabajo del escritor sobre el lenguaje ocupa un lugar decisivo.

Para ello, en este recapitulador y somero análisis del universo novelesco de Aldecoa, al intentar una caracterización de su escritura como encrucijada de esa doble y solidaria actitud, ética y estética, del escritor, se hace necesario empezar señalando y describiendo aquellos recursos que, en el nivel de los significantes narrativos, permiten de algún modo identificar el estilo del autor.

Siendo el estilo un modo individual e individualizante de utilización de los medios lingüísticos y de organización del enunciado [5], pretendo aquí recoger algunos rasgos que el uso que Aldecoa hace del material lingüístico evidencia como más recurrentes y característicos.

No aspiro de ningún modo a la exhaustividad; sencillamente porque, en este momento del trabajo, superaría las fronteras y objetivos que para el mismo se marcaron al comienzo, y porque, en coherencia con la parte anterior —el estudio de las novelas de Aldecoa— se deben registrar especialmente aquellos usos y recursos que en el nivel del significante han sido vistos como agentes de función poética y creadores de zonas de tránsito desde la función mimética hasta la simbólica. Por eso recogeré algunos rasgos estilísticos ya señalados y analizados a propósito de las novelas en particular —Gran Sol, sobre todo— viéndolos ahora desde la perspectiva totalizadora del universo novelesco de Aldecoa; y añadiré otros que en el estudio monográfico de cada novela han sido sólo apuntados o han quedado recogidos implícitamente en el análisis de los recursos narrativos.

RIQUEZA LÉXICA

Una de las notas más características de la prosa de Aldecoa es su riqueza léxica. Si en el caso de Gran Sol esta riqueza

---

[5] «Nous comprenons par style le caractère individuel et unifiant d'une oeuvre réalisée intentionnellement» (V. MATHESIUS), «le style est l'organisation individualisante de l'énonciation» (V. SKALICKA), «le style est le système linguistique individuel d'une oeuvre ou d'un groupe d'oeuvres» (WELLEK y WARREN); tomado de P. GUIRAUD y P. KUENTZ: La Stylistique. Lectures. París, Klincksieck, 1970, p. 15.

queda enfatizada por el despliegue de tecnicismos náuticos y
marineros, con la funcionalidad poética antes señalada, de que
Aldecoa hace gala, las otras novelas, más *Parte de una historia*
que las dos primeras, aparecen igualmente como expresión de
una escritura donde el novelista se muestra en todo momento
dueño de unas posibilidades lingüísticas y expresivas que le
permiten responder en cada caso a lo que no sólo el mundo
representado, sino también y sobre todo el universo de la connotación, le exige.

Tres factores fundamentales convergen en el idiolecto de
Aldecoa, dando como resultado esta expresiva riqueza de su
vocabulario: objetividad como forma de mirar el universo representado, minuciosidad descriptiva, y afán de exactitud y
precisión significadora.

El universo novelesco de Aldecoa está construido poéticamente sobre el cimiento de una observación rigurosa de la
realidad: la inmóvil España de «la Fiesta» —gitanos y guardiaciviles— y la humilde España épica de los oficios: las gentes del mar.

Aldecoa acepta disciplinadamente las consecuencias lingüísticas de esta fidelidad a lo real; su mundo de ficción —espacios, gentes, cosas, acciones— se asienta, como hemos visto,
en lo verificable y lo verosímil, para iniciar desde ahí el trascendente vuelo poético hacia el símbolo. *Gran Sol* es el ejemplo más claro de esta aparente servidumbre que, desde una
estética realista y objetivadora, impone la realidad al escritor.
La fidelidad con que Aldecoa recoge en los diálogos de sus
novelas el habla de sus personajes es una primera consecuencia
de esta aceptación estética de la realidad; y su expresión, en
el nivel del estilo, el uso frecuente de formas populares, o de
argot, el recurso a términos de caló en la novela de gitanos
que es inicialmente *Con el viento solano,* o la frecuente utilización de la metáfora locutiva marinera en las novelas del mar.

Además Aldecoa encontrará en su finísima sensibilidad
para el mundo de las formas plásticas y su aguda capacidad
para espacializar la acción de sus personajes una segunda fuente de riqueza léxica; el castillo de *El fulgor y la sangre* o la
isla de *Parte de una historia,* los sucesivos escenarios de la

temerosa huida del gitano Vázquez y, sobre todo, el barco de *Gran Sol,* son penetrados por la mirada del escritor, que actúa como un prisma de luz que ilumina el objeto en todos sus detalles y lo recoge en el lenguaje.

Pero esta minuciosidad en la observación no da como resultado una «tiranía del objeto»[6]; el realismo de Aldecoa no es objetalista y cosificador, sino entrañable y humano —humanizante, sería más exacto decir—; porque cuando Aldecoa mira, su mirada, sin dejar de ser objetiva, sigue siendo una especie de cordón umbilical por el que los objetos no se independizan del escritor, sino que siguen siendo —recibiendo el aire vital— en ese entrañable seno maternal que amorosamente les presta existencia novelesca.

Objetividad y minuciosidad son expresión de una voluntaria y por lo mismo buscada —y a veces con esfuerzo— exactitud.

Efectivamente, una de las características más evidentes y más dignas de admiración en el estilo de Aldecoa es, en este nivel léxico, su rigor conceptual, su afán por la palabra precisa y exacta, en cada caso.

Y ello es perceptible, por ejemplo, en la rigurosidad con que Aldecoa selecciona a veces sus vocablos de modo que puedan expresar matices semánticos muy finos.

Muchas veces este afán de precisión semántica le lleva a Aldecoa a la formación de neologismos, mediante la técnica de la derivación casi siempre y a veces de la composición.

Así, es frecuente la formación de verbos postnominales: «grilleaba el campo sereno», «los primeros gallos quiquiriqueaban», ...; Aldecoa busca siempre el término o la expresión capaz de recoger nítidamente el matiz semántico preciso en cada momento; la metáfora y la imagen son, como luego veremos, una fuente inagotable de expresividad y de potencialidad connotadora; pero otras veces el escritor, en aras de una buscada austeridad formal, renuncia a la perífrasis estilística y busca,

---

[6] Recuérdese la fórmula de J. M. CASTELLET: «La rebelión de los objetos», a propósito de la novela *Le voyeur,* de A. Robbe-Grillet; cf. «De la objetividad al objeto (A propósito de las novelas de Alain Robbe-Grillet)», en *Papeles de Son Armadans,* XV, junio de 1957, páginas 309-332.

incluso con esfuerzo, un término capaz de condensar sobria-
mente el contenido semántico de lo que desea transmitir; y
cuando no lo encuentra en el paradigma léxico de la lengua,
lo crea, derivándolo de un nombre —«escalofriar», «dardear»,
«calambrar», o de un adjetivo: «amorarse».

Es igualmente frecuente la formación de adjetivos de sabor
culto —a veces resultan rebuscados— a partir de sustantivos:
«mano alacranídea», «manos herramentosas», «brazo serpentu-
do», «fariones idólicos»... Encontramos también sustantivos
derivados de sustantivos —«sudorina», «donjuanería», «jesuse-
ro»—, o de sabor claramente onomatopéyico —«el charrasqueo
del tranvía lejano», «bisbos de rosario», «glogueos de los sa-
pos»...

La composición es otro de los recursos mediante los que el
escritor forma aquellas palabras que la norma léxica de la lengua no le ofrece: «braciabierto», luces «verdiazuladas», «verdi-
sucias», «malcantaba», «chupaceites»; a veces el compuesto
resulta rebuscado, como cuando llama «piroentusiastas» a los
mozos que, en la noche de San Juan, saltan las hogueras.

También el cambio de clase le permite a Aldecoa ampliar
las posibilidades expresivas del lenguaje: «el oscuro de las es-
quinas», «hermosos quiquiriquíes», «niños robinsones», «los
amarillos de la alta mar», «los despertares», «en los lejos»,
«los lejuelos»...

Si exactitud y expresividad están en la base de este uso
estilísticamente rico y gramaticalmente poco convencional que
Aldecoa hace del nivel léxico del lenguaje, no es, desde luego,
a costa de la sobriedad; porque el novelista es, indudablemente, un narrador sobrio, con una sobriedad que, si se manifiesta evidente en el nivel de los planteamientos y recursos narrativos, se hace también presente en el nivel del uso de los
medios lingüísticos y de la organización formal de los significantes. Y como sobriedad no se identifica con pobreza, el léxico de Aldecoa no deja de ser sobrio, siendo, como hemos visto,
extraordinariamente rico.

EL RITMO

Si una clara voluntad de exactitud semántica le lleva a Aldecoa a desplegar, en el nivel léxico, su profundo dominio del vocabulario y a correr, con éxito a veces discutible, la aventura del neologismo, no por ello renuncia el escritor a una forma de decir que, siendo precisa, sea también eufónica y bella, como si hiciera suyas aquellas palabras de Fray Luis de León, cuando en la Dedicatoria del Libro Tercero de *Los nombres de Cristo* se defiende de los que le acusan

> «porque no hablo desatadamente y sin orden, y porque pongo en las palabras concierto y las escojo y les doy su lugar» [7].

Efectivamente, la prosa de Aldecoa, además de ser precisa, «suena bien»; es decir, es destacable, en el nivel fónico, el cuidado del escritor por la dimensión musical —rítmica— de su escritura.

A Aldecoa le preocupa el significante como «masa verbal» —el mensaje, de Jakobson—, que acontece necesariamente en un eje temporal que resulta de la dimensión lineal del lenguaje. Y en ese ineludible sometimiento del mensaje a la temporalidad lingüística, el escritor busca un sistema armónico de relación, es decir, un ritmo.

Si, como señala Forster, el ritmo puede definirse como «una repetición a la que se añade variación» [8], es necesario precisar, con E. K. Brown, que es en un espacio entre la total repeti-

---

[7] Cf. *Obras completas castellanas de Fray Luis de León.* Madrid, B. A. C., 1944, p. 674.

[8] *Aspectos de la novela,* p. 207. FORSTER, después de preguntarse si hay en la novela algún efecto de ritmo comparable al de la música, y responder que no ha podido encontrar ninguna analogía, afirma, sin embargo: «Es en la música donde la ficción puede encontrar su modelo más preciso.»
Un interesante estudio, metodológico y práctico, sobre el ritmo no sólo de la prosa narrativa, sino de la poética, oratoria, científica, etc., es el recientemente publicado de ISABEL PARAÍSO DE LEAL: *Teoría del ritmo de la prosa.* Barcelona, Planeta, 1976.

ción y la variación ilimitada donde el ritmo puede ser una
dimensión significante de las formas [9].

La descripción del ritmo de la prosa, piensa Todorov, debería ser hecha sobre el plano gramatical, entendiendo por tal
la forma del contenido, en oposición a la sustancia del contenido, que es tratada por la semántica [10]. Esto es evidente, si se
trata, como es el caso de Todorov, de describir la significación. Pero hay además una forma de la expresión, que puede
ser descrita en términos de ritmo. Y son precisamente ambos
niveles del ritmo los que interesan aquí, cuando se intentan
configurar algunas características del estilo de Aldecoa. Porque
ello permite distinguir un ritmo propiamente narrativo, en el
nivel del texto en cuanto tal, y un ritmo fónico-sintáctico, en
el nivel de la frase, o del texto en cuanto suma de frases [11].

El fulgor y la sangre, la primera novela de su autor, es sin
duda la que ofrece, desde el punto de vista del ritmo narrativo, un blanco más visible al asedio del crítico. Es eso precisamente —un dominio todavía imperfecto del ritmo narrativo—
lo que explica, si no justifica, la acusación de algunos críticos
de que Aldecoa, en su primera salida como novelista, ha inten-

[9] «Between exact repetition and umlimited variation lies the whole
area of significant discourse and significant form»; E. K. BROWN:
Rhythm in the novel, University of Toronto Press, 1967, 3.ª reimpresión,
página 8.

[10] T. TODOROV: «La description de la signification en littérature», en
Communications, 4, *Recherches sémiologiques,* 1965, p. 34.

[11] Se trata de una distinción operativa para el tratamiento que aquí
me interesa hacer del ritmo en la novela de Aldecoa. PAUL FRANKLIM
BACUN, en *... the other harmony of prose..., an essay in English prose
rhythm,* Duke University Press, 1952, distingue un ritmo primario, el
ritmo del pensamiento y de los grupos gramaticales, y otro secundario,
que es el ritmo del sonido, entrelazado con el del pensamiento, en una
especie de contrapunto; citado por H. DILL GOODE: *La prosa retórica
de Fray Luis de León en «Los nombres de Cristo».* Madrid, Gredos,
1969. A propósito de *Los nombres de Cristo,* la autora distingue ritmo
llano, lírico y argumentativo.

ISABEL PARAÍSO diferencia un «ritmo lingüístico», «subyacente en
cualquier tipo de prosa», y que es «el que engloba su estructura fónico-
sintáctica» y un «ritmo de pensamiento», que actúa sobre los elementos
intelectivos del lenguaje; cf. *Teoría del ritmo de la prosa,* pp. 44 y
siguientes.

tado llegar a la novela mediante el recurso, demasiado visible, de la suma de varios relatos cortos. No es éste el caso, como he pretendido probar en el análisis de la novela. *El fulgor y la sangre* es novela desde el proyecto mismo que la constituye en unidad de significado, y no es verdad que *llegue a ser* novela cuando la suma de las prehistorias de las mujeres permite alcanzar una cantidad suficiente de relato.

Sin embargo, Aldecoa, al generar la ficción sobre un doble eje temporal en alternancia rígida desde el principio hasta el final de la novela, somete el proceso textual a una uniforme y siempre previsible sucesión pasado-presente, que, si recordamos la definición de Forster, desequilibra el ritmo narrativo del lado de la repetición.

Y no es suficiente decir que esta sintaxis que resulta del juego alternante y siempre repetido de los tiempos de la ficción es pertinente porque funciona como connotadora de esa monotonía de la espera que, en el nivel semántico, constituye uno de los temas decisivos de la novela. Si efectivamente la sintaxis narrativa misma de *El fulgor y la sangre* metaforiza de algún modo la significación de la novela, ello no impide que reconozcamos que hay un problema de ritmo narrativo, no resuelto de manera suficientemente aceptable por el escritor, y que no empaña, por otra parte, los otros muchos y grandes valores que tiene la novela.

El mismo problema se le plantea a Aldecoa en su segunda novela, *Con el viento solano,* donde el proceso novelesco descansa también sobre un desdoblamiento del tiempo de la ficción. La prevalencia de un tiempo interior sobre el tiempo cronológico, la importancia de la introspección y el recurso a técnicas narrativas que la expresan adecuadamente —monólogo interior indirecto—, hacen que el ritmo narrativo, organizado sobre la variación presente-pasado, tiempo exterior-tiempo interior, se marque no desde una opción previa del narrador —como era el caso en *El fulgor y la sangre*—, sino por el desarrollo mismo de la ficción; por eso, esta segunda novela no muestra esas suturas que, al ser tan visibles en la primera, pudieron hacer pensar en una suma de relatos cortos mejor que en una novela unitaria y compacta.

Por lo demás, hay también otros factores que contribuyen a lo que aquí estamos llamando ritmo narrativo, y que resultan de una armónica combinación de modos de narrar, o de recursos expresivos: narración y descripción, escena y resumen, estilo directo, indirecto e indirecto libre, son, entre otros, vehículos narrativos de cuyo uso puede resultar favorecido o perjudicado el ritmo novelesco. Aldecoa, en el uso y combinación de estos diferentes recursos narrativos, muestra un dominio que, en el caso de *Gran Sol,* es prácticamente perfecto.

Efectivamente, una novela como ésta, planteada con una tal austeridad de medios, es un verdadero banco de prueba para cualquier escritor; «tesis doctoral de un novelista», ha llamado un crítico a *Gran Sol* [12] y de verdad que Aldecoa ha salido triunfante en el empeño.

El carácter documental y de reportaje que tiene en principio la intriga novelesca hace que el ritmo narrativo descanse casi exclusivamente sobre la organización expresiva del significante y el dominio en el uso y la combinación de los medios expresivos. Ya hemos visto, en el estudio de la novela, cómo está también aquí el secreto que le ha permitido a Aldecoa trascender el documento, haciendo que la aventura del «Aril» atraviese el umbral del símbolo.

Parte de una historia, menos «redonda» que *Gran Sol,* pero ciertamente más compleja, sugerente y profunda, evidencia un escritor en el techo de la madurez expresiva y con un dominio total del arte de contar. La interferencia —el ritmo, en definitiva— de las varias historias —la de la isla, la del narrador, la de la narración misma— y su elíptica y sugeridora, por lo mismo, aparición en el relato, da a veces la impresión de un cambio brusco de compás, de una ruptura del ritmo narrativo, como si Aldecoa no supiera a ciencia cierta cuál es la historia —las historias— que está contando, o no se atreviera a contar explícitamente la única, la verdadera «historia» que le posee en el momento de escribir la novela.

El dominio de los recursos expresivos es, sin duda, excep-

12 «*Gran Sol,* diría yo, viene a ser algo así como la tesis doctoral de un novelista»; LORENZO GOMIS: *El Ciervo,* marzo de 1958.

cional; la complejidad temática, resuelta en elipsis o en reticencia, y sentida a veces como desequilibrio en el ritmo narrativo, ¿forma parte de la retórica de la narración, o es más bien expresión de impotencia o inhibición del escritor?

Si el ritmo narrativo es algo propio de todo desarrollo novelesco, quizá, como más característico de Ignacio Aldecoa, se podría señalar ese otro ritmo que resulta de un trabajo estilístico sobre el significante, en cuanto masa lingüística; es decir, la organización del material lingüístico en cuanto tal, en los niveles fónico y sintáctico; entonación, musicalidad y cadencia son a menudo factores decisivos en la construcción de la frase y el párrafo, y aparecen por ello como generadores de ritmo.

Sin ceder para nada de esa clara voluntad de precisión semántica y riqueza significadora, Aldecoa exprime a veces hasta agotarlas las capacidades musicales del lenguaje; esto resulta evidente en las descripciones, que es donde con más claridad y frecuencia se trasluce ese dominio espectacular de las posibilidades expresivas de la lengua.

Para ello, utiliza el novelista una serie de recursos retóricos, basados generalmente en la repetición y la amplificación, en clara analogía con la técnica musical de las variaciones sobre un tema: anáfora, paralelismo, simetría... son los recursos más utilizados.

La descripción anafórica aparece repetidamente en la novela de Aldecoa; hasta el punto de que su recurrencia en los textos descriptivos resulta a veces monótona, por demasiado previsible, y poco relevante estilísticamente; el escritor, en ocasiones, saca un gran partido estilístico-expresivo de la anáfora; otras veces, en cambio, la anáfora resulta forzada, denuncia demasiado la presencia del narrador, y desequilibra la objetividad de la descripción, al deslizarla desde el personaje, con cuya mirada se justifica, al narrador, cuyo peso estilístico, por demasiado sentido, tiende a desplazar al personaje.

Volvemos a tocar aquí una cuestión, ya aludida en páginas anteriores, y que ahora me limitaré a formular, apuntando, para el caso que nos ocupa, una breve respuesta.

Está claro que la *narración objetiva* es de suyo imposible;

también los modos de narrar, como la representación de la realidad, se justifican en última instancia desde la verosimilitud —el «como si»— y no desde la realidad misma. La narración objetiva tiende a reflejar la realidad *como si* entre ésta y el lector no se situara ninguna mediación; salvo, naturalmente, la mínima e ineludible de la escritura misma. Pero es precisamente la escritura lo que convierte necesariamente una historia *verdaderamente* objetiva en historia *verosímilmente* objetiva.

A lo largo de estas páginas he hablado de *presencia estilística* del narrador. Aun en la narración más objetiva —pensemos no ya en *El Jarama*, sino incluso en ese híbrido de narración y documento sociológico, que son los libros de Oscar Lewis— se denuncia una voz del narrador, que puede describirse, al menos, como estilo. La necesaria selección y organización que todo relato, por objetivo que sea, opera en la realidad representada sobre la que se construye, es ya estilo y, por lo mismo, voz del narrador.

Esta presencia estilística del narrador-autor, es más evidente en el caso de escritores que, como Aldecoa, dedican una atención y un esfuerzo notable a la elaboración de un lenguaje poético-narrativo, incorporando a su escritura rasgos caracterizadores de un reconocible estilo personal.

La indudable objetividad narrativa de Aldecoa se manifiesta también en ese esfuerzo por justificar las descripciones o los comentarios desde el personaje, llegando en ocasiones a integrar los elementos descritos en el decurso sintagmático de las funciones. Pero si describir o comentar se justifica como mirar o reflexionar del personaje, incorporándose así al nivel funcional —y no meramente indicial— de la narración, el «estilo» que describe o comenta difícilmente puede justificarse desde el personaje; es decir, la mirada es casi siempre de los personajes, la voz es, también casi siempre, del narrador.

Naturalmente, esta distinción se altera cuando el estatuto de narración descansa en un narrador homodiegético, como sucede en *Parte de una historia*. El problema de la presencia estilística se desplaza entonces a la relación y distinción narrador/autor.

Toda esta disquisición permite señalar que la novela de Aldecoa, planteada, como vimos en la primera parte, desde presupuestos no sólo estéticos, sino también éticos, claramente realistas, se mueve en ese espacio de escritura que va de decir la realidad de modo impersonal a hacer depender la representación significadora de la realidad de un trabajo estilístico sobre el lenguaje.

Si didactismo y esteticismo son tentaciones en las que Aldecoa ciertamente no cae, sí estimo en cambio que, de modo esporádico y más en las tres primeras novelas que en la última, la narración escora en ocasiones hacia el lado del juego de estilo. A mi juicio, el abuso de la técnica anafórica evidencia en algún momento esa desnivelación del discurso narrativo.

La última novela, *Parte de una historia,* es indudablemente y en este aspecto, superior a las tres anteriores. Aquí Aldecoa demuestra un dominio prácticamente insuperable de los diversos ingredientes estilístico-narrativos. Los diez años transcurridos desde la publicación de *Gran Sol* —y los libros de relatos escritos en este período— han determinado una evidente maduración del escritor. Por otro lado, al tratarse de una novela narrada en primera persona, quedan obviadas automáticamente algunas de las dificultades a que me vengo refiriendo. De cualquier modo, la técnica anafórica, abundante en las tres primeras novelas, más en *Con el viento solano* y *Gran Sol* que en *El fulgor y la sangre,* es prácticamente inexistente en *Parte de una historia.*

Otras veces, la anáfora se absorbe en una técnica de expansión, que permite generar frases o conjuntos de frases, a través de elementos más simples.

E incluso estas variadas técnicas de repetición que funcionan como connotadoras de ritmo se hacen también presentes en unidades textuales mayores: secuencias narrativas, capítulos, partes de novela y hasta en algún caso en la novela como totalidad.

En estos casos, la técnica anafórica o de repetición, al inscribirse en unidades narrativas amplias, subordina su función connotadora de ritmo a la de los factores —utilización de los modos expresivos, organización de las secuencias, etc.—, sobre los que descansa propiamente el ritmo narrativo; se convierte así en una figura de la narración, que afecta no a la frase o al conjunto de frases, sino al texto novelesco en cuanto tal.

Digamos, por fin, que hay también en Aldecoa un reconocible trabajo orientado a la organización sintáctica de la frase, donde, junto a factores de eufonía y de ritmo verbal, se hace presente un claro efecto de connotar, mediante el tratamiento lingüístico-estilístico del significante, lo denotado en el nivel del significado.

Me limitaré a señalar aquí dos de los recursos más característicos de Aldecoa, y que funcionan en este nivel: la construcción nominal y la correspondencia entre la estructura sintáctica y semántica de la frase.

Aldecoa utiliza con frecuencia la frase nominal; la descripción es, lógicamente, el momento textual donde el recurso a la construcción nominal encuentra más repetida y variada aplicación.

Si la descripción espacializa la narración y frena la velocidad narrativa [13], la frase nominal aparece como un procedimiento adecuado para connotar, desde la forma, la estática dimensión espacial de los momentos descriptivos del texto. La descripción, armonía, y ritmo en la distribución de objetos —de formas— en el espacio, apura hasta tal punto las posibilidades expresivas de la construcción nominal, que en algún caso, desde luego estadísticamente insignificante, parece caerse en un cierto hermetismo.

A la eufonía de la frase y el ritmo como factor de la organización sintáctica del significante, en aquellos casos en que, como he señalado, el plano de la expresión «dobla» —y connota— en su estructura misma como tal plano el del contenido, hay que añadir el recurso a la frase corta o larga, según que, en el nivel semántico, se exprese movimiento y aceleración, o por el contrario, desaceleración y quietud.

---

[13] Cf. J. RICARDOU: «Temps de la narration, temps de la fiction», en *Problèmes du nouveau roman*, p. 165.

La descripción

Si una armoniosa combinación de descripción y narración funciona como apoyatura del ritmo narrativo, las descripciones son frecuentemente privilegiados espacios textuales donde la prosa de Aldecoa despliega espléndidamente sus más logrados y personales valores estilísticos.

Ya he indicado la maestría de Aldecoa para situar espacialmente la acción de sus novelas. Los pasajes propiamente narrativos —narración de acciones o de palabras de los personajes— se sostienen fuertemente en elementos descriptivos, de los que reciben orientación espacio-temporal, densidad y perspectiva.

Si a esto se añade la importancia decisiva que en el universo semántico-simbólico de la novela de Ignacio Aldecoa tiene el espacio —castillo, isla, barco...—, aparece con más evidencia la profunda imbricación de lo descriptivo y lo narrativo en el decurso novelesco.

En un intento de recapitular aquí la importancia de la descripción en la novela de Aldecoa, a partir de lo que ya ha quedado señalado en las dos partes anteriores del trabajo, se puede decir que las diferentes funciones que, al hablar de «lo verosímil y el efecto de realidad», se han atribuido a la descripción, pueden ser inscritas ahora en el modelo metodológico general que ha servido de eje vertebrador del trabajo.

Efectivamente, se puede situar en la función mimética un primer valor de lo descriptivo, que antes ha sido identificado como «efecto de realidad», ya que, inicialmente, lo descriptivo aparece como generador de verosimilitud; espacio y tiempo, personajes y acciones, es decir, ámbito e historia, la ficción como totalidad es proyectada, gracias, entre otros recursos, a las descripciones, al espacio de lo verosímil; desde las convenciones realistas en que se asienta la novela de Aldecoa, la descripción es un factor decisivo que permite cimentar en la mímesis, como imitación de lo real, el universo representado.

Pero si la descripción es creadora de mímesis como efecto de realidad, su función va más allá de ese primario valor referencial; es decir, la función mimética no agota las capacidades expresivas de la descripción, sino que ésta penetra en la función poética, siendo en ese nivel elemento generador de la transitabilidad que le permite a la novela aldecoana pasar de la mímesis al símbolo.

La descripción como factor de «poiesis» tiene en la novela de Aldecoa una clara función demarcativa. El principio y el final de situaciones narrativas —secuencias, capítulos y hasta la novela como totalidad— aparecen muy frecuentemente como lugares privilegiados de la descripción, y podría establecerse como un principio de validez casi general la tendencia de Aldecoa a cuidar más la descripción cuando su apoyatura indicial de lo narrado actúa en unidades narrativas más amplias: desde la secuencia hasta la novela como unidad textual.

Las descripciones son muchas veces marcas que en el decurso sintagmático del texto señalan el inicio, el final o un punto de fuerza de diferentes situaciones narrativas. Pasajes descriptivos inician las cuatro novelas de Aldecoa. La descripción permite seguir, en el desolado castillo-cuartel de *El fulgor y la sangre,* con las manchas de sol y sombra en el patio o en la galería, en la muralla o en la puerta de entrada, el lento paso del tiempo con que las cinco mujeres y los dos guardias apenas aciertan a llenar el inmenso vacío de la espera; los despertares del gitano Vázquez —un encinar, una posada o el barrio de gitanos en Cogolludo—, que marcan los días de la huida en *Con el viento solano,* se inician con descripciones; las descripciones —el mar o el cielo, el día o la noche, siempre el barco, del timón a la sala de máquinas, del puente a los ranchos, de la cocina al cuarto de derrota— van marcando esos pequeños movimientos que mecen la austera aventura novelesca de *Gran Sol;* y la escritura de *Parte de una historia* aparece instalada en un espacio —volver a la isla, dejar la isla— acotado por sendas descripciones: la que inicia la novela —el acantilado de cinabrio en el atardecer, las gaviotas abatiéndose sobre los despojos de los cazones, los muchachos pulpeando en la caleta, el viejo y desvencijado molino de gofio, y arriba, sobre las dunas, el perfil sinuoso de un rebaño de camellos...— y la que la cierra, en ese último paseo del narrador, antes de abandonar la isla —la Duna Grande y

Montaña Amarilla, la Caleta del Sebo, y la playa de Las Conchas, Los Corrales, el Barrio Verde...

Digamos por fin que la descripción en Aldecoa, desde la función poética donde despliega espléndidamente sus valores estilísticos, estira su pertinencia narrativa hasta el nivel del símbolo. Esta proyección sólo es posible gracias al tratamiento estilístico que el novelista hace de la descripción.

Por eso es posible hablar, todavía en el nivel de la «poiesis», de la función estilística de la descripción. Las descripciones son los espacios textuales donde mejor se evidencian los rasgos que hasta aquí venimos apuntando como caracterizadores de la prosa de Aldecoa: riqueza léxica y precisión semántica, ritmo lingüístico-narrativo, utilización retórica de la sintaxis —construcción nominal o verbal, frase larga o corta, etc., y, sobre todo, presencia de la metáfora y la imagen—; algunas, muchas, de las descripciones que forman como la urdimbre del tejido narrativo que es la novela de Aldecoa podrían muy bien proponerse como paradigma de lo que aquí se intenta describir como estilo del autor.

Es precisamente este minucioso tratamiento poético el que hace que la descripción, desde ese inicial nivel mimético donde funciona como efecto de realidad, proyecte su pertinencia novelesca hasta la región del símbolo, haciendo que los espacios representados inicialmente como si fueran elementos de la realidad —el castillo, el barco, la isla, el itinerario de la huida entre Talavera y Cogolludo— funcionen ahora como significantes de ese espacio genérico, interior y universalizado, que es el de la condición humana: la existencia acosada no ya por los límites de unas viejas murallas en Castilla, de un barco en las aguas del Great Sole, o de una islita en el Atlántico, sino por su propia e ineludible contingencia y temporalidad. En definitiva, los espacios descritos por Aldecoa devienen todas las veces el espacio único de la vida acosada por la muerte. La historia, la simbólica historia de la novela, de todas las novelas de Aldecoa, resulta dicha a través del espacio.

LA METÁFORA Y LA IMAGEN

Por fin, una aproximación al estilo de Aldecoa exige necesariamente levantar acta de la importancia decisiva que en el universo retórico del escritor tiene el uso de la imagen y la metáfora. Son sin duda estos recursos los que más directamente llaman la atención del crítico empeñado en identificar hechos de estilo en la prosa de Aldecoa; porque, efectivamente, es el rasgo más abundante en las cuatro novelas, y porque, siquiera inconscientemente, la metáfora sigue funcionando en el ánimo del lector como la reina de las figuras y el recurso que más claramente es percibido como generador de valores estilísticos [14].

No es mi intención realizar aquí un estudio descriptivo y funcional de la metáfora y la imagen en la narrativa de Ignacio Aldecoa, ya que supera ciertamente el objetivo de este capítulo y exigiría, sin duda, una monografía. Me limitaré simplemente a señalar la importancia de la metáfora —y secundariamente de la imagen— como hecho de estilo, y el uso que de la misma hace el autor en su novela, es decir, su función en los diferentes niveles del texto novelesco que han sido distinguidos metodológicamente en el análisis.

Hay un primer nivel donde la metáfora funciona como «efecto de realidad» y es, por tanto, generador de mímesis. Se trata de la metáfora que he denominado *locutiva,* es decir, la que se da en el coloquio y es voz de los personajes.

La metáfora locutiva, como el léxico popular y los términos dialectales o de argot, funciona como elemento configurador de un habla, de un idiolecto, y caracteriza al individuo o al grupo que la emplea. Cuando un personaje dice que casarse es «amarrar chicotes» y retirarse «esperar el desguace», está denunciando *además* su condición de pescador, de hombre de la mar. Por eso situamos este primer efecto de la metáfora locutiva en la función mimética.

---

[14] El Grupo de Lieja ha escogido, como sigla caracterizadora, «l'initiale du mot qui désigne, en grec, la plus prestigieuse des métaboles», que, es, naturalmente, la metáfora; cf. *Rhétorique générale.* París, Larousse, 1970, p. 7.

Los pescadores de *Gran Sol* o de *Parte de una historia,* el gitano de *Con el viento solano, se denuncian* cuando hablan; esta caracterización del personaje por el lenguaje encuentra una apoyatura decisiva en la metáfora locutiva.

A veces —pensemos en el procaz Macario, cocinero del «Aril», o en el lúbrico señor Mateo de *Parte de una historia*— la profusión de metáforas locutivas, a fuerza de señalar la mímesis, la destruye. La mimetización extrema da como resultado el pastiche, cuando la mímesis no se inscribe en una función textual más amplia, o la estilización del discurso, cuando la función mimética es subordinable a otras funciones ulteriores en el nivel del texto.

Si Aldecoa no cae en el pastiche en el uso a veces tan profuso de la metáfora locutiva, es porque ese aparente desequilibrio deviene funcional en un sistema englobante —la función poética—: el texto, estilizado por la metáfora locutiva, en lugar de desnivelarse del lado del tópico, se eleva a ese otro espacio textual, donde funcionará como generador de «poiesis». Es decir, la metáfora locutiva, vista como productora de efecto de realidad en el espacio de la función mimética, aparece simultáneamente inscrita en el sistema general metafórico del texto, e integrada por ello en la función poética.

Si antes he hablado de una presencia estilística del autor-narrador en la narración, compatible, por otro lado, con una clara dimensión objetiva del relato, debo señalar ahora que la metáfora es uno de los modos más frecuentes y decisivos de esta presencia. Más aún, si, como señala Robbe-Grillet, la metáfora no es nunca una figura inocente [15] —la escritura nunca es inocente—, el estudio semántico de la metáfora en Aldecoa sería una vía certera de acceso al universo conceptual de su literatura y, en una perspectiva genética, a las obsesiones y mitos personales, a los *temas* —en el sentido de la crítica temática— del autor.

Son las descripciones, como ya quedó apuntado, el espacio textual más apto para esta presencia estilística del escritor a través de la metáfora.

---

[15] «La métaphore n'est jamais une figure innocente», *Pour un nouveau roman.* París, Minuit, 1963, p. 48.

Si el espacio en las novelas de Aldecoa no es, a pesar de incrustar sus raíces en la tierra robusta de lo verificable y lo verosímil, un espacio *dicho,* sino un espacio *hecho,* producido como sentido en el decurso novelesco mismo, es la descripción el centro mismo del proceso y la metáfora el más claro y decisivo catalizador.

La ya señalada y rara sensibilidad de Aldecoa para el espacio y la organización en él de las formas plásticas hace que lo pictórico —forma y color— sea una de las dimensiones más claras de sus descripciones, y por ello mismo, lo visual y el campo semántico del color una de las fuentes más ricas de imágenes y construcciones metafóricas. En muchas ocasiones, la complejidad de las nuevas relaciones semánticas establecidas prácticamente entre el término metafórico y el metaforizado se resuelve mediante el recurso a la metáfora sinestésica.

Es muy singular, y de una gran fuerza expresiva y semántica, el uso que Aldecoa hace repetidamente de la metáfora, «rematando» con ella, o a veces con una imagen, toda una descripción. El recurso tiene un claro efecto recursivo, según el cual lo descrito, visto finalmente desde una nueva perspectiva metafórica, es incorporado en su totalidad al nuevo sistema semántico introducido por el término metafórico.

En estos casos el espacio real queda inscrito en un nuevo espacio de sentido, generado por la metáfora final.

Desde el nivel mimético, donde el espacio descrito se sitúa inicialmente, hay un deslizamiento evidente hacia el nivel poético: es la metáfora el resorte que genera ese movimiento, cuya orientación y punto de llegada es el símbolo. De ahí que la función de la metáfora en la novela de Aldecoa deba ser estudiada también en el nivel de la función simbólica.

Si esta función simbólica de la metáfora aparece más visible en una novela que como *Gran Sol* parece estar construida desde las convenciones del relato documental, está presente de hecho en todas las novelas de Aldecoa, como uno de los factores sobre los que descansa, en ese proceso que va de la denotación al universo connotado, la transfiguración del espacio «real» de la fábula en el espacio figurado —simbólico— de la novela.

Efectivamente, el uso abundante de metáforas e imágenes hace posible la creación, más allá del universo *representado*, de un sistema nuevo de relaciones e identidades, donde los espacios reales —el castillo, el barco, la isla...— pasan a funcionar como espacios metafóricos que significan —simbolizan—, más allá de los perfiles anecdóticos de la fábula, la ineludible y universal dimensión de la existencia.

Pero no sólo los espacios, sino los personajes y las cosas, situados metafóricamente en nuevos sistemas de relaciones semánticas, comienzan a existir con una original y más alta existencia significadora.

De modo que la metáfora retórica funciona en última instancia como modelo de una metáfora textual y narrativa que es la novela misma. Cada una de las cuatro novelas de Aldecoa termina siendo una metaforización de la existencia.

LA EVOLUCIÓN NOVELESCA

Este intento de descripción de algunos recursos que permitan caracterizar lo que he llamado el estilo de Aldecoa exige, por fin, contemplar el universo novelesco del autor desde una perspectiva diacrónica. Es decir, ese proceso de estilo y de escritura que va de la primera novela en 1954 a la última en 1967, sin olvidar además que los vacíos —sobre todo esos diez años entre *Gran Sol* y *Parte de una historia*— deberían, en un estudio riguroso y exhaustivo, ser recubiertos con los relatos que en ese tiempo Aldecoa escribe y publica.

Es evidente en primer lugar que en la prosa novelesca de Aldecoa hay una constante y clara evolución orientada hacia una mayor precisión y simplicidad estilística y narrativa.

A la hora de articular esta evolución, es claramente identificable una frontera en esa ancha franja de diez años que separa la publicación de las dos últimas novelas.

Marcar, en ese espacio de diez años, o en la línea recta que va de la primera a la última novela, otros puntos exactos que puedan delimitar etapas en el proceso estilístico del escritor Aldecoa exigiría también un estudio de los libros de relatos, que supera ampliamente los objetivos de este trabajo.

De cualquier manera, la localización del punto de arranque
—esos pocos años de intensa actividad escritural,'que ven la
aparición de tres novelas— y el punto de llegada permite identificar con bastante rigor la orientación del proceso y el sentido de la evolución.

Esos trece años que van de *El fulgor y la sangre* a *Parte
de una historia* son, desde luego, un claro proceso de decantación, desde un cierto barroquismo inicial, detectable en las
primeras novelas, hasta esa prosa serena, ajustada, recia y de
perfiles acabados, que es la última novela de Aldecoa. Efectivamente, *Parte de una historia* es un punto de llegada;
la escasa actividad literaria ulterior —de los dos relatos póstumos que Alicia Bleiberg ha incluido en los *Cuentos Completos*, sólo uno, Amadís, fue escrito después de 1967— y la
muerte repentina de Ignacio en 1969 convierten esta última
novela en un excelente techo de perfección estilística, que muy
pocos escritores son capaces de alcanzar.

Este proceso de simplificación, mejor, de condensación de
los recursos estilístico-expresivos, se manifiesta, en el nivel
retórico, en un uso decreciente de procedimientos anafóricos
y de repetición, en una progresiva depuración del diálogo, en
aras de una mayor fuerza expresiva y de una más cabal precisión, en una combinación cada vez más equilibrada y exacta
de los vehículos narrativos —estilo directo e indirecto, narración y descripción—, de modo que en *Parte de una historia*
Aldecoa demuestra dominar a la perfección la técnica —el
arte— de narrar.

Por otro lado, el uso de imágenes y metáforas se mantiene
y hasta se intensifica, con un efecto, creo, de dar relieve a los
procedimientos retóricos que actúan en el plano del contenido,
evitando así el riesgo —la caída en algún caso— de desequili-
brar el relato del lado de la expresión.

Por fin, y como resultado de lo anterior, desde la perspectiva de la última novela de Aldecoa, la evolución se marca también positivamente en el sentido de un sensible acendramiento
del ritmo, mediante un uso más preciso y una más perfecta
y proporcionada combinación de los factores que, en el nivel
de las unidades lingüístico-estilísticas y en el de las unidades

narrativas, son generadores de ritmo: figuras retóricas, modos expresivos, sintagmática de la narración.

Hay que decir también que este proceso que se señala en la prosa novelesca de Aldecoa en el sentido de una mayor austeridad en la selección de los recursos estilísticos y una utilización cada vez más sobria, pero también más lúcida y equilibrada, de los mismos, está al servicio de las exigencias del tipo textual —la novela— en el que se manifiesta. Quiero decir que Aldecoa, a medida que va escribiendo mejor, va siendo también mejor novelista. El proceso estilístico que he intentado identificar aparece inscrito en el proceso de una escritura novelesca en la que funciona, a la que se subordina y sirve. Con ello estoy afirmando mi desacuerdo con aquellos críticos para los que en Aldecoa lo importante de verdad sería esa perfección de su trabajo sobre el lenguaje y no precisamente lo que ese lenguaje es capaz de significar.

Por eso me parece ambigua la afirmación del americano Carlisle de que en la novela de Aldecoa hay una progresión estilística hacia la novela lírica [16]. Si esto es verdad, desde el hecho de que, con excepción de *Gran Sol,* en las otras tres novelas Aldecoa deja un espacio amplio a la narración de mundos interiores —el proceso del gitano Vázquez, el del narrador de *Parte de una historia,* e incluso las prehistorias de las mujeres del castillo, que podrían ser vistas como formas de ensimismamiento—, Aldecoa no sólo no renuncia a la representación de mundos objetivos, portadores de significación, sino que es en ellos donde fundamentalmente se instala —con la excepción de *Con el viento solano*— esa tarea poética de perforación de estratos de sentido.

Tiene razón de algún modo Herman Hesse cuando dice que «la novela es una lírica disfrazada» [17]; y en la literatura contemporánea hay una sensible «orientación lírica» de la novela, producida tal vez por un cierto desencanto de lo objetivo. Por lo que respecta a la novela española, el paso de la novela

---

[16] *La novelística de Ignacio Aldecoa,* p. 14. Sobre el concepto de novela lírica, véase R. FREDDMAN: *La novela lírica.* Barcelona, Barral Editores, 1972 (el original inglés es de 1963).
[17] Citado por R. FREEDMAN: *La novela lírica,* p. 7.

social a la *estructural,* ¿no supone un claro deslizamiento de
los espacios novelescos de la objetividad a la subjetividad?

La novela de Ignacio Aldecoa, que se ha desarrollado en
una «zona templada», equidistante del «objetivismo social» y
el «subjetivismo estructural», tiene, desde sus inicios, claras
tonalidades líricas; más que la novela de la moda social-rea-
lista de los años 50, menos seguramente que la de la moda
«estructuralista» de los últimos 60.

Pero, a mi entender, lo lírico no marca en la novela de
Aldecoa el sentido progresivo de una evolución, sino una manera estable y permanente de entender e interpretar literariamente la realidad [18].

LOS PROCEDIMIENTOS NARRATIVOS

Ello plantea, antes de finalizar este punto, la necesidad
de decir algo sobre los procedimientos narrativos de Ignacio Aldecoa en su novela.

Aldecoa novela desde las convenciones narrativas de su
tiempo y de su contexto literario-cultural; desde el punto de
vista de los procedimientos narrativos, no es, desde luego, un
innovador. La escritura novelesca de Aldecoa se individualiza
—aparece como estilo— más desde ese minucioso y preciso
trabajo sobre el lenguaje y desde los ámbitos novelescos —gentes, espacios, temas—, que desde las técnicas de novelar propiamente dichas.

Sus tres primeras novelas se sitúan cronológicamente —1954-
1957— en unos años en que el realismo como modo de hacer
novela es, al menos, un postulado práctico.

Las dos primeras —*El fulgor y la sangre* y *Con el viento
solano*— están construidas sobre el desdoblamiento del tiempo
de la ficción.

En *El fulgor y la sangre,* las cinco historias parciales —e

---

[18] Aunque, en algún sentido, se podría afirmar que *Parte de una
historia* es la más lírica de las cuatro novelas de Aldecoa, ya que es
en ella donde más presente se hace la subjetividad —el yo— del narrador-autor.

independientes— aparecen enmarcadas en ese relato primero
que es la narración de las horas de espera en el castillo.

En *Con el viento solano,* los dos tiempos —y espacios—
de la ficción se generan y se unifican en un elemento diegé-
tico —la conciencia del personaje—, dando lugar a una estructura novelesca más sintagmática y compacta que la de la novela anterior.

Aldecoa, sin embargo, es tradicional a la hora de resolver
técnicamente el tratamiento narrativo de los procesos de con-
conciencia de su héroe. El monólogo interior indirecto —en
ese dúo que en el estilo indirecto libre hacen la voz del narrador y la del personaje— es el modo narrativo habitualmente
utilizado.

Se puede, pues, decir que estas dos primeras novelas, de
una cierta complejidad constructiva, están resueltas técnicamente con unos medios narrativos nada nuevos ni originales. La
organización sintagmática del relato en capítulos que en el
eje de la ficción son unidades de tiempo —horas en *El fulgor
y la sangre,* días en *Con el viento solano*—, viene a subrayar
un desarrollo lineal del tiempo de la historia, la del castillo o
la de la huida, como si fuera un tiempo de crónica.

Si *Gran Sol* puede ser marca de algo en la trayectoria novelesca iniciada por Aldecoa en sus novelas anteriores, lo es,
a mi juicio, de dos maneras: la primera, la insistencia y la
seriedad con que el novelista intenta elevar el trabajo estilístico sobre el lenguaje a formante esencial de ese tipo textual
que llamamos novela; en segundo lugar, la sobriedad del mundo de ficción escogido para esta tercera aventura novelesca, y
la austeridad suma de los procedimientos narrativos. La creencia, en algún sector de la crítica, de que se trata simplemente
de un documento «bien escrito» sobre los pescadores del Great
Sole, si por un lado evidencia una confrontación poco perspicaz
con el texto de la novela, por otro, manifiesta el riesgo real
que corre el escritor, al encerrarse en una aventura —de historia y de escritura— tan «plana» como la del «Aril».

Aquí sí que no hay complejidades constructivas, ni noveda-
des técnicas. Para una lectura superficial, *Gran Sol* no pasa
de ser una crónica rígida y fiel de una marea por los mares

de Irlanda. Aldecoa ha apostado por el lenguaje y por la forma
de contar, y ha ganado; porque ellos son la palanca que
levanta el documento sobre la pesca en los bancos del Great
Sole hasta ese espacio épico de la agonía del hombre en su
lucha con la naturaleza, con la vida y con la muerte.

Los diez años que Aldecoa deja pasar hasta la publicación
de su cuarta y última novela son significativos de la evolución
de la novela española contemporánea: *Parte de una historia,*
en 1967, se sitúa en un sistema novelesco muy diferente al
que acoge las novelas anteriores, entre el 54 y el 57. No es mi
propósito ahora hacer historia ni describir el panorama que al
final de la década del 60 ofrece la novelística española. Baste
recordar simplemente que *Tiempo de silencio,* «cierre y apertura», al decir de Martínez Cachero, en la historia de la novela
española contemporánea, es de 1962 [19]; y en ese mismo año
el Premio Biblioteca Breve a *La ciudad y los perros,* de Vargas
Llosa, inaugura el polémico «boom» de la novela latinoameri-
cana; *Señas de identidad* inicia en 1966 la nueva andadura
novelesca de Juan Goytisolo, que se continúa con *Reivindi-
cación del Conde Don Julián* (1970), y *Juan sin tierra* (1975);
el mismo año de publicación de *Parte de una historia* se docu-
menta un título tan significativo como *Volverás a Región,* de
Juan Benet; el Nadal del 68 «recupera» al hasta hace poco
anacrónico Alvaro Cunqueiro, con una novela —*Un hombre
que se parecía a Orestes*— que, en palabras de G. Díaz Plaja,
«se encuentra, exactamente en el antípoda de lo que represen-
tó *El Jarama*» [20]; en 1969, año de la muerte de Aldecoa, Delibes publica su *Parábola del náufrago,* Cela su insólito *San
Camilo, 1936,* y Benet es Premio Biblioteca Breve con *Una
meditación.*

Todo esto quiere decir que el tiempo literario de *Parte de
una historia* no es el mismo de las tres novelas anteriores. Si
antes Aldecoa no ha dudado en adscribirse a una forma realista de hacer novela, pero sin caer en el urgente didactismo de

---

[19] J. M. MARTÍNEZ CACHERO: *La novela española entre 1939 y 1969,*
página 221.
[20] G. DÍAZ-PLAJA: *Cien libros españoles. Poesía y novela. 1968-1970.*
Salamanca, Anaya, 1971, p. 227.

una literatura documental, tampoco ahora incorpora nuestro autor esas nuevas técnicas narrativas que novelistas de la generación anterior —Delibes o Cela—, de la del realismo social —J. Goytisolo, Grosso—, o de esa posterior novela estructural —Benet— asimilan plenamente e incorporan a su quehacer creador.

La utilización en *Parte de una historia* de un narrador homodiegético, que narra en primera persona, parece indicar que la novela apunta hacia ese espacio narrativo de indagación de la estructura de la conciencia, que justifica para la novela actual el calificativo de «novela estructural».

La polisemia de un narrador que al mismo tiempo que testigo de la historia de la isla es protagonista de su propia historia, y que al narrar convierte en aventura esa otra historia de la escritura, indica bien a las claras que, en su planteamiento narrativo inicial, *Parte de una historia* es la novela más compleja —¿más moderna?— de Aldecoa; y, sin embargo, no encajaría en lo que con Sobejano se acaba de llamar novela estructural. Aldecoa está lejos del realismo documental de base de *Gran Sol;* pero el texto de su última novela no es resultado tanto de una evolución consentida y asimilada, cuanto de un triple debate, o, si se quiere, de una triple crisis: la de Ignacio Aldecoa, hombre y escritor, consigo mismo, con la realidad y con su propia escritura; el resultado es un texto —perfecto como lenguaje, ambiguo como escritura narrativa— donde no sabemos si ese juego de reticencia y elipsis que es ya el título mismo, es en la novela una intencionada retórica de la ficción, o una ineludible, por única, manera que Aldecoa tenía en ese momento de ser escritor en el mundo, en *su* mundo.

Queda claro, por tanto, que, desde el punto de vista de los procedimientos narrativos, Ignacio Aldecoa no fue ni un innovador, ni un imitador. No sabemos hacia dónde habría orientado su novela de haber seguido viviendo. Las cuatro que dejó escritas evidencian dos características que pocos novelistas contemporáneos comparten: un dominio casi perfecto del lenguaje y una maestría incomparable en el arte de contar.

Los ámbitos novelescos

Si escribir es antes que nada una actitud en el mundo, la escritura de Aldecoa —las novelas en este caso— se generan en ese espacio de confrontación del escritor con la realidad y con el lenguaje. Es, como he señalado en la primera parte de mi trabajo, ese punto de convergencia de lo ético y lo estético el apoyo que sustenta toda la narrativa aldecoana. De ahí que esa ineludible dimensión ética de la tarea de escribir le lleve al autor a ese global —e incumplido— proyecto de las trilogías, con un claro desajuste entre lo proyectado y lo escrito; de modo que, si por un lado ninguna de las trilogías proyectadas se completó —y alguna, como la de los trabajadores del hierro, ni siquiera se inició—, las novelas escritas tienen una existencia y una consistencia independientes del proyecto que las generó, y se resisten, si se pretende explicarlas, como espacios de sentido, desde ese modelo teórico que las fecundó.

Esto es más evidente en el caso de *Parte de una historia,* que, ya por la fábula misma, encaja difícilmente en la proyectada trilogía del mar; incluso *Gran Sol,* en la intención del autor, no aparece como cabeza de trilogía; lo que no es obstáculo para que efectivamente se considere como un reportaje de los pescadores de altura.

Sólo las dos primeras novelas aparecen así como intencionada expresión de un proyecto previo de trilogía: la de la España inmóvil de «la Fiesta»; pero después de los que cuidan la fiesta —los guardiaciviles— y los que la aguan —los gitanos—, la novela de los que la hacen —los toreros— nunca pasó del proyecto a la escritura.

Ya he explicado más arriba cuáles son, a mi juicio, las razones de este desacuerdo entre lo proyectado y lo escrito; es el texto mismo, como ámbito de sentido, de las novelas escritas, lo que hace im-pertinente el proyecto inicial, y no razones exteriores a la escritura misma, como podría ser la temprana muerte del autor.

Sin embargo, las novelas escritas por Aldecoa son también el proyecto que las engendró, y en ese sistema actúan un primer nivel de significación que, en la parte anterior, he denominado *tópico-anecdótico*. *El fulgor y la sangre* es, en primera instancia, una novela de guardias civiles, como es *Con el viento solano* una novela de gitanos; y las otras dos son novelas del mar; aunque si *Gran Sol* es efectivamente un relato documental sobre la vida de los pescadores cantábricos en los bancos del noroeste de Irlanda, en *Parte de una historia* tanto la excéntrica arribada de los náufragos del «Bloody Mary», como la interrogativa presencia del narrador, atraen fuertemente el sentido de la novela, subordinando a estos nuevos espacios temáticos la vida marinera de los isleños.

Pero no es este nivel el decisivo, pese a las proyectadas trilogías e incluso a los explícitos testimonios de su autor; desde esa primaria función —mimética— de *decir* una realidad *dada,* la función poética proyecta el texto hasta el nivel del símbolo y lo hace capaz de soportar nuevos universos de sentido.

Y es aquí donde interesa especialmente situar este análisis recapitulador de los ámbitos novelescos de Aldecoa; no como mera descripción del nivel tópico-anecdótico, que ha quedado resuelta en el análisis de la función mimética, e, incidentalmente, en el de la función poética.

Desde un, no explícito necesariamente, proceso de abstracción y generalización, se pretende recoger aquí aquellos rasgos —en personajes, espacios y temas— que por su importancia o su recurrencia sean pertinentes en el sistema de la novela de Aldecoa en el plano del sentido, y decisivos a la hora de configurar su universo novelesco.

Los personajes

Toda la narrativa de Aldecoa es un entrañable y repetido acto de fe y de amor a un tiempo hacia esa «pobre gente» que se constituye en el protagonista único de sus relatos cortos y de sus novelas; los «chonis» de *Parte de una historia* son la excepción que confirma la regla, por lo que hace a la novela, como lo es, por lo que se refiere a los cuentos, esa abúlica gente acomodada, de *Los pájaros de Baden-Baden* a *Party* [21].

---

[21] ALICIA BLEIBERG, en la edición de los cuentos completos de Al-

Es realmente impresionante esa radical opción del autor que ha decidido sostener un amplio, y profundo como significado, universo narrativo sobre las doloridas espaldas de niños y de viejos, de marginados y de trabajadores humildes, de pobres gentes de la clase baja y media.

Muy pocos escritores han conseguido decir cosas no ya tan bellas, sino sobre todo tan importantes y profundas, dando la palabra únicamente a la gente humilde y sencilla.

Efectivamente, al poblar ese paraíso terrenal de su novela de personajes insignificantes, gitanos y pescadores, marginados, humildes familias de guardias de pueblo, nuestro autor ha optado drásticamente por hablar sólo desde los labios de los humildes, la pobre gente de España.

Ignacio Aldecoa, universitario, intelectual y escritor, no ha creado un solo personaje que verosímilmente pudiera ser su portavoz, si exceptuamos el narrador de *Parte de una historia,* cuya elíptica y misteriosa identidad tiene resonancias claramente autobiográficas. Pero aun en este caso, esa polivalente actitud del narrador, ese juego de silencios y palabras, de vida y de relato, en fin, que es su paso por la isla, sitúa su función no tanto en decir su historia —la del autor—, cuanto en aludirla —y por eso mismo eludirla—, diciendo la historia de la isla invadida por los náufragos americanos; de tal modo que lo que sabemos del narrador no es tanto lo que éste nos ha contado directamente de sí mismo, cuanto lo que resulta dicho en el modo de contar —de interpretar— la historia de la isla; también la del narrador es, por eso, «parte de una historia».

Por lo demás, hay una real imposibilidad de que el autor pueda *decirse* —hablar— en lo que dialogan sus personajes; ni los guardias y sus mujeres en *El fulgor y la sangre,* ni los gitanos y demás gente «del camino» de *Con el viento solano,*

---

decoa, ha ordenado los relatos por temas; los epígrafes son elocuentes; citamos algunos: «los oficios», «la clase media», «los bajos fondos», «el éxodo rural a la gran ciudad», «los niños», «la soledad de los viejos» ...

Los temas de los cuentos seleccionados por JOSEFINA RODRÍGUEZ DE ALDECOA para la antología de cuentos de Ignacio, publicada por Cátedra, son el trabajo, la guerra, la burguesía, los condenados, los niños, los viejos...

ni los pescadores de *Gran Sol* y *Parte de una historia* son ese personaje de novela en cuyos labios el lector tiene una irrefutable impresión de estar escuchando la voz del autor.

Aldecoa no habla, no ha querido hablar, con la palabra de sus personajes, porque ha preferido hablar con los personajes mismos, lo que dicen también, pero sobre todo lo que son, lo que hacen, lo que viven. Es la vida —y la muerte— de esta pobre gente —el guardia y el gitano, el pescador, y, ¿por qué no?, el imbécil y adinerado turista americano— el único discurso con el que Aldecoa novelista nos habla de la (su) vida y de la (su) muerte.

Ni las lentas y aburridas charlas de las mujeres en la galería del castillo, ni las conversaciones, pobladas de nostalgias, resentimientos y silencios, en los ranchos del «Aril», ni los sentenciosos comentarios de los viejos en el cabildo de la isla, serían verosímilmente voz que expresara ideas o preocupaciones del autor. Si a esto añadimos el carácter objetivo de la narración —narradores heterodiegéticos, que se limitan a contar lo que ven, con la excepción del pluriforme narrador de *Parte de una historia*—, resulta que hay un claro desnivel entre el autor y los personajes de sus ficciones. Aldecoa ha levantado un mundo novelesco cuyos habitantes no pueden hacerse portadores, dialogando, de las preocupaciones e ideas del autor.

A la excepción que es el narrador de la última novela, habría que añadir dos personajes de *Con el viento solano*: el viejo señor Cabeda y Roque, el faquir.

El escéptico Cabeda y el creyente Roque son en realidad los únicos personajes que, desde su rudimentaria condición de gente humilde y del camino, de algún modo «filosofan», es decir, elevan a reflexión general su experiencia de las cosas y de la vida. Son éstos los únicos momentos de la novela donde el diálogo de los personajes adquiere un cierto tono reflexivo-didáctico. Ya he aludido, en el análisis de la novela, a la función que en el proceso espiritual del gitano Vázquez tienen los encuentros con el viejo y con el faquir; son los únicos que, desde una anticonvencional concepción de la existencia, le ayudarán a situarse en una auténtica órbita de libertad; el viejo, expresidiario y artesano de molinillos de papel, desde una desesperanzada y anarcoide filosofía del presente; el escuálido faquir, desde una alegre y rotunda confianza en la providencia divina.

No sería riguroso pretender atribuir al autor las ideas de estos dos personajes; ni el sereno desencanto de Cabeda, ni la risueña esperanza de Roque son sin más —y menos ésta que aquél— los de Aldecoa; pero qué duda cabe que estas dos presencias y sus voces dejan, más que otras de la novela, una huella y un eco del autor.

Su benéfico efecto sobre el gitano, y la actitud claramente positiva del narrador hacia estos dos personajes pueden ser también datos a favor de esa subterránea corriente que marca, más allá de la mera solidaridad conceptual, una cierta identificación con el autor.

De la misma manera que el hablador Hernández, ex-revolucionario, ex-militante, ex-torero, no atrae las simpatías ni de Sebastián, ni del narrador, ni —¿por tanto?— de su creador, Ignacio Aldecoa.

Pero sería inaceptable maniqueísmo establecer en la galería de personajes aldecoanos una frontera que separa aquellos con los que el autor parece poder identificarse, de aquellos otros a los que niega implícita o explícitamente su interior solidaridad. A raíz de la publicación de *El fulgor y la sangre,* Aldecoa confiesa:

«No sólo he intentado explicar, sino justificar a los personajes de esta novela»;

y da una razón, que sirve también para todas las demás, porque ha servido a su hacer entero de novelista:

«... porque creo que la función del novelista, en gran parte, es ésta. No se puede dividir el mundo novelístico con la clasificación primitiva de buenos y malos...» [22].

Efectivamente, la novela de Aldecoa aparece conscientemente distanciada de todo didactismo y de toda utilización

[22] M. GÓMEZ SANTOS: «Entrevista con Ignacio Aldecoa», en *Madrid,* 18 de enero de 1955.

moralizadora de los elementos de la intriga; por ello, la caracterización moral de los personajes —buenos y malos— no es
pertinente; si el protagonista de *Con el viento solano,* al final
de su oscuro vía-crucis de soledad y de miedo, acaba entregándose a los guardias, no es por la fuerza de ese publicitario
y moralizante apotegma de que «el criminal nunca gana»; si
el estrafalario Jerry remata trágicamente la celebración del Carnaval ahogándose, no es tampoco por una oscura y ancestral
necesidad de castigar ejemplarmente la subversión que los náufragos han introducido en la convivencia de la isla.

Más allá de una cualificación —social, moral...—, que caracteriza, y divide, a los personajes, Aldecoa intenta y logra
tocar esa radical y común zona de la condición humana; la
verdadera intriga vivida por los personajes de la novela de
Aldecoa es esa feria universal de la existencia, donde cada uno,
gitano o guardia, pescador o «choni», vive al mismo tiempo
la gracia y el pecado de *ser hombre.*

Desde la dureza del trabajo, desde el desvalimiento de su
existencia cotidiana, desde la indefensión de su condición social o individual, los personajes de Ignacio Aldecoa convergen
en ese espacio común que es el conjunto de las novelas como
sistema, y en él devienen protagonistas de la común «tragedia
humana» [23].

Esto me lleva a señalar, para terminar este epígrafe, aquellas características que mejor definen la relación que Aldecoa
hombre-escritor establece y vive con sus personajes.

Varias veces lo he indicado en las páginas anteriores, pero
una vez más lo debo repetir: los personajes de Aldecoa no
nacen de una idea, de una tesis previa sobre el mundo y como
ilustración de ella; la novela de Aldecoa no cae en ningún
momento en el didactismo; tampoco nace de una fijación de
la realidad en cuadro, configurando el tipo —literatura costumbrista—; ni siquiera en esa progresista versión del cuadro de
costumbres que es el tremendismo, actitud literaria de la que

---

[23] «—¿Es necesario que la obra de un escritor se encuadre en un
sistema? —Desde luego. Siempre hay que tender a hacer algo como
"La comedia humana". —¿Cómo llamaría a su sistema? —No lo sé.
Algo parecido a "La tragedia humana"». (De una entrevista publicada en
El Español.)

nuestro autor se sintió tan distanciado [24]. Precisamente, es voluntad de Ignacio Aldecoa, repetidamente manifestada cuando ha hablado de su proyecto de trilogías, recuperar el rostro humano de los personajes del tópico, «de esa zona de la sociedad cartelescamente deshumanizada» [25].

De ahí que, más allá de las convenciones de un realismo narrativo, más allá de los procedimientos técnicos utilizados en el tratamiento novelesco de los personajes, en el caso del escritor Aldecoa es imprescindible señalar esa amorosa convergencia de respeto y ternura por el hombre, que es lo que realmente fecunda y vivifica a las criaturas de sus novelas. Será difícil encontrar un escritor que evidencia un amor tan entrañable hacia sus personajes; y no por suyos, sino por humanos. Y sin necesidad de decirlo; incluso, dando a veces la impresión, a una mirada superficial, de que ni siquiera los defiende.

Efectivamente, Ignacio Aldecoa no se erige, al menos explícitamente, en abogado defensor de esa gente que «en este mundo, en general, no sólo en España (...), lo pasa mal, muy mal» [26], y que son los que habitan el universo de sus novelas; no litiga por su causa; simplemente, los hace y les deja vivir, y en ello mismo los ama entrañablemente; y qué duda cabe que el amor es una forma —¿la única?— de compromiso.

Hay que señalar, por fin, la recurrente presencia de un personaje que parece reunir en el conjunto las características del modelo, encarnando tal vez experiencias, aspiraciones, o concepciones del autor.

Se trata del personaje del padre. Su más clara encarnación en la novela es el Roque de *Parte de una historia,* que ejerce,

---

[24] ANA MARÍA NAVALES —*Cuatro novelistas españoles,* p. 112— recuerda que en una conferencia-coloquio en la Cátedra de Literatura de la Universidad de Zaragoza, a la pregunta «¿qué es para usted el tremendismo?», Aldecoa respondió: «Una serie de situaciones extremas permanentes sin justificación.»
En su conferencia sobre la novela española contemporánea, al hablar de Cela, Aldecoa da un juicio claramente desfavorable sobre el tremendismo.
[25] M. GÓMEZ SANTOS: «Entrevista con Ignacio Aldecoa», en *Madrid,* 18 de enero de 1955.
[26] Cf. L. SASTRE: «La vuelta de Ignacio Aldecoa», en *La Estafeta Literaria,* núm. 169, 15 de mayo de 1959.

no sólo sobre su familia, sino sobre la vida de la isla, una patriarcal función de consejo, de orientación y de gobierno.

También Simón Orozco, el patrón de pesca de *Gran Sol* está caracterizado, a pesar de esa adustez que provoca las antipatías de sus marineros, con rasgos patriarcales; Orozco es «el patrón», más allá de las estrictas relaciones laborales y convivenciales en el barco, y así lo evidencia su accidente y su agonía; y un viento de orfandad sacude el corazón de los pescadores, cuando la noticia de la muerte del pesca va recorriendo desde el «Aril» los espacios inmensos del Gran Sol.

El gitano Vázquez, desde ese pozo de soledad en que le hunde la traición de la sangre, amigos, parientes, madre, evoca la morena y dura figura del padre, jinete sobre una jaca alazana, por las ferias de Castilla y Extremadura. Y piensa que el «bato» no le habría fallado. Y cuando en el atardecer del viernes la sangre y la muerte aprietan como una garra la vida, hasta hacerla estremecer en golpes de agonía, el cerrado horizonte de la conciencia se resquebraja, por la hendidura de la recordada mirada —negra mirada— del padre. La necesaria evocación del padre atrae a ese mismo espacio de paternidad recordada, deseada, la mirada pícara del abuelo, la mirada serena de Cabeda, la mirada de pájaro libre de Roque. Y el gitano se deja acariciar: «Armonía del recuerdo».

A esta galería de paternas y patriarcales figuras podría también sumarse el personaje de Juan Martín, padre de Felisa, en *El fulgor y la sangre.*

Se trata, en todos los casos, de personalidades recias, estables y seguras de sí mismas; incluso en algún caso, hay un simbolismo de los nombres, que va desde el explícito de Roque, hasta el escondido de Simón, con lejanas resonancias del Simón Pedro —piedra— pescador, del Evangelio. Por eso mismo, contrastan con el desvalimiento y la indefensión típicos del héroe aldecoano. Donde más claramente se marca este contraste es en *Parte de una historia,* en esa relación de oposición entre el narrador y Roque. Si el narrador es imagen evidentemente de la biografía espiritual del autor, esa recia figura del patriarca de la pequeña isla es una forma de encarnar valores que el narrador-autor añora, considera importantes en la vida, o, simplemente, ha experimentado, como el gitano Vázquez, en su infancia.

¿Significa todo lo dicho hasta aquí sobre los personajes de Aldecoa que su novela queda por ello confinada en una zona media, dignamente ocupada, pero sin posibilidad de saltar a otros espacios temática y novelísticamente más trascendentales? Esta parece ser la opinión de algunos críticos; citaré, a modo de ejemplo, la de Ana María Navales, cuando escribe:

> «(Aldecoa) está rondando el gran tema, pero no acierta con esa obra de gran aliento novelístico, quizá, porque, voluntariamente, ha elegido unos personajes que no daban para más...» [27].

Efectivamente, todo mundo novelesco es definible desde los personajes que lo habitan, y en este sentido, el de Aldecoa no es metafísico, ni tremendo, ni trascendental, sino humilde, sencillo, cotidiano, aunque el autor busque la situación límite, como fórmula que permite dar relieve a la cotidianidad; es verdad, en esta perspectiva, que Aldecoa no ha hecho «la gran novela»; no sabemos si lo habría logrado, pero, desde luego, parece claro que no lo intentó.

Pero humildad del héroe de la novela aldecoana no quiere decir mediocridad novelesca, ni cotidianidad es sinónimo de insignificancia. «Héroes mediocres» —en el sentido lukacsiano— y mundos novelescos «pequeños», hasta en la cantidad de relato, en manos de escritores grandes, han dado como resultado novelas importantes; sin apurar los ejemplos, pensamos en títulos como *The old Man and the sea,* de Hemingway, *L'étranger,* de Camus, o *Ansichten eines Clowns,* de Böll; estimo que *Parte de una historia,* de Ignacio Aldecoa, no desmerecería en este conjunto.

LOS ESPACIOS

Hay en Aldecoa una clara predilección por los espacios cerrados, aislados y solitarios, en difícil comunicación con otros espacios: es el caso del castillo-cuartel en *El fulgor y la*

---

[27] *Cuatro novelistas españoles,* p. 141.

sangre, del barco en *Gran Sol,* o de la isla en *Parte de una historia;* además, la nota de aislamiento y soledad de los espacios aldecoanos se marca estilísticamente en el texto por esa clara función semántica que en el tratamiento novelesco desempeña el contraste entre un espacio real cerrado, en el que el héroe se siente prisionero, y un espacio recordado o deseado, abierto, donde el personaje proyecta su necesidad de liberación; el contraste *espacio cerrado/deseo de salida de ese espacio cerrado* aparece tematizado en la novela y es productor de intriga.

Es en *El fulgor y la sangre* donde el espacio-encierro es más evidente, porque se hace presente incluso en el nivel de lo denotado.

Podría, en cambio, pensarse que en *Gran Sol,* donde el espacio de la ficción es la mar inmensa desde la costa cantábrica a la de Irlanda, la significación novelesca del espacio ofrece características diferentes.

Ya he señalado cómo el mar de *Gran Sol* no es el mar de la aventura, sino el del trabajo; los pescadores del «Aril» no son descubridores de espacio —aventureros—, sino trabajadores de la mar, recluidos, por lo mismo, a las limitadas dimensiones, físicas y espirituales, de una simple embarcación de pesca. El barco es un encierro, y la inmensidad del mar no hace más que marcar la soledad de la vida en cubierta.

Por eso, aquí la oposición significativa espacio opresor/espacio libre se tematiza como mar/tierra, trabajo en la mar/trabajo en tierra.

Algo análogo ocurre en este «último rincón del mundo», ese «puñado de arena y rocas habitadas», que es la innominada isleta de *Parte de una historia.*

Aquí la relación espacio cerrado/espacio abierto se tematiza a través del naufragio del «Bloody Mary», en cuanto el yate y los náufragos americanos son creadores, significadores, de espacio: el de una vida desnortada, de ociosidad, ron y libertinaje, frente al plácido ritmo tradicional —trabajo-ocio— de los isleños. La tienda de Roque y el tugurio del Fardelero simbolizan espacialmente las dos formas de existencia que se contraponen.

Con el viento solano, por estar estructurada sobre el viaje-huida del protagonista se desarrolla como intriga en un espacio esencialmente abierto, que es el que va de Talavera a Cogolludo, pasando por Madrid y Alcalá. Pero el viaje físico es en la novela figura de un viaje moral que el héroe, al ritmo de la huida y el miedo, del recuerdo y la soledad, va realizando al fondo de su propia conciencia.

Hay un espacio que es el de la conciencia acosada, de ese héroe que vive —Madrid, Alcalá, Cogolludo— con el rastro seguido por la Guardia Civil, y abandonado por la sangre. El verdadero espacio existencial en *Con el viento solano* es así un espacio, más moral que físico, que se caracteriza como encierro y soledad, incomunicación e imposibilidad de salida: igual que el barco o el castillo, como la isla.

Esta preferencia de Aldecoa por los espacios cerrados, por expresar, en la situación misma espacial de los personajes de su novela, su condición de cautivos, de acosados, sintoniza claramente con toda una corriente de la literatura contemporá-nea —novela y también teatro—, donde la clausura del espacio físico funciona como significante de la clausura existencial del yo; Kafka con *Das Schloss* y Sartre con *Huis clos* pueden ser paradigmas de este tratamiento narrativo o dramático del espa-cio físico como metáfora de la incomunicación existencial.

Esto quiere decir que en Aldecoa, como en los otros escri-tores citados, el espacio aparece no solamente dicho, sino creado, producido como tal espacio en el nivel del símbolo. El espacio no es ya simplemente una coordenada necesaria para hacer verosímil la historia. El espacio, además de existir como soporte de la ficción, *significa;* la historia es dicha no sólo *en* el espacio, sino también *a través de, por* el espacio.

Ello puede explicar por qué Aldecoa da tanta importancia a *decir literariamente* el espacio, esto es, a describirlo, y por qué es la descripción una de las zonas de texto donde mejor y con más abundancia actúan los procedimientos estilísticos del narrador; porque es precisamente la descripción poética uno de los recursos que le permiten al novelista lograr que los espacios de la ficción, más allá de su función de productores de efecto de realidad, sean capaces de sustentar simbólicamente el sentido de la historia instaurada sobre ellos; el castillo y el barco, como la isla o el espacio exterior e interior vivido por el gitano desde el acoso y el miedo, son otras tantas metáforas de una existencia acosada por la muerte.

Es decir, el espacio es en las novelas de Aldecoa una forma del tema.

LOS TEMAS

Hablar de *temas* de la novela es someter lo novelado a un proceso de conceptualización que permita expresar de manera abstracta lo que en el universo de la ficción acontece, es decir, es vivido y padecido. Esto se ve más claro en una novela como la de Ignacio Aldecoa, donde el tema como formulación conceptual de ideas, sentimientos o actitudes de los personajes no aparece explicitado en el nivel de la intriga, sino muy esporádica e incidentalmente; ni el narrador ni los personajes filosofan, o simplemente hablan de lo que puede ser el tema de la novela; los personajes, simplemente, viven, y hablar es una parte de su vivir, pero sin que en los diálogos —no sería verosímil que lo hicieran— expliciten de manera mínimamente sistemática y abstracta los reales problemas de la vida y de la muerte.

Esto quiere decir que el tema no es directamente verificable en el nivel de la fábula, ni siquiera en el de la intriga, en cuanto que ésta remite a, se deriva de, aquélla; es decir, el tema no pertenece al universo denotado, sino que se va instaurando en el proceso mismo de la connotación; esto es, los temas deben ser verificados en última instancia en ese postrero y más profundo nivel hasta donde, por medio de la función poética, llega a penetrar la capacidad semántica de la novela, el símbolo; el tema no es dicho, ni re-presentado, sino simbolizado y, por eso mismo, generado, producido.

De ahí que no formule en este momento como *temas* de la novela de Aldecoa el trabajo, el mar, la guardia civil, la vida de los gitanos, etc., es decir, todos aquellos elementos que en nuestro estudio han aparecido integrados en la función mimética, o en el nivel más elemental —el tópico-anecdótico—

de la función simbólica. El tema, tal como aquí se quiere entender, se dilucida y, por tanto, es formulable en esa zona
ulterior del proceso textual, que en algún momento de nuestro
trabajo ha sido llamado de la producción de sentido.

Tampoco se pretende que los temas propuestos agoten todo
el sentido producido en las novelas de Aldecoa. Si lo que aquí
se ha hecho es *una* lectura —entre varias posibles— del texto
novelesco aldecoano, sólo se puede afirmar que la formulación
temática que se propone es válida para hacer inteligible ese
recinto de sentido que es el texto, y guarda coherencia con la
descripción que del mismo ha sido hecha. Incluso desde una
lectura personal, he formulado como temas aquellos que a mi
juicio son más comunes a las cuatro novelas estudiadas y más
«saturadores» del texto.

Es claro, por fin, que este concepto de tema no incluye
ninguna de las connotaciones bachelardianas o freudianas que
el término tiene en los actuales cultivadores de la llamada «crítica temática», y que, en todo caso, los temas que aquí se atri-
buyen a la novela de Aldecoa se sitúan en el plano del pensamiento consciente.

a)   *El tema del desvalimiento*

A la pregunta, «¿contra qué escribirías?», Ignacio Aldecoa
respondió sin dudarlo, «contra la injusticia»; y después mati-
zaba la respuesta añadiendo que su temática es más amplia,
puesto que apunta a

> «la brevedad de la existencia, la humanidad, la medida del
> hombre frente a la naturaleza...» [28].

El desvalimiento de los personajes aldecoanos —los guardias y mujeres de *El fulgor y la sangre,* los marginados —gitanos o payos, qué más da— de *Con el viento solano,* los pescadores de *Gran Sol* y *Parte de una historia*— toca también
claramente una zona de injusticia: la de un trabajo que en

---

[28] M.: «Entrevista con Ignacio Aldecoa», en *S. P.,* 5 de junio de
1968.

lugar de liberar, esclaviza; la de una sociedad que en vez de salvar, margina y condena; hasta la de una naturaleza que en lugar de acoger, devora. Pero la injusticia no aparece como tal tematizada en la novela, sino que en todo caso subyace en ese radical desvalimiento que, más allá de lo coyuntural, de lo social o de lo histórico, se constituye en modo de la existencia humana.

Por eso preferimos formular un primer tema de la novela aldecoana como desvalimiento; para hacerlo capaz de significar, más allá de situaciones humanas condicionadas por causas sociales o históricas determinadas, un modo de ser inherente a la condición humana.

¿Quiere esto decir que en la novela de Aldecoa se produce, consciente o inconscientemente, un enmascaramiento de la verdadera dialéctica social, al hacer depender la vida —la triste vida— y la muerte de la pobre gente de un oscuro fatalismo que mueve no sólo a cada hombre, sino también las leyes sociales y la historia? De ningún modo; Aldecoa no aliena la causalidad social e histórica en una idealizada y fatal condición humana; pero apunta indudablemente en su novela más a lo existencial que a lo social, más efectivamente a la *condición* humana como tal, que a los *condicionamientos* histórico-sociales. De modo que el desvalimiento de sus personajes, más allá de los perfiles anecdóticos de una situación, está expresando el concepto heideggeriano de la *derelicción* —«Geworfenheit»—, como la condición del hombre arrojado al mundo.

El desvalimiento como forma de la derelicción existencialista es más visible en una novela como *Con el viento solano*, en torno a un protagonista individual, y donde la verdadera intriga la constituye el proceso interior del héroe. Ese pozo creciente de desamparo, acoso y miedo en que, a medida que huye, va cayendo el gitano, desde las alturas de las chulerías e irreflexivas valentonadas de antes, hace del héroe, al final de la novela, una especie de paradigma del hombre esencial, o mejor, existencialmente desvalido; arrojado al camino y la vida furtiva por un crimen del que en realidad no se siente culpable, y abandonado hasta por la sangre —el clan gitano—, Sebastián Vázquez toca fondo en ese vía-crucis de desamparo que han sido los días de la huida; la angustia que está sintiendo, la soledad que tantas veces temió y que ahora, apurada hasta las heces, le fortifica, no son ya el simple resultado de una reyerta de feria que terminó con sangre, o de su condición doblemente marginada, de criminal y de gitano, sino el desvalimiento de ser sencillamente hombre.

En *El fulgor y la sangre* y *Gran Sol*, novelas de protagonismo colectivo, no es un proceso individual e interior el que señala el desamparo del personaje y lo proyecta semánticamente hasta lo existencial; aquí el desvalimiento es una situación y una vida colectiva: el castillo, aplastado por la tierra dura y el sol bajo de Castilla, la monotonía de una vida recortada, hecha de frustraciones y de ensueños, y puesta en carne viva por la noticia de una muerte; o el trabajo de mal vivir —y mal morir— por los bancos de pesca de los mares del norte. Los días alienantes del castillo, aunque no llegue ninguna noticia de muerte, o las mareas al Gran Sol, sin averías y sin patrones con las entrañas reventadas por el copo, son igualmente una forma de existencia desvalida, de indefensión frente a la naturaleza y la vida, de desamparo ante el destino...

Como es desvalida la existencia en esa perdida costra volcánica que es la isla de *Parte de una historia;* con la imprevista arribada de los chonis, la vida de los isleños es aupada a una irracional y temible pleamar de fiesta, de vino y ociosidad; hasta que el trágico final de la celebración carnavalesca restituye la isla a los ritmos y las pobrezas de siempre.

Pero además aquí el concepto filosófico de derelicción aparece metaforizado en el naufragio: el real de los americanos y el figurado del narrador; unos y otro, arrojados no se sabe muy bien cómo a las playas de una isla innominada, porreros y espectador de una esperpéntico Carnaval que se termina con la muerte.

En todos los casos, los personajes de Aldecoa, con unos u otros revestimientos semánticos, expresan, individual o colectivamente, una existencia desvalida. Y este desvalimiento, verificable semánticamente en los niveles de la cotidianidad social —dureza del trabajo, inclemencia del medio, infortunio—, sigue funcionando como zona de sentido más allá de la anécdota que lo transformó en materia novelesca; este radical desamparo en que se vive y se muere no se explica —no se resuelve— sólo desde la causalidad social; porque hay una forma suprema de desvalimiento que es esa radical indefensión del ser humano frente a su propia temporalidad y frente a la muerte. Y como ilustración, como metáfora de este supremo desamparo, funciona en el texto de la novela la inclemencia hasta la sangre de un trabajo en las ferias por los pueblos de Castilla, o en las mareas hasta los bancos del Great Sole. Es decir, los condicionamientos sociales de una existencia desvalida no agotan la explicación del desvalimiento humano, porque ellos, a su vez, en el universo semántico del texto, están significando un desamparo más radical, que hunde las raíces en la condición humana misma.

De ahí que la novela de Ignacio Aldecoa difícilmente acepte el calificativo de social, si entendemos por tal una novela que trata de explicar la conflictividad humana apelando únicamente a la causalidad social, una novela en el fondo didáctica y donde el escritor aparece dueño de las claves de interpretación de las tensiones de la sociedad, una novela planteada desde la ideología, desde una soteriología, incluso; una novela, en fin, que se propone como respuesta a las interrogaciones —las desigualdades, las injusticias— sociales.

He señalado en otro lugar de este trabajo que tal vez había en Aldecoa una cierta alergia a las soluciones colectivistas, una especie de resistencia a disolver en el grupo una problemática en última instancia individual e intransferible.

Efectivamente, a pesar de que el desvalimiento tenga a veces, tanto en su forma de ser vivido, como en sus motivaciones inmediatas, una clara dimensión colectiva y social —esto parece evidente en *El fulgor y la sangre,* donde las prehistorias —la guerra— motivan en última instancia el destino en el castillo, o en *Gran Sol*—, la causalidad social se revela insuficiente para clausurar —explicar— como recinto de sentido esas zonas de conflictividad. Esto resulta claro, sobre todo, en el anónimo narrador de *Parte de una historia.* Este extraño personaje de la última novela de Aldecoa resume de algún modo la problematicidad de los héroes, individuales o colectivos, de las novelas anteriores, pero sin asumir directamente ninguno de sus condicionamientos sociales.

El desvalido visitante de la isla asume la angustiada espera de las mujeres del castillo, la soledad del gitano Vázquez o la incertidumbre ante su propio destino de los pescadores del Aril; pero no tiene un nombre propio, ni un oficio, ni una adscripción social; apenas tiene pasado y ha debido llegar a la isla huyendo del presente. El narrador de *Parte de una historia* es sencillamente un hombre, el hombre, que, sobre el escenario de un islote perdido en el Atlántico, contempla el carnavalesco rito de la vida y de la muerte.

En resumen, Ignacio Aldecoa perfora conscientemente las capas superficiales de sus intrigas novelescas, para llegar a tocar esos estratos profundos de sentido, donde se formulan a su juicio los interrogantes fundamentales de la existencia. Y de ahí que el desvalimiento como característica recurrente de sus personajes deba ser definido más allá del rigor —y la injusticia— de unos condicionamientos sociales, como esa permanente inseguridad existencial del hombre entre el ser y la muerte.

b) *El tema de la soledad*

Hay una forma suprema de desvalimiento, que es la soledad. No sólo la del individuo, sino la de la colectividad, aunque se trate, en este caso, de una soledad compartida.

Y de estas dos formas aparece tematizada la soledad en las novelas de Aldecoa.

En algunos casos, la soledad de los personajes viene determinada ya desde el espacio mismo de la ficción: castillo, barco, isla... Y son colectividades —las familias del castillo, los pescadores del Aril, los habitantes de la isla— las que se ven sometidas a la inclemencia de esos espacios solitarios, amarradas a ellos por una especie de oscuro fatalismo.

Otras veces, es la aventura del héroe individual la que, más allá del revestimiento semántico que recibe en el nivel de la intriga, puede y debe tematizarse como una experiencia ejemplar de soledad. Tal es el proceso del gitano Sebastián Vázquez, desde ese lunes de muerte en un encinar por Talavera, hasta ese sábado de la decisión y la entrega, en un pueblecito en fiesta junto a Cogolludo; tal es también la situación existencial del narrador de *Parte de una historia* en esos intentos repetidos y repetidamente fracasados por ser de la isla, descalzo por los caminos de piedras, en un ridículo mimetismo de las costumbres nativas, o diciendo una y otra vez, en un vano y mágico deseo de dominar la realidad por el lenguaje, «nuestra isla».

Pero la soledad forma también parte de ese vivir en desamparo de la gente del castillo o de los pescadores del «Aril».

A María, la estéril María, de *El fulgor y la sangre* le habría gustado restañar con un hijo que no llegará nunca esa herida de soledad abierta en su carne y en su alma por la vida en el castillo.

Y formas de soledad son también esas masculinas horas lentas de las siestas o los ocios del «Aril», cuando la nostalgia de la mujer ausente revolotea por los ranchos como un atrayente pájaro negro.

La soledad de los personajes aldecoanos es, por tanto, una forma, la más elocuente, del radical desvalimiento de la existencia, y de ninguna manera un modo de insolidaridad.

Los personajes de Aldecoa, en su solitaria o compartida soledad, no son insolidarios; son, en todo caso, víctimas de la insolidaridad de los otros; como ese héroe de *Con el viento solano*, la novela de Aldecoa donde el tema de la soledad tiene evidentemente un tratamiento paradigmático. Sebastián Vázquez llega a tocar el fondo de ese pozo infinito de soledad, cuando le han fallado los cobijos de la sangre, las solidaridades del clan. Y por primera vez, solo con toda su soledad, no tiene miedo. El gitano Vázquez vive de una manera ejemplar un proceso de soledad idéntico en el fondo al del narrador de *Parte de una historia,* al de las mujeres del castillo, indefensas ante el sol implacable de Castilla y ante la muerte —«el fulgor y la sangre» [29]—, al de los pescadores, en su lucha desigual y solitaria con el mar y con la naturaleza.

---

[29] Aldecoa, en una entrevista publicada en *El Español*, dice, a propósito de el título de *El fulgor y la sangre:* «La interpretación no es difícil: El sol, siempre el sol, y un muerto.»

Aldecoa, en ese afán por sistematizar desde el proyecto una futura tarea novelística, señalaba, poco después de la aparición de *El fulgor y la sangre,* la soledad como problema común de la primera trilogía:

> «El problema de las tres (novelas) es el mismo: la soledad. Los temas, es decir, la trabazón interior de las novelas, son diferentes. El problema aludido de la soledad es en la primera de las novelas el de la soledad en función del individuo; en la segunda, en función de la familia; en la tercera, en función de la multitud» [30].

El tema de la soledad es en la obra de Aldecoa como una corriente subterránea que circula de la primera a la última novela, que va del castillo hasta la isla, señalizando esa topografía novelesca que se constituye en el espacio vital del personaje.

La soledad de los personajes aldecoanos aparece más imponente y más trágica en los momentos en que el acoso existencial crece con el infortunio. Como la inclemente soledad de todos los días del castillo, que se multiplica infinitamente en esa tarde del 22 de julio empapada en la noticia de la muerte; la soledad del gitano, que va subiendo como una marea, a medida que fallan las seguridades de la sangre; la amarga y compartida soledad del barco, luchando con el temporal y con la muerte, después del accidente de Simón Orozco...; Aldecoa, en todos los casos, orienta la fábula de modo que un acontecimiento imprevisto y maléfico abra hasta el tope las fuentes de esa soledad en que viven los personajes de sus novelas.

También de algún modo la necia muerte del americano Jerry acalla la algarabía del carnaval de la isla, volviéndose a sentir, en el silencio, la isleña soledad de siempre. Pero aquí es sobre todo el narrador, señero en la duna de la fardela, entre el pueblo y el yate embarrancado, el que protagoniza una aventura de soledad; unas veces se llama huida, otras se metaforiza como naufragio, en clara analogía con los chonis del «Bloody Mary»; en cualquier caso, el paso misterioso del enig-

[30] M. Gómez Santos: «Entrevista con Ignacio Aldecoa», en *Madrid,* 18 de enero de 1955.

mático narrador por la isla de *Parte de una historia* es una clara figura del tema de la soledad; una soledad que aquí ya no necesita nombre ni apellido, origen ni destino, causalidad histórica o social. Es la simple y suficiente soledad del hombre, de todo hombre, más allá de los cobijos o insolidaridades del mundo, de la sociedad o de la sangre.

También desde la soledad, como desde el desvalimiento, Aldecoa tematiza una y otra vez en las diferentes fábulas de sus cuatro novelas, las interrogaciones más radicales de la condición humana.

c) *El tema de la espera*

Espera de tercera clase es el significativo título del primer libro de relatos, publicado por Ignacio Aldecoa en 1955, título que en realidad podría introducir y presentar toda la narrativa del autor. Efectivamente, esa abigarrada galería de personajes desvalidos y en soledad que habitan el universo aldecoano podría poblar acertadamente una mísera y paradigmática sala de espera de tercera clase.

Porque los personajes de Aldecoa, de sus novelas, esperan. Esperan, con el pensamiento deslizándose hacia el pasado y los ojos avizores hacia el camino que conduce al castillo, las mujeres y los guardias, en la angustiosa expectativa por resolver la incógnita de la identidad del muerto. Pero esta espera, del mediodía al crepúsculo, en la tarde de julio recalentada por el sol implacable de Castilla, es imagen de esa otra fundamental espera de la que están hechas todas las tardes, y todas las mañanas, toda la vida del castillo: el traslado encarna la posibilidad de salida de un espacio opresor que limita y aprisiona, y el tiempo de soledad en el castillo es el tiempo de la espera.

Es *El fulgor y la sangre* la novela donde más claramente se explicita, en el nivel de la fábula, el tema de la espera. El tiempo funciona no sólo como forma, sino como sustancia del contenido novelesco, y ese tiempo, desde los personajes y vivido por ellos, es temporalidad y se hace espera. La noticia de la muerte de un guardia reduce la vida del castillo a una lenta y enervante espera, cuya materialización en tiempo —del mediodía al crepúsculo— se constituye en sustancia novelesca; el proceso textual va provocando ese deslizamiento semántico que ha sido calificado «de la intriga al tema», queriendo señalar con ello que la verdadera espera, como el mismo Aldecoa indica [31], no es ya por saber quién es el guardia muerto, sino por salir de un mundo sin horizonte.

Si en el 55 Aldecoa había sistematizado las novelas de su primer proyecto de trilogía desde el tema de la soledad, en 1967, unos meses antes de la publicación de la cuarta y última novela, lo volverá a hacer, pero ahora desde el tema de la espera:

> «En cuanto a "España inmóvil" puede decirse que hay una novela de exasperación, que es *Con el viento solano,* una novela de espera, que podría ser *El fulgor y la sangre,* y una novela de desesperación, que será *Los ojos del toro»* [32].

Si *El fulgor y la sangre* es ejemplarmente la novela de la espera —«el tiempo de la espera» es el título del estudio a ella dedicado—, ello no quiere decir que el tema de la espera no esté presente en las otras novelas de Aldecoa; aunque no tan explícitamente en el nivel de la denotación. Lo que es la espera por conocer la identidad del muerto —sustancia del contenido denotado— en *El fulgor y la sangre,* es la huida en *Con el viento solano,* y el trabajo y la vida de los pescadores de altura en *Gran Sol.* Pero en estas dos novelas, más allá de lo que constituye directamente la fábula, la espera como tema es finalmente identificable en el nivel del texto novelesco.

La espera pasiva, por la identidad del guardia muerto, o por el traslado, en los habitantes del castillo, se convierte en *Con el viento solano,* en actividad que permite al héroe borrar el rastro ante la persecución de la justicia; frente al *estar en* el castillo de las cinco mujeres de *El fulgor y la sangre,* el gita-

---

[31] Cf. L. SASTRE: «La vuelta de Ignacio Aldecoa», en *La Estafeta Literaria,* núm. 169, 15 de mayo de 1959.

[32] JOSÉ JULIO PERLADO: «Ignacio Aldecoa escribe *Parte de una historia*», en *El Alcázar,* 3 de marzo de 1967. *Los ojos del toro* es la tercera novela de la trilogía de «la Fiesta», anteriormente aludida como *Los pozos,* y que nunca se llegó a escribir.

no Vázquez huye, es decir, intenta crear zonas de separación entre su existencia acosada y la persecución de los guardias; la gente del castillo espera paciente y resignadamente el traslado; el protagonista de *Con el viento solano* intenta construirse, mediante la huida y el buscado cobijo de la sangre, un espacio de libertad donde sea posible vivir al abrigo del acoso de los guardias.

En ambos casos, se puede tematizar la vida como espera, porque hay un objetivo que orienta y da sentido a la vivencia del presente; aunque *El fulgor y la sangre* se caracterice por la pasividad del héroe, mientras en *Con el viento solano* el héroe es activo e intenta desde sí mismo hacer no sólo posible, sino real, el objeto de la espera.

Y, ¿qué esperan, marea tras marea hacia las costas de Irlanda, los pescadores de *Gran Sol*?

Esperan, sencillamente, la vuelta al puerto de origen, la abundancia de pesca en los bancos del Great Sole, esperan también esa remota, pero no negada, posibilidad de un trabajo en tierra, que los saque de las inclemencias y de los riesgos de las faenas de la mar. Por eso, de alguna manera, el tiempo del Gran Sol es también un tiempo de espera.

Y frente a las muejeres del castillo, el gitano Vázquez o los pescadores de altura, el narrador de *Parte de una historia* se nos aparece, si no desesperado, sí al menos amargamente resignado. ¿O habrá que decir que se trata simplemente de serenidad?

Es el propio Aldecoa el que, en cierta ocasión, precisó la diferencia, al responder a la pregunta: «¿Es usted pesimista?», diciendo:

«—Por ahora no soy optimista. Espero llegar a la serenidad, nunca al optimismo. Llegaré a la serenidad, distinta a la resignación con uno mismo y con lo que pasa en torno» [33].

El objeto de la espera tiene en realidad la blandura de lo soñado, y se deshace entre las manos duras del destino; porque no llega el traslado para la gente del castillo, y el gitano

[33] L. SASTRE: «La vuelta de Ignacio Aldecoa».

tiene que renunciar a seguir huyendo de los guardias, y los pescadores del Aril tendrán que seguir subiendo al Gran Sol, hasta el desguace definitivo...

El narrador de *Parte de una historia* parece encarnar, no ya tanto la espera, cuando la serenidad, si no la resignación, ante la imposibilidad de lo esperado.

El futuro no resolverá nada. Y, sin embargo, se piensa —¿o simplemente se quiere?— que la humanidad será cada vez mejor. El nihilismo de Ignacio Aldecoa no da más de sí [34]. La espera de los personajes de su novela, incapaz de trascenderse en esperanza, se clausura en serena resignación ante los límites de una existencia necesariamente desvalida.

Porque al final, el objeto real de la espera, en el castillo y en la huida, en el mar y en la isla, resulta ser la muerte. En noviembre de 1954, Aldecoa, hablando en una entrevista de ese primer libro de relatos titulado *Espera de tercera clase,* aclara:

> «—No, no están esperando el tren. Esperan la muerte, pero en tercera clase» [35].

Esa destartalada y soñolienta sala de espera que es el mundo desvalido y mísero de la narrativa aldecoana se convierte, transitada y habitada por el texto novelesco, en antesala de la muerte.

d) *El tema de la muerte*

Efectivamente, es la muerte la gran presencia, el tema que fecunda semánticamente todo el universo novelesco de Ignacio Aldecoa. Sólo desde ella, como realidad primera y última, cobran su verdadero sentido los otros temas —desvalimiento, soledad, espera—, que he señalado.

En las dos primeras novelas, la muerte es la «fuerza temática», que pone en movimiento el mecanismo de la intriga

---

[34] En una entrevista concedida a A. en *S. P.* del 5 de junio de 1968, Ignacio confesaba: «Soy por naturaleza nihilista, pero creo en el futuro aunque no resuelva nada. La humanidad será cada vez mejor.»
[35] Entrevista publicada en *Ateneo,* 1 de noviembre de 1954.

novelesca: espera en las gentes del castillo, huida del gitano culpable del crimen. En las dos últimas, la muerte, sucedida imprevistamente y de forma accidental —como el crimen del gitano— es una situación emplazada en el final de la trama y que marca el clímax narrativo de la novela, reorientando hacia la nueva situación así creada el desarrollo entero de la intriga; sin la muerte de Orozco o de Jerry habría tenido otro sentido la aventura de los hombres del «Aril» o la vida tabernaria de la isla, tras el naufragio del «Bloody Mary».

Quiere esto decir que la muerte ocupa, en las cuatro novelas de Aldecoa, precisamente esa zona que en el análisis ha sido señalada como de tránsito de la mímesis al símbolo: la muerte no es sólo un momento importante —inicial o final— en el decurso novelesco de la intriga; es también el tema fontal que orienta y rige semánticamente cada una de las intrigas y los diferentes temas menores que en ellas pueden señalarse.

Desvalimiento, soledad, espera, son otras tantas expresiones de esa ineludible contingencia humana que el hombre experimenta en cada encrucijada existencial; en la inofensiva feria de pueblo, como en las habituales faenas de la pesca, como en el jolgorio de la fiesta carnavalesca, la repentina presencia de la muerte enfrenta al hombre con su propia temporalidad. La muerte aparece como el factor decisivo de temporalización de la existencia, donde todas las formas de la humana contingencia se engloban en esa radical y decisiva dialéctica del miedo, en que se expresa existencialmente el desequilibrio entre el ser y el dejar de ser.

Con el miedo a esa muerte que ha llegado para alguno de los cuatro guardias que a la mañana salieron de servicio se amasan las conversaciones con que las mujeres del castillo intentan desoladamente llenar el vacío vertiginoso de la espera.

¿Qué es, sino una forma de miedo a la muerte, que ronda la litera del rancho de proa donde agoniza el patrón Orozco, esa nerviosa charla en que los marineros del «Aril» expresan sus preferencias para el momento de morir: la mar o la tierra, la litera o la cama?

Y la tabernaria y festiva vida de la isla tiene también el necesario, misterioso y temido pago de la muerte, la imbécil y fatal muerte de Jerry, devuelto, en el apoteósico ritual carnavalesco, a las aguas de donde nació para la vida de la isla.

Es igualmente el miedo a la muerte el aguijón que espolea
la andadura de Sebastián Vázquez, en su intento de perder el
rastro, primero en la confusión de la gran ciudad, y luego
en la protección del clan gitano.

Miedo a la muerte y miedo a morirse solo. Al gitano Vázquez, ahora que siente la muerte acercársele lentamente desde
la lejanía, el miedo se le sube hasta la boca en forma de náusea,
y piensa que uno, cuando le van a fusilar, se mea antes de
morir. Y se resiste a dejar borrar tan fácilmente la vida, sin
que se percaten siquiera los que vivieron con uno de que la
vida no se vive sola...

Como el Malraux de *L'espoir,* también Aldecoa parece pensar que la muerte convierte la vida en destino: aquí está la
forma más alta y radical del desvalimiento y la soledad humana,
en ese irrenunciable y pascaliano destino de morirse solo, a
pesar de los otros y de la vida.

Es el gitano Sebastián Vázquez el héroe aldecoano que vive
ejemplarmente —míticamente— ese sentimiento existencial de
infinita soledad ante la muerte; y cuando, cruzado ya ese mar
de soledad —los otros, amigos, parientes, madre, en la orilla
del miedo—, está por fin solo frente a la sangre y la muerte,
por la primera vez siente el corazón amansado, golpeando suavemente al ritmo del mundo, como el extranjero Mersault,
como Orestes llevándose las moscas...

Los personajes de Aldecoa, no sólo los que mueren —el
guardia Francisco Santos, el pescador Orozco y el choni Jerry—,
sino los que viven con una existencia desvalida, en soledad y
a la espera, metaforizan literariamente la definición heideggeriana del hombre como «Sein-zum-Tode», «ser-para-la-muerte».

Porque es la muerte el único traslado que hace posible la
salida del castillo, y para el pescador del Great Sole no hay
más tierra que la mínima necesaria para cubrir un cuerpo varado para siempre; y además, como tétricamente piensa Macario Martín, qué más da que a uno le coman los gusanos de la
tierra, o los cangrejos de la mar; el carnaval de la vida, grotestamente representado por los chonis en la isla de *Parte de*

una historia, termina fatalmente con la muerte, y aunque al gitano le salieran, por el asesinato del cabo Santos, treinta años y un día, Sebastián Vázquez, en la suprema decisión de entregarse, asume lúcidamente su propia contingencia, su condición de ser efectivamente para la muerte.

Es evidente que esta decisiva relevancia de la muerte en el universo temático y conceptual de la novela aldecoana responde a una preocupación análoga en el autor. Un modelo genético —desde la estilística spitzeriana hasta la psicocrítica— encontraría aquí un espacio interesante de aplicación. Mi propósito en este momento es mucho más modesto: trato simplemente de explicitar las evidentes correspondencias entre el universo temático de las novelas, y en concreto el tema fontal de la muerte, y el universo conceptual y sentimental de su autor.

«Es claro —confiesa Aldecoa— que mis libros responden a mi concepción de la vida y de la muerte; éste es el caso de cualquier otro escritor»[36].

Los que conocieron a Ignacio hablan no sólo de su amor a la vida, sino también de su preocupación, de su miedo y su obsesión por la muerte, por su muerte, pues parece que tenía el presentimiento de que moriría joven[37].

Amor a la vida y al hombre y obsesión por la muerte explican en última instancia esas cuatro novelas en que Ignacio Aldecoa no ha hecho sino traducir a fábulas narrativas ese sentimiento de la propia temporalidad, que en una ocasión expresara a su amigo Jesús Fernández Santos en esta queja impotente: «Verdaderamente, qué poco dura la vida.»

Es este incondicional deseo de vivir, a pesar de todo, el que agranda y multiplica la obsesión y el miedo de la muerte.

El hecho de que la novela de Aldecoa se orienta temáticamente hacia la realidad inevitable de la muerte podría tal vez

---

[36] B.: «Preguntas a Ignacio Aldecoa», en *Indice,* 1 de enero de 1960.

[37] Cf., por ejemplo, J. FERNÁNDEZ SANTOS: «Ignacio y yo», en *Insula,* núm. 280, marzo de 1960. Josefina Rodríguez le ha confesado al autor de este estudio que efectivamente no había día en que Ignacio no hablara de la muerte; lo hizo incluso en la víspera misma de morir.

ser una clave para esa especie de desconfianza hacia las ideologías que implícitamente subyace en la narrativa aldecoana.

Toda ideología queda desarmada ante la presencia fatal e
ineludible de la muerte; y si el grupo o la clase social podría
ser capaz de explicar la conflictiva dialéctica de la vida, resulta
impotente para dar razón de la muerte, de la muerte de los
que amamos, de nuestra propia muerte; porque uno vive con
los otros, pero se muere irremediablemente solo.

Ignacio Aldecoa, que vivió día a día y con una aguda conciencia y sensibilidad el miedo y el presentimiento de su propia
muerte, sitúa temáticamente su novela en ese nivel en que, a
su entender, la existencia del hombre es afectada por la muerte; que no es el nivel de la dialéctica social, ni el de los hábitos histórico-culturales, sino ese otro más universal y profundo
de la condición humana. Para enfrentarse con la muerte no le
sirve la ideología, las ideologías, y no tiene una fe religiosa
que le permita trascender la muerte en el objeto de la creencia.

Desarmado ante la presencia ineludible de la muerte, no
queda otra salida que la que viven en el mundo de la ficción
sus héroes novelescos: esperar pasivamente, como las gentes
del castillo, una tarde y otra tarde, evocando el pasado y soñando en un traslado que no llegará, o como los pescadores
del «Aril», a los que nuevas mareas llevarán a los bancos de
pesca y de muerte del Gran Sol; o integrarla en una decisión
lúcida de asumir la propia contingencia, como el gitano cuando
se entrega, o el narrador de *Parte de una historia* al abandonar
la isla.

Entretanto, Aldecoa amará y compadecerá a la pobre gente
desvalida de su vida y de sus novelas, profundamente y hasta
el final, es decir, hasta la muerte, y encontrará en ese amor
la limitada y doliente felicidad de ser hombre.

Como a Sísifo, también al gitano Sebastián Vázquez, al
narrador de la isla o al escritor Ignacio Aldecoa los debemos,
a pesar de todo, imaginar dichosos... [38].

---

[38] A. CAMUS, que comienza su *Le mythe de Sisyphe* con estas palabras: «Il n'y a qu'un problème philosophique vraiment sérieux:
c'est le suicide» (París, Gallimard, 1958, 2.ª ed., p. 15), termina con
estas otras: «Je laisse Sisyphe au bas de la montagne. On retrouve
toujours son fardeau. Mais Sisyphe enseigne la fidélité supérieure qui

La escritura

Si en la primera parte del trabajo se definía la poética de Ignacio Aldecoa como el punto de tangencia de actitud ética y voluntad estética en la tarea de escribir, la escritura como resultado explicita y concreta lo ético en visión del mundo y lo estético en estilo; pero como formantes ambos —estilo y visión del mundo— de esa única realidad literaria, textual, que llamamos escritura.

Poética y escritura nos permiten caracterizar al novelista Aldecoa en ese espacio no sólo estético, sino también ético-histórico, que es el oficio de escritor: la poética, *antes del texto;* de ahí que la haya situado en la primera parte —precisamente en la que lleva por título «la realidad como pre-texto»—, y haya utilizado para su dilucidación preferentemente los testimonios del autor sobre su obra, realizada o en proyecto, y sobre la tarea general de escribir; la escritura, en cambio, se sitúa *después del texto,* ya que es el texto mismo contemplado desde ese punto de convergencia dcl lenguaje con la realidad; es decir, se habla de la escritura de Aldecoa en la última parte del trabajo, una vez que el texto de cada una de las cuatro novelas ha quedado estudiado como tal, y en el momento de caracterizar como sistema el universo novelesco del autor, y después de hablar del estilo y de los ámbitos —desde los personajes hasta los temas—, precisamente para afirmar, en el caso del texto novelesco, y en el más concreto del novelista Aldecoa, la profunda imbricación, en texto, de lenguaje y realidad representada y simbolizada; el término escritura quiere expresar esa unidad, más allá de un posible y doble riesgo de reducción: reducir la escritura a estilo, no en el sentido barthesiano, sino como trabajo consciente del escritor sobre

---

nie les dieux et soulève les rochers. Lui aussi juge que tout est bien. Cet univers désormais sans maître ne lui paraît ni stérile ni futile. Chacun des grains de cette pierre, chaque éclat minéral de cette montagne pleine de nuit, à lui seul, forme un monde. La lutte elle-même vers les sommets suffit à remplir un coeur d'homme. Il faut imaginer Sisyphe heureux» (p. 168).

el lenguaje [39]: el texto se define únicamente por la función estética; o reducirla a mera representación de la realidad, viendo en el nivel estilístico un puro instrumento al servicio de la función referencial, que es lo que en este caso definiría el texto.

Sin embargo, y de acuerdo con los principios teóricos y metodológicos que han inspirado el trabajo, la escritura resulta en el proceso textual, que posibilita, sobre el punto de apoyo de la función poética, el tránsito de la mímesis al símbolo. Explicitarlo, en el caso de la novela de Ignacio Aldecoa, es mi propósito en estos momentos.

El dominio estilístico del material lingüístico es, como hemos tenido ocasión de ver a lo largo de este trabajo, uno de los rasgos más evidentes y característicos de la prosa novelesca de Ignacio Aldecoa, a juicio de la crítica. Y es esto en última instancia lo que ha permitido a quienes se han ocupado de la obra de Aldecoa, si no definir, sí al menos apuntar a la especificidad de su indudable realismo.

Son muchas las fórmulas utilizadas por los críticos para definir ese realismo aldecoano; desde esa, genérica, del americano Fischer, cuando señala que dentro del realismo Aldecoa «tiene un matiz propio», o la de Ana María Navales, cuando habla de un intento de modernizar «el viejo realismo de raíz naturalista», hasta esa técnica, apuntada por Gómez de la Serna, que, sin dejar de ser objetiva, es transfiguradora de la realidad, o el realismo «literario», «artístico», señalado por García Viñó, en contraposición a un realismo «testimonial».

¿Quiere esto decir que un intento de caracterización de lo que aquí entendemos por escritura, es formulable, en el caso de Aldecoa, como un predominio de la expresión sobre el contenido, de lo estilístico sobre lo semántico?

Tal parece ser la opinión —que no comparto en absoluto— del recién citado García Viñó, cuando, a propósito de la perfección formal de *Parte de una historia,* señala:

---

[39] Para BARTHES, el estilo tiene un origen «biológico» y se sitúa «fuera del arte»; cf. *Le dégré zéro de l'écriture,* p. 17.

«La idea de que el cómo en arte es fundamental y que *aún priva sobre el qué*, es evidente que formaba parte de su credo de escritor» [40].

Hay en esta afirmación una aceptación implícita de la dicotomía forma-fondo, metodológicamente rechazada aquí, en la línea de la Poética contemporánea, desde el formalismo ruso. Si en arte el «cómo» es fundamental, no es en cuanto se opone al «qué», sino porque es también «qué»; la función poética, en el sentido en que aquí se viene entendiendo, no es simplemente creadora de valores estéticos, de belleza; es también y en última instancia creadora de sentido.

La prosa novelesca de Ignacio Aldecoa equidista de una «escritura esteticista» y de una «escritura didáctica»; la indudable atención del escritor a la forma, su cuidado por el *mensaje* en el sentido jakobsoniano de masa verbal, no es un gratuito juego de prestidigitación estilística, sino que está claramente orientado a la producción de sentido; la escritura aldecoana es esencialmente *connotadora*.

Surge de un encuentro comprometido, lúcido y amoroso del escritor con su realidad, que es el mundo doliente y oprimido de la «pobre gente», protagonista de «la Fiesta» o de los oficios. Y este encuentro se resuelve en una actitud de escritura que puede ser denominada, sin lugar a dudas, realista, entendiendo por tal la actitud que lleva al escritor a expresar una realidad, penosa y dolorida generalmente, desde el hombre que la vive y la padece, y con él.

La escritura realista de Aldecoa se distancia igualmente del idealismo pintoresco y tópico del cuadro de costumbres y de ese otro idealismo que surge por una especie de reducción al absurdo de la observación de lo real y que es el tremendismo. Pero también aparece diferenciada la escritura de Aldecoa de ese «realismo del deber ser» que, es toda literatura didáctica y que ha sido en más de un caso la llamada novela social.

Aldecoa se enfrenta valientemente con una realidad nacional, a la que el tópico, con mucha frecuencia, ha desvertebrado, dejándola anémica de significado; la tarea escritural se plan-

---

[40] *Ignacio Aldecoa*, p. 130. (El subrayado es mío.)

tea así como un trabajo de recuperación de sentido, instalado en el interior mismo de la realidad, aprehendida en el lenguaje.

Y Aldecoa no recurre a la ideología, para devolverle a la realidad su verdadera capacidad significadora; si la realidad de la que el escritor arranca en sus novelas se convierte en un hogar del sentido, no es porque el novelista se encargue de *decir*, por sí o por sus personajes, el significado de lo real. Precisamente Aldecoa ha poblado sus novelas de personajes incapaces verosímilmente de conceptualizar y expresar en sistema su propia conflictividad existencial; por otro lado, el objetivismo impide que esa tarea sea realizada por el narrador; la excepción parcial que puede ser el narrador de *Parte de una historia* no invalida nuestra afirmación.

Esto equivale a decir que la liberación del tópico, la recuperación —la producción— del sentido no se sitúa en el nivel de la denotación, sino en el de la connotación; el sentido no es representado, sino simbolizado.

Y es el lenguaje —tanto en el nivel lingüístico-estilístico, como en el propiamente narrativo— lo que le permite a Aldecoa recorrer la distancia que va de la realidad significada —mímesis— a la realidad significante —símbolo—.

Todo ello permite, reconociendo la provisionalidad terminológica, calificar la escritura de Aldecoa de connotadora en grado eminente, entendiendo por tal esa doble condición de ser una escritura afectada fuertemente por la función poética, como organización estética del significante, y orientada decisivamente a la generación del sentido, a la producción del símbolo.

A medida que la escritura aldecoana, en el proceso de producción de texto y de sentido, se apoya fuertemente en la función poética y trasciende la denotación, se aparta del realismo crítico-social, tal como fue practicado por otros novelistas de su generación, y se acerca a un realismo simbólico; en los dos casos, es una realidad directamente reflejada lo que se constituye en materia de la ficción; en el realismo crítico, la realidad funciona como significado y el proceso textual deviene una lectura crítica —no inocente— de esa realidad significada; en el realismo simbólico, la realidad pasa de ser significado a ser significante; la lectura —y todo proceso textual lo es— no se instaura en la realidad, sino en el símbolo.

Y éste es el caso, a mi juicio, de la escritura novelesca de Ignacio Aldecoa, donde la realidad, significada en el nivel de la función mimética, deviene símbolo, a lo largo del proceso novelesco: espacios, historias y héroes se definen entonces no tanto por lo que son, cuanto por lo que simbolizan; el castillo, el barco o la isla metaforizan la condición humana, en unas novelas que no son simplemente de guardias, de gitanos o pescadores, y donde se nos cuenta la común e ineludible historia del hombre como ser para la muerte.

El simbolismo de Aldecoa es claramente de raíz existencial, homologable a esa corriente de pensamiento —y de literatura— conocida como existencialismo. Y si en realidad, como acertadamente ha precisado E. Mounier, debemos hablar de existencialismos, el de Ignacio Aldecoa parece emparejar mejor, como he tenido ocasión de señalarlo en el estudio de *Con el viento solano,* con el existencialismo secular de Heidegger, que con el cristiano de Marcel, o el laico, pero abierto al Trascendente, de Jaspers; del mismo modo que Aldecoa, y él mismo lo dio a entender, está más cerca de la amorosa pasión por el hombre del agnóstico Camus, que de la náusea existencial del antiteísta Sartre.

Se puede decir, pues, como resumen, que la escritura novelesca de Aldecoa es, desde luego, realista, pero dado el grado indudable de generalidad —y, por tanto, de ambigüedad— del término realismo, se hace necesaria alguna precisión: el realismo de Aldecoa es fuertemente simbólico; el paso de la representación de la realidad —mímesis— al símbolo descansa en la función poética, entendida como trabajo estilístico sobre el significante; el símbolo pertenece al plano del significado connotado; y, por fin, puesto que el sentido se orienta marcadamente hacia la problemática típica de la condición humana, más allá de condicionamientos coyunturales histórico-sociales —soledad y desvalimiento, contingencia y temporalidad, muerte—, se puede definir la escritura novelesca de Ignacio Aldecoa como existencial.

¿Dónde se sitúa, según esto, la novela de Ignacio Aldecoa, en el panorama de la novelística española contemporánea? Las novelas del período de los años 50 —las tres primeras— están más allá del realismo social y crítico tan en boga en gran parte de los novelistas de esa «generación intermedia» a la que Ignacio pertenecía. Más que «novela social», que es la denominación que Sobejano utiliza para esa gran corriente narrativa de la «Generación del Medio Siglo», en la que se incluye a Aldecoa, la novela de éste respondería al apelativo de novela existencial, en el sentido que he expuesto. Esto no quiere decir que se niegue toda significación social a la novela aldecoana, y ello ha quedado claro, pienso, en la parte segunda del trabajo; pero no es lo social, en el sentido en que Gil Casado lo toma, aplicándolo a la novela, lo que especifica la escritura novelesca de Aldecoa, sino lo existencial. Cuando Sobejano apela a los relatos como prueba de que Aldecoa encaja en el panorama de la «novela social» [41], no me parece del todo riguroso. Aunque aquí no me he ocupado de los cuentos, opino que los relatos cortos de Ignacio Aldecoa, tal vez por su propia configuración genérica, no llegan a ese nivel del símbolo que los haga capaces de metaforizar la existencia humana, en general; y en este sentido, podrían ser, mejor que las novelas, calificados de «sociales»; mientras que la novela penetra en una zona de sentido más profunda y universal, que no quedaría, a mi juicio, expresada en el calificativo de «social», y sí en cambio en el de «existencial» [42].

La última novela de Aldecoa se sitúa más acá de la que por esos años —avanzada la década de los 60— hacen los novelistas de la nueva generación y algunos, bastantes, de las generaciones anteriores, sobre todo de la de Ignacio, empeñados hasta hace poco en la novela social. *Parte de una historia*, más

---

[41] *Novela española de nuestro tiempo*, pp. 396-397.
[42] No pretendo entablar una polémica puramente «nominalista», dada la equivocidad de los términos. Aldecoa aceptó y rechazó para su literatura el calificativo de *social*. Me parece claro que la novela de Aldecoa no agota su capacidad significadora en testimoniar la injusticia, el desvalimiento social. Esto ni siquiera es lo más importante. Más allá, queda el desvalimiento —¿y la injusticia?— de ser hombre, de «ser-para-la-muerte».

compleja en sus planteamientos narrativos y temáticos que las anteriores, no sería en rigor una «novela estructural», en el sentido en que Sobejano utiliza el término, para calificar la nueva novela que sucede en la década del 60 —Martín-Santos, Juan Goytisolo, Benet— al realismo social de los años 50. La última novela de Aldecoa está más cerca de las primeras que de esa nueva novela que ahora se está escribiendo. En la escritura de Ignacio Aldecoa no hay ruptura, como la ha habido en Juan Goytisolo, en Alfonso Grosso, en García Hortelano [43], aunque el narrador de *Parte de una historia* es, estructural y temáticamente, un dato nuevo en la novela aldecoana; a partir de aquí situar la reflexión en el terreno de los futuribles —cuál habría sido la trayectoria narrativa de Ignacio de haber vivido— carece de pertinencia científica.

Aldecoa, repito, no fue un innovador; su escritura novelesca transita por una zona apenas afectada por las «modas» —en un sentido fáctico, y no valorativo— sociales o estructurales. Pero es un hombre de su tiempo; su respeto entrañable y su apasionado amor al hombre y al lenguaje harán de él seguramente un escritor de todos los tiempos.

La última «Parte de una historia» (a modo de epílogo)

«Toda literatura —dijo en una ocasión Ignacio Aldecoa— arrastra autobiografía» [44].

Por eso, sin pretender una mecánica y apresurada identificación entre el mundo de la ficción y el real del autor, no cabe duda de que la escritura novelesca de Aldecoa es también parte de su historia.

Ignacio está en los guardias, gitanos y pescadores de sus novelas, porque el desvalimiento histórico y existencial de esa

---

[43] Entre *Gran Sol* (1957) y *Parte de una historia* (1967) hay menos diferencia que entre *Fin de fiesta* (1962) y *Señas de identidad* (1966), entre *El capirote* (1966) e *Inés Just Coming* (1968), entre *Tormenta de verano* (1962) y *El gran momento de Mary Tribune* (1972).

[44] A. MOLINA: «Entrevista con Ignacio Aldecoa», en *Baleares,* 21 de enero de 1968.

«pobre gente de España» es también el suyo; y, como antes he recordado, es la concepción que el autor tiene de la vida y de la muerte la savia que alimenta el universo conceptual y existencial de sus novelas. La historia de la escritura aldecoana, que de algún modo ha sido hecha a lo largo de este trabajo, es, necesariamente, una parte al menos de la historia del escritor.

En las horas angustiosas del castillo, a la espera de un traslado que sólo llega con la muerte, en la travesía de soledad que lleva al gitano Vázquez de las cercanías de Talavera a Cogolludo, en la agonía de Simón Orozco, impotente frente al mar y la muerte, está el desvalimiento, la soledad y la espera, como formas configuradoras de la existencia del hombre Aldecoa.

Y en el narrador de *Parte de una historia,* aquí sobre todo, está, más entero y directo que nunca, Ignacio Aldecoa, en su vida y en su escritura, con su crisis de escritor y de hombre.

Ahora conocemos el nombre del misterioso narrador que nos dejó el relato de la aventura humana —la carnavalesca celebración de la vida y de la muerte— y que un día, un 15 de noviembre de 1969, abandonó la isla.

¿Para volver, náufrago de la existencia como el choni Jerry, a las mismas oscuras aguas que le nacieron a la vida de la isla?

El crítico, que tiene, como Ignacio, miedo de la muerte, pero que también tiene su vida anclada profundamente en la creencia, llegado aquí, y cuando el conocimiento científico del escritor ha hecho nacer un entrañable amor al hombre, no puede menos de recordar aquellos primerizos versos del muchacho José Ignacio de Aldecoa:

> «De esa nube, Señor, allá en la altura,
> entre ese breve espacio desmedido
> donde el viento en azul hace su nido
> está mi gran quehacer y está mi cura.»

Es un soneto que pertenece a los «versos sedientos»; el libro es de 1947 —Aldecoa tiene apenas veintidós años— y se titula, significativamente, *Todavía la vida.*

Sí, para Ignacio Aldecoa, que vivió y escribió desde el miedo de la muerte, la vida, todavía, siempre...

Y no sólo en el azul espacio desmedido del amor, para los que le conocieron, y de la escritura, para los que le seguirán leyendo...

BIBLIOGRAFIA

Se incluye aquí únicamente la bibliografía referida a Ignacio Aldecoa. Otras obras, relacionadas teórica, metodológica o temáticamente con el trabajo y tenidas en cuenta para el mismo, aparecen citadas en los lugares respectivos del texto o de las notas.

Obras de Ignacio Aldecoa

1. Poesía

Todavía la vida. Madrid, Talleres Gráficos Argos, 1947.
Libro de las algas. Madrid, Gredos, 1949.

2. Novela

El fulgor y la sangre. Barcelona, Planeta, 1954.
Con el viento solano. Barcelona, Planeta, 1956.
Gran Sol. Barcelona, Noguer, 1957.
Parte de una historia. Barcelona, Noguer, 1967.

3. Relato

Espera de tercera clase. Madrid, Ed. Puerta del Sol, 1955.
Víspera del silencio. Madrid, Taurus, 1955.
El corazón y otros frutos amargos. Madrid, Arión, 1959.
Caballo de Pica. Madrid, Taurus, 1961.
Arqueología. Barcelona, Ed. Rocas, 1961.
Pájaros y espantapájaros. Madrid, Bullón, 1963.
Los pájaros de Baden-Baden. Madrid, Cid, 1965.
Santa Olaja de Acero y otras historias. Madrid, Alianza Editorial, 1968.
La tierra de nadie y otros relatos. Barcelona, Salvat Editores, S. A., 1970.
Cuentos completos. I y II, recopilación y notas de Alicia Bleiberg, Madrid, Alianza Editorial, 1973. (Se recogen dos cuentos póstumos: «Party», en el vol. I, y «Amadís» en el II.)
Cuentos. Edición de Josefina Rodríguez de Aldecoa, Madrid, Cátedra, 1977.

4. Otros textos

Cuaderno de godo. Madrid, Arión, 1961.
Neutral córner. Barcelona, Lumen, 1962.
El país vasco. Barcelona, Noguer, 1962.
«Hablando de *Escuadra hacia la muerte*». *Revista Española*, núm. 1, mayo-junio 1953.
«Carta abierta al director» de *La Estafeta Literaria*, 5 de mayo de 1956.
«Un mar de historia», *Oficema*, núm. 77, Madrid, diciembre de 1961.

5. Textos inéditos

«Conferencia sobre A. Camus», en el Colegio Mayor Universitario Santa María, de Madrid, texto mecanografiado, sin título ni fecha, 2 páginas.
Conferencia sobre «La novela española contemporánea», texto mecanografiado, sin fecha, 17 pp.
«La novela de mar en la narrativa española», texto mecanografiado, sin fecha, 14 pp.

Sobre la obra de Ignacio Aldecoa

1. Monografías

Borau, Pablo: *El existencialismo en la novela de Ignacio de Aldecoa.* Zaragoza, La Editorial, 1974.
Carlisle, Charles Richard: *Ecos del viento, silencios del mar: La novelística de Ignacio Aldecoa.* Madrid, Playor, 1976.
Fischer, Otto O.: *La tragedia humilde en la narrativa de Ignacio Aldecoa.* Florida, Coral Gables, 1971, sin publicar.
García Viñó, Manuel: *Ignacio Aldecoa.* Madrid, E.P.E.S.A., 1972.
Rodríguez Almodóvar, Antonio: *Notas sobre estructuralismo y novela. Teoría y práctica en torno a «Gran Sol»*, Universidad de Sevilla, 1973.

No utilizado para el trabajo, ya que su aparición ha sido posterior al mismo:

Varios: *Ignacio Aldecoa. A Collection of Critical Essays*, Edited by Ricardo Landeira y Carlos Mellizo, University of Wyoming, 1977.

2. Obras generales

Alborg, Juan Luis: *Hora actual de la novela española.* Madrid, Taurus, 1958, pp. 261-280.
Corrales Egea, José: *La novela española actual.* Madrid, Cuadernos para el diálogo, 1971, pp. 126-132.
Díaz Plaja, Guillermo: *La creación literaria en España.* Madrid, Aguilar, 1968, pp. 331-334.

GÓMEZ DE LA SERNA, GASPAR: «Un estudio sobre la literatura social de Ignacio Aldecoa», *Ensayos sobre literatura social*. Madrid, Guadarrama, 1971, pp. 65-210.

MARCO, JOAQUÍN: «Ignacio Aldecoa y la novela ambiente», *Ejercicios literarios*. Barcelona, Taber, 1969.

NAVALES, ANA MARÍA: *Cuatro novelistas españoles*. Madrid, Ed. Fundamentos, 1974, pp. 103-149.

NORA, EUGENIO G. DE: *La novela española contemporánea (1939-1967)*, III, Madrid, Gredos, 1973, pp. 301-308.

PALOMO, MARÍA DEL PILAR: «La novela española en lengua castellana (1939-1965)», *Historia General de las Literaturas Hispánicas*, VI, Barcelona, 1973 (reimpresión), p. 724.

PÉREZ MINIK, DOMINGO: *Entrada y salida de viajeros*. Tenerife, Ed. Nuestro Arte, 1969, pp. 86-96.

ROBERTS, GEMMA: *Temas existenciales en la novela española de postguerra*. Madrid, Gredos, 1973, pp. 99-128.

SANZ VILLANUEVA, SANTOS: *Tendencias de la novela española actual*. Madrid, Cuadernos para el diálogo, 1972, pp. 174-177.

SOBEJANO, GONZALO: *Novela española de nuestro tiempo*. Madrid, Ed. Prensa Española, 1975, 2.ª ed., pp. 386-397.

TORRENTE BALLESTER, GONZALO: *Panorama de la literatura española contemporánea*. Madrid, Guadarrama, 1965, 3.ª ed., pp. 527-528.

3. *Artículos*

GARCÍA VIÑÓ, MANUEL: «*Ignacio Aldecoa y la expresión novelística*», *Reseña*, año VI, núm. 26, febrero de 1969, pp. 3-11.

— «Ignacio Aldecoa, al margen del realismo», *Nuestro Tiempo,* número 187, enero de 1970, pp. 32-46.

GOICOECHEA, MARÍA JESÚS: «Bibliografía crítica de Ignacio Aldecoa», *Boletín Sancho el Sabio,* Obra Cultural de la Caja de Ahorros de la ciudad de Vitoria, año XVII, tomo XVII, 1973, pp. 333-347.

GONZÁLEZ LÓPEZ, EMILIO: «Las novelas de Ignacio Aldecoa», *Revista Hispánica Moderna*, XXVI, 1960, pp. 112-113.

M. DE LA ROSA, JULIO: «Notas para un estudio sobre Ignacio Aldecoa», *Cuadernos Hispanoamericanos,* núm. 241, enero de 1970, pp. 188-196.

MARRA LÓPEZ, JOSÉ RAMÓN: «Lirismo y esperpentro en la obra de Ignacio Aldecoa», *Insula*, septiembre de 1965, p. 5.

SENABRE, RICARDO: «La obra narrativa de Ignacio Aldecoa», *Papeles de Son Armadans,* tomo VI, núm. CLXVI, 1970, pp. 4-24.

4. *Entrevistas, reseñas, notas*

Se incluyen únicamente las reseñas de las novelas.

A.: «Entrevista con Ignacio Aldecoa», diario *S. P.,* 5 de junio de 1968.

ALVAREZ, CARLOS LUIS: «Un mes pescando en el Gran Sol», *Blanco y Negro*, 1 de marzo de 1958.

ARROITAJÁUREGUI, MARCELO: «*El fulgor y la sangre*, de Ignacio Aldecoa», *Alcalá*, 10 de febrero de 1955.

AZANCOT, LEOPOLDO: «Novela (Indice de Lecturas)», *Indice*, noviembre de 1967.

B.: «Preguntas a Ignacio Aldecoa», *Indice*, enero de 1960.

BOTELLO, FAUSTO: «Ignacio Aldecoa, un novelista triunfador», *Diario de la tarde*, Sevilla, 12 de noviembre de 1960.

C.: «A propósito de *El fulgor y la sangre*», *Pueblo*, 26 de marzo de 1955.

CASTROVIEJO, CONCHA: «Libros y Revistas: *Parte de una historia*», *Hoja del Lunes*, Madrid, 30 de octubre de 1967.

CLEMENTE, JOSÉ CARLOS: «Al habla con Ignacio Aldecoa», *Nuevo Diario*, 16 de febrero de 1968.

C. P. E.: «Ignacio Aldecoa en Vitoria», *La Gaceta del Norte*, 26 de abril de 1961.

DEL ARCO: «Entrevista con Ignacio Aldecoa», *La Vanguardia*, 6 de noviembre de 1954.

DOMINGO, JOSÉ: «*Parte de una historia* de Ignacio Aldecoa», *Insula*, número 252, noviembre de 1967.

«Entrevista con Ignacio Aldecoa», *Ateneo*, 1 de noviembre de 1954.
«Entrevista con Ignacio Aldecoa», *El Español*, 20-26 de marzo de 1955.
«Entrevista con Ignacio Aldecoa», *Diario de la tarde*. Sevilla, 12 de noviembre de 1960.
«Entrevista con Ignacio Aldecoa», *Nueva Rioja*. Logroño, 30 de junio de 1968.
«Entrevista con Ignacio Aldecoa», diario *La Nación*. Buenos Aires, 20 de abril de 1969.

FERNÁNDEZ-ALMAGRO, MELCHOR: «*El fulgor y la sangre*», *ABC*, 3 de abril de 1955.
— «Crítica y glosa. *Con el viento solano*», *ABC*, 8 de julio de 1956.
— «*Gran Sol*, por Ignacio Aldecoa», *ABC*, 9 de febrero de 1958.
— «Una novela de la mar y los barcos», *La Vanguardia*, 11 de febrero de 1958.

FERNÁNDEZ BRASO, M.: «Ignacio Aldecoa levanta acta de los años de crisálida», *Indice*, octubre de 1968.

FERNÁNDEZ CUENCA, CARLOS: «Entrevista con Ignacio Aldecoa», *Ya*, 25 de noviembre de 1956.

FERNÁNDEZ SANTOS, JESÚS: «Ignacio y yo», *Insula*, marzo de 1970.

GARCÍA PAVÓN, FRANCISCO: «Ignacio Aldecoa, novelista, cuentista», *Indice*, núm. 146, 1961.

GÓMEZ SANTOS, MARINO: «Entrevista con Ignacio Aldecoa», diario *Madrid*, 18 de enero de 1955.

GOMIS, JUAN: «Novela y reticencia. *Parte de una historia*, de Ignacio Aldecoa», *El Ciervo*, septiembre de 1967.

GOMIS LORENZO: «Pesca de altura. *Gran Sol*, de Ignacio Aldecoa», *El Ciervo*, marzo de 1958.

GRAY: «Entrevista con Ignacio Aldecoa», *La Gaceta del Norte*.

— «Ignacio Aldecoa, quince años sin presentarse a premio», *Informaciones*, 3 de abril de 1969.

IGLESIAS LAGUNA, ANTONIO: «El escritor Ignacio Aldecoa», *La Estafeta Literaria*, 1 de diciembre de 1969.

J. C.: «*Con el viento solano*, de Ignacio Aldecoa», *Juventud*, 13-19 de septiembre de 1956.

LINARES RIVAS, ALVARO: «Ignacio Aldecoa», *Crítica*, 4 de enero de 1958.

LLORCA, CARMEN: «*Parte de una historia*», diario *S. P.*, 22 de noviembre de 1967.

M.: «Entrevista con Ignacio Aldecoa», diario *S. P.*, 5 de junio de 1968.

MANEGAT, JULIO: «*Gran Sol*, de Ignacio Aldecoa», *El Noticiario Universal*, 1 de abril de 1958.

MARÍÑEZ, PABLO A.: «Autores del Siglo XX: Ignacio Aldecoa», *¡Ahora!* Santo Domingo, 4 de marzo de 1968.

MARSA, A.: «Náufragos», *El Correo Catalán*, 30 de julio de 1967.

MARTÍN GAITE, CARMEN: «Un aviso: Ha muerto Ignacio Aldecoa», *La Estafeta Literaria*, diciembre de 1969.

MARTÍNEZ RUIZ, FLORENCIO: «Nueva lectura de Ignacio Aldecoa», *ABC*, 4 de diciembre de 1973.

MOLINA, A.: «Entrevista con Ignacio Aldecoa», *Diario de Baleares*, 21 de enero de 1968.

MORALES, MANUEL: «Un novelista de la generación "intermedia": Ignacio Aldecoa», *Juventud*, 10 de agosto de 1957.

MUÑIZ, MAURO: «*Gran Sol*, última novela de Ignacio Aldecoa, es una narración vivida en los mares del Norte», *La Estafeta Literaria*, 7 de julio de 1956.

NIETO, RAMÓN: «*Con el viento solano*. Aldecoa llega al umbral de la madurez novelística», *La Hora*, 15 de noviembre de 1956.

OLSTAD, CHARLES: «*Parte de una historia*», *Books Abroad*, University of Oklahoma Press, octubre de 1968.

PÉREZ MINIK, DOMINGO: «La isla de Ignacio Aldecoa: *Parte de una historia*», *El Día*. Canarias, 8 de octubre de 1967.

Perlado, José Julio: «Ignacio Aldecoa escribe *Parte de una historia*», *El Alcázar*, 3 de marzo de 1967.

R. C. O.: «Una charla con Ignacio Aldecoa», *Acento*, 1 de mayo de 1960.

Rodríguez, Josefina: «Algunos datos sobre Ignacio», *El Español*, 20-26 de marzo de 1955.

Roig, Rosendo: «Carta abierta a Ignacio Aldecoa», *La Hora*, 8 de febrero de 1958.

— «Aldecoa en una cárcel de alcohol y mar», *Ya*, 19 de octubre de 1967.

— «Diálogo con Ignacio Aldecoa sobre novela actual española», *Las Provincias*. Valencia, 10 de noviembre de 1968.

R. P.: «Ignacio Aldecoa: *Gran Sol*», *Cuadernos*. París, núm. 23, noviembre-diciembre de 1958.

Sáinz de Robles, F. C.: «Al margen de los libros: Aldecoa, Ignacio: *Gran Sol*», *Madrid*, 30 de enero de 1958.

Salcedo, Emilio: *«Parte de una historia*. Carta a Ignacio Aldecoa sobre la soledad del hombre», *El Norte de Castilla*, 30 de julio de 1967.

Sánchez Cobos, M.: «Entrevista con Ignacio Aldecoa», *Madrid*, 12 de marzo de 1954.

Sastre, Luis: «Entrevista con Ignacio Aldecoa», *Destino*, diciembre de 1955.

— «La vuelta de Ignacio Aldecoa», *La Estafeta Literaria*, núm. 169, 15 de mayo de 1959.

Sordo, Enrique: *«Con el viento solano*, novela de Ignacio Aldecoa», *Revista*, 15-21 de marzo de 1956.

Suárez Alba, A.: «Con Ignacio Aldecoa en Vitoria», *El Pensamiento Alavés*, 3 de agosto de 1959.

— «Ignacio Aldecoa, escritor en primera línea», *La Gaceta del Norte*, 10 de mayo de 1968.

Torres, Raúl: «Entrevista con Ignacio Aldecoa», *Tiempo Nuevo*, 2 de marzo de 1967.

Tovar, Antonio: «Ni un día sin línea. *Parte de una historia*», *Gaceta Ilustrada*, 8 de octubre de 1967.

Trenas, Julio: «Entrevista con Ignacio Aldecoa», *Pueblo*, 6 de octubre de 1956.

— «Así trabaja Ignacio Aldecoa», *Pueblo*, 5 de octubre de 1957.

Umbral, Francisco: «Las letras y la gente», *Ya*, 9 de febrero de 1968.

Valencia, Antonio: «Libros», *Arriba*, 29 de diciembre de 1957.

Vilanova, Antonio: *«Gran Sol* de Ignacio Aldecoa», *Destino*, 1 de marzo de 1958.

COLECCIONES DE CRITICA LITERARIA

«BIBLIOTECA DE CRITICA LITERARIA»

Misericordia, de Galdós. Luciano García Lorenzo. 88 págs.
La Numancia, de Cervantes. Alfredo Hermenegildo. 148 págs.

«CLASICOS Y MODERNOS»

Antonio Machado, ejemplo y lección. Leopoldo de Luis. 260 págs.
Garcilaso de la Vega. Antonio Prieto. 184 págs.
Armando Palacio Valdés. Manuel P. Rodríguez. 240 págs.
Pablo Neruda. Eduardo Camacho Guizado. 356 págs.

«TEMAS»

Literatura y contexto social. Cándido Pérez Gállego. 212 págs.
La poesía de la edad barroca. Pilar Palomo. 152 págs.
La Loa. Jean Louis Flecniakoska. 196 págs.
La sociedad española y los viajeros del siglo XVII. J. M. Díez Borque. 240 págs.
Introducción a la teoría de la literatura. M. A. Garrido Gallardo. 172 págs.
Teoría de la Novela. Santos Sanz Villanueva. 536 págs.
La mujer vestida de hombre en el teatro español. Carmen Bravo Villasante. 192 págs.
La literatura emblemática española. Siglos XVI y XVII. A. Sánchez. 204 págs.
El comentario de textos semiológico. J. Romero Castillo. 144 págs.
Bibliografía fundamental de la literatura española del siglo XVIII. F. Aguilar Piñal. 304 págs.
Significado y doctrina del «Arte Nuevo» de Lope de Vega. J. M. Rozas. 196 págs.
La novela de aventuras. José M.ª Bardavío. 224 págs.
Novela española contemporánea. Vicente Cabrera y Luis González del Valle. 220 págs.
La novela de Ignacio Aldecoa. De la mímesis al símbolo. Jesús M.ª Lasagabáster Madinabeitia. 456 págs.

«ANTOLOGIAS»

Antología de la Literatura Española:
De la Edad Media al siglo XIX. C. Sánchez Polo. 288 págs.
Siglo XX. C. Sánchez Polo. 304 págs.